EDIÇÕES BESTBOLSO

Tesouro secreto

Nora Roberts nasceu em Maryland, nos Estados Unidos, em 1950. O talento para criar histórias instigantes fez com que Nora se tornasse a autora número 1 de diversas listas de best-sellers em todo o mundo. Escritora incansável, publicou quase 200 romances e seus livros já foram traduzidos para 25 idiomas. Sua grande popularidade é resultado do enorme talento para mesclar suspense, amor e paixão em suas tramas. Em 1995, a autora criou a série Mortal, sob o pseudônimo de J. D. Robb.

Nora Roberts

Tesouro Secreto

LIVRO VIRA-VIRA 1

Tradução de
ALDA PORTO

3ª edição

CIP-BRASIL. CATALOGAÇÃO-NA-FONTE
SINDICATO NACIONAL DOS EDITORES DE LIVROS, RJ

R549t Roberts, Nora, 1950-
3ª ed. Tesouro secreto – Livro vira-vira 1 / Nora Roberts; tradução de
Alda Porto. – 3ª edição – Rio de Janeiro: BestBolso, 2010.

Tradução de: Hot Ice
Obras publicadas juntas em sentido contrário
Com: Virtude indecente / Nora Roberts; tradução de Alda Porto.
ISBN 978-85-7799-264-5

1. Romance norte-americano. I. Porto, Alda. II. Título.

10-4143

CDD: 813
CDU: 821.111(73)-3

Tesouro secreto, de autoria de Nora Roberts.
Título número 187 das Edições BestBolso.
Terceira edição vira-vira impressa em dezembro de 2010.
Texto revisado conforme o Acordo Ortográfico da Língua Portuguesa.

Título original norte-americano:
HOT ICE

Copyright © 1987 by Nora Roberts.
Copyright da tradução © by Editora Bertrand Brasil Ltda.

Direitos de reprodução da tradução cedidos para Edições BestBolso, um selo da Editora Best Seller Ltda. Editora Bertrand Brasil Ltda e Editora Best Seller Ltda são empresas do Grupo Editorial Record.

A logomarca vira-vira (vira-ʮɹıʌ) e o slogan 2 LIVROS EM 1 são marcas registradas e de propriedade da Editora Best Seller Ltda, parte integrante do Grupo Editorial Record.

www.edicoesbestbolso.com.br

Design de capa: Simone Villas-Boas sobre foto de Julia Britvich intitulada "Lilac flower border" (Fotolia).

Todos os direitos reservados. Proibida a reprodução, no todo ou em parte, sem autorização prévia por escrito da editora, sejam quais forem os meios empregados.

Direitos exclusivos de publicação em língua portuguesa para o Brasil em formato bolso adquiridos pelas Edições BestBolso um selo da Editora Best Seller Ltda. Rua Argentina 171 – 20921-380 Rio de Janeiro, RJ – Tel.: 2585-2000.

Impresso no Brasil

ISBN 978-85-7799-264-5

*Para Bruce,
por me mostrar que estar apaixonada
é a suprema aventura*

1

Ele corria para salvar a vida. E não era a primeira vez. Ao passar disparado pela elegante vitrine da Tiffany, esperava que não fosse a última. A noite era fria, com a chuva tornando escorregadias as ruas e calçadas. Soprava uma brisa que mesmo em Manhattan desprendia um agradável odor de primavera. Ele suava. Eles estavam próximos demais.

A Quinta Avenida era tranquila, até serena, àquela hora da noite. Os postes de luz quebravam intermitentemente a escuridão; o tráfego fluía leve. Não parecia o lugar para perder-se numa multidão. Ao correr pela rua 53, ele pensou em descer até o metrô, embaixo do Edifício Tishman, mas, se o vissem entrar, talvez não conseguisse tornar a sair.

Doug ouviu o guincho de pneus atrás dele e deslocou-se com a rapidez de uma chicotada na esquina da Cartier. Sentiu a ferroada na parte superior do braço, ouviu o disparo abafado de uma bala com silenciador, mas não afrouxou o passo. Quase ao mesmo tempo, sentiu cheiro de sangue. Eles estavam ficando audaciosos. E ele teve o pressentimento de que podiam fazer muito pior.

Na rua 52 havia algumas pessoas – um grupo aqui e outro ali, uns caminhando, outros parados. Ouviam-se vozes altas, música. Sua respiração difícil passava despercebida. Com toda calma, postou-se atrás de uma ruiva 10 centímetros mais alta que seu 1,83 metro – e bem mais larga. Ela se remexia no ritmo da música que saía do estéreo portátil que segurava em uma das mãos. Era como esconder-se atrás de uma árvore num vendaval. Doug aproveitou a oportunidade para recuperar o fôlego e examinar o ferimento. Sangrava como um porco. Sem refletir, puxou o grande lenço listrado do bolso de trás da ruiva e enrolou-o no braço atingido. Ela não parou de dançar – ele tinha dedos muito leves.

Era mais difícil matar um homem no meio da multidão, pensou. Não impossível, apenas mais difícil. Doug mantinha o passo lento, desaparecia e ressurgia entre as pessoas, e ao mesmo tempo permanecia com olhos e ouvidos bem atentos à aproximação do discreto Lincoln preto.

Perto da Lexington, viu-o encostar meia quadra adiante, e os três homens de terno escuro saltaram do carro. Não o haviam localizado ainda, mas não demorariam muito. Pensou rápido, enquanto examinava o grupo com o qual se misturara. A jaqueta de couro com as duas dezenas de zíperes talvez funcionasse.

— Escute. — Agarrou o braço do jovem ao lado. — Dou 50 dólares pela sua jaqueta.

O rapaz de cabelos louros estilo punk se afastou com uma encolhida de ombros.

— Cai fora. É de couro.

— Cem então — resmungou Doug.

Os três homens continuavam a se aproximar.

Dessa vez o rapaz ficou mais interessado. Virou o rosto para que Doug pudesse ver o minúsculo abutre que tinha tatuado na face.

— Por duzentos é seu.

Doug já pegava a carteira.

— Por duzentos, quero os óculos escuros também.

O rapaz retirou imediatamente os óculos escuros espelhados.

— São seus.

— Venha cá, me deixe ajudar você a tirar isso. — Num rápido movimento, Doug arrancou a jaqueta do jovem. Após encher-lhe a mão de notas, vestiu a jaqueta e soltou um gemido por causa da dor no braço esquerdo. A jaqueta exalava um cheiro desagradável. Ignorando-o, ele puxou o zíper até o pescoço. — Olhe, três caras com ternos de agente funerário vêm vindo nesta direção. Estão à procura de figurantes para um vídeo do Billy Idol. Você e seus amigos deviam se fazer notar.

— É mesmo?

Enquanto o rapaz se voltava para o outro lado com uma expressão de enfado, Doug avançava pela porta mais próxima.

No interior, o papel de parede tremeluzia em cores claras sob luzes obscurecidas. Pessoas sentavam-se às mesas cobertas com toalhas brancas sob gravuras estilo art déco. O brilho dos corrimãos de metal indicava o caminho para o salão de jantar e para o bar espelhado. Doug captou o aroma de culinária francesa – sálvia, vinho da Borgonha, tomilho. Por um breve momento, pensou em passar espremido pelo maître e chegar a uma mesa tranquila, depois decidiu que o bar funcionaria como um disfarce melhor. Fingindo um ar de tédio, enfiou as mãos nos bolsos e aproximou-se com arrogância do balcão. Enquanto isso, calculava como poderia escapar.

– Uísque. – Firmou os óculos espelhados no nariz. – Seagram. Deixe a garrafa.

Curvado sobre o balcão, o rosto apenas um pouco virado em direção à porta. Tinha cabelos escuros, que caíam encaracolados na gola da jaqueta, o rosto bem barbeado e fino. Dirigiu os olhos, ocultos sob os óculos espelhados, à porta ao engolir o primeiro e ardente trago de uísque. Sem fazer uma pausa, serviu-se de uma segunda dose. A mente elaborava todas as alternativas.

Aprendera a tomar decisões improvisadas em idade precoce, assim como a usar os pés para fugir se fosse a melhor solução. Não se furtava a uma luta, mas gostava de ter as probabilidades a seu favor. Podia negociar com retidão ou passar por cima dos pontos mais admiráveis da honestidade – dependendo do que fosse mais vantajoso.

O que trazia preso ao peito talvez fosse a resposta ao gosto por luxo e vida fácil – o gosto que sempre quisera cultivar. O que se achava lá fora, vasculhando as ruas à sua procura, podia dar um rápido fim à sua vida. Pesando as duas opções, Doug escolheu lançar-se em busca do pote de ouro.

O casal ao lado conversava sobre o último romance de Mailer. Outro grupo debatia a ideia de ir a uma casa noturna em busca de jazz e bebida mais barata. A maioria da clientela no bar consistia de solteiros, ele concluiu, reunidos ali para extinguir na bebida a tensão de um dia de trabalho e exibir-se para outros solteiros. Viam-se saias de couro, ternos de três peças e tênis de excelente qualidade. Satisfeito, Doug pegou um cigarro. Podia ter escolhido um lugar pior para esconder-se.

Uma loura de terninho cinza-claro deslizou para o banco a seu lado e acendeu com o isqueiro a ponta do cigarro dele. Cheirava a Chanel e vodca. Cruzando as pernas, virou o resto da bebida.

– Nunca vi você aqui.

Ele deu-lhe uma breve olhada – o suficiente para absorver a visão meio turva e o sorriso predatório. Em outra ocasião, teria apreciado a abordagem.

– Não.

Serviu-se de outra dose.

– Meu escritório fica a duas quadras daqui. – Mesmo após três doses de vodka Stolichnaya, ela reconheceu alguma coisa de arrogante e perigosa no homem ao lado. Interessada, virou-se um pouco mais para perto. – Sou arquiteta.

Os cabelos na nuca de Doug arrepiaram-se quando eles entraram. Os três pareciam elegantes e bem-sucedidos. Deslocando-se no banco, ele viu por cima do ombro da loura os três se separarem. Um deles postou-se ao lado da porta como quem não quer nada. Aquela era a única saída.

Mais atraída do que desestimulada pela falta de reação dele, a loura pôs a mão em seu ombro.

– O que você faz?

Ele deixou o uísque na boca apenas um instante antes de engoli-lo e deixá-lo espalhar-se pelo organismo.

– Eu roubo – respondeu, porque raras vezes as pessoas acreditavam na verdade.

Ela sorriu ao pegar um cigarro, entregar-lhe o isqueiro e esperar que ele o acendesse.

– Fascinante, tenho certeza. – Soprou uma rápida e fina baforada de fumaça e retirou o isqueiro da mão dele. – Que tal me pagar uma bebida e me contar tudo a seu respeito?

Era lamentável que ele jamais houvesse tentado essa linha de ação antes, pois parecia funcionar muito bem. Lamentável o momento ser todo errado, porque ela recheava o terninho com mais perfeição que uma mão na luva.

– Esta noite, não, benzinho.

Sem tirar a mente dos negócios, Doug serviu-se de mais uísque e ficou fora da luz. O disfarce improvisado talvez funcionasse. Sentiu a pressão do cano de uma arma nas costelas. Por outro lado, talvez não.

– Fora, Lord. O Sr. Dimitri está chateado porque você não cumpriu o acordo.

– É? – Como quem não quer nada, ele girou o uísque no copo. – Pensei em tomar dois drinques primeiro, Remo... Devo ter perdido a noção do tempo.

O cano da arma foi pressionado mais uma vez contra as costelas.

– O Sr. Dimitri gosta que seus empregados sejam rápidos.

Doug engoliu o uísque, vendo no espelho ao fundo do bar os dois outros homens tomarem posição atrás dele. Já a loura se retirava para procurar um alvo mais fácil.

– Estou despedido?

Serviu-se de outro copo e calculou as probabilidades. Três para um – armados, ele não. Mas também, dos três, apenas Remo tinha o que podia passar por cérebro.

– O Sr. Dimitri gosta de demitir os empregados em pessoa. – Remo riu e exibiu dentes capeados à perfeição sob o bigode fino como um lápis. – E quer dar a você atenção especial.

– Falou. – Doug pôs uma das mãos na garrafa de uísque, a outra no copo. – Que tal um drinque primeiro?

– O Sr. Dimitri não gosta que a gente beba no trabalho. E você está atrasado, Lord. Muito atrasado.

– Ora, é uma pena desperdiçar uma boa bebida. – Rodopiando, atirou o uísque nos olhos de Remo e bateu com a garrafa no rosto do homem de terno à direita. Com o ímpeto do golpe, precipitou-se sobre o terceiro homem, de modo que os dois caíram de costas no mostruário de sobremesas. Suflê de chocolate e um delicioso creme francês voaram numa chuva altamente calórica. Agarrados um ao outro como amantes, rolaram sobre a torta de limão.

– Terrível desperdício – resmungou Doug e apertou a mão cheia de musse de morango na cara do outro homem.

Sabendo que o elemento surpresa logo se desfaria, usou o meio mais eficiente de defesa. Impeliu o joelho para cima com força entre as pernas do adversário. Depois correu.

– Ponha na conta de Dimitri – gritou, ao abrir caminho à força entre mesas e cadeiras.

No impulso, agarrou um garçom e empurrou-o com a bandeja carregada na direção de Remo. O galeto assado voou como uma bala. Com uma das mãos no corrimão de metal, saltou-o, depois abriu caminho até a porta. Deixou o caos para trás e saiu na rua.

Ganhara algum tempo, mas eles ressurgiriam em sua cola. E, dessa vez, não seriam gentis. Rumou em direção à periferia a pé, perguntando-se por que diabo jamais se encontrava um táxi quando se precisava.

O TRÁFEGO FLUÍA tranquilo na via expressa de Long Island quando Whitney se dirigia ao centro. O voo que tomara em Paris pousara no aeroporto Kennedy uma hora depois do horário. O banco de trás e a mala do Mercedes estavam entulhados de bagagem. O rádio estava ligado tão alto que os intrépidos acordes do último sucesso de Springsteen ricocheteavam para todos os lados e saíam pela janela aberta. A viagem de duas semanas à França fora um presente que se dera por ter afinal reunido coragem para romper o noivado com Tad Carlyse IV.

Por mais satisfeitos que os pais se sentissem com o compromisso, ela simplesmente não poderia casar-se com um homem que combinava a cor das meias e gravatas.

Whitney começou a cantar em harmonia com Springsteen, enquanto manuseava o estojo de maquiagem. Aos 28 anos, era uma mulher atraente, razoavelmente bem-sucedida em sua carreira, enquanto o dinheiro da família lhe dava suporte caso as coisas ficassem difíceis. Estava habituada à riqueza e à deferência. Nunca tivera de pedir por nenhuma delas, apenas as recebia. Adorava divertir-se nas boates de Nova York, tarde da noite, e encontrá-las repletas de pessoas que conhecia.

Não a incomodava ser fotografada pelos paparazzi, nem que as maldosas colunas de fofocas especulassem sobre qual seria seu mais recente escândalo. Já explicara muitas vezes ao frustrado pai que não era escandalosa por vontade própria, mas por natureza.

Gostava de carros rápidos, filmes antigos e botas italianas.

No momento, perguntava-se se devia ir para casa ou passar no Elaine's e ver quem vinha aprontando o quê nas últimas duas semanas. Não sentia a fadiga e a desorientação causadas pela mudança de fusos horários da longa viagem, mas um leve tédio. Mais que leve, admitiu. Quase a sufocava. A questão era saber o que fazer.

Whitney era produto do dinheiro novo, graúdo. Fora criada com o mundo na ponta dos dedos, mas nunca o achara interessante o bastante para pegá-lo. Onde estava o desafio?, gostaria de saber. Onde estava – ودiava usar a palavra – o sentido? Tinha um extenso círculo de amigos, e vistos de fora pareciam diversificados. Mas, assim que alguém se aproximava, podia ver, sob os vestidos de seda ou algodão, a mesmice nessas pessoas jovens, urbanas, ricas e paparicadas. Onde estava a emoção? Esta era melhor, pensou. Emoção parecia uma palavra mais fácil de tratar que sentido. Não era uma emoção ir de jato até Aruba se era preciso apenas pegar o telefone para providenciar a viagem.

As duas semanas em Paris haviam sido tranquilas, reconfortantes – e monótonas. Monótonas. Talvez esse fosse o xis da questão. Ela queria alguma coisa – alguma coisa mais do que podia pagar com cheque ou cartão de crédito. Queria ação. Whitney também se conhecia bem o bastante para saber que podia ser perigosa nesse tipo de humor.

Mas não estava com vontade de ir para casa sozinha e desfazer as malas. Tampouco se sentia com disposição para ir a uma boate cheia de rostos conhecidos. Queria uma coisa nova, diferente. Talvez tentar um dos novos clubes que viviam inaugurando. Se gostasse, poderia tomar dois drinques e puxar uma conversa. Depois, se o clube a interessasse muito, podia dizer poucas palavras nos lugares certos e tornálo o novo lugar mais quente de Manhattan. O fato de ter o poder de fazê-lo não a surpreendia, nem sequer a agradava em particular. Era simplesmente assim.

Whitney parou, cantando os pneus, num sinal vermelho para dar-se tempo de decidir. Parecia que nada acontecia em sua vida ultimamente. Nenhum entusiasmo, nenhum vigor.

Ficou mais surpresa que assustada quando a porta do carona se abriu de supetão. Uma olhada na jaqueta de couro e nos óculos espelhados do estranho a fez balançar a cabeça.

– Você não tem acompanhado as tendências da moda – ela disse.

Doug olhou para trás. A rua estava vazia, mas não continuaria por muito tempo. Pulou dentro do carro e bateu a porta.

13

– Dirija.

– Nem pensar. Não dirijo por aí com caras que usam roupas do ano passado. Vá a pé.

Ele enfiou a mão no bolso, usando o dedo indicador para simular o cano de uma arma.

– Dirija – repetiu.

Ela olhou o bolso dele e tornou a olhar o rosto. No rádio, o locutor anunciou uma hora inteira de grandes sucessos do passado. Um clássico dos Rolling Stones começou a tocar.

– Se tem uma arma aí, quero vê-la. Do contrário, se mande.

Logo aquele carro que ele fora escolher... Por que diabos ela não tremia e implorava como qualquer pessoa normal teria feito?

– Droga, eu não quero ter de usar isto, mas se não engrenar esta coisa e a puser em movimento vou ter de abrir um buraco em você.

Whitney fitava o próprio reflexo nos óculos dele. Mick Jagger pedia que alguém lhe desse abrigo.

– Papo furado – ela disse, a dicção refinada.

Doug pensou por um instante em apagá-la com um soco, empurrá-la para fora e levar o carro. Mais uma olhada para trás mostrou que não tinha muito tempo a perder.

– Escute, moça, se não arrancar logo, três homens naquele Lincoln que se aproxima por trás de nós vão fazer um monte de estragos neste seu brinquedo.

Ela olhou pelo retrovisor e viu o carro grande e preto reduzir a marcha ao aproximar-se.

– Meu pai teve um carro igual àquele uma vez – comentou. – Sempre o chamei de carro do funeral dele.

– É... engrena a máquina, ou vai ser o meu funeral.

Whitney franziu a testa, vendo pelo retrovisor o Lincoln, e depois, no impulso, decidiu ver o que ia acontecer em seguida. Engrenou a primeira no carro e avançou a toda pelo cruzamento. O Lincoln logo alcançou o ritmo.

– Estão nos seguindo.

– Claro que estão nos seguindo – disse Doug. – E se você não pisar fundo, vão se enfiar no banco de trás.

Mais por curiosidade, Whitney enfiou o pé na tábua e virou na rua 57. O Lincoln continuava atrás.

— Estão seguindo mesmo — repetiu, mas com um sorriso de excitação.

— Isso não anda mais rápido?

Ela dirigiu-lhe um sorriso.

— Está de gozação?

Antes que ele pudesse responder, acelerou o motor e disparou como uma bala. Sem a menor dúvida, era a forma mais interessante de passar a noite que imaginara.

— Acha que posso despistá-los? — Ela olhou para trás, esticando o pescoço para ver se o Lincoln ainda os seguia. — Já viu o filme policial *Bullitt*? Claro que não temos nenhuma daquelas atraentes ladeiras, mas...

— Ei, cuidado!

Whitney tornou a virar o rosto para a frente e, com um golpe no volante, contornou quase raspando um sedã em marcha lenta.

— Ouça. — Doug rangeu os dentes. — A única finalidade disso é ficar vivo. Vigie a rua e eu vigio o Lincoln.

— Não seja tão arrogante. — Ela deu uma perigosa guinada ao redor da esquina seguinte. — Sei o que estou fazendo.

— Olhe aonde vai! — Doug agarrou o volante, e empurrou-o para fazer o para-choque desviar-se por um triz de um carro estacionado no meio-fio. — Que mulher desgraçada de idiota!

Whitney ergueu o queixo.

— Se continuar a me insultar, vai ter de dar o fora. — Reduzindo a marcha, ela dirigiu-se para o meio-fio.

— Em nome de Deus, não pare.

— Não tolero insultos. Agora...

— Para baixo!

Ele puxou-a para o lado e empurrou-a junto ao banco pouco antes de o para-brisa explodir em fendas que formaram uma teia de aranha.

— Meu carro! — Ela se esforçou para sentar-se, mas só conseguiu virar a cabeça e inspecionar o estrago. — Maldito seja, não tinha um arranhão. Eu o tenho há apenas dois meses.

– Vai ter muito mais que um arranhão se você não pisar fundo e continuar em frente.

Da posição agachada, Doug girou o volante em direção à rua e olhou com toda atenção por cima do para-lama.

– Já!

Enfurecida, Whitney pisou com força no acelerador e avançou às cegas para a rua, enquanto ele segurava o volante com uma das mãos e a mantinha abaixada com a outra.

– Não posso dirigir assim.

– Também não pode dirigir com uma bala na cabeça.

– Bala? – A voz não saiu estridente de medo, mas vibrante de aborrecimento. – Estão atirando em nós?

– Não estão jogando pedras.

Intensificando o aperto no volante, girou-o de modo que o carro bateu com força no meio-fio e contornou a esquina seguinte. Frustrado por não poder assumir o controle, Doug deu uma cautelosa olhada para atrás. O Lincoln continuava ali, mas os dois haviam ganhado alguns segundos.

– Tudo bem, sente-se, mas se mantenha abaixada. E pelo amor de Deus, não pare.

– Como espera que eu explique isso à companhia de seguros?

– Whitney espichou a cabeça e tentou achar um lugar desobstruído no para-brisa quebrado. – Jamais vão acreditar que alguém atirou em mim, e eu já tenho a ficha suja. Você sabe quais são as minhas pontuações?

– Pelo seu jeito de dirigir, dá para imaginar.

– Bem, já estou farta.

Adotando um ar de determinação, Whitney virou à esquerda.

– Esta é uma rua de mão única, você está na contramão. – Ele olhou em volta, impotente. – Não viu a placa?

– Sei que é uma rua de mão única – ela resmungou e pisou fundo no acelerador. – E também é o caminho mais rápido para atravessar a cidade.

– Ai, meu Deus.

Doug viu os faróis dianteiros em cima deles. Automaticamente, agarrou a maçaneta da porta e preparou-se para o impacto. Se ia morrer, pensou de forma fatalista, preferia ser baleado, um belo e certeiro tiro que lhe atravessasse o coração, a ser esmagado numa rua de Manhattan.

Ignorando o som estridente das buzinas, Whitney arremeteu com o carro para a direita e depois para a esquerda. Loucos e pequenos animais, pensou Doug, ao passarem a toda entre dois carros que se aproximavam. Deus olhava pelos loucos e pelos pequenos animais. Só podia sentir-se grato por estar com uma louca.

— Continuam vindo. — Doug virou-se no banco para verificar o avanço do Lincoln. De algum modo, era mais fácil não ver aonde ia. Os dois eram arremetidos de um lado para o outro quando ela manobrava entre os carros, depois, com tanta força que o atirou contra a porta. Doug xingou e apertou o ferimento no braço. A dor recomeçou com uma pancada baixa e insistente. — Pode parar de tentar nos matar? Eles não precisam de nenhuma ajuda.

— Sempre se queixando — rebateu Whitney. — Quer saber de uma coisa? Você não é um cara divertido.

— Tendo a ficar mal-humorado quando alguém tenta me matar.

— Bem, experimente se animar um pouco — ela sugeriu. Contornou em alta velocidade a esquina seguinte, passando por cima do meio-fio. — Está me deixando nervosa.

Ele tornou a recostar-se no banco e perguntou-se por que, com todas as possibilidades, tinha de terminar assim — esmagado no Mercedes de uma louca. Poderia ter acompanhado tranquilamente Remo e deixado Dimitri assassiná-lo com algum ritual. Haveria mais justiça nisso.

Estavam mais uma vez na Quinta Avenida, rumando para a direção sul, no que ele viu ser a mais de 140 quilômetros por hora. Ao passarem por uma poça, a neve semilíquida espirrou até a janela. Mesmo assim, o Lincoln continuava a meia quadra atrás.

— Droga. Simplesmente não vão sair da nossa cola.

— Ah, é? — Enérgica, Whitney cerrou os dentes e deu uma rápida conferida no espelho. Nunca soube perder. — Veja isso.

Antes que ele pudesse respirar, ela pisou no freio, jogou o Mercedes num cavalo de pau e partiu em linha reta para cima do Lincoln.

Ele observou com uma espécie de fascinado pavor.

– Ai, meu Deus.

Remo, no banco do carona do outro carro, espelhou o mesmo sentimento pouco antes de seu motorista perder a coragem e jogar o Lincoln para o meio-fio. A velocidade os fez passar por cima, avançar até o outro lado da calçada e, com um impressionante floreio, atravessar a vitrine de vidro laminado da loja Godiva Chocolatiers. Sem afrouxar o ritmo, Whitney tornou a girar o Mercedes em outra brusca volta completa e seguiu pela Quinta Avenida.

Desfalecido no banco, Doug deu uma série de suspiros longos e profundos.

– Moça – conseguiu dizer –, você tem mais coragem que cérebro.

– E você me deve 300 dólares pelo para-brisa.

Muito tranquila, ela entrou no estacionamento subterrâneo de um prédio de apartamentos.

– É. – Distraído, ele apalpou o peito e o torso para ver se continuava tudo numa só peça. – Vou mandar um cheque para você.

– Dinheiro vivo. – Após parar na vaga, ela desligou a ignição e saltou. – Agora, pode levar minha bagagem para cima. – Abriu a mala e dirigiu-se ao elevador. Talvez tivesse os joelhos trêmulos, mas preferia morrer a admitir. – Preciso de uma bebida.

Doug olhou para a entrada da garagem e calculou suas chances na rua. Talvez uma hora com ela lhe desse a oportunidade de esboçar um plano melhor. E, supôs, devia isso à moça. Começou a colocar a bagagem.

– Tem mais atrás.

– Pego depois.

Pendurou a tiracolo uma valise de roupas e suspendeu duas malas. Gucci, notou com um sorriso forçado. E ela se queixava de míseros 300 dólares. Entrou no elevador e largou sem cerimônia as duas malas no chão.

– Estava viajando?

Whitney apertou o botão do 42º andar.

– Duas semanas em Paris.

– Duas semanas. – Doug olhou de relance as três malas. E ela dissera que havia mais. – Viaja com pouca bagagem, não?

– Eu viajo – ela respondeu, um tanto altiva – como me agrada. Já foi à Europa?

Ele riu e, embora os óculos escuros escondessem os olhos, ela achou o sorriso atraente. O estranho tinha uma boca bem-feita e os dentes não muito retos.

– Algumas vezes.

Avaliaram-se em silêncio. Era a primeira oportunidade que ele tivera de olhá-la de fato. Mais alta do que esperara – embora não tivesse absoluta certeza do que esperara. Tinha os cabelos quase todos ocultos sob um chapéu de feltro branco enviesado, mas Doug viu que eram tão louros quanto os do jovem punk que ele parara na rua, embora de um matiz mais escuro. A aba do chapéu obscurecia-lhe o rosto, mas ele percebeu uma tez marfim imaculada sobre ossos elegantes. Olhos redondos, cor do uísque que ele emborcara antes. A boca sem batom e sisuda. Exalava um cheiro suave e sedoso, que dava vontade de tocar num quarto escuro.

Era o que ele descreveria como uma beleza estontante, embora não parecesse ter quaisquer curvas óbvias sob o blazer de pele de marta simples e a calça folgada de seda. Doug sempre preferira o óbvio nas mulheres. Talvez a exuberância. Ainda assim, não considerava nenhum verdadeiro sacrifício olhá-la.

Despreocupada, Whitney enfiou a mão na bolsa de pele de cobra e retirou as chaves.

– Esses óculos são ridículos.

– É. Bem, serviram à finalidade.

Ele tirou-os. Os olhos surpreenderam-na. Muito luminosos, claros e verdes. De algum modo, destoavam do rosto e do tom de pele – até se notar como eram diretos e o cuidado com que a encaravam, como se ele fosse um homem que avaliava tudo e todos.

Ela não se preocupara antes. Os óculos haviam-no feito parecer tolo e inofensivo. Agora, ela sentia as primeiras agitações de mal-estar. Quem diabos é este homem, e por que os outros disparavam contra ele?

Quando as portas se abriram, Doug curvou-se para pegar as malas. Whitney olhou para baixo e notou a fina linha vermelha que escorria pelo pulso.

– Você está sangrando.
Ele olhou-a sem se alterar.
– É. Para que lado?
Ela hesitou apenas um instante. Sabia ser tão indiferente quanto ele.
– À direita. E não sangre nessas malas.
Apressando-se ao passar por ele, enfiou a chave na fechadura.

Em meio à chateação e à dor, Doug notou que a mulher tinha um andar e tanto. Calmo e solto, um tipo elegante de balanço que o fez concluir que se tratava de uma mulher habituada a ser seguida pelos homens. Deliberadamente, alcançou-a e postou-se ao seu lado. Ela concedeu-lhe um olhar antes de abrir a porta. Então, com uma leve pancada no interruptor, entrou e foi direto ao bar. Escolheu uma garrafa de conhaque Remy Martin e serviu doses generosas em dois cálices.

Impressionante, pensou Doug, fazendo uma avaliação do apartamento. O tapete era tão espesso e macio que ele se sentiria feliz dormindo ali. Tinha conhecimento suficiente para reconhecer a influência francesa nos móveis, mas não para especificar o período. Ela usara azul-safira escuro e amarelo-mostarda para contrabalançar o estonteante branco do tapete. Ele sabia identificar uma antiguidade quando a via, e identificou várias na sala. O gosto romântico dela revelou-se tão óbvio para ele quanto a paisagem marinha de Monet na parede. Uma cópia danada de boa, concluiu. Não foi necessário mais que uma olhada superficial para fazê-lo perceber que podia encher os bolsos da jaqueta de punhados dos elegantes enfeites franceses e empenhá-los por uma passagem de primeira classe que o levaria para bem longe daquela cidade. O problema era que não ousava negociar em nenhuma loja de penhor na cidade. Não agora que Dimitri estendera os tentáculos.

Como os móveis de nada lhe serviriam, não sabia por que o atraíam. Em geral, ele os teria achado femininos e formais demais. Talvez, após uma noite de fuga, precisasse do conforto de almofadas de seda e renda. Whitney tomou um gole do conhaque ao trazer os cálices do outro lado da sala.

– Pode levar isso para o banheiro – ela disse, entregando-lhe a bebida. Como quem não quer nada, ajeitou a manta de pele sobre o encosto do sofá. – Vou dar uma olhada nesse braço.

Doug fechou um pouco a cara ao vê-la afastar-se. Mulheres deviam fazer perguntas, dezenas delas. Talvez essa apenas não tivesse inteligência para formulá-las. Relutante, seguiu-a e o rastro de seu perfume. Mas ela era classuda, admitiu. Não tinha como negar.

— Tire essa jaqueta e se sente — ela ordenou, deixando a água correr sobre uma toalhinha com monograma.

Doug despiu-a, rangendo os dentes ao descolá-la do braço esquerdo. Após dobrá-la com todo cuidado e colocá-la na borda da banheira, sentou-se numa cadeira que qualquer outra pessoa teria na sala de estar. Baixou os olhos e viu a manga da camisa emplastrada de sangue. Praguejando, arrancou-a e expôs o ferimento.

— Posso fazer isso sozinho — resmungou, e estendeu a mão para a toalhinha.

— Não se mexa. — Whitney começou a limpar o sangue seco com o tecido quente cheio de sabão. — Não posso ver muito bem o tamanho do machucado até limpá-lo.

Doug recostou-se, porque a água quente era reconfortante e o toque dela, delicado. Mas recostado ali, observava-a. Que tipo de mulher era ela?, perguntava-se. Dirigia como uma maníaca de sangue-frio, vestia-se ao estilo *Harper's Bazaar* e bebia — notara que já entornara o conhaque — como um marinheiro. Ele se sentiria mais à vontade se ela revelasse apenas um toque da histeria esperada.

— Não quer saber como arranjei isso?

— Hum.

Whitney apertou um pano limpo no ferimento para estancar o novo sangramento. Como ele queria que perguntasse, ela decidiu não fazê-lo.

— Uma bala — disse Doug, com prazer.

— Sério? — Interessada, ela retirou o pano para dar uma olhada mais de perto. — Nunca vi um ferimento à bala antes.

— Excelente. — Ele engoliu mais conhaque. — O que acha?

Ela deu de ombros e deslizou a porta espelhada do armário de medicamentos.

— Não é lá muito impressionante.

Fechando a cara, ele baixou os olhos para o ferimento. Era verdade, a bala apenas abrira uma incisão superficial, mas não penetrara. Nem todo dia um homem é baleado.

— Dói.

— Hum, bem, vamos cobrir tudo com atadura. Os arranhões não doem tanto quando a gente não vê.

Ele viu-a fuçar entre potes de cremes faciais e óleos de banho.

— Você é bem sabichona, moça.

— Whitney — ela corrigiu. — Whitney MacAllister.

Virando-se, estendeu a mão num gesto formal. Ele curvou os lábios.

— Lord, Doug Lord.

— Olá, Doug. Muito bem, depois que eu acabar aqui, teremos de conversar sobre o estrago no meu carro e o pagamento. — Voltou-se para o armário de medicamentos. — Trezentos dólares.

Ele tomou mais um gole de conhaque.

— Como sabe que custa 300 dólares?

— Estou dando o preço por baixo. Não se conserta nem uma vela de ignição num Mercedes por menos de 300 dólares.

— Vou ter de ficar lhe devendo. Gastei meus últimos 200 na jaqueta.

— Esta jaqueta? — Espantada, Whitney girou a cabeça e encarou-o. — Você parece mais esperto.

— Precisava dela — rebateu Doug. — Além disso, é de couro.

Dessa vez ela riu.

— Genuína imitação.

— O que quer dizer com imitação?

— Essa monstruosidade não se desprendeu de nenhuma vaca. Ah, está aqui. Sabia que eu tinha.

Com um satisfeito balanço da cabeça, ela pegou um frasco do armário

— Aquele garoto, filho da mãe — resmungou Doug. Não tivera tempo nem oportunidade de examinar com mais atenção a compra antes. Agora, na luz clara do banheiro, via que não passava de vinil barato. Pelo preço de 200 dólares. O repentino ardor no braço causou-lhe um solavanco. — Maldição! Que está fazendo?

— Iodo — respondeu Whitney, besuntando-o com generosa quantidade.

Ele se acalmou, com uma carranca.

— Isso dói.

— Não aja como um bebê. — Com agilidade, ela enrolou gaze em volta da parte superior do braço até cobrir o ferimento. Cortou esparadrapo, prendeu-o e deu-lhe um tapinha final. — Pronto — disse, muito satisfeita consigo mesma. — Quase novo. Ainda curvada, virou a cabeça e sorriu-lhe. Tinham os rostos próximos, o dela cheio de zombaria, o dele de aborrecimento. — Agora, sobre o meu carro...

— Eu podia ser assassino, estuprador, psicopata, por tudo que você sabe.

Doug disse isso num tom baixo, perigoso. Ela sentiu um tremor subir pelas costas e endireitou-se.

— Acho que não. — Mas pegou o copo vazio e voltou à sala. — Outro drinque?

Droga, a mulher tinha coragem mesmo. Ele pegou a jaqueta e seguiu-a.

— Não quer saber por que estavam atrás de mim?

— Os bandidos?

— Os... bandidos? — ele repetiu com uma risada surpresa.

— Bons moços não atiram em espectadores inocentes. — Ela serviu-se de outra dose e sentou-se no sofá. — Assim, pelo processo de eliminação, deduzo que você seja o mocinho.

Ele tornou a rir e largou-se ao lado dela.

— Muita gente talvez discorde de você.

Whitney examinou-o mais uma vez por cima da borda do copo. Ele parecia mais complicado do que aparentava.

— Bem, que tal me contar por que aqueles três homens queriam matar você?

— Apenas fazem o trabalho deles. — Ele bebeu de novo. — Trabalham para um cara chamado Dimitri, que quer uma coisa que eu tenho.

— O que é?

— A rota para um pote de ouro — ele respondeu, distraído.

Levantando-se, começou a andar de um lado para outro. Tinha menos de 20 dólares em espécie e um cartão de crédito expirado no bolso, que não pagariam sequer sua saída do país. O que tinha dobrado com todo cuidado num envelope de papel pardo valia uma fortuna, mas precisava comprar uma passagem antes de poder convertê-lo em dinheiro. Podia roubar uma carteira no aeroporto. Melhor, tentar invadir o avião, ostentar identidade falsa e representar o impaciente e implacável agente do FBI. Funcionara em Miami. Mas pressentia não ser o certo dessa vez. Tinha conhecimento suficiente para seguir seus instintos.

– Preciso de um financiamento – ele resmungou. – Poucas centenas... talvez mil.

Pensativo, virou-se e olhou-a.

– Esqueça – ela respondeu apenas. – Você já me deve 300 dólares.

– Vai receber – ele vociferou. – Droga, em seis meses eu compro um carro inteiro. Encare como um investimento.

– Meu corretor cuida disso.

Ela tomou outro gole e sorriu. Ele era muito atraente nesse estado de espírito, inquieto, ansioso por agir. O braço exposto ostentava músculos sutis e enxutos. Os olhos iluminavam-se de entusiasmo.

– Escute, Whitney. – Ele voltou e sentou-se no braço do sofá ao lado dela. – Mil dólares não é nada depois do que passamos juntos.

– São 700 dólares a mais do que você já me deve – ela corrigiu-o.

– Eu lhe pago o dobro em seis meses. Preciso comprar uma passagem de avião, alguns equipamentos... – Olhou-se, depois tornou a olhá-la com aquele sorriso rápido e cativante. – Uma camisa nova.

Um especulador, ela pensou, intrigada. Exatamente o que significava um pote de ouro para ele?

– Eu teria de saber muito mais antes de desembolsar meu dinheiro.

Ele conseguiria com o seu charme obter das mulheres mais que dinheiro. Então, confiante, tomou-lhe a mão nas suas e esfregou o polegar nos nós dos dedos dela. Sua voz era suave, irresistível:

– Tesouro. O tipo sobre o qual você só lê em contos de fada. Trarei brilhantes para seus cabelos. Diamantes enormes, cintilantes. Vão fazer você parecer uma princesa. – Roçou o dedo pelo rosto dela. Macio, frio. Por um instante, apenas um instante, perdeu o fio da meada. – Mais alguma coisa tirada de um conto de fadas.

Devagar, retirou o chapéu dela, e depois observou com estupefata admiração os cabelos virem abaixo, escorrerem pelos ombros e os braços. Claros como a luz do sol de inverno, macios como seda.

– Diamantes – repetiu, emaranhando os dedos nas mechas. – Cabelos como os seus devem ter diamantes.

Whitney sentiu-se seduzida. Parte dela teria acreditado em tudo que ele dissesse, feito qualquer coisa que lhe pedisse, desde que continuasse a tocá-la daquele jeito. Mas foi a outra parte, a sobrevivente, que conseguiu assumir o controle.

– Eu gosto de diamantes. Mas também sei de um monte de pessoas que pagam por eles e terminam com vidro bonito. Garantias, Douglas. – Para distrair-se, tomou mais conhaque. – Sempre preciso ver a garantia, o certificado de valor.

Frustrado, ele se levantou. Ela talvez parecesse ingênua, fácil de convencer, mas era igualmente durona.

– Ouça, nada vai me impedir de simplesmente pegar. – Apanhou a bolsa dela no sofá e entregou-lhe. – Posso sair daqui com isto ou a gente pode fazer um trato.

Levantando-se, ela puxou a bolsa das mãos dele.

– Não faço tratos até conhecer todos os termos. Que grande descaramento o seu me ameaçar assim depois que salvei sua vida!

– Salvou minha vida? – explodiu Doug. – Você por pouco não me matou vinte vezes.

Ela ergueu o queixo. A voz tornou-se régia e altiva.

– Se eu não tivesse superado aqueles homens em esperteza, danificando meu carro enquanto fazia isso, você estaria flutuando no East River.

A imagem era em tudo próxima demais da realidade.

– Você tem assistido a filmes demais – ele rebateu.

– Quero saber o que você tem e aonde pretende ir.

– Um quebra-cabeça. Tenho peças de um quebra-cabeça e vou para Madagascar.

– Madagascar? – Intrigada, ela repassou a ilha na mente. Noites quentes, opressivas, pássaros exóticos, aventura. – Que tipo de quebra-cabeça? Que tipo de tesouro?

– Isso é comigo.
Protegendo o braço, tornou a vestir a jaqueta.
– Quero ver.
– Não pode ver. Está em Madagascar. – Ele pegou um cigarro enquanto calculava. Podia dar-lhe o suficiente, apenas o suficiente para interessá-la, e não o bastante para causar problema. Soltando uma baforada, ele olhou a sala em volta. – Parece que você sabe alguma coisa sobre a França.

Ela estreitou os olhos.
– O suficiente para pedir escargots e Dom Pérignon.
– É, eu aposto. – Ele ergueu uma caixa de rapé incrustada de pérolas de cima de um armário de objetos antigos. – Digamos que as coisas boas que procuro têm sotaque francês. Um sotaque francês antigo.

Ela mordeu o lábio inferior. Ele acertara alguma coisa. A caixinha de rapé que jogava de uma mão para a outra tinha duzentos anos e fazia parte de uma extensa coleção.

– Antiga até que ponto?
– Dois séculos. Escute, benzinho, você podia me bancar. – Largou a caixa e encaminhou-se mais uma vez para ela. – Pense nisso como um investimento cultural. Eu pego o dinheiro e trago algumas quinquilharias para você.

Duzentos anos significavam a Revolução Francesa. Maria Antonieta e Luís XVI. Opulência, decadência e intriga. Um sorriso começou a formar-se enquanto ela pensava em tudo isso. A história sempre a fascinara, a francesa em particular, com a realeza e as ações políticas da corte, os filósofos e artistas. Se ele tinha de fato alguma coisa – e a expressão em seus olhos convenceu-a de que tinha –, por que não receber uma parcela? Uma caça ao tesouro por certo era mais divertida que uma tarde na Sotheby's.

– Digamos que, se me interessasse... – ela começou, elaborando suas condições. – Que tipo de investimento seria necessário?

Ele riu. Não imaginara que ela morderia a isca com tanta facilidade.
– Dois mil.
– Não me refiro ao dinheiro. – Whitney descartou-o como só os ricos podem fazer. – Quero saber que ações nós vamos empreender para pegar essa coisa?

– Nós? – Ele não sorria agora. – Sem essa de nós.

Ela examinou as unhas.

– Sem nós, nada de grana. – Ela recostou-se e esticou os braços em cima do sofá. – Nunca estive em Madagascar.

– Então ligue para o seu agente de viagens, benzinho. Eu trabalho sozinho.

– Que pena! – Ela balançou a cabeça e sorriu. – Bem, foi legal. Agora, se vai me pagar os estragos...

– Escute, não tive tempo para... – Ouviu um ruído na porta. Virou-se e viu a maçaneta da porta girar devagar, à direita e depois à esquerda. Ergueu a mão, pedindo silêncio. – Vá para trás do sofá – sussurrou, enquanto inspecionava a sala à procura da arma mais acessível. – Fique lá e não faça um único barulho.

Whitney ia protestar, mas então ouviu o ruído baixo da maçaneta. Viu Doug pegar um pesado vaso de porcelana.

– Abaixe-se – ele tornou a dizer, apagando as luzes.

Decidindo acatar a ordem, ela agachou-se atrás do sofá e esperou.

Doug ficou atrás da porta, observando-a abrir-se devagar e em silêncio. Prendeu o vaso entre as mãos e desejou saber de quantos deles teria de dar cabo. Esperou o primeiro vulto entrar totalmente, ergueu o vaso acima da cabeça dele e baixou-o com toda força. Houve um estrondo, um grunhido e um baque. Whitney ouviu os três antes de começar o caos.

Após o arrastamento de pés, outro estilhaço de vidro – o aparelho de chá Meissen, se a direção do barulho significava alguma coisa – e depois o xingamento de um homem. A um estalo abafado seguiu-se outro tilintar de vidro. Bala de arma disparada com silenciador, ela concluiu. Ouvira o ruído em muitos filmes tarde da noite para reconhecê-lo. E o vidro – girando a cabeça, viu o buraco na janela panorâmica atrás.

O síndico não ia gostar disso, refletiu. Nem um pouco. E já estava na lista dele desde que a última festa que dera saíra um pouco de controle. Droga, Douglas Lord vinha-lhe trazendo muitos transtornos. O tesouro – uniu as sobrancelhas –, era melhor que o tesouro valesse a pena.

Então, tudo ficou em silêncio, quieto demais. Acima do silêncio, ouvia apenas o som de respiração.

Doug colou-se de costas no canto escuro e agarrou a .45. Havia mais um, porém agora ele não estava mais desarmado. Detestava armas. O homem que as usava terminava no lado errado do cano com demasiada frequência para sentir-se confortável.

Estava perto o suficiente da porta para escafeder-se por ela e sumir, talvez sem ser notado. Não fosse pela mulher atrás do sofá, e a consciência de que a metera naquilo, teria se mandado. O fato de não poder fazê-lo apenas o deixava mais furioso com ela. Talvez, apenas talvez, tivesse de matar um homem para dar o fora. Matara antes, sabia que era provável ter de matar de novo. Embora fosse uma parte de sua vida que jamais conseguiria examinar sem culpa.

Tocou a atadura no braço e retirou os dedos molhados. Droga, não podia ficar ali à espera e sangrar até morrer. Movendo-se em absoluto silêncio, avançou ao longo da parede.

Whitney teve de tapar a boca para conter todos os sons quando o vulto agachou-se na ponta do sofá. Não era Doug – viu logo o pescoço comprido e o corte de cabelo curto demais. Então captou a vibração de um movimento à esquerda. O vulto virou-se para o outro lado. Antes que tivesse tempo de pensar, ela retirou o sapato. Segurando o bom couro italiano numa das mãos, apontou o salto de 8 centímetros para a cabeça do homem. Com toda a força que pôde reunir, golpeou para baixo.

Ouviram-se um grunhido e depois um baque.

Espantada consigo mesma, ela ergueu o sapato em triunfo.

– Eu o peguei!

– Minha nossa – resmungou Doug, arremessando-se a toda do outro lado da sala.

– Bati no cara e o deixei inconsciente – disse a Doug quando ele avançou como um raio para a escada, puxando-a. – Com isto. – Ela equilibrou o sapato imprensado entre a sua mão e a dele. – Como foi que nos encontraram?

– Dimitri. Investigou a placa do seu carro – ele respondeu, enfurecido consigo mesmo por não ter pensado nisso antes.

– Rápido assim? – Ela deu uma risada. Bombeava adrenalina de cima a baixo. – Esse Dimitri é homem ou mágico?

– É um homem dono de outros. Pode pegar o telefone, obter seu saldo no banco e o número de seu sapato em meia hora.

O pai dela também. Tratava-se de negócios, e disso ela entendia.

– Escute, não posso correr desequilibrada, me dê dois segundos. – Soltou a mão e calçou o sapato. – O que vamos fazer agora?

– Temos de chegar à garagem.

– Descer 42 andares?

– Os elevadores não têm porta dos fundos. – Com isso, ele puxou-lhe a mão e começou a descer correndo os lances de escada. – Não quero nem me aproximar do seu carro. Ele na certa pôs alguém para vigiar, por medida de segurança, caso a gente chegue até lá.

– Então por que vamos para a garagem?

– Ainda precisamos de um carro. Tenho de chegar ao aeroporto.

Whitney passou a alça da bolsa pela cabeça para poder segurar-se no corrimão como apoio enquanto corriam.

– Vai roubar um?

– A ideia é essa. Deixo você num hotel... Registre-se com outro nome, e depois...

– Ah, não – ela interrompeu, notando agradecida que passavam pelo 20º andar. – Não vai me largar em hotel algum. Para-brisa, 300 dólares; janela de vidro laminado, 1.200; vaso Dresden de mais ou menos 1860, 2.265.

Enfiou a mão na bolsa e retirou uma agenda, sem reduzir o desempenho na corrida escadaria abaixo. Assim que recuperasse o fôlego, iniciaria a contabilidade.

– Vou cobrar.

– Vai cobrar, tá bom – ele repetiu, fechando a carranca. – Agora poupe o fôlego.

Ela o fez e começou a elaborar o próprio plano.

Quando chegaram ao nível da garagem, tinha tão pouco ar que precisou apoiar-se ofegante na parede, enquanto ele examinava por uma fresta na porta.

– Muito bem, o mais próximo é um Porsche. Vou sair primeiro. Assim que eu entrar no carro, você segue. E vai abaixada.

Tornou a tirar o revólver do bolso. Ela captou o olhar, um olhar de... aversão?, perguntou-se. Por que deveria ele olhar para um revólver como se fosse uma coisa vil? Achava que uma arma se encaixaria como uma luva em sua mão, como se encaixava na de um homem que frequentava bares escuros e quartos de hotel enfumaçados. Mas não se encaixava como uma luva na dele. Não se encaixava de modo algum. Então ele saiu pela porta.

Quem era mesmo Doug Lord?, perguntou-se. Vigarista, trapaceiro, vítima? Como ela pressentia que ele era todos os três, ficou fascinada e decidida a descobrir por quê.

Agachado, Doug pegou o que parecia um canivete. Ela viu-o remexer na fechadura por um instante e depois abrir em silêncio a porta do carona. Fosse quem fosse, notou, era bom em arrombamento. Deixando isso para mais tarde, cruzou a porta rastejando. Ele já se instalara no banco do motorista e mexia com fios sob o painel quando ela entrou.

– Droga de carros estrangeiros – ele resmungou. – Me dê um Chevy qualquer dia.

Olhos arregalados de admiração, Whitney ouviu o motor ganhar vida.

– Pode me ensinar a fazer isso?

Doug disparou-lhe um olhar.

– Apenas se segure. Desta vez, eu dirijo. – Engrenou o Porsche em marcha a ré e decolou da vaga. Quando chegaram à entrada da garagem, já estavam a 100 quilômetros por hora. – Tem algum hotel preferido?

– Não vou para um hotel. Não vou tirar o olho de você, Lord, até sua conta ter um saldo zero. Aonde você for, eu vou.

– Escute, não sei quanto tempo tenho.

Mantinha um olho atento no retrovisor enquanto dirigia.

– O que você não tem é dinheiro – ela lembrou-lhe. Tirara a agenda agora e começava a escrever em colunas bem arrumadas. – E no momento me deve um para-brisa, um vaso de porcelana antigo, um aparelho de chá Meissen e uma janela de vidro laminado.

– Então outros mil não vão ter importância.

– Outros mil sempre têm importância. Seu crédito só é bom enquanto eu puder vê-lo. Se quiser uma passagem aérea, vai ter de aceitar uma parceira.

– Parceira? – Ele virou-se para ela, perguntando-se por que simplesmente não pegava a bolsa e empurrava-a porta afora. – Jamais aceito parceiros.

– Desta vez, vai aceitar. Meio a meio.
– Eu tenho as respostas.
A verdade era que ele tinha as perguntas, mas não iria se preocupar com detalhes.
– Mas você não tem o investimento.
Ele tomou a via expressa Franklin Delano Roosevelt. Não, droga, não tinha mesmo, e precisava. Assim, por enquanto, era ele quem precisava dela. Mais tarde, quando estivesse a milhares de quilômetros de Nova York, poderiam negociar os termos.
– Tudo bem, quanto dinheiro vivo tem aí com você?
– Duzentos.
– Duzentos? Merda. – Ele mantinha a velocidade a constantes 90 quilômetros por hora. Não podia deixar-se parar pela polícia. – Isso não nos levará além de Nova Jersey.
– Não gosto de sair com muito dinheiro vivo.
– Maravilha. Tenho documentos que valem milhões e você quer comprar a sociedade por 200 dólares.
– Duzentos, mais os 5 mil que você me deve. E... – Enfiou a mão na bolsa. – Tenho o plástico. – Rindo, ergueu um cartão ouro American Express. – Nunca saio de casa sem ele.
Doug fitou-o, jogou a cabeça para trás e riu. Talvez ela representasse mais problemas do que valia, mas ele começava a duvidar.

A MÃO QUE PEGOU o telefone era rechonchuda e muito branca. No pulso, punhos brancos abotoados com safiras quadradas. Unhas pintadas de bege-claro fosco e cortadas com esmero. O próprio aparelho telefone era branco, imaculado e arrojado. Os dedos enroscados nele, três manicurados com elegância e um toco cicatrizado onde devia ser o mindinho.
– Dimitri.
Ao ouvir a voz, Remo começou a suar como um porco. Deu uma tragada no cigarro e falou rápido, antes de exalar a fumaça.
– Eles nos despistaram!
Silêncio mortal. Dimitri sabia que isso era mais aterrorizador que uma centena de ameaças.

— Três homens contra um e uma jovem. Que incompetência!

Remo afrouxou a gravata para poder respirar.

— Roubaram um Porsche. Estamos seguindo os dois até o aeroporto agora. Não vão chegar muito longe, Sr. Dimitri.

— Não, não vão chegar muito longe. Tenho de dar uns telefonemas, uns... botões a apertar. Vejo você em um ou dois dias.

Remo esfregou a mão na boca quando o alívio começou a espalhar-se.

— Onde?

Ouviu-se uma risada baixa, distante. A sensação de alívio evaporou-se como o suor.

— Encontre Lord, Remo. Eu encontro você.

2

Ao sentir o braço rígido, Doug rolou de bruços, soltou um pequeno gemido de aborrecimento com o desconforto e, sem pensar, empurrou o curativo. Tinha o rosto espremido num macio travesseiro de penas, coberto por uma fronha de linho, sem qualquer perfume. Embaixo, o lençol era quente e liso. Dobrando com cuidado o braço esquerdo, ele deitou-se de costas.

O quarto escuro enganou-o, levando-o a pensar que ainda fosse noite quando examinou o relógio de pulso. Nove e quinze. Merda. Correu a mão pelo rosto e levantou-se da cama.

Devia estar num avião a meio caminho do Oceano Índico, e não deitado num sofisticado quarto de hotel em Washington. Um hotel sombrio e elegante, lembrou, pensando no pomposo saguão atapetado de vermelho. Haviam chegado à 1h10 e ele não conseguira sequer um drinque. Os políticos que dominassem Washington, ele preferia Nova York.

O primeiro problema era que Whitney controlava as rédeas da grana, e não lhe dera opção. O problema seguinte era que aquela mulher tinha razão. Ele só pensava em sair de Nova York; ela pensava em detalhes como passaportes.

Então a moça tinha ligações na capital, pensou. Se as ligações podiam cortar caminho para a papelada, ele era todo a favor. Olhou o caríssimo quarto ao redor, pouco maior que um armário de vassouras. Ela também poria a hospedagem na conta, percebeu, estreitando os olhos para a porta que ligava os quartos. Whitney MacAllister tinha a mente de um contador. E o rosto de...

Esboçando um sorriso, ele balançou a cabeça e deitou-se. Melhor faria afastando a mente do rosto e dos outros atributos dela. Era de seu dinheiro que precisava. As mulheres tinham de esperar. Tão logo pusesse as mãos no que buscava, podia envolver-se até o pescoço com elas, se quisesse.

A imagem era agradável o suficiente para fazê-lo sorrir por mais um minuto. Louras, morenas, ruivas, rechonchudas, magras, baixas e altas. Não fazia o menor sentido ser exigente demais, e pretendia ser muito generoso com seu tempo. Primeiro, tinha de conseguir o maldito passaporte e o visto. Franziu a testa. A maldita lenga-lenga burocrática. Tinha um tesouro à espera, um quebrador de ossos profissional fungando no cangote e uma louca no quarto contíguo que não comprava nem um maço de cigarros para ele sem anotar na agendinha que guardava na bolsa de pele de cobra de 200 dólares.

A ideia motivou-o a estender a mão e pegar um cigarro no maço na mesinha de cabeceira. Não entendia a atitude dela. Quando ele tinha dinheiro para gastar, era generoso. Talvez demasiado generoso, pensou, esboçando um sorriso. Sem a menor dúvida, nunca o conservava por muito tempo.

A generosidade fazia parte de sua natureza. As mulheres eram uma fraqueza, sobretudo as pequenas, de lábios petulantes e olhos amendoados. Não importava quantas vezes se enrabichasse por uma, invariavelmente se deixava seduzir pela seguinte. Seis meses antes, uma garçonete baixinha chamada Cindy dera-lhe duas noites inesquecíveis e uma lacrimosa história sobre a mãe doente em Columbus. No fim, separara-se dela – e de 5 mil dólares. Sempre fora doido por olhos amendoados.

Isso ia mudar, prometeu a si mesmo. Assim que pusesse as mãos no pote de ouro, iria agarrar-se à fortuna. Dessa vez, compraria aquela espetacular e enorme mansão na Martinica e começaria a levar a vida com a qual sempre sonhara. E seria generoso com os empregados. Cuidara da sujeira de muitos ricos para saber como podiam ser frios e indiferentes com os empregados. Claro, só cuidara da limpeza até conseguir limpá-los, mas isso não mudava o ponto principal.

Trabalhar para os ricos não lhe dera o gosto que tinha por coisas valiosas. Nascera com ele. Apenas não nascera com dinheiro. Mas julgava-se numa situação melhor por ter nascido com inteligência. Com inteligência e certos talentos, a gente pode tomar o que quer – ou precisa – de pessoas que mal notam o golpe. O trabalho mantinha o fluxo da adrenalina. O resultado, o dinheiro, apenas o deixava relaxar até a vez seguinte.

Sabia planejar, tramar e esquematizar. E também reconhecia o valor da pesquisa. Passara metade da noite acordado repassando cada detalhe de informação que podia decifrar no envelope. Era um quebra-cabeça, mas ele tinha todas as peças. Para encaixá-las, precisava apenas de tempo.

As traduções magnificamente digitadas que lera talvez tivessem sido apenas uma bonita história para alguns, uma aula de história para outros – aristocratas lutando para contrabandear suas preciosas joias e preciosas existências da França dilacerada pela Revolução. Lera palavras de medo, confusão e desespero. Nos originais lacrados em plástico, vira falta de esperança na caligrafia, em palavras que não conseguira ler. Mas também lera sobre intriga, realeza e riqueza. Maria Antonieta. Robespierre. Colares com nomes exóticos ocultos por trás de tijolos ou escondidos em carroças carregadas de batatas. A guilhotina, fugas desesperadas pelo Canal da Mancha. Belas descrições impregnadas de história e coloridas com sangue. Mas os diamantes, as esmeraldas, os rubis do tamanho de ovos de galinha também haviam sido reais. Jamais voltaram a ver alguns deles. Foram usados para comprar vidas, uma refeição ou o silêncio. Outros atravessaram oceanos. Doug massageou o formigamento no braço e sorriu. O Oceano Índico – rota do comércio de mercadores e piratas. E na costa de Madagascar, escondida durante séculos, guardada para uma rainha, estava a resposta para seus sonhos. Iria encontrá-la, com a ajuda do diário de uma menina e do desespero de um pai. Quando a encontrasse, não olharia para trás.

Coitada da criança, pensou, imaginando a jovem francesa que escrevera seus sentimentos duzentos anos antes. Perguntava-se se a tradução que lera expressava de fato tudo pelo que ela passara. Se pudesse ler o original francês... Encolheu os ombros e lembrou-se de que ela morrera muito tempo atrás e isso não era da sua conta. Mas não passava de uma criança, assustada e confusa.

Por que nos odeiam?, ela escrevera. *Por que nos olham com tanto ódio? Papai diz que precisamos deixar Paris e acho que nunca mais tornarei a ver minha casa.*

E nunca mais a vira, pensou Doug, porque a guerra e a política só veem o quadro maior e maltratam a arraia-miúda. A França durante a Revolução ou um buraco cheio de vapor numa selva do Vietnã. Isso jamais mudava. Ele sabia bem o que era sentir-se desprotegido. Nunca mais iria sentir-se assim de novo.

Espreguiçou-se e pensou em Whitney.

Qualquer que fosse o resultado, fizera um acordo com ela. Jamais ignorava um acordo, a não ser que tivesse a certeza de poder escapar impune. Ainda assim, exasperava-o o fato de precisar depender dela para cada dólar.

Dimitri contratara-o para roubar os documentos porque ele era, admitiu Doug honestamente ao tragar a fumaça, um ótimo ladrão. Ao contrário da equipe-padrão do chefe, jamais achara que uma arma compensava a falta de inteligência. Sempre preferira viver de acordo com a inteligência. Sabia que a fama de fazer um trabalho perfeito e tranquilo lhe rendera a convocação de Dimitri para roubar um gordo envelope num cofre numa exclusiva instituição perto da Park Avenue.

Trabalho era trabalho, e se um homem como Dimitri queria pagar 5 mil por um maço de papéis, a maioria com texto desbotado e estrangeiro, Doug não iria discutir. Além disso, tinha algumas dívidas a pagar.

Tivera de passar por dois sofisticados sistemas de alarme e quatro guardas da segurança antes de conseguir roubar a pequena preciosidade de um cofre embutido na parede, onde estava guardado o envelope. Tinha jeito com fechaduras e alarmes. Era... bem, um dom, refletiu. Não se devem desperdiçar os talentos concedidos por Deus.

O negócio era que jogara limpo. Nada tirara além dos documentos – embora se deparasse com a visão muito interessante de um estojo preto ao lado deles no cofre. Jamais pensou que retirá-los para lê-los proporcionasse mais algo que cobrisse as apostas. Não esperava ficar fascinado pelas traduções de cartas, nem pelo diário e pelos documentos que remontavam a um passado de duzentos anos. Talvez o amor que sentia por uma boa história ou o respeito pela palavra escrita lhe houvessem incitado a imaginação, enquanto passava os olhos pelos documentos. Mas, fascinado ou não, ele os teria devolvido. Acordo era acordo.

Parara numa loja de conveniência e comprara fita adesiva. Prender o envelope no peito fora apenas uma precaução. Em Nova York, como em qualquer outra cidade, proliferavam pessoas desonestas. Chegara ao parque infantil no East Side de Manhattan uma hora antes e escondera-se. Um homem ficava vivo por mais tempo se vigiasse o traseiro.

Sentado atrás das moitas na chuva, pensara no que lera – a correspondência, os documentos e a caprichada relação de pedras preciosas e joias. Quem quer que tivesse reunido as informações traduzira-as de forma muito meticulosa, com a dedicação de um bibliotecário profissional. Passara-lhe brevemente pela mente que, se tivesse tempo e oportunidade, teria ele mesmo dado continuação ao trabalho. Mas acordo era acordo.

Esperara com toda a intenção de entregar a papelada e pegar o pagamento. Isso antes de saber que não iria receber os 5 mil combinados com Dimitri. Receberia uma bala de 2 dólares nas costas e um enterro nas águas do East River.

Remo chegara no Lincoln preto com dois outros homens vestidos para fazer o negócio. Haviam debatido calmamente a maneira mais eficiente de assassiná-lo. Uma bala na cabeça parecia ser o método acertado, mas ainda decidiam "quando" e "onde", com Doug agachado atrás dos arbustos, a menos de 2 metros. Parecia que Remo ficara cheio de restrições em relação à ideia de sangue no estofado do Lincoln.

A princípio, Doug se enfurecera. Não lhe importava o número de vezes que fora traído – e parara de contar –, isso sempre o enraivecia. Ninguém era honesto neste mundo, pensara, enquanto a fita adesiva lhe arrancava um naco de pele. Enquanto se concentrava em dar o fora ileso, começara a analisar as opções.

Dimitri tinha fama de excêntrico. Mas também de escolher vencedores, desde o senador certo a manter na folha de pagamento até o melhor vinho a estocar na adega. Se ele queria tanto os papéis a ponto de eliminar uma ponta solta chamada Doug Lord, o conteúdo devia valer alguma coisa. Na mesma hora, Doug decidiu que os documentos eram seus e que conquistara sua almejada fortuna. Só precisava viver para reivindicá-la.

Por reflexo, tocou o braço. Enrijecido, sim, mas já sarando. Tinha de admitir que a louca Whitney MacAllister fizera um bom trabalho. Soprou um pouco de fumaça por entre os dentes antes de esmagar o cigarro. Ela, na certa, lhe cobraria por isso.

Precisava dela por enquanto, pelo menos até saírem do país. Assim que chegassem a Madagascar, ele se livraria de sua companhia. Um lento e preguiçoso sorriso cobriu-lhe o rosto. Tinha alguma experiência em superar as mulheres em métodos estratégicos. Às vezes, tinha sucesso. Só lamentava o fato de que não chegaria a vê-la bater os pés e praguejar quando percebesse que ele a descartara. Imaginando aquela nuvem de cabelos claros, iluminados pelo sol, achou que era quase uma grande pena ter de ludibriá-la. Não podia negar que lhe devia. No momento em que suspirava e começava a pensar com carinho nela, a porta de ligação entre os quartos abriu-se de repente.

– Ainda na cama? – Whitney atravessou o quarto até a janela e abriu as cortinas. Balançou a mão agitada diante do rosto na tentativa de dissipar a nuvem de fumaça. Ele já acordara havia algum tempo, concluiu. Fumando e tramando. Bem, ela também andara fazendo alguns cálculos. Quando Doug praguejou e franziu os olhos, Whitney apenas balançou a cabeça. – Você está um lixo.

Ele era vaidoso o suficiente para fechar a cara. Tinha o queixo áspero com os tocos da barba de uma noite, os cabelos desgrenhados, e mataria por uma escova de dentes. Ela, em compensação, parecia recém-saída da Elizabeth Arden. Nu na cama, com o lençol até a cintura, sentiu-se em desvantagem. Não dava a mínima para essa sensação.

— Você nunca bate à porta?

— Não quando sou eu quem paga o quarto — ela respondeu, sem esforço. Pisou na calça jeans jogada no chão. — O café da manhã está subindo.

— Excelente.

Ignorando o sarcasmo, ela ficou à vontade, sentou-se no pé da cama e esticou as pernas.

— Sinta-se em casa — disse Doug, expansivo. Ela apenas sorriu e jogou os cabelos para trás.

— Entrei em contato com tio Maxie.

— Quem?

— Tio Maxie — repetiu Whitney, dando uma rápida conferida nas unhas. Precisava mesmo de uma manicure antes de eles deixarem a cidade. — Na verdade, ele não é meu tio, eu é que o chamo de tio.

— Ah, esse tipo de tio — disse Doug, com uma expressão de leve escárnio no rosto.

Ela dirigiu-lhe um olhar brando.

— Não seja grosseiro, Douglas. É um amigo querido da família. Talvez já tenha ouvido falar dele. Maximillian Teebury.

— O senador Teebury?

Ela esticou os dedos para uma última conferida.

— Você se mantém a par dos últimos acontecimentos.

— Escute, sabichona. — Ele agarrou-lhe o braço e a fez desabar na metade do seu colo. Ela apenas sorriu-lhe, ciente de que dava as cartas ali. — Exatamente o quê tem o senador Teebury a ver com qualquer coisa?

— Ligações. — Ela deslizou um dedo pelo rosto dele, emitindo um som de desaprovação pela aspereza da pele. Mas a aspereza, descobriu, tinha seu próprio apelo primitivo. — Meu pai sempre diz que a gente pode se virar sem sexo num aperto, mas não sem ligações.

— É? — Rindo, ele ergueu-a para encostar o rosto dela no seu e os cabelos da jovem derramaram-se nos lençóis. Mais uma vez sentiu a flutuação do perfume dela, que significava riqueza e classe. — Todo mundo tem prioridades diferentes.

– É verdade. – Ela teve vontade de beijá-lo. Com o visual selvagem, nervoso e descabelado, parecia um homem após uma noite de sexo violento. Que tipo de amante seria Douglas Lord? Brutal. A ideia fez seu coração bater um pouco mais rápido. Ele cheirava a cigarro e suor. Parecia viver no limite e apreciar. Gostaria de sentir aquela boca inteligente e interessante na sua... mas ainda não. Assim que o beijasse, poderia esquecer que tinha de manter-se um passo adiante dele. – O negócio é o seguinte – murmurou, deixando as mãos vagarem pelo cabelo dele quando os lábios dos dois ficaram separados por poucos centímetros –, tio Maxie pode conseguir um passaporte para você e dois vistos de trinta dias para Madagascar em 24 horas.

– Como?

Whitney notou com divertida contrariedade a rapidez com que o tom sedutor dele se tornou prático.

– Ligações, Douglas – ela respondeu rindo. – Para que servem os parceiros?

Ele lançou-lhe um olhar avaliador. Ela vinha se tornando útil. Se não tomasse cuidado, ela se tornaria indispensável. A última coisa que um homem talentoso precisava era de uma mulher indispensável, de olhos cor de uísque e pele com a textura igual à de uma pétala. Então lhe ocorreu que àquela hora no dia seguinte estariam de partida. Soltando um rápido grito de entusiasmo, rolou por cima dela e fez seus cabelos se abrirem como um leque no travesseiro. Os olhos dela meio desconfiados, meio sorrindo, encontraram os dele.

– Vamos descobrir, parceira – sugeriu.

Doug tinha o corpo rijo, como os olhos às vezes, como a mão que lhe tomou o rosto. Que tentação! Ele era uma tentação, embora fosse sempre vital pesar a vantagem contra a desvantagem. Antes que Whitney pudesse decidir se concordava ou não, ouviu uma batida à porta.

– Café da manhã – avisou, rindo, e desvencilhou-se dele.

Embora sentisse o coração bater um pouco rápido demais, ela não ia insistir nisso. Tinha muita coisa a fazer.

Doug cruzou os braços atrás da cabeça e recostou-se na cabeceira. Talvez o desejo lhe abrisse um buraco no estômago, ou talvez fosse apenas fome. Talvez as duas coisas.

– Vamos tomar o café na cama.

Whitney deu sua opinião sobre a sugestão dele, ignorando-a.

– Bom dia – disse alegre ao garçom, quando ele empurrou o carrinho com a bandeja.

– Bom dia, Sra. MacAllister.

O jovem porto-riquenho não lançou sequer uma olhadela em direção a Doug. Tinha olhos apenas para Whitney. Com considerável encanto, entregou-lhe um botão de rosa pink.

– Ora, obrigada, Juan. É linda.

– Achei que ia gostar. – Ele dirigiu-lhe um sorriso, mostrando uma boca cheia de dentes fortes e uniformes. – Espero que o café da manhã seja de seu agrado. Eu trouxe os artigos de toalete e o papel que me pediu.

– Oh, maravilha, Juan. – Ela sorriu para o atarracado garçom moreno, notou Doug, com mais doçura do que se dera o trabalho de exibir para ele. – Espero não ter dado trabalho demais.

– Oh, não, a senhora, jamais, Sra. MacAllister.

Pelas costas do garçom, Doug arremedou em silêncio as palavras e a comovente expressão dele. Whitney apenas ergueu uma sobrancelha e depois assinou a conta com um floreio.

– Obrigada, Juan. – Enfiou a mão na bolsa e tirou uma nota de 20 dólares. – Você foi de grande ajuda.

– É um prazer, Sra. MacAllister. Basta me ligar se eu puder fazer alguma coisa. – Os 20 dólares desapareceram no bolso com a rapidez e a discrição da longa prática. – Aproveite seu café da manhã.

Ainda sorrindo, saiu de costas pela porta.

– Você adora que eles rastejem a seus pés, não?

Ela desvirou uma xícara e serviu café. Como quem não quer nada, balançou o botão de rosa sob o nariz.

– Ponha uma calça e venha comer.

– E foi muito generosa com o pouco dinheiro vivo que temos. – Ela nada disse, mas ele viu-a puxar a pequena agenda. – Espere aí, foi você quem se excedeu na gorjeta ao garçom, não eu.

– Ele comprou uma lâmina de barbear e uma escova de dentes para você – ela respondeu, com brandura. – Vamos dividir a gorjeta, porque sua higiene é um pouco da minha conta no momento.

– Que generosidade da sua parte – ele resmungou.

Então, como queria ver até onde podia pressioná-la, desceu devagar da cama.

Whitney não arquejou nem se esquivou, tampouco enrubesceu. Apenas deu-lhe um olhar demorado e avaliador. A atadura branca no braço fazia um nítido contraste com a pele de tom bronzeado. Deus do céu, ele tinha um belo corpo, ela pensou, quando sentiu o pulso começar uma lenta e prolongada batida. Magro, esguio e sutilmente musculoso. Nu, com a barba por fazer e um meio sorriso, parecia mais perigoso e atraente do que qualquer homem que já encontrara. Não lhe daria a satisfação de saber disso.

Sem tirar os olhos de cima dele, Whitney ergueu a xícara de café.

– Pare de se gabar – disse num tom conciliatório – e ponha a calça. Os ovos estão esfriando.

Droga, ela tinha frieza mesmo, ele pensou, ao erguer a calça jeans do chão. Nem que fosse apenas uma vez iria vê-la suar. Caindo pesado na cadeira defronte, Doug começou a empanturrar-se de ovos quentes e bacon crocante. No momento, sentia fome demais para calcular quanto lhe custava o luxuoso serviço de copa. Assim que encontrasse o tesouro, poderia comprar a porra do seu próprio hotel.

– Quem exatamente é você, Whitney MacAllister? – ele quis saber com a boca cheia.

Ela pôs uma pitada de pimenta nos próprios ovos.

– Em que sentido?

Ele riu, satisfeito por ela não dar respostas fáceis.

– De onde você vem?

– Richmond, Virginia – ela respondeu, deslizando tão rápido para um perfeito sotaque virginiano que alguém juraria que sempre o tivera. – Minha família continua lá, na fazenda.

– Por que se mudou para Nova York?

– Porque é veloz.

Doug pegou uma torrada e examinou a cesta de geleias.

– O que você faz lá?

– Tudo o que eu gosto.

Ele olhou dentro dos olhos sensuais dela e acreditou.

— Tem emprego?

— Não, tenho uma profissão. — Ela pegou uma fatia de bacon entre os dedos e mordiscou-a. — Sou designer de interiores.

Ele se lembrou do apartamento dela, a sensação de elegância, a fusão de cores, a singularidade.

— Decoradora — refletiu. — É boa no que faz.

— Claro. E você? — Ela serviu mais café aos dois. — O que faz?

— Um monte de coisas. — Ele pegou o creme, observando-a. — Na maioria das vezes, sou ladrão.

Ela lembrou a facilidade com que ele roubara o Porsche.

— Deve ser bom no que faz.

Ele riu, agradecido.

— Claro.

— O quebra-cabeça de que falou. Os documentos. — Ela partiu uma torrada em duas. — Vai me mostrar?

— Não.

Ela estreitou os olhos.

— Como vou saber se você os tem mesmo, e se valem meu tempo, para não falar no meu dinheiro?

Ele pareceu pensar um pouco, depois lhe ofereceu a cesta de geleias.

— Fé?

Ela escolheu a de morango e espalhou-a em doses generosas.

— Vamos tentar não ser ridículos. Como os obteve?

— Eu... os adquiri.

Mordendo a torrada, ela o encarou por cima.

— Roubou.

— É.

— Dos homens que perseguiam você?

— Do homem para quem eles trabalham — corrigiu-a Doug. — Dimitri. Infelizmente, ele ia me trair, portanto todas as apostas foram canceladas.

— Imagino que sim. — Ela pensou por um instante no fato de que tomava café da manhã com um ladrão, de posse de um misterioso quebra-cabeça. Supunha que iria fazer mais coisas incomuns na vida. — Tudo bem, vamos tentar assim. Em que forma está esse quebra-cabeça?

Doug pensou em dar-lhe outra resposta negativa, mas captou a expressão nos olhos dela. Determinação fria e imperturbável. Era melhor dar-lhe alguma coisa, pelo menos até ter o passaporte e a passagem.

– Tenho recortes, documentos, cartas. Eu já disse que remontam a uns duzentos anos. Há informações suficientes na papelada para me levar direto ao pote de ouro, um tesouro que ninguém nem sequer sabe estar lá. – Quando lhe ocorreu outra ideia, ele olhou-a com desagrado. – Você fala francês?

– Claro – ela respondeu e sorriu. – Então parte do quebra-cabeça está em francês. – Como ele não disse nada, ela fez-lhe uma pergunta direta. – Por que ninguém sabe da existência de seu pote de ouro?

– Todos que sabiam estão mortos.

Embora ela não tivesse gostado do jeito como ele disse isso, não voltaria atrás agora.

– Como sabe que é autêntico?

Os olhos dele tornaram-se intensos, como ficavam quando menos se esperava.

– Eu sinto.

– E quem é esse homem que está atrás de você?

– Dimitri? Um negociante... negócio sujo... de primeira classe. É inteligente, mesquinho, o tipo de cara que sabe o nome em latim do inseto do qual arranca as asas. Se ele quer a papelada, é porque vale uma fortuna. Uma fortuna.

– Imagino que vamos descobrir isso em Madagascar. – Ela pegou o *New York Times* que Juan entregara. Não gostou do jeito como Doug descrevera o homem que o perseguia. A melhor maneira de evitar pensar nisso era pensar em alguma outra coisa. Abrindo o jornal, prendeu a respiração e tornou a soltá-la. – Ai, merda.

Decidido a terminar os ovos, Doug perguntou-lhe em tom ausente:
– Hum?

– Agora sobrou para mim – ela profetizou, erguendo e jogando o jornal no prato dele.

– Ei, eu ainda não terminei.

Antes que ele pudesse empurrar o jornal para o lado, viu a imagem de Whitney sorrindo-lhe. Acima da foto, uma manchete em destaque.

HERDEIRA DO SORVETE DESAPARECIDA

— Herdeira do sorvete? — murmurou Doug, deslizando os olhos pelo texto antes de absorver totalmente a notícia. — Sorvete... — Ficou boquiaberto ao largar o jornal. — Sorvete MacAllister? É você?

— Indiretamente — respondeu-lhe Whitney, andando de um lado para outro no quarto, enquanto tentava elaborar o melhor plano. — É meu pai.

— Sorvete MacAllister — repetiu Doug. — Filho da mãe. Ele faz a melhor mistura cremosa do país.

— Claro.

Ocorreu-lhe que Whitney era não apenas uma decoradora refinada, mas a filha de um dos homens mais ricos do país. Valia milhões. *Milhões.* E se ele fosse pego com ela, seria acusado de sequestro antes de poder pedir o advogado nomeado pelo tribunal. De vinte anos à prisão perpétua, pensou, correndo a mão pelo cabelo. Doug Lord, sem dúvida, sabia escolher mulheres.

— Escute, benzinho, isso muda tudo.

— Com certeza muda — ela resmungou. — Agora tenho de ligar para o papai. Oh, e para o tio Maxie também.

— É. — Ele abocanhou a última garfada de ovos, decidindo que era melhor comer enquanto tinha chance. — Por que você não calcula minha conta, e a gente...

— Papai vai achar que estou sendo mantida refém por resgate ou coisa assim.

— Exatamente. — Ele pegou a última fatia de torrada. Como ela encontrara uma forma de fazê-lo pagar a refeição, devia mesmo aproveitá-la. — E também não quero terminar com a bala de um policial na cabeça.

— Não seja ridículo. — Whitney descartou-o com um aceno da mão, enquanto aperfeiçoava o plano de abordagem. — Vou dar uma volta no papai — murmurou. — Tenho feito isso há anos. Devo conseguir que ele me envie dinheiro.

— Dinheiro vivo?

Ela lançou-lhe um olhar demorado e avaliador.

— Isso sem dúvida atraiu sua atenção.

Ele largou a torrada.

— Escute, maravilha, se você sabe como dar uma volta no seu velho para conseguir o que quer, quem sou eu para questionar? E embora o cartão de crédito seja legal, e o dinheiro vivo que se pode sacar com o cartão também seja legal, mais um pouco das notas verdes me ajudaria a dormir com muito mais facilidade.

— Vou cuidar disso. — Ela foi até a porta de ligação dos quartos, depois parou. — Você bem que precisa de uma chuveirada e de fazer a barba, Douglas, antes de a gente ir às compras.

Ele parou no ato de esfregar o queixo.

— Compras?

— Não vou para Madagascar com uma blusa e uma calça. E sem dúvida não vou a lugar algum com você usando uma camisa com apenas uma manga. Faremos alguma coisa em relação ao seu guarda-roupa.

— Eu posso escolher minhas próprias camisas.

— Depois de ver aquela jaqueta fascinante em você quando nos conhecemos, tenho minhas dúvidas.

Com isso, ela fechou a porta entre eles.

— Era um disfarce — ele berrou enquanto se dirigia ao banheiro batendo os pés.

Mulher maldita, sempre queria ter a última palavra.

Mas, precisou admitir, tinha bom gosto. Após duas horas de um redemoinho de compras, ele carregava mais sacolas do que queria, mas o corte da camisa ajudava a esconder a ligeira protuberância do envelope mais uma vez preso com fita adesiva ao peito. E gostava da sensação que causava o linho folgado na pele. Assim como gostava da forma como Whitney movia os quadris sob o fino vestido branco. Ainda assim, de nada serviria ser agradável demais.

— Que diabos vou fazer de terno, vagando por uma floresta em Madagascar?

Ela deu uma rápida inspecionada e ajeitou a gola da camisa. Doug fizera um escarcéu sobre usar azul-bebê, mas ela reafirmara a opinião de que era uma cor que ficava excelente nele. O mais estranho era que parecia ter nascido usando calça feita sob medida.

– Quando a gente viaja, deve estar preparada para tudo.

– Eu não sei quanta caminhada teremos de fazer, benzinho, mas lhe digo o seguinte. Você vai carregar sua própria tralha.

Ela baixou os novos óculos escuros de grife.

– Um cavalheiro até o fim.

– Com certeza. – Ele parou ao lado de uma drogaria e transferiu as embalagens para debaixo de um dos braços.

– Ouça, preciso de umas coisas aqui. Me dê uma nota de 20. – Quando ela apenas ergueu uma sobrancelha, ele vociferou. – Sem essa, Whitney, você vai anotar na sua maldita conta de qualquer modo. Eu me sinto nu sem dinheiro.

Ela deu-lhe um sorriso amável ao enfiar a mão na bolsa.

– Não o incomodou ficar nu esta manhã.

A falta de reação dela ao seu corpo ainda o irritava. Puxou-lhe a nota da mão.

– É, falaremos disso de novo outra hora. Encontro você lá em cima daqui a dez minutos.

Satisfeita consigo mesma, ela cruzou a porta do hotel e atravessou voando o saguão. Vinha se divertindo mais em chatear Doug Lord do que se divertira em meses. Transferiu a elegante sacola de viagem de couro que comprara para a outra mão e apertou o botão de seu andar.

As coisas pareciam boas, pensou. O pai ficara aliviado ao saber que ela estava segura, e não se aborrecera com o fato de a filha deixar mais uma vez o país. Rindo consigo mesma, encostou-se na parede. Supôs que o fizera passar por maus momentos nos últimos 28 anos, mas era esse o seu jeito de ser. Em todo caso, entrelaçara fato e ficção até ele ficar satisfeito. Com os mil dólares que transferira para o tio Maxie naquela tarde, ela e Doug pisariam em terreno seguro antes de decolarem para Madagascar.

Até o nome a agradava. Madagascar, pensou, vagando pelo corredor em direção ao quarto. Exótica, nova, singular. Orquídeas e verdes exuberantes. Queria tanto ver tudo, experimentar tudo quanto acreditar que o quebra-cabeça do qual falava Doug levasse ao tal pote de ouro.

Não era o ouro em si que a atraía. Habituara-se demais à riqueza para o batimento do coração acelerar-se com a ideia de ter mais. Era a emoção da procura, da descoberta, que a atraía. De forma muito estranha, entendia melhor do que Doug que ele sentia a mesma coisa.

Teria de aprender muito mais sobre ele, decidiu. A julgar pela maneira como conversara sobre corte e tecido com o vendedor, não era estranho a coisas mais refinadas. Poderia passar por um dos ricos despreocupados numa camisa de linho de corte clássico – a não ser quando a gente olhava nos olhos. Olhava mesmo. Nada despreocupados, pensou. Eram inquietos, desconfiados e famintos. Se eles seriam parceiros, ela tinha de descobrir por quê.

Ao destrancar a porta, ocorreu-lhe que tinha alguns minutos a sós, e que talvez, apenas talvez, Doug houvesse escondido a papelada no quarto dele. Era ela quem levantava o dinheiro, disse a si mesma. Tinha todo o direito de ver o que financiava. Mesmo assim, moveu-se em silêncio, mantendo o ouvido atento à volta dele ao cruzar a porta de ligação dos quartos. Arquejou, e depois, levando a mão ao coração, riu.

– Juan, você quase me matou de susto. – Entrou, olhando o jovem garçom sentado à mesa ainda empilhada de coisas. – Veio pegar os pratos do café da manhã? – Não tinha de adiar a busca por causa dele, decidiu, e começou a remexer na cômoda. – O hotel é movimentado nesta época do ano? – perguntou para puxar conversa. – É época das cerejeiras, não? Isso sempre traz turistas.

Frustrada pelo fato de a cômoda estar vazia, inspecionou o quarto. Talvez estivesse no armário.

– Que horas em geral vem a arrumadeira, Juan? Eu precisava de umas toalhas extras. – Como ele continuou a encará-la com os olhos fixos, em silêncio, ela franziu as sobrancelhas. – Você não parece bem – disse. – Eles o fazem trabalhar duro demais. Talvez você deva...

Tocou o ombro dele, e devagar, inerte, Juan desabou aos seus pés, deixando uma mancha de sangue no encosto da cadeira.

Whitney não gritou, porque ficara com a mente e as cordas vocais congeladas. Com os olhos arregalados e a boca aberta, ela recuou. Nunca vira a morte antes, nunca sentira o cheiro, mas a reconheceu. Antes de poder correr, uma mão fechou-se em seu braço.

– Muito bonita.

O homem, com o rosto a centímetros do dela, encostou uma arma embaixo do seu queixo. Tinha numa das faces uma horrível cicatriz de corte irregular, como de uma garrafa quebrada ou uma lâmina. O cabelo e os olhos cor de areia. O cano da arma parecia gelo na pele dela. Rindo, ele deslizou-o pela garganta abaixo.

– Onde está Lord?

Ela disparou o olhar para o corpo dobrado a centímetros de seus pés. Viu a mancha vermelha espalhar-se pelas costas brancas do paletó. Juan não seria de ajuda alguma, e jamais gastaria a gorjeta de 20 dólares que ela lhe dera poucas horas antes. Se não fosse cuidadosa, muito, muito cuidadosa, terminaria do mesmo jeito.

– Perguntei sobre Lord.

Ele ergueu um pouco mais o queixo com o cano da arma.

– Eu me perdi dele – ela respondeu, pensando rápido. – Queria voltar aqui e encontrar os papéis.

– Traidora. – Ele brincou com as pontas dos cabelos dela e fez-lhe o estômago revirar-se. – Esperta também. – Cerrou os dedos, puxando sua cabeça para trás. – Quando ele volta?

– Eu não sei. – Ela estremeceu de dor e esforçou-se por manter a mente clara. – Quinze minutos, talvez meia hora. – A qualquer momento, pensou, desesperada. Ele poderia entrar a qualquer minuto, e então os dois seriam mortos. Outra olhada no corpo estendido aos seus pés, e os olhos marejaram-se. Whitney engoliu em seco com força, sabendo que não podia permitir-se lágrimas. – Por que você matou Juan?

– Lugar errado na hora errada – ele respondeu com um sorriso. – Igual a você, moça bonita.

– Escute... – Não era difícil ela manter a voz baixa. Se tentasse falar mais alto que um suspiro, os dentes bateriam. – Não tenho nenhuma lealdade a Lord. Se você e eu encontrássemos os papéis, então...

Deixou a frase sem terminar, umedecendo os lábios com a língua. Ele observou o gesto e correu o olhar pelo corpo dela abaixo.

– Não tem muito peito – disse, com escárnio, depois recuou, gesticulando com a arma. – Talvez eu deva ver mais do que você está oferecendo.

Ela brincou com o botão de cima da blusa. Tirara a mente dele da intenção de matá-la por enquanto, mas não era uma grande barganha.

Recuando devagar, ao passar para o botão seguinte, sentiu os quadris baterem na mesa. Como para firmar-se, apoiou a palma da mão ali, sem desprender o olhar dele. Sentiu o aço inoxidável roçar as pontas dos dedos.

— Talvez você devesse me ajudar – sussurrou e forçou-se a sorrir.

Ele inclinou a cabeça quando largou a arma na cômoda.

— Talvez.

E já tinha as mãos nos quadris dela, subindo devagar pelo corpo. Whitney agarrou o garfo no punho fechado e mergulhou os dentes no lado da garganta do homem.

Com sangue esguichando, grunhindo como um porco, ele saltou para trás. Quando estendeu a mão para arrancar o garfo da garganta, ela pegou a sacola de viagem de couro e golpeou-o com toda a força que tinha. Não olhou para ver a profundidade em que enfiara os dentes do garfo nele. Fugiu.

De extremo bom humor, após um breve flerte com a moça do caixa, Doug pôs-se a andar pelo saguão adentro. Correndo a toda a velocidade, Whitney chocou-se com ele na passagem.

Ele fez um malabarismo com os pacotes.

— Corra! – ela gritou, e sem esperar para ver se ele aceitava o conselho, saiu desabalada do hotel.

Praguejando e atrapalhando-se com os pacotes, Doug emparelhou com ela.

— Por quê?

— Encontraram a gente.

Uma olhada para trás mostrou Remo e dois outros que acabavam de sair acotovelando-se do hotel.

— Ai, que merda – ele resmungou, depois a agarrou pelo braço e arrastou-a para a primeira porta a que chegaram.

Foram recebidos pelos suaves arpejos de uma música de harpa e um maître obstinado.

— Têm reserva para o almoço?

— Só procurando amigos – respondeu Doug, e cutucou Whitney para acompanhá-lo.

— É, espero não termos chegado cedo demais. – Adejou as pálpebras para o maître antes de examinar o restaurante. – Detesto chegar cedo. Ah, lá está Marjorie. Minha nossa, ela engordou. – Apoiando-se com um ar conspiratório em Doug, passaram pelo maître. – Não deixe de elogiá-la naquela roupa horrível, Rodney.

Avançando pela lateral do restaurante, seguiram em linha reta para a cozinha.

– Rodney? – ele queixou-se em voz baixa.

– Apenas me veio à cabeça.

– Aqui. – Pensando rápido, ele jogou as caixas e os sacos na sacola de viagem de Whitney e pendurou tudo no ombro.

Na cozinha, abriram caminho contornando balcões, fogões e cozinheiros. Movendo-se o mais rápido que julgava prudente, Doug dirigiu-se à porta dos fundos. Um corpanzil de avental branco e um metro de largura postou-se diante dele.

– Não é permitida a entrada de clientes na cozinha.

Doug ergueu os olhos para o chapéu do chefe, no mínimo 30 centímetros acima da sua cabeça. Isso o fez lembrar o quanto detestava disputas físicas. Não se ganham muitos hematomas quando se usa a cabeça.

– Só um minuto, só um minuto – disse, agitado, e virou-se para a panela fervendo em fogo brando à direita. – Sheila, isso aqui tem o mais divino aroma. Esplêndido, sensual. Quatro estrelas para o aroma.

Dando continuidade à encenação, ela retirou a pequena agenda da bolsa.

– Quatro estrelas – repetiu, escrevendo.

Doug ergueu a concha, segurou-a sob o nariz, fechou os olhos e provou.

– Ah. – Proferiu a palavra de forma tão teatral que ela teve de abafar uma risadinha. – *Poisson Véronique*. Magnífico. Absolutamente magnífico. Sem a menor dúvida, um dos primeiros concorrentes na competição. Seu nome? – quis saber do chefe.

O corpanzil de avental branco envaideceu-se.

– Henri.

– Henri – ele repetiu, chamando Whitney com um aceno. – Será notificado em dez dias. Venha, Sheila, não perca tempo. Temos mais três visitas a fazer.

– Aposto em você – disse Whitney a Henri, ao saírem pela porta dos fundos.

– Muito bem. – Doug segurou firme o braço dela quando pararam no beco. – Remo é apenas meio idiota, por isso temos de dar o fora rápido. Para que lado é a casa do tio Maxie?

– Ele mora em Rosly, Virginia.

– Certo, precisamos de um táxi. – Ia avançar, e então empurrou Whitney de volta à parede tão rápido que ela ficou sem ar. – Droga, já estão ali fora. – Parou um instante, sabendo que o beco não seria seguro por muito tempo. Em sua experiência, os becos nunca o eram. – Vamos ter de ir para o outro lado, o que significa pular alguns muros. Você vai ter de acompanhar.

A imagem de Juan continuava fresca na mente dela.

– Vou acompanhar.

– Vamos.

Partiram lado a lado e logo desviaram à direita. Whitney teve de subir em caixotes para transpor a primeira cerca e os músculos da perna chiaram surpresos quando ela pousou. Continuou correndo. Se ele tinha um padrão para a fuga, ela não conseguiu encontrar. Doug ziguezagueou pelas ruas e pelos becos, e saltou cercas até deixá-la com os pulmões ardendo devido ao esforço de acompanhá-lo. A ondulante saia do vestido prendeu-se num elo de corrente e a bainha rasgou num corte irregular. As pessoas paravam para olhá-los com surpresa e especulação, como jamais teriam feito em Nova York.

Doug mantinha-se olhando para trás. Ela não tinha como saber se ele vivera assim quase toda a vida e muitas vezes se perguntava se ele já vivera de algum outro modo. Quando ele a arrastou pela escadaria abaixo em direção ao metrô do Centro, ela teve de segurar-se no corrimão para não cair de cabeça.

– Linhas azuis e linhas vermelhas – ele resmungou. – Por que eles têm de confundir tudo com cores?

– Não sei. – Ofegante, ela apoiou-se no painel de informação. – Nunca andei de metrô antes.

– Bem, estamos sem limusines no momento. Linha vermelha – ele anunciou e agarrou-lhe mais uma vez a mão.

Não sumira da visão deles. Doug continuava sentindo o cheiro do caçador. Cinco minutos, pensou. Queria apenas uma vantagem de cinco minutos. Então os dois entrariam num daqueles velozes trenzinhos e ganhariam mais tempo.

A multidão era compacta e tagarelava em meia dúzia de línguas. Quanto mais gente, melhor, decidiu ao avançar devagar atrás da massa humana. Olhou para trás ao chegarem à beira da plataforma. Seu olhar encontrou o de Remo. Viu a atadura na pele bronzeada. Cumprimentos de Whitney MacAllister, pensou, e não pôde resistir a disparar-lhe um sorriso. É, devia a ela por isso, decidiu. Quando nada, devia-lhe isso.

Era tudo questão de tempo agora, sabia, ao empurrar Whitney para dentro do trem. Tempo e sorte. Ou a favor ou contra os dois. Imprensado entre ela e uma indiana vestida de sári, viu Remo abrir a custo caminho entre a multidão.

Quando as portas se fecharam, ele riu e fez ao frustrado perseguidor do lado de fora uma leve continência.

– Vamos encontrar um lugar para sentar – disse a Whitney. – Não há nada como o transporte público.

Ela nada respondeu enquanto abriam caminho pelo vagão, avançando com esforço, e continuava calada quando encontraram espaço suficiente para os dois. Doug estava ocupado demais alternando pragas e bênçãos à sorte para notar. No fim, riu para o seu reflexo no vidro à esquerda.

– Bem, o filho da mãe pode ter nos encontrado, mas vai ter um monte de explicações a dar a Dimitri sobre como tornou a nos perder. – Satisfeito, passou o braço sobre o banco laranja. – Como você os localizou? – perguntou meio ausente, enquanto tramava o movimento seguinte. Dinheiro, passaporte e aeroporto, nesta ordem, embora ele tivesse de encaixar uma rápida ida à biblioteca. Se Dimitri e sua matilha aparecessem em Madagascar, eles apenas sumiriam de novo. Vinha tendo um prolongado período de sorte. – Você tem um olho aguçado, benzinho – disse. – Estaríamos em maus lençóis se houvesse um comitê de boas-vindas na volta ao quarto do hotel.

A adrenalina transportara-a pelas ruas. A necessidade de sobreviver impelira-a com força e rapidez até o momento em que se sentara. Esgotada, Whitney virou a cabeça e fitou o perfil dele.

– Mataram Juan.

– Como? – Distraído, ele a olhou. Pela primeira vez, notou que Whitney estava muito pálida e tinha os olhos sem expressão. – Juan? – Puxou-a mais para perto, baixando a voz para um sussurro. – O garçom? Do que está falando?

– Estava morto no seu quarto quando voltei. Tinha um homem à espera.

– Que homem? – exigiu saber Doug. – Como ele era?

– Olhos cor de areia. Tinha uma cicatriz que descia pela face, uma cicatriz longa e denteada.

– Butrain – ele resmungou. – Um verme vil de Dimitri. – Intensificou o aperto no ombro de Whitney. – Machucou você?

Ela tornou a focar os olhos sombrios como uísque envelhecido nos dele.

– Acho que eu o matei.

– O quê? – Ele fitou o rosto elegante e de ossatura fina. – Você matou Butrain? Como?

– Com um garfo.

– Você... – Doug interrompeu-se e recostou-se, tentando compreender. Se ela não o olhasse com olhos tão grandes e arrasados, se não tivesse a mão fria como gelo, ele teria rido alto. – Está me dizendo que liquidou um dos gorilas de Dimitri com um garfo?

– Não parei para tomar o pulso dele.

O trem parou na estação seguinte e, incapaz de continuar sentada imóvel, Whitney levantou-se e forçou o caminho para descer. Praguejando e lutando ao avançar entre corpos, Doug alcançou-a na plataforma.

– Tá bem, tá bem, é melhor me contar a história toda.

– A história toda? – Subitamente enfurecida, ela virou-se para ele. – Quer ouvir a coisa toda? A porra da coisa toda? Eu voltei para o quarto e lá estava aquele pobre e inofensivo rapaz morto, sangue em todo o paletó branco engomado, e um sujeito detestável com o rosto igual a um mapa apertando uma arma em minha garganta.

Alterara tanto a voz que os transeuntes se viravam para escutar ou olhar.

– Controle-se – resmungou Doug, arrastando-a para outro trem.

Iam continuar seguindo viagem, não importava para onde, até ela acalmar-se e ele ter um plano mais viável.

– Controle-se você – ela rebateu – que me meteu nisso.

– Escute, benzinho, pode dar meia-volta na hora que quiser.

– Claro, e terminar com a garganta cortada por alguém que está atrás de você e daqueles malditos papéis.

A verdade deixou-o com pouca defesa. Empurrando-a até um banco no canto, espremeu-se ao seu lado.

– Certo, então você está presa a mim – disse Doug em voz baixa. – Mas aqui vai uma notícia de última hora... ouvir você se lamentar disso me deixa nervoso.

– Não estou me lamentando. – Ela virou-se para ele com olhos marejados e vulneráveis. – Aquele jovem está morto.

A raiva se esgotara e irrompera a culpa. Sem saber mais o que fazer, ele a abraçou. Não tinha o hábito de reconfortar mulheres.

– Não pode deixar isso mortificar você. Não é a responsável.

Cansada, ela apoiou a cabeça no ombro dele.

– É assim que você supera as dificuldades da vida, Doug, não sendo responsável?

Enroscando os dedos nos cabelos dela, ele viu as imagens gêmeas dos dois no vidro.

– É.

Calaram-se, os dois perguntando-se se ele dizia a verdade.

3

Whitney tinha de sair logo dessa. Doug ajeitou-se na poltrona de primeira classe e desejou saber como livrá-la do sofrimento. Achava que entendia as mulheres ricas. Trabalhara para elas – e nelas –, muitas delas. Era igualmente verdade, imaginou, que muitas haviam trabalhado nele. O problema, como sempre, era que, na maioria das vezes, ele se apaixonava apenas um pouco por qualquer mulher com quem passava mais de duas horas. Eram tão, bem, femininas, concluiu. Ninguém podia parecer mais sincero que uma mulher cheirosa e de pele macia. Mas aprendera com a experiência que as de grandes contas bancárias em geral tinham um coração bastante flexível. Tão logo o cara se prontificasse a esquecer os brincos de diamantes em favor de um relacionamento mais importante, terminavam tudo com ele.

Insensibilidade. Julgava esse o pior defeito dos ricos. Aquela insensibilidade que os fazia passar por cima de todas as pessoas com a indiferença de uma criança pisando em um besouro. Para diversão, escolhia uma garçonete de sorriso fácil. Mas, quando se tratava de negócios, Doug ia direto ao saldo bancário. A mulher de conta polpuda era uma cobertura inestimável. Ele transpunha muitas portas fechadas com uma mulher rica nos braços. Chegavam de formas diversificadas, por certo, mas em geral podiam ser classificadas com poucos rótulos básicos. Vieram-lhe à mente as entediadas, perversas, frias ou tolas. Whitney não parecia encaixar-se em nenhum desses rótulos. Quantas pessoas se lembrariam do nome de um garçom, quanto mais lamentariam sua perda?

Viajavam para Paris saindo do aeroporto internacional Dulles. Um grande desvio, ele esperava, para despistar Dimitri. Se isso lhe desse um dia, algumas horas, aproveitaria. Sabia, como qualquer um no ramo, da fama de Dimitri para lidar com quem tentava ludibriá-lo. Homem tradicional, preferia métodos tradicionais. Gente como o imperador romano Nero teria apreciado o encanto de Dimitri pelos inovadores métodos de tortura. Haviam circulado rumores sobre uma sala no porão da propriedade dele no estado de Connecticut. Supunha-se que estava repleta de antiguidades – daquelas da Inquisição espanhola. Falavam ainda da existência de um estúdio de excelente qualidade. Luzes, câmera, ação. Creditava-se a Dimitri o prazer de assistir a repetições de sua obra mais macabra. Doug não iria ver-se à luz do refletor numa das apresentações de Dimitri, nem acreditar no mito de que ele era onipotente. Não passava de um homem, disse a si mesmo. Carne e osso. Mas, mesmo a mais de 9 mil metros de altura, tinha a inquietante sensação de ser uma mosca manipulada por uma aranha.

Tomando outra bebida, afastou esse pensamento. Um passo de cada vez. Era assim que jogava, assim que iria sobreviver.

Se houvesse tempo, levaria Whitney ao Hotel de Crillon por dois dias. Era o único lugar em que se hospedava em Paris. Em algumas cidades, conformava-se com um motel e uma cama dobrável, em outras nem sequer dormia. Mas isso não acontecia em Paris. Sua sorte sempre estivera lá.

Fazia questão de providenciar uma viagem duas vezes por ano, sem nenhum outro motivo além da comida. Pelo que sabia, ninguém cozinhava melhor que os franceses, ou os educados na França. Por isso, conseguira blefar no preparo de vários pratos. Aprendera a maneira francesa, a *correta*, de fazer uma omelete no Cordon Bleu. Claro, mantinha-se discreto em relação a interesse específico. Se houvesse vazado a informação de que usava um avental e batia ovos, teria perdido a reputação nas ruas. Além disso, seria embaraçoso. Portanto, sempre disfarçava com negócios as viagens a Paris motivadas por interesse culinário.

Dois anos antes, ficara na Cidade Luz por uma semana, fazendo o papel do rico playboy. Lembrou-se que penhorara um excelente colar de safira para pagar a conta. A gente nunca sabe quando vai precisar voltar.

Mas não havia tempo nessa viagem para um rápido curso de suflês, nem um acessível trabalho de arrombamento. Tampouco para sentar-se imóvel num lugar até terminar o jogo. Em geral, preferia assim – a busca, a caça. O próprio jogo era mais excitante que a vitória. Aprendera isso após o primeiro grande trabalho. A tensão e a pressão do planejamento, a ondulante emoção, o pequeno terror na execução e, então, a agitada excitação do sucesso. Depois disso, passava a ser apenas mais um serviço concluído. Sempre procurava o seguinte. E o seguinte.

Se tivesse ouvido o seu orientador no ensino médio, na certa seria um advogado muito bem-sucedido no momento. Tinha inteligência e a língua loquaz. Tomou um gole de uísque e sentiu-se grato por não tê-lo ouvido.

Imagine, Douglas Lord, fidalgo, com uma mesa cheia de papéis e compromissos na hora do almoço três dias por semana. Isso lá era jeito de viver? Passou outra página do livro que roubara numa biblioteca de Washington antes de partirem. Não, uma profissão que o mantivesse num escritório seria seu dono, não o contrário. Portanto, se seu QI superava o porte físico, preferia usar esses talentos em coisas mais satisfatórias.

No momento, lia sobre Madagascar: história, topografia e cultura. Quando terminasse o livro, saberia tudo o que precisava. Guardara na mala dois outros volumes para depois. Um era sobre pedras preciosas desaparecidas; o outro, uma longa e detalhada narrativa sobre a Revolução Francesa. Queria visualizar e entender o tesouro antes de encontrá-lo. Se os documentos que lera eram verdadeiros, teria de agradecer a Maria Antonieta e sua predileção pela opulência e pela intriga, que permitiriam a aposentadoria antecipada dele. O diamante Espelho de Portugal, o Azul, o amarelo-claro de Sancy – todos os 50 quilates. A realeza francesa tinha muito bom gosto. Doug sentia-se grato pelas aquisições de Maria Antonieta e pelos aristocratas que haviam fugido do país mantendo as joias da Coroa em segredo até que a família real voltasse a governar a França...

Não encontraria o diamante de Sancy em Madagascar. Trabalhava no ramo e sabia que a pedra encontrava-se agora em poder da família Astor. Mas as possibilidades eram infindáveis. O Espelho e o Azul estavam desaparecidos. Assim como outras pedras preciosas. O Caso do Colar de Diamantes – a gota-d'água para os camponeses – era repleto de teorias, mitos e especulações. O que fora feito, exatamente, do colar que acabara por garantir que Maria Antonieta não tivesse mais pescoço para usá-lo?

Doug acreditava no destino e na simples e pura sorte. Ele iria afundar-se até os joelhos naquelas pedras cintilantes. E ferrar Dimitri.

Enquanto isso, queria saber tudo que podia sobre Madagascar. Derrotaria o adversário por meio da inteligência. Lia uma página após outra e registrava todos os fatos relevantes. Encontraria o caminho contornando a ilhota no Oceano Índico da mesma forma que iria do East Side para o West Side de Manhattan.

Satisfeito, largou o livro. Viajavam à altitude de cruzeiro havia duas horas. Tempo suficiente, decidiu, para Whitney remoer calada.

— Tudo bem, pare com isso.

Ela virou-se e lançou-lhe um olhar demorado e neutro.

— O que disse?

Ela encenava bem, refletiu Doug. O número de megera fria típico das mulheres com dinheiro ou coragem. Claro, ele vinha aprendendo que Whitney tinha as duas coisas.

— Eu mandei parar com isso. Não suporto mulher mal-humorada.

— Mal-humorada?

Como exibiu os olhos apertados e sussurrou as palavras, ele ficou satisfeito. Se a enfurecesse, ela se livraria de tudo aquilo mais rápido.

— É. Não sou louco por mulheres que falam pelos cotovelos, mas devíamos conseguir encontrar algum assunto em comum.

— Devíamos? Que adorável você fazer esse tipo de exigência!

Ela pegou um cigarro do maço que ele jogara no espaço entre as duas poltronas e acendeu-o. Isso ajudou a diverti-lo.

— Deixe eu lhe dar uma lição antes de seguirmos adiante, benzinho.

Whitney soprou fumaça no rosto dele.

— Por favor.

Como reconhecia a dor quando a via, ele deu-lhe mais um minuto. Então disse com a voz neutra e definitiva:

— Isto é um jogo. — Pegou o cigarro dos dedos dela e tragou. — É sempre um jogo, mas a gente entra sabendo que há baixas.

Ela encarou-o.

— É isso que você considera Juan? Uma baixa?

— Ele estava no lugar errado, na hora errada — respondeu, sem saber que repetia as palavras de Butrain. Ela ouviu, porém, mais alguma coisa. Pesar? Remorso? Embora não tivesse certeza, já era alguma coisa. Agarrou-se a isso. — Não podemos voltar e mudar o que aconteceu, Whitney. Portanto, seguiremos em frente.

Ela pegou a bebida que tinha esquecido.

— É isso o que você faz melhor? Seguir em frente?

– Se quiser vencer. Quando tem de vencer, não pode olhar para trás. Dilacerar-se por causa disso não vai mudar nada. Estamos um passo à frente de Dimitri, talvez dois. Temos de ficar assim, porque se trata de um jogo, mas você joga para ficar com alguma coisa, não para devolvê-la. Se não continuarmos na frente, seremos liquidados. – Ao falar, pôs a mão sobre a dela, não para reconfortá-la, mas para ver se estava firme. – Se não consegue aguentar isso, é melhor pensar em se mandar agora, pois temos um caminho longo a percorrer.

Ela não iria se mandar. O orgulho era o problema, ou a bênção. Jamais conseguiria ir embora. Mas e ele?, perguntou-se. Qual era a motivação de Douglas Lord?

– Por que faz isso?

Ele gostou da curiosidade, do entusiasmo. Ao recostar-se, sentiu-se satisfeito por ela ter transposto o primeiro obstáculo.

– Sabe, Whitney, é muito mais gostoso ganhar uma bolada no pôquer com um par de valetes do que com uma sequência de cinco cartas. – Soprou uma baforada e riu. – Muito mais gostoso.

Ela achou que entendia e examinou o perfil dele.

– Gosta das probabilidades contra você.

– As apostas de poucas chances pagam mais.

Whitney recostou-se, fechou os olhos e ficou calada por tanto tempo que ele achou que tinha cochilado. Em vez disso, ela repassava tudo que acontecera, passo a passo.

– O restaurante – perguntou, bruscamente. – Como você conseguiu se sair tão bem?

– Que restaurante?

Ele examinava as diferentes tribos de Madagascar no livro e não se deu o trabalho de erguer os olhos.

– Em Washington, quando corremos pela cozinha e aquele enorme homem de branco se meteu na sua frente.

– A gente apenas usa a primeira coisa que vem à mente – respondeu, sem pestanejar. – Em geral é a melhor.

– Não foi só o que você disse. – Insatisfeita, Whitney mudou de posição na poltrona. – Num minuto, é um homem frenético saído das ruas, e, no seguinte, um arrogante crítico de culinária cheio de frases feitas.

– Meu bem, quando nossa vida está em risco, podemos ser qualquer coisa. – Então ergueu os olhos e riu. – Quando quer uma coisa para valer, você pode ser qualquer coisa. Em geral, gosto de fazer o serviço por dentro. Só tenho de decidir se vou entrar pela porta da frente ou pela entrada de serviço.

Interessada, ela fez sinal pedindo outra bebida para cada um.

– E o que isso quer dizer?

– Muito bem, veja a Califórnia. Beverly Hills. Primeiro, você tem de decidir qual daquelas elegantes mansões quer roubar. Algumas perguntas discretas, um pouco de trabalho de campo, e você escolhe uma. Então, porta da frente ou dos fundos? Isso talvez dependa da própria veneta. Entrar pela da frente em geral é mais fácil.

– Por quê?

– Porque o dinheiro exige referências dos empregados, não dos convidados. A gente precisa investir alguma coisa, alguma grana. Hospeda-se no Wilshire Royal, aluga um Mercedes, deixa escapar alguns nomes de pessoas que sabe que estão fora da cidade. Assim que você entra na primeira festa, está pronto. – Com um suspiro, ele tomou um gole. – O pessoal gosta mesmo de usar as contas bancárias no pescoço em Beverly Hills.

– E você simplesmente entra direto e arranca as joias?

– Mais ou menos. O difícil é não ser ganancioso... E saber quem usa pedras verdadeiras e quem usa vidro. Tem um monte de papo-furado na Califórnia. Basicamente, é preciso apenas ser bom mímico.

– Obrigada.

– Você se veste bem, se certifica de ser visto nos lugares certos com algumas das pessoas certas... e ninguém vai questionar seu pedigree. A última vez que usei esse número, me hospedei no Wilshire com 3 mil dólares. Fechei a conta e saí do hotel com 30 mil. Gosto da Califórnia.

– Tenho a impressão de que não vai poder voltar tão cedo.

– Já voltei. Tingi o cabelo, deixei crescer um bigodinho e usei calça jeans. Podei as rosas de Cassie Lawrence.

– Cassie Lawrence? A piranha profissional que se disfarça de patronesse das artes?

Descrição perfeita, pensou Doug.

– Vocês se conhecem?

– Infelizmente. Quanto tirou dela?

Pelo tom, Doug concluiu que Whitney ficaria satisfeita ao saber que fizera uma boa colheita. E também decidiu não lhe dizer que tivera sorte para entrar porque Cassie gostara de vê-lo arrancar, sem camisa, as ervas daninhas das azaleias. Quase o comera vivo na cama. Em troca, ele afanara um ornado colar de rubi e um par de brincos de diamantes do tamanho de bolas de pingue-pongue.

– O suficiente – ele declarou, afinal. – Entendo que você não goste dela.

– Ela não tem a menor classe. Você dormiu com ela?

Ele engasgou com a bebida e largou-a com cuidado.

– Não creio que...

– Então dormiu. – Um pouco decepcionada, Whitney examinou-o. – Me surpreendo por eu não ter visto as cicatrizes. – Examinou-o mais um instante, pensativa e calada. – Não acha esse tipo de coisa degradante?

Ele teve vontade de estrangulá-la, sem o menor escrúpulo. Era verdade que em algumas ocasiões dormia com um alvo e gostava – e fazia questão de que o alvo também gostasse. Pagamento por pagamento. Mas, como regra, não gostava muito de incluir sexo na história.

– Trabalho é trabalho – respondeu, de forma sucinta. – Não me diga que você nunca dormiu com um cliente.

Ela ergueu uma sobrancelha, como quem estivesse achando graça.

– Durmo com quem escolho – respondeu, num tom que deixava evidente que escolhia bem.

– Alguns não nasceram com escolhas.

Tornando a abrir o livro, ele enfiou o nariz na leitura e calou-se. Ela não iria fazê-lo sentir-se culpado. A culpa era algo que evitava com mais escrúpulo do que a polícia ou um alvo furioso. Tão logo deixamos a culpa nos sugar, estamos liquidados.

O mais estranho era ela não parecer incomodada com o fato de ele usar o roubo como meio de vida. Não a incomodou nem um pouco o fato de roubar especialmente os da classe dela. Em momento algum demonstrou surpresa pelo que ouvia. Na verdade, era mais provável que tivesse aliviado algumas das amigas de Whitney do excesso de bens pessoais. Isso não lhe causava a mínima preocupação.

Que tipo de mulher era ela, afinal? Achava que entendia a sede dela por aventura, excitação e riscos. Ele próprio vivera toda a vida assim. Mas isso não parecia encaixar-se naquela aparência indiferente de mulher endinheirada.

Não, ela não se alterara em nada quando lhe dissera que era ladrão, mas o olhara com escárnio, e sim, droga, pena, quando descobrira que ele dormira com uma vigarista da Costa Oeste por um punhado de joias.

E o que conseguira com elas? Repensando o fato, Doug lembrou que oferecera as pedras a um receptador em Chicago 24 horas depois. Após a pechincha de praxe sobre o preço, um capricho o levara a Porto Rico. Em três dias, só sobraram 2 mil dólares. Perdera quase tudo nos cassinos. E o que conseguira com as joias?, tornou a pensar, e riu. Um fantástico fim de semana.

O dinheiro simplesmente não parava com ele. Sempre surgia outro jogo, uma coisa certa no caminho ou uma mulher de olhos amendoados, com uma história lacrimosa e voz ofegante. Apesar disso, não se considerava um babaca. Era otimista. Nascera e permanecera assim, mesmo após mais de 15 anos no ramo. Do contrário, a satisfação teria desaparecido e seria preferível tornar-se advogado.

Centenas de milhares de dólares haviam passado por suas mãos. Dessa vez seria diferente. Não importava que já houvesse dito isso antes, dessa vez *seria* diferente. Se o tesouro fosse a metade do que indicavam os documentos, ele estaria seguro para o resto da vida. Jamais teria de trabalhar de novo – a não ser um biscate aqui e ali para manter a forma.

Compraria um iate e navegaria de porto em porto. Rumaria para o sul da França, se bronzearia ao sol e prestaria atenção às mulheres. Teria de manter-se um passo à frente de Dimitri pelo resto da vida. Porque, enquanto vivesse, Dimitri jamais lhe daria trégua. Isso também fazia parte do jogo.

Mas a melhor parte era o empreendimento, o planejamento, a manobra. Sempre achara mais excitante prever o gosto do champanhe do que terminar a garrafa. Madagascar ficava a apenas algumas horas de distância. Uma vez lá, poderia começar a aplicar tudo o que vinha lendo junto com seu talentos e sua experiência.

Teria de regular o ritmo para manter-se à frente de Dimitri – mas não demasiado à frente para topar com ele na outra ponta. O problema era que não tinha certeza do quanto o ex-empregador sabia sobre o conteúdo do envelope. Demais, pensou, levando distraidamente a mão ao peito onde continuava preso. Dimitri decerto sabia muito porque sempre sabia. Ninguém jamais o traíra e sobrevivera. Doug sabia que não podia ficar parado.

Teria apenas de agir de acordo com a situação. Assim que chegassem lá... Olhou para Whitney, recostada na poltrona, olhos fechados. No sono, parecia indiferente, serena e intocável. A carência agitou-se em seu íntimo, a carência que sempre sentira pelo intocável. Dessa vez, teria de reprimi-la.

Era estritamente negócio entre eles, pensou. Só negócio. Até conseguir convencê-la a liberar algum dinheiro vivo e, com toda delicadeza, descartá-la ao longo do caminho. Talvez ela viesse a ser mais útil do que previra até agora, mas era o tipo de mulher que ele entendia. Rica e inquieta. Mais cedo ou mais tarde, ficaria entediada com todo o esquema. Tinha de conseguir o dinheiro antes de isso acontecer.

Convencido de que iria conseguir, apertou o botão para reclinar o encosto da poltrona. Fechou o livro. Não esqueceria o que lera. Seu dom de lembrar o teria feito progredir com rapidez e facilidade na faculdade de Direito ou em qualquer outra profissão. Jamais precisava de anotações quando pesquisava um serviço, porque não esquecia. Jamais atacara o mesmo alvo duas vezes, porque gravava nomes e rostos.

Embora o dinheiro talvez lhe escorregasse pelos dedos, os detalhes não. Doug encarava isso em termos filosóficos. Sempre se podia arranjar mais dinheiro. A vida seria muito chata se toda a grana fosse investida em ações em vez de na roleta ou nos cavalos. Sentia-se satisfeito. Como sabia que os próximos dias seriam longos e difíceis, sentia-se mais que satisfeito. Era mais emocionante encontrar um diamante num monte de lixo que numa vitrine. Aguardava ansioso para cavar.

Whitney dormia. O movimento do avião, ao iniciar a longa descida, acordou-a. Graças a Deus, foi seu primeiro pensamento. Estava inteiramente farta de aviões. Se viajasse sozinha, teria tomado o supersônico Concorde. Naquelas circunstâncias, não quisera arcar com os custos da passagem extra para Doug. A conta dele na pequena agenda dela crescia e, embora tivesse toda a pretensão de recuperar cada centavo, sabia que ele tinha toda a pretensão de que ela não conseguisse fazê-lo.

Ao olhá-lo agora ele parecia tão sincero quanto um escoteiro-mirim no primeiro ano. Examinava-o enquanto ele dormia, os cabelos desgrenhados da viagem, as mãos fechadas sobre o livro no colo. Qualquer um o tomaria por um homem comum, de alguns recursos, a caminho de férias europeias. Isso fazia parte do talento dele, pensou. A capacidade de misturar-se com qualquer grupo que escolhesse seria inestimável.

De que grupo fazia de fato parte? Dos homens dissolutos, de limites definidos, do submundo, que negociavam em becos escuros? Lembrou a expressão nos olhos dele quando perguntara sobre Butrain. Sim, tinha certeza de que ele já tivera seu quinhão de becos escuros. Mas fazer parte daquele grupo? Não, não se encaixava muito bem.

No curto tempo em que o conhecera, tinha certeza de que ele simplesmente não fazia parte. Era um inconformado, talvez nem sempre sensato, mas inquieto. Fazia parte da atração que ele exercia. Era um ladrão, mas ela achava que com certo código de honra. Um tribunal talvez não o reconhecesse, mas ela, sim. E respeitava.

Não era desumano. Vira em seus olhos quando ele falara de Juan. Era um sonhador. Vira isso em seus olhos quando ele falara do tesouro. E realista. Ouvira isso em sua voz quando ele falara de Dimitri. O realista sabia bem das coisas a temer. Ele era muito complexo para fazer parte disso. E, no entanto...

Fora amante de Cassie Lawrence. Whitney sabia que o diamante da Costa Oeste comia homens no café da manhã. Também era muito exigente em relação aos homens que escolhia para partilhar os lençóis. O que vira Cassie? Um rapaz viril, um corpo rígido? Talvez isso houvesse bastado, mas ela achava que não. Vira por si mesma naquela manhã em Washington como Doug Lord era atraente. E sentira-se atraída. Por algo mais que o corpo dele, admitia. Estilo. Doug Lord tinha estilo próprio, e era isso, ela acreditava, que o ajudava a transpor o limiar de casas em Beverly Hills ou Bel Air.

Achara que o entendia até ele ficar encabulado com a observação que fizera sobre Cassie. Encabulado e furioso, quando ela esperara um encolher de ombros e um comentário espontâneo. Logo, tinha sentimentos e valores, refletiu. Isso o tornava mais interessante e apreciável, se fosse o caso.

Apreciável ou não, descobriria mais sobre o tesouro e logo. Investira dinheiro demais para avançar às cegas. Fora com ele por impulso e ficara por necessidade. Instintivamente, soube que era mais seguro ficar com ele do que sem ele. Segurança e impulso à parte, ela era mulher de negócios o bastante para investir em ações anônimas. Antes que passasse muito tempo, descobriria o que ele tinha em mãos. Talvez gostasse dele, o entendesse até certo ponto, mas não confiava nele. Nem um pouco.

Enquanto pegava no sono, Doug chegou à mesma conclusão sobre Whitney. Manteria o envelope junto à pele até ter o tesouro nas mãos.

Quando o avião começou a aterrissar, eles levantaram os encostos da poltrona e sorriram um para o outro.

Após a luta com a bagagem e a passagem pela alfândega, ela só pensava em ficar imóvel numa cama.

– Hotel de Crillon – disse Doug ao motorista do táxi, e Whitney suspirou.

– Peço desculpas por ter duvidado do seu gosto.

– Benzinho, meu problema sempre foi o gosto. – Ele roçou as pontas dos cabelos dela mais por reflexo que por intenção. – Você parece cansada.

– Não foram 48 horas muito repousantes. Não que eu esteja me queixando – acrescentou. – Mas vai ser maravilhoso me esticar durante as próximas oito horas.

Ele apenas resmungou e viu Paris passar a toda. Dimitri não estaria muito atrás. Sua rede de informações era tão extensa quanto a da Interpol. Só esperava que os poucos desvios que intercalara bastassem para despistá-lo e reduzir a marcha da perseguição.

Enquanto Doug pensava, Whitney puxava conversa com o motorista. Como era em francês, ele não entendia, mas captou o tom. Leve, amistoso e até dado ao flerte. Estranho, refletiu. A maioria das mulheres criadas na riqueza que conhecia jamais via de fato as pessoas que as serviam. Era um dos motivos pelos quais achava tão fácil roubá-las. Os ricos

65

viviam ilhados, porém, por mais que os menos favorecidos dissessem isso, eles não eram infelizes. Com um bom papo, conseguira um lugar no círculo deles demasiadas vezes para saber que o dinheiro comprava a felicidade. Apenas custava um pouco mais a cada ano.

– Que gracinha de rapaz! – Whitney pisou no meio-fio e inalou o perfume de Paris. – Disse que eu era a mulher mais bonita a viajar no táxi dele em cinco anos.

Doug viu-a passar notas para o motorista antes de entrar apressada no hotel.

– E conseguiu uma gorda gorjeta, com certeza – resmungou.

Do jeito como ela distribuía dinheiro, ficariam mais uma vez quebrados antes de pousarem em Madagascar.

– Não seja tão pão-duro, Douglas.

Ele ignorou-a e tomou-lhe o braço.

– Você lê francês tão bem quanto fala?

– Precisa de alguma ajuda para ler o cardápio? – ela começou, e depois se interrompeu. – *Tu ne parles pas français, mon cher?* – Enquanto ele a examinava em silêncio, ela sorriu. – Fascinante. Eu devia ter percebido antes que nada estava traduzido.

– Ah, *mademoiselle* MacAllister!

– Georges. – Ela deu um sorriso ao recepcionista. – Não consegui ficar longe.

– É sempre um prazer tê-la de volta. – Os olhos dele tornaram a iluminar-se quando viu Doug por cima do ombro dela. – *Monsieur* Lord. Que surpresa!

– Georges. – Doug retribuiu brevemente o olhar especulativo de Whitney. – *Mademoiselle* MacAllister e eu estamos viajando juntos. Espero que tenha uma suíte disponível.

O romance brotou na mente de Georges. Se não houvesse uma suíte, seria tentado naquele momento a esvaziar uma.

– Mas é claro. E seu pai, *mademoiselle*, está bem?

– Muito bem, obrigada, Georges.

– Charles vai levar suas malas. Aproveitem a estada.

Whitney guardou a chave no bolso sem olhá-la. Sabia que as camas no Crillon eram macias. A água nas torneiras, quente. Um banho, um pouco de caviar do serviço de copa e uma cama. Pela manhã, passaria algumas horas no salão de beleza antes de embarcarem para o último trecho da viagem.

– Percebi que já ficou aqui antes – disse.

Ela deslizou para o elevador e encostou-se na parede.

– De vez em quando.

– Suponho que seja um lugar muito lucrativo.

Doug apenas deu-lhe um sorriso. – O serviço é excelente.

– Hum. – Sim, ela via-o ali, tomando champanhe e mordiscando patê. Da mesma forma que o via correndo pelos becos na capital de Washington. – Que sorte a minha nossos caminhos nunca terem se cruzado aqui antes! – Quando as portas se abriram, saiu na frente. Doug tomou-lhe o braço e conduziu-a para a esquerda. – A atmosfera é importante, imagino, no seu ramo – ela acrescentou.

Ele deixou o polegar deslizar pela parte interna do cotovelo dela. – Aprecio as coisas suntuosas.

Ela deu apenas um sorriso tranquilo, dizendo que ele não ia provar o seu gosto enquanto não estivesse pronta.

A suíte não era nada menos do que esperava. Deixou o mensageiro movimentar-se com as malas pelo quarto por alguns instantes, depois o liberou com uma gorjeta.

– Então... – Deixou-se cair no sofá e chutou fora os sapatos. – A que horas a gente parte amanhã?

Em vez de responder, ele tirou uma camisa da mala, enrolou-a numa bola até amassá-la e jogou-a sobre uma cadeira. Sob os olhos atentos dela, retirou várias peças de roupa e largou-as aqui e ali por toda a suíte.

– Os quartos de hotel são muito impessoais enquanto a gente não espalha as coisas em volta, não são?

Resmungou alguma coisa e jogou meias no tapete. Só quando se dirigiu às malas dela, Whitney se opôs.

– Espere um instante.

– Metade do jogo é ilusão – ele declarou, e lançou um par de sapatos italianos num canto. – Quero que pensem que estamos hospedados aqui.

Ela puxou uma blusa de seda das mãos dele.

– Estamos hospedados aqui.

– Engano seu. Vá pendurar algumas peças de roupa no armário enquanto eu bagunço o banheiro.

Deixada com a blusa nas mãos, Whitney largou-a e seguiu-o.

– Do que está falando?

– Quando a força de Dimitri chegar aqui, quero que pensem que continuamos no hotel. Talvez isso nos dê apenas poucas horas, mas basta. – Vasculhou de forma sistemática a grande e aveludada embalagem de artigos de banho, desembrulhando sabonetes e deixando cair toalhas. – Pegue alguns dos seus trecos de rosto. Vamos deixar um punhado.

– Ah, não vamos, não. O que vou fazer sem eles?

– Não vamos a nenhum baile, benzinho. – Ele foi até a cama de casal e desarrumou as cobertas. – Uma basta – murmurou. – Não iam acreditar que não andávamos dormindo juntos.

– Você está afagando seu ego ou insultando o meu?

Doug pegou um cigarro, acendeu-o e soprou a fumaça, tudo sem tirar os olhos de cima dela. Por um instante, apenas um instante, Whitney perguntou-se do que ele seria capaz. E se ela gostaria, afinal. Sem nada dizer, ele dirigiu-se ao quarto seguinte e começou a esvaziar as malas dela.

– Droga, Doug, são as minhas coisas.

– Você vai pegar tudo de volta, pelo amor de Deus!

Escolhendo alguns cosméticos ao acaso, ele voltou para o banheiro.

– Esse creme hidratante custou 65 dólares.

– Por isto? – Interessado, ele virou o frasco ao contrário. – E eu imaginei que você fosse prática.

– Não saio deste quarto sem ele.

– Tudo bem. – Lançou-o de volta a ela e distribuiu o resto na penteadeira. – Isso basta. – Ao passar de novo pela suíte, apagou o cigarro fumado pela metade e acendeu outro. – Já pegamos o suficiente – decidiu, agachando-se junto à mala de Whitney. Um pequeno pedaço de renda atraiu-o. Ergueu uma calcinha transparente, mínima. – Cabe em você?

Via-a nela. Sabia que não devia deixar a imaginação enveredar para esse lado, mas a via nela e nada mais.

Ela resistiu à compulsão de arrancá-la da mão dele. Isso foi fácil. A pressão que sentiu formar-se sob a barriga quando ele roçou os dedos no material não foi controlada com tanta facilidade.

– Quando terminar de brincar com minha roupa íntima, que tal me dizer o que está acontecendo?

– Já fizemos o registro de entrada. – Após um instante, Doug jogou o que passava por calcinha de volta na mala. – Então descemos com as sacolas pelo elevador de serviço e retornamos ao aeroporto. Nosso voo parte em uma hora.

– Por que não me disse antes? Ele fechou a mala dela.

– Não me ocorreu.

– Entendo. – Whitney deu uma volta na suíte até achar que não iria perder a cabeça. – Me deixe explicar uma coisa a você. Não sei como trabalhava antes, e isso não importa. Desta vez – virou-se para encará-lo –, desta vez você arranjou uma parceira.

– Se não gosta do meu jeito de trabalhar, pode se mandar agora mesmo.

– Você me deve. – Quando ele ia protestar, ela aproximou-se um passo e retirou a agenda da bolsa ao avançar. – Devo ler a lista?

– Foda-se sua lista. Tenho aqueles gorilas na minha cola. Não posso me preocupar com contabilidade.

– Seria melhor se preocupar. – Ainda calma, ela largou a agenda na bolsa. – Sem mim, você vai à caça do tesouro de bolsos vazios.

– Benzinho, duas horas neste hotel e eu teria dinheiro suficiente para me levar a qualquer lugar que quisesse.

Ela não duvidava, mas manteve o olhar nivelado com o dele.

– Mas você não tem tempo para bancar o gatuno que entra nos quartos pra roubar e nós dois sabemos disso. Sócios, Douglas, ou você voa para Madagascar com 11 dólares no bolso.

Maldita mulher por saber o que ele tinha, quase até os centavos. Ele esmagou o cigarro e pegou a própria mala.

– Temos um avião para pegar. Sócia.

O sorriso dela surgiu devagar, e com tal brilho de satisfação, que ele se sentiu tentado a rir. Whitney calçou os sapatos e pegou a sacola grande de viagem de couro.

– Leve esta, sim? – pediu.

Antes que ele pudesse praguejar, ela se encaminhou para a porta.
— Eu apenas desejava ter tempo para um banho.

Pela facilidade com que desceram no elevador de serviço e saíram do hotel, Whitney imaginou que ele usara essa rota de fuga antes. Decidiu que podia enviar uma carta a Georges em poucos dias e pedir-lhe para guardar suas coisas até ela poder buscá-las. Não tivera nem a oportunidade de usar aquela blusa ainda.

No todo, parecia-lhe uma perda de tempo, mas queria satisfazer Doug, por enquanto. Além disso, no estado de ânimo em que ele se achava, estariam em melhor situação num avião que dividindo uma suíte. E queria algum tempo para pensar. Se os papéis, ou alguns deles de qualquer modo, eram em francês, era óbvio que ele não podia lê-los. Ela, sim. Um sorriso tomou-lhe os lábios. Ele pretendia descartá-la, ela não era tola para pensar de outra forma. Simplesmente teria de tornar-se ainda mais útil. Só precisava agora convencê-lo a deixá-la fazer parte da tradução.

Mesmo assim, ela própria não se sentia na melhor disposição de ânimo quando pararam no aeroporto. A ideia de passar mais uma vez pela alfândega e embarcar em outro avião bastava para deixá-la irritada.

— Podíamos ter nos registrado num hotel de segunda classe e ter algumas horas. — Penteando os cabelos para trás com os dedos, ela pensou de novo num banho. Quente, vaporoso, perfumado. — Começo a achar que você é paranoico em relação a esse tal Dimitri. Trata o cara como se ele fosse onipotente.

— Dizem que é.

Whitney parou e virou-se. Foi a maneira de ele dizer isso, como se em parte acreditasse, que fez a sua pele arrepiar-se.

— Não seja ridículo.

— Prevenido. — Ele examinava o terminal enquanto andavam. — É melhor prevenir que remediar.

— O seu jeito de falar dele faz a gente achar que não é humano.

— Ele é de carne e osso — murmurou Doug —, mas isso não o torna humano.

O calafrio tornou a deslizar pela pele dela. Virando-se em direção a ele, chocou-se com alguém e deixou a sacola cair. Com um suspiro impaciente, curvou-se para pegá-la.

– Escute, Doug, é impossível que alguém já tenha nos alcançado.
– Merda.

Agarrando-a pelo braço, ele empurrou-a para dentro de uma loja de suvenires. Com outro empurrão, ela se viu enterrada até os olhos entre camisetas.

– Se você queria um suvenir...
– Apenas olhe, querida. Pode pedir desculpas depois.

Com a mão na sua nuca, ele a fez virar a cabeça para a esquerda. Após um instante, Whitney reconheceu o homem alto, moreno, que os perseguira em Washington. O bigode, o pequeno curativo branco na face. Não precisava que lhe dissessem que os dois outros que o acompanhavam pertenciam à quadrilha de Dimitri. E onde andava o próprio Dimitri? Viu-se deslizando mais para baixo e engolindo em seco.

– Aquele é...
– Remo. – Doug resmungou o nome. – Chegaram mais rápido do que imaginei. – Esfregou a boca e praguejou. Não gostava da sensação de a teia estreitar-se ao bel-prazer de Dimitri. Se ele e Whitney houvessem continuado mais 10 metros, teriam caído nos braços de Remo. A sorte era a maior parte do jogo, lembrou-se. Era o que mais gostava. – Vão levar algum tempo para localizar o hotel. Depois vão se sentar e esperar. – Riu de leve e assentiu com a cabeça. – É, vão esperar a gente.

– Como? – quis saber Whitney. – Em nome de Deus, como já podem estar aqui?

– Quando se negocia com Dimitri, não se pergunta como. Apenas se olha para trás.

– Ele precisaria de uma bola de cristal.
– Política – respondeu Doug. – Lembra o que seu pai lhe disse sobre ligações? Se você tivesse um informante na CIA, desse um telefonema e apertasse um botão, chegaria antes de alguém sem sair de sua poltrona confortável. Um telefonema à Agência Central de Inteligência, à Imigração, à embaixada, e Dimitri identificaria nossos passaportes e vistos antes que a tinta secasse.

Ela umedeceu os lábios e tentou fingir que a garganta não secara.
– Então ele sabe para onde vamos.
– Com toda a certeza. Só temos de nos manter um passo à frente. Apenas um.

Whitney deu um suspiro ao perceber que o coração disparava. A excitação voltara. Se ela se desse tempo, isso sufocaria o medo.

– Parece que você sabe o que faz, afinal. – Quando ele se virou para olhá-la com reprovação, ela deu-lhe um beijo rápido e amistoso. – Mais esperto do que parece, Lord. Vamos para Madagascar.

Antes que ela pudesse levantar-se, ele tomou-lhe o queixo com a mão.

– Vamos ter de terminar isso lá. – Apertou os dedos apenas um instante, mas por tempo suficiente. – Tudo isso.

Ela enfrentou o olhar dele. Já tinham ido longe demais para desistir agora.

– Talvez – respondeu. – Mas temos de chegar lá primeiro. Que tal pegar o avião?

REMO PEGOU UMA pequena peça sedosa que Whitney chamaria de camisola. Fechou-a como uma bola no punho. Poria as mãos em Lord e na mulher antes do amanhecer. Dessa vez, não lhe escapuliriam pelos dedos nem o deixariam parecendo um idiota. Quando Doug Lord tornasse a cruzar a porta, iria meter-lhe uma bala no meio da testa. E a mulher – cuidaria da mulher. Devagar, rasgou a camisola ao meio. A seda dividiu-se quase sem ruído. Quando o telefone tocou, ele sacudiu a cabeça e fez sinal aos outros homens para flanquearem a porta. Com o polegar e o indicador, Remo ergueu o fone. Ao ouvir a voz, sentiu as glândulas sudoríparas se abrirem.

– Você perdeu os dois mais uma vez, Remo.

– Sr. Dimitri. – Viu os outros homens olharem e deu-lhes as costas. Jamais era sensato deixar transparecer o medo. – Encontramos os dois. Assim que retornarem, vamos...

– Eles não vão retomar. – Com um demorado suspiro, Dimitri deu uma baforada. – Foram localizados no aeroporto, Remo, bem debaixo do seu nariz. O destino é Antananarivo. As passagens esperam vocês. Sejam rápidos.

4

Whitney empurrou as venezianas de madeira na janela para abri-las e deu uma demorada olhada em Antananarivo. Não a fazia lembrar, como imaginara, a África. Uma vez, passara duas semanas no Quênia, e recordava o inebriante aroma matinal de carne defumada das grelhas nas calçadas, o calor intenso e uma movimentação cosmopolita. Embora a África ficasse apenas a uma estreita faixa de água de distância, nada via que se assemelhasse às suas lembranças.

Nem encontrou a luminosidade intensa de uma ilha tropical. Não sentia a ociosa alegria que sempre associara às ilhas e aos ilhéus. O que de fato sentia, embora ainda não soubesse bem por que, era uma região inteiramente singular em si mesma.

Ali era a capital de Madagascar, coração do país-ilha, a cidade de feiras ao ar livre e veículos puxados à mão convivendo, em total harmonia e completo caos, com prédios comerciais de muitos andares e reluzentes carros modernos. Uma cidade. Por isso ela esperava o habitual tumulto que se formava nas cidades. Mas o que via lhe parecia tranquilo: moroso, mas não ocioso. Talvez isso se devesse apenas ao amanhecer, ou talvez fosse inerente.

O ar frio naquela hora do dia a fez tremer, mas não se afastar. Não tinha o cheiro de Paris, nem da Europa, mas de alguma coisa mais madura. Especiarias misturadas aos primeiros vestígios de calor que ameaçavam o frescor da manhã. Hong Kong cheirava a porto, e Londres, a tráfego. Antananarivo cheirava a uma coisa mais antiga, que não estava exatamente em vias de desaparecer sob concreto e aço.

Formava-se uma neblina à medida que o calor pairava acima do terreno mais frio. Mesmo ali parada, Whitney sentia a temperatura mudar, quase grau a grau. Mais uma hora, pensou, e o suor começaria a escorrer e o ar também exalaria o mesmo cheiro.

Teve a impressão de casas empilhadas em cima de casas, em cima de mais outras, todas rosadas e arroxeadas à primeira luz matinal. Parecia uma cidade de conto de fadas: bonita e meio encardida.

A capital era só colinas, colinas tão íngremes e sufocantes que se haviam escavado escadas, construídas de pedra e terra, para transpô-las.

Mesmo ao longe, pareciam gastas, velhas e inclinadas num ângulo assustador. Ela viu três crianças e seus cachorros que corriam sem lhes dar ouvidos.

Via Anosy, o lago sagrado, azul-aço e imóvel, circundado pelos jacarandás que lhe davam o encanto exótico com que ela sonhara. Por causa da distância, podia apenas imaginar que o perfume seria doce e forte. Como em tantas outras cidades, erguiam-se prédios modernos, apartamentos, hotéis, um hospital, porém, dispersos entre eles, despontavam telhados cobertos de palha. Mais próximos, viam-se arrozais e pequenas fazendas. Os campos seriam úmidos e cintilantes ao sol da tarde. Se erguesse os olhos em direção à colina mais alta, ela veria os palácios, gloriosos ao amanhecer, opulentos, arrogantes e anacrônicos. Ouviu o barulho de um carro na larga avenida abaixo.

Então estavam ali, ela pensou, espreguiçando-se e inspirando ar fresco. A viagem de avião fora longa e tediosa, mas dera-lhe tempo para ajustar-se ao que acontecera e tomar algumas decisões. Se fosse honesta, tinha de admitir que se decidira assim que pisara no acelerador e começara a corrida com Doug. Verdade, fora um impulso, mas ela se apegara. Quando nada, a rápida parada em Paris convencera-a de que ele era competente e ela estava na jogada, a milhares de quilômetros de Nova York, e a aventura era ali.

Não podia mudar o destino de Juan, mas podia ter sua vingança pessoal derrotando Dimitri na caça ao tesouro. E divertindo-se. Para realizar isso, precisava de Doug Lord e dos documentos que ainda não vira. E iria vê-los, era apenas uma questão de aprender a dar a volta em Doug.

Doug Lord, pensou, afastando-se da janela para vestir-se. Quem era ele? De onde vinha e exatamente aonde pretendia ir?

Um ladrão. Sim, julgava-o um homem que poderia elevar o roubo ao nível de profissão. Mas não um Robin Hood. Roubava os ricos, mas não o imaginava dando aos pobres. O que... adquiria guardava. Mas não podia condená-lo por isso. Doug tinha alguma coisa, um brilho, que ela vira desde o início. Uma ausência de crueldade e um traço que julgava irresistível. Ousadia.

Depois, também, Whitney sempre acreditara que, se alguém se sobressaía em alguma coisa, devia realizá-la. Tinha a impressão de que ele era muito bom no que fazia.

Mulherengo? Talvez, mas já lidara com mulherengos antes. Os profissionais que sabiam falar três línguas e pedir o melhor champanhe eram menos admiráveis que um homem como Doug Lord, que seduzia com bom humor. Isso não a preocupava. Era atraente, até cativante, quando não discutia com ela. Da parte física, podia dar conta...

Embora lembrasse o que era deitar-se sob ele com a boca a poucos e provocativos centímetros da sua. Experimentara aquela sensação agradável, ofegante, que gostaria de explorar mais um pouco. Lembrava o que fora imaginar como seria beijar aquela boca interessante e arrogante.

Mas não enquanto fossem parceiros profissionais, lembrou-se, sacudindo a saia escolhida. Manteria tudo naquele nível prático que lhe permitia anotar na agenda. Manteria Doug Lord a uma cuidadosa distância até ter na mão sua parte nos ganhos. Se alguma coisa acontecesse depois, que acontecesse. Esboçando um sorriso, decidiu que talvez fosse divertido prever.

– Serviço de copa. – Ele entrou de repente com uma bandeja. Inspecionou um instante e deu uma breve, mas completa olhada em Whitney, de pé ao lado da cama, numa elegante camisola furta-cor. Ela fazia um homem ficar com água na boca. Classe, pensou mais uma vez. Um homem como ele melhor faria olhando onde pisava quando começava a ter fantasias com alguém com tanta classe. – Bela roupa.

Recusando-se a demonstrar qualquer reação, Whitney enfiou-se na saia.

– É o café da manhã?

Ele acabaria por romper aquela frieza, disse a si mesmo. No seu próprio tempo.

– Café e pãezinhos. Temos coisas a fazer.

Ela pegou uma blusa cor de framboesa.

– O que, por exemplo?

– Chequei o horário do trem. – Doug sentou-se numa cadeira, cruzou os tornozelos sobre a mesa e deu uma mordida no pão. Podemos seguir viagem para o leste ao meio-dia e quinze. Nesse meio-tempo, temos de comprar alguns equipamentos.

Ela levou seu café até a penteadeira.

– Que tipo de equipamento? – Mochilas – ele respondeu, vendo pela janela o sol erguer-se sobre a cidade. – Não vou carregar essa coisa de couro pela floresta.

Whitney tomou um gole de café antes de pegar a escova. A bebida era forte, ao estilo europeu.

– Vamos fazer uma caminhada?

– Isso mesmo, benzinho. Vamos precisar de uma barraca, uma daquelas novas, muito leves.

Ela arrastou a escova numa demorada e lenta descida pelo cabelo.

– Algum problema com os hotéis?

Com um sorriso afetado, ele olhou-a e nada disse. Os cabelos dela pareciam pó de ouro à luz da manhã. Pó de fada. Achou difícil engolir. Levantando-se, foi até a janela para dar-lhe as costas.

– Vamos usar transporte público quando eu julgar seguro, além de entrar pela porta dos fundos. Não quero anunciar nossa pequena expedição – resmungou. – Dimitri não vai desistir.

Ela pensou em Paris.

– Já me convenceu.

– Quanto menos vias públicas e cidades usarmos, menos chance ele terá de farejar nossa pista.

– Faz sentido. – Ela entrelaçou os cabelos numa trança e prendeu a ponta com uma fita. – Vai me dizer aonde vamos?

– Viajaremos de trem até Tamatave. – Ele se virou, rindo. Com o sol nas costas, parecia mais um cavaleiro que um ladrão. Os cabelos caíam-lhe na altura da gola, escuros, um pouco desgrenhados. Emanava uma luz de aventura dos olhos. – Depois seguiremos para o norte.

– E quando vou ver o que nos leva ao norte?

– Não precisa. Eu já vi.

Ele já calculara como poderia fazê-la traduzir apenas partes dos documentos. Devagar, ela bateu com a escova na palma da mão. Perguntou-se quanto tempo levaria para traduzir alguns dos documentos e guardar certos trechos de informação para si mesma.

– Doug, você compraria ou aceitaria coisas sem ver?

– Se gostasse das probabilidades.

Com um sorriso enviesado, ela balançou a cabeça.

– Não admira que esteja quebrado. Precisa aprender a conservar o dinheiro.

– Tenho certeza de que você pode me dar aulas.

– Os documentos, Douglas.

Estavam mais uma vez presos ao peito dele. A primeira coisa que iria comprar era uma mochila onde pudesse guardá-los em segurança. Tinha a pele em carne viva por conta do adesivo. Sabia que Whitney teria uma ótima pomada para aliviar a dor, assim como tinha certeza de que anotaria o custo disso na agendinha.

– Mais tarde. – Quando ela ia recomeçar a falar, ele ergueu a mão. – Trouxe dois livros que talvez você goste de ler. Temos uma longa viagem pela frente, e muito tempo. Falaremos disso. Confie em mim, tá?

Ela esperou um instante, observando-o. Confiança, não, não era tola o suficiente para ter. Mas enquanto controlasse as finanças, formavam uma equipe. Satisfeita, ela pendurou a alça da bolsa no ombro e estendeu a mão. Se iria partir numa missão, preferia que fosse com um cavaleiro de algum verniz social.

– Tudo bem, vamos às compras.

Doug conduziu-a ao primeiro andar. Visto que ela estava de bom humor, era melhor tentar agora. Num gesto amistoso, passou o braço pelo ombro de Whitney.

– Então, como dormiu?

– Muito bem.

Atravessando o saguão, ele arrancou uma pequena flor roxa de um vaso e enfiou-a atrás da orelha de Whitney. Flor de maracujá, também conhecida como flor-da-paixão – talvez combinasse com ela. Perfume forte e doce, como deve ser uma flor tropical. O gesto sensibilizou-a, embora a tivesse deixado desconfiada.

– É uma pena a gente não ter muito tempo para dar uma de turista – ele disse, puxando conversa. – O Palácio da Rainha deve ser uma visão impressionante.

– Você tem uma queda pelo luxo?

– Claro. Sempre imaginei que seria legal viver com um certo brilho.

Ela riu, balançando a cabeça.

– Eu prefiro uma cama de penas a uma de ouro.

— "Dizem que conhecimento é poder. Eu pensava assim, mas agora sei que falavam em dinheiro."

Ela parou de repente e encarou-o. Que tipo de ladrão citava Byron?

— Você continua a me surpreender.

— Quando a gente lê, decerto aprende alguma coisa.

Dando de ombros, Doug decidiu afastar-se da filosofia e voltar à prática.

— Whitney, concordamos em dividir o tesouro meio a meio.

— Depois de você pagar o que me deve.

Ele rangeu os dentes.

— Certo. Como somos sócios, me parece que devemos dividir meio a meio o dinheiro vivo que temos.

Ela virou a cabeça e deu-lhe um sorriso simpático.

— Parece?

— Questão de praticidade — ele respondeu, sem titubear. — Imagine se nos separarmos...

— Nem pense nisso! — Ela continuou com o sorriso simpático ao apertar o punho na bolsa. — Não vou me desgrudar de você até tudo isso terminar, Douglas. As pessoas talvez até pensem que estamos apaixonados.

Ele mudou de tática.

— Também é uma questão de confiança.

— De quem?

— Sua, benzinho. Afinal, se somos sócios, temos de confiar um no outro.

— Eu confio em você. — Ela passou um braço amistoso em volta da cintura dele. A névoa se dissipava e o sol subia. — Desde que eu guarde o dinheiro... benzinho.

Doug estreitou os olhos. Ela não era apenas classuda, pensou, fechando a carranca.

— Tudo bem, então que tal um adiantamento?

— Esqueça.

Como estrangulá-la começava a tornar-se uma tentação, ele se desvencilhou e encarou-a em desafio.

– Me dê um motivo para só você guardar todo o dinheiro.
– Quer trocar pelos papéis?

Enfurecido, ele deu meia-volta e olhou a casa caiada atrás. No empoeirado jardim lateral, flores e trepadeiras se emaranhavam em abandono bravio. Doug sentiu o cheiro do preparo de café da manhã e de fruta madura demais.

De jeito nenhum daria a Whitney o envelope enquanto continuasse quebrado. Não teria como justificar o roubo da bolsa e o estrangulamento. A alternativa deixava-o no mesmo ponto em que estava – preso a ela. O pior de tudo era que na certa iria precisar dela. Mais cedo ou mais tarde, iria precisar que alguém traduzisse a correspondência escrita em francês, sem nenhuma outra razão além da torturante curiosidade. Ainda não, pensou. Só quando pisasse em terreno mais seguro.

– Escute, droga, tenho 8 dólares no bolso.

Se tivesse muito mais, ela refletiu, iria descartá-la sem pensar duas vezes.

– Troco dos 20 que dei a você em Washington.

Frustrado, ele começou a descer um lance de escada íngreme.

– Você tem a mente de uma contadora, porra.

– Obrigada. – Ela agarrou-se a um corrimão de madeira e imaginou se havia outra maneira de descer. Protegeu os olhos e checou.

– Oh, veja, o que é isso, um mercado? – Apressando o passo, arrastou Doug de volta com ela.

– Feira de sexta-feira – ele resmungou. – O *zoma*.* Eu disse a você que devia ler o guia.

– Eu prefiro a surpresa. Vamos dar uma olhada.

Ele acompanhou-a porque era mais fácil, e talvez mais barato, comprar parte do equipamento no mercado aberto do que numa das lojas. Tinham tempo até a partida do trem, pensou com uma rápida conferida no relógio. Era melhor aproveitarem.

Havia construções com telhados de palha e tendas de madeira sob largos guarda-sóis brancos. Roupas, tecidos e pedras preciosas exibiam-se ao comprador sério ou ao que apenas olhava. Sempre com-

---

* O segundo maior mercado popular (feira livre) do mundo. (*N. do T.*)

pradora séria, Whitney identificou uma interessante mistura de qualidade e lixo. Mas não era uma feira, era um negócio. O mercado era organizado, apinhado, cheio de ruídos e cheiros. Carroças passavam puxadas por bois, conduzidas por homens envoltos em lambas brancos, o nome para sarongue na língua de Madagascar, e entulhadas de legumes e galinhas. Animais cacarejavam, mugiam e roncavam em vários graus, com as moscas zumbindo em volta. Alguns cachorros circulavam sem destino, farejando, e eram enxotados ou ignorados.

Ela sentia cheiro de penas, especiarias e suor animal. As ruas eram pavimentadas, ouviam-se barulhos de tráfego e não muito longe cintilavam as janelas de um hotel de primeira classe ao sol que se abria. Uma cabra afastou-se assustada com um balido repentino e esticou a corda que a prendia. Uma criança com suco de manga escorrendo pelo queixo puxou a saia da mãe e balbuciou numa língua que ela jamais ouvira. Notara um homem de calça folgada e chapéu pontudo separando e contando moedas. Agarrada pelas patas esqueléticas, uma galinha guinchou e lutou para fugir. Penas voaram. Num tapete áspero, um punhado de ametistas e granadas emitia uma luz opaca ao sol do amanhecer. Ela ia estender a mão, apenas para tocar, quando Doug a puxou para um mostruário de resistentes mocassins de couro.

— Haverá muito tempo para bugigangas — disse, e indicou com a cabeça os sapatos para caminhada. — Vai precisar de algo mais prático que essas tirinhas de couro que usa.

Com uma encolhida de ombros, Whitney examinou as opções. Eram, em todos os aspectos, muito diferentes dos das cidades cosmopolitas a que se habituara, muito distantes das áreas de recreação que os ricos escolhiam.

Comprou os sapatos, depois escolheu uma cesta feita à mão, barganhando instintivamente num impecável francês.

Ele tinha de admirá-la, era uma negociadora inata. E mais, gostava do jeito que ela se divertia discutindo o preço de uma quinquilharia. Teve a sensação de que ficaria decepcionada se o regateio houvesse transcorrido rápido demais, ou o preço caído de forma demasiado drástica. Como estava preso a ela, decidiu ser filosófico e tirar o melhor partido da parceria. Por enquanto.

– Agora que já comprou, quem vai carregar a cesta? – perguntou.
– A gente deixa guardada com a bagagem. Vamos precisar de alguma comida, não? Você pretende comer nessa expedição?

Rindo com os olhos, ela escolheu uma manga e estendeu-a sob o nariz dele.

Doug riu e escolheu outra, largando-a depois na cesta.

– Só não se entusiasme demais.

Ela vagou pelas tendas, juntando-se à barganha e contando cuidadosamente os francos. Manuseou um colar de conchas com a meticulosidade que faria com uma bugiganga na Cartier. No devido tempo, viu-se filtrando a estranha língua de Madagascar, ouvindo, respondendo e até pensando em francês. Os comerciantes negociavam num contínuo fluxo de toma lá... dá cá. Pareciam orgulhosos demais para mostrar avidez, mas ela percebera as marcas da pobreza em muitos.

Que distância haviam percorrido, perguntou-se, viajando em **carroças**? Não pareciam cansados, pensou, ao começar a examinar as pessoas com tanta atenção quanto as mercadorias. Vigorosos, diria. Contentes, embora vários não tivessem sapatos. As roupas podiam ser empoeiradas, algumas surradas, mas todas coloridas. As mulheres entrelaçavam, prendiam e serpeavam os cabelos em desenhos intricados e adequados. O *zoma*, decidiu Whitney, era um acontecimento tão social quanto comercial.

– Vamos apressar o passo, meu bem – disse Doug. Começava a sentir uma comichão entre as omoplatas cada vez mais irritante. Quando se pegou olhando para trás pela terceira vez, soube que era hora de ir embora. – Temos muito mais a fazer hoje.

Ela colocou mais frutas na cesta com legumes e um saco de arroz. Talvez tivesse de andar e dormir numa barraca, pensou, mas não iria passar fome.

Ele imaginou se ela sabia como era impressionante o contraste que fazia entre os comerciantes negros e as mulheres de rosto solene, com aquela tez de marfim e os cabelos louros. Whitney tinha em si um inconfundível ar de classe, mesmo quando regateava o preço de pimentas desidratadas ou figos. Não fazia o estilo que ele gostava, disse a si mesmo, pensando nas lantejoulas e plumas que, em geral, o atraíam. Mas seria uma mulher difícil de esquecer.

No impulso, pegou um macio lamba de algodão e enrolou-o na cabeça da companheira. Quando ela se virou, rindo, exibia uma beleza tão escandalosa que o deixou sem ar. Devia ser de seda branca, pensou. Ela devia usar seda branca, fria e lisa. Gostaria de comprar metros para presentear-lhe. Gostaria de envolvê-la neles, quilômetros deles, e depois despi-los lenta, muito lentamente, até restar apenas a pele, tão macia e tão branca. Viu os olhos dela escurecerem, sentiu a pele aquecer-se. Com aquele rosto nas mãos, esqueceu que ela não fazia seu estilo.

Whitney viu a mudança nos olhos dele, sentiu a repentina tensão nos dedos dele. Não se perguntara que tipo de amante ele seria? Não se perguntava agora, quando sentia o desejo que fluía dele? Ladrão, filósofo, oportunista, herói? Fosse quem fosse Doug, a vida dela se emaranhara na dele e não havia recuo possível. Quando chegasse a hora, os dois se uniriam como o trovão, sem palavras bonitas, luz de vela ou brilho de romance. Não iria precisar de romance, porque sentiria aquele corpo rijo, a boca faminta, e as mãos saberiam onde tocar. Ali parada no mercado aberto, cheio de cheiros exóticos e ruídos, esqueceu que seria fácil manejá-lo.

Mulher perigosa, percebeu Doug ao relaxar deliberadamente os dedos. Com o tesouro quase ao alcance, e Dimitri como um macaco nas costas, não podia permitir-se de modo algum pensar nela como mulher. As mulheres – de olhos amendoados – sempre haviam sido sua derrocada.

Eram parceiros. Ele tinha a papelada; ela, o dinheiro. Era o mais complicado a que tudo iria chegar.

– É melhor terminar aqui – disse, com muita calma. – Temos de providenciar o material para o acampamento.

Whitney deu um suspiro baixo, e lembrou-se que ele já lhe devia mais de 7 mil dólares. Nada ganharia esquecendo isso.

– Tudo bem.

Mas levou o lamba, dizendo-se que era apenas um suvenir.

Ao meio-dia, esperavam o trem, os dois com mochilas cuidadosamente recheadas de comida e equipamentos. Ele sentia-se inquieto, impaciente para começar. Arriscara a vida e apostara o futuro no pequeno maço de papéis preso com fita adesiva ao peito. Sempre jogara contra a banca, mas, dessa vez, era o banqueiro. No verão, estaria nadando em dinheiro, refestelado numa praia estrangeira, tomando rum, com uma mulher de cabelos e olhos pretos como carvão a esfregar-lhe óleo nos ombros. Teria dinheiro suficiente para garantir que Dimitri jamais o encontrasse, e se quisesse retomar a atividade ilícita, seria por prazer, não pelo sustento.

– Aí vem ele. – Sentindo uma renovada onda de excitação, virou-se para Whitney. Com o xale envolto nos ombros, ela escrevia com todo capricho na agenda. Parecia indiferente e calma, enquanto a camisa dele já começava a grudar-se nas omoplatas. – Quer parar de rabiscar nessa coisa? – exigiu, tomando-lhe o braço. – Você é pior que a porra da Receita Federal.

– Apenas somando o preço de sua passagem de trem, parceiro.

– Minha nossa! Quando conseguirmos o que procuramos, você vai ficar mergulhada em ouro até os joelhos, e está preocupada com alguns dólares.

– Engraçado como esses poucos dólares se somam, não? – Com um sorriso, ela colocou a agenda na bolsa. – Próxima parada, Tamatave.

Um carro parou com um rugido assim que ele entrou no trem atrás dela.

– Lá estão eles.

Com ar determinado, Remo enfiou a mão sob o paletó até encaixá-la no cano da arma. Com a outra mão, roçou o curativo no rosto. Tinha uma conta pessoal a acertar com Lord agora. Seria um prazer. Uma mão pequena com um toco no lugar do mindinho fechou-se com força de aço em seu braço. O punho continuava branco, agora enfeitado com ovais de ouro martelado. A delicada mão, de algum modo elegante apesar da deformidade, fez tremerem os músculos do braço de Remo.

– Deixou Doug passar a perna em você antes.

A voz era baixa e serena. Voz de poeta.

– Desta vez ele é um homem morto.

Ouviu-se uma risadinha satisfeita, seguida por uma baforada de caro tabaco francês. Remo não relaxou nem deu qualquer desculpa. O humor de Dimitri às vezes enganava, e ele já o ouvira rir antes. Ouvira-o dar aquela mesma risada moderada e satisfeita quando queimava a sola dos pés de uma vítima com a chama azul de um isqueiro adornado com monograma. Remo não mexeu o braço, nem abriu a boca.

– Lord é um homem morto desde que me roubou. – A voz de Dimitri tinha um tom macabro. Não era raiva, mas poder, frio e cruel. Uma boa cobra nem sempre esguicha veneno quando enfurecida. – Pegue minha propriedade de volta, depois mate-o do jeito que quiser. Traga-me as orelhas.

Remo fez sinal para o homem no banco de trás saltar e comprar passagens.

– E a mulher?

Outra baforada de fumaça de tabaco enquanto Dimitri refletia a fundo. Aprendera anos antes que as decisões precipitadas deixavam uma trilha acidentada. Preferia trilhas niveladas e desobstruídas.

– Uma linda mulher, e muito esperta, para romper a jugular de Butrain. Machuque-a o mínimo possível e traga-a. Eu gostaria de conversar com ela.

Satisfeito, recostou-se, vendo ociosamente o trem pela janela com vidro fumê do carro. Divertia-o e alegrava-o sentir o cheiro poeirento de medo exalado pelos empregados. O medo, afinal, era a mais elegante das armas. Gesticulou uma vez com a mão mutilada.

– Um negócio tedioso – disse quando Remo fechou a porta. Deu um suspiro delicado ao levar o lenço perfumado ao nariz. O cheiro de poeira e animal o aborrecia. – Volte para o hotel – instruiu o homem calado ao volante. – Quero uma sauna e uma massagem.

WHITNEY INSTALOU-SE junto a uma janela e preparou-se para ver Madagascar passar deslizando. Como fazia de vez em quando desde o dia anterior, Doug tinha a cabeça enterrada num guia turístico.

– Há pelo menos 39 espécies de lêmures em Madagascar, e mais de 800 espécies de borboletas.

– Fascinante. Eu não tinha a menor ideia de que você se interessava tanto pela fauna.

Ele olhou por cima do livro.

– Todas as cobras são inofensivas – acrescentou. – Coisinhas como essas são importantes para mim quando durmo numa barraca.

Sempre gosto de saber sobre o território. Como os rios aqui são cheios de crocodilo.

– Acho que isso liquida a ideia de nadar sem roupa.

– Claro que vamos topar com alguns dos nativos. Existem várias tribos diferentes e, de acordo com este guia, todo mundo é amistoso.

– Que notícia boa! Tem alguma projeção sobre quanto tempo levará até chegarmos aonde o "X" assinala o lugar?

– Uma semana, talvez duas. – Recostando-se, ele acendeu um cigarro. – Como se diz diamante em francês?

– *Diamant*. – Estreitando os olhos, ela examinou-o. – O tal Dimitri tem alguma coisa a ver com o roubo de diamantes da França e o contrabando para cá?

Doug sorriu-lhe. Ela chegava perto, mas não o bastante.

– Não, Dimitri é bom, mas não teve nada a ver com esse roubo.

– Então são diamantes e foram roubados.

Doug pensou nos papéis.

– Depende do ponto de vista.

– É só uma ideia – começou Whitney, puxando o cigarro dele para uma tragada. – Mas já pensou no que fará se não tiver nada lá?

– Está lá. – Ele soltou uma baforada de fumaça e observou-a com aqueles olhos verdes, transparentes. – Está lá.

Como sempre, ela se viu acreditando nele. Era impossível não acreditar.

– O que vai fazer com a sua parte?

Ele esticou as pernas no banco ao lado dela e riu.

– Chafurdar nela.

Enfiando a mão na mochila, ela retirou uma manga e lançou-a para ele.

– E Dimitri?

– Assim que eu tiver o tesouro, ele que se dane no inferno.

– Você é um filho da mãe convencido, Douglas.

Ele deu uma mordida na manga.

– Vou ser um filho da mãe convencido e rico.

Interessada, ela pegou a fruta para também dar uma mordida. Achou-a doce e saborosa.

– Ser rico é importante?
– Acertou em cheio.
– Por quê?
Ele disparou-lhe um olhar.
– Você fala do conforto de vários galões de sorvete cremoso.
Ela deu de ombros.
– Digamos apenas que esteja interessada em sua perspectiva de riqueza.
– Quando você é rico, aposta nos cavalos e perde, fica irritado porque perdeu, não porque torrou o dinheiro do aluguel.
– E isso equivale a quê?
– Já se preocupou em saber onde vai dormir à noite, benzinho?
Ela deu mais uma mordida na fruta e devolveu-a. Alguma coisa em sua voz fizera-a sentir-se tola.
– Não – respondeu.
Calou-se por algum tempo, enquanto o trem avançava ruidoso, parando nas estações, quando entravam ou saíam pessoas. Já fazia calor, quase não havia ar ali dentro. Suor, frutas, poeira e sujeira pairavam fortes. Um homem de chapéu panamá branco alguns bancos adiante enxugou o rosto com um lenço grande. Como achou que o reconhecia da feira, Whitney sorriu. Ele apenas enfiou o lenço no bolso e voltou ao jornal. À toa, ela notou que era em inglês e retornou à atenta observação da paisagem.

Colinas ondulantes e cobertas de grama passavam a toda, quase sem árvores. Pequenas aldeias ou povoados amontoavam-se aqui e ali com telhados de palha e amplos celeiros próximos ao rio. Que rio? Doug tinha o guia e saberia dizer-lhe com certeza. Ela começava a entender que ele podia dar-lhe uma aula de 15 minutos sobre isso. Whitney preferia o anonimato da terra e da água.

Não via entrelaçamentos de fios telefônicos nem postes de luz. As pessoas que viviam ao longo daquelas extensões de terra áridas, infindáveis, precisavam ser resistentes, independentes e autossuficientes. Ela apreciava isso, admirava, sem se pôr no lugar delas.

Embora fosse uma mulher que ansiava pela cidade com a multidão, o ruído e a vibração, Whitney achava atraente o silêncio e a vastidão do campo. Jamais julgara difícil valorizar tanto uma flor silvestre quanto um casaco de chinchila que cobrisse o corpo todo. Os dois proporcionavam prazer.

O trem não era silencioso. Rugia, gemia e oscilava, enquanto a conversa era uma constante balbúrdia. Exalava um cheiro de suor, não tão desagradável, quando o ar circulava pelas janelas. A última vez que viajara de trem fora no impulso, lembrou. Tinha uma cabine particular que cheirava a talco e flores. Nem chegara a ser um passeio tão interessante quanto este.

Uma mulher com um bebê chupando o dedo sentou-se na frente deles. A criança encarou Whitney de olhos arregalados e solenes e estendeu a mão rechonchuda para pegar sua trança. Encabulada, a mãe puxou-o com força, e desatou numa rápida torrente de palavras na língua de Madagascar.

— Não, não, está tudo bem.

Rindo, Whitney acariciou o rosto do bebê. Ele fechou os dedos em volta do dela como um pequeno torno. Divertindo-se, ela fez um sinal para que a mãe o entregasse. Após alguns instantes de hesitação e persuasão, trouxe o bebê para o colo.

— Olá, homenzinho.

— Não sei se os nativos já ouviram falar das fraldas descartáveis Pampers — disse Doug, com delicadeza.

Ela apenas franziu o nariz para ele.

— Não gosta de crianças?

— Claro, só que eu gosto mais quando fazem as necessidades fora de casa.

Rindo, ela deu toda a atenção ao bebê.

— Vamos ver o que temos aqui — disse, enfiou a mão na bolsa e retirou um pó compacto. — Que tal? Quer ver o neném? — Ergueu o espelho para ele, apreciando a risada gorgolejante. — Bebê bonito — ela sussurrou, muito satisfeita consigo mesma por diverti-lo,

Igualmente satisfeito, o menino empurrou o espelho para o rosto dela.

— Moça bonita — comentou Doug, merecendo uma risada de Whitney.

— Tome, experimente. — Antes que ele pudesse protestar, ela já lhe entregara a criança. — Os bebês fazem bem à gente.

Se esperava vê-lo ficar irritado ou sem graça, enganou-se. Como se houvesse passado a vida fazendo isso, Doug abriu as pernas, pôs o bebê no colo e começou a entretê-lo.

Interessante, notou Whitney. O ladrão tinha um lado amoroso. Recostando-se, viu-o fazer pocotó e ruídos idiotas com o menino no joelho.

– Já pensou em se endireitar e abrir uma creche?

Ele ergueu a sobrancelha e tirou o espelho dela, segurando-o num ângulo que fazia refletir a luz do sol. Gritando, o bebê pegou o pó compacto e empurrou-lhe no rosto.

– Quer que você veja o macaco – disse Whitney com um sorriso afável.

– Sabichona.

– É você quem diz.

Para satisfazer o bebê, Doug fez caretas no espelho. Sacudindo-se deliciado, o bebê bateu no espelho, virando-o, de modo que Doug teve uma rápida visão da parte de trás do vagão. Enrijeceu-se e, tornando a virar o espelho, deu uma examinada mais demorada.

– Minha nossa.

– Como?

Ainda fazendo malabarismo com o bebê, ele a encarou. O suor empoçava-se nas axilas e escorria pelas costas dele.

– Apenas continue sorrindo, benzinho, e não olhe para trás de mim. Temos dois amigos alguns bancos atrás.

Embora retesasse as mãos nos braços do banco, ela conseguiu impedir-se de disparar o olhar por cima do ombro dele.

– Mundo pequeno.

– Não é mesmo?

– Tem alguma ideia?

– Estou trabalhando nisso.

Ele mediu a distância até a porta. Se saltassem na parada seguinte, Remo os pegaria antes de atravessarem a plataforma. Se Remo estava ali, Dimitri estava por perto. Trazia os homens em cabresto curto. Doug deu-se um minuto para combater o pânico. Precisavam de um desvio de atenção e uma partida não programada.

— Você apenas me segue — disse em tom baixo. — E, quando eu disser vá, agarre a mochila e corra para as portas.

Whitney olhou o interior do trem. Mulheres, crianças e velhos apertados nos bancos. Não era lugar para um confronto.

— Tenho opção?

— Não.

— Então vou correr.

O trem reduziu a velocidade para a parada seguinte, com um guincho dos freios e um arquejo da máquina. Doug esperou a multidão de passageiros que entravam e saíam alcançar o máximo de densidade.

— Desculpe, velho amigo — murmurou para o bebê e deu-lhe um forte beliscão no bumbum macio.

No momento certo, a criança irrompeu num grito uivante que fez a mãe preocupada levantar-se de um salto, alarmada. Doug também se levantou e causou o máximo de confusão possível no apinhado corredor central.

Percebendo o jogo, Whitney levantou-se e empurrou com força o homem à direita, para derrubar os pacotes que estavam em seus braços e jogá-los espalhados no chão. Uma laranja ricocheteou e foi esmagada.

Quando o trem recomeçou a mover-se, seis pessoas separavam Doug do lugar onde se sentava Remo, amontoadas no corredor e discutindo entre si na língua local. Num gesto de desculpas, Doug ergueu os braços e entornou uma sacola cheia de legumes. O bebê soltava longos e contínuos uivos. Decidindo que era o melhor a fazer, ele deslizou a mão para baixo e agarrou Whitney pelo pulso.

— Já.

Juntos, vararam o ajuntamento em direção às portas. Doug ergueu o rosto tempo suficiente para ver Remo saltar do banco e começar a abrir caminho aos empurrões, em meio ao grupo que ainda discutia e bloqueava a passagem. Entreviu outro homem, de chapéu panamá, que jogara um jornal para o lado e saltara adiante de Remo, também ficar cercado pela multidão. Só teve um segundo para perguntar-se onde vira aquele rosto antes.

— E agora? — quis saber Whitney, vendo o chão começar a passar a toda debaixo deles.

— Agora saltamos.

Sem hesitar, ele pulou e arrastou-a consigo. Envolveu-a toda e enroscou-a quando bateram no chão e rolaram numa bola emaranhada. Ao pararem, o trem já ia a metros de distância e ganhava velocidade.

— Maldito! — explodiu Whitney em cima dele. — Podíamos ter quebrado o pescoço.

— É. — Esbaforido, sob ela, ele permaneceu deitado. Embora houvesse no movimento passado as mãos da saia às coxas dela, mal notou. — Mas não quebramos.

Nem um pouco calma, Whitney disparou-lhe um olhar furioso.

— Ora, não é que temos sorte? Agora o que faremos? — exigiu saber, soprando fios de cabelo soltos dos olhos. — Estamos no meio de lugar algum, a quilômetros de onde devíamos estar e sem transporte para chegar lá.

— Você tem os pés — ele rebateu.

— Eles também — ela respondeu entre os dentes. — Saltarão na próxima parada e logo estarão de volta em busca de nós. Têm armas e nós, mangas e uma barraca dobrável.

— Por isso, quanto antes pararmos de discutir e continuarmos em frente, melhor. — Sem cerimônia, ele a empurrou de cima dele e levantou-se. — Eu nunca disse a você que seria um piquenique.

— Tampouco disse que iria me empurrar de um trem em movimento.

— Levanta esse rabo daí, benzinho.

Esfregando um pequeno ferimento no quadril, ela levantou-se até ficar diante dele.

— Você é grosso, arrogante e muito desagradável.

— Oh, me desculpe. — Ele fez-lhe uma reverência de gozação.

— Poderia fazer a gentileza de seguir por aqui, para evitarmos receber uma bala na cabeça, duquesa?

Ela saiu pisando forte e ergueu a mochila arrancada das mãos no impacto.

— Para que lado?

Doug pendurou a própria mochila nos ombros.

— Norte.

5

Whitney sempre gostara de montanhas. Recordava com prazer umas férias de duas semanas esquiando nos Alpes suíços. Pela manhã, subia ao topo das encostas e admirava a paisagem de um teleférico. O zunido forte e constante da descida sempre a deliciara. Muito se podia dizer sobre um aconchegante almoço tardio pós-esqui tomando rum regado a manteiga derretida e uma lareira crepitante.

Uma vez divertira-se num ocioso fim de semana numa vila na Grécia, encarapitada nas alturas de uma encosta rochosa que dava para o Egeu. De uma sacada terracota, apreciara a altura, a vista, a qualidade da natureza e da antiguidade.

Mas nunca fora boa em escalada de montanhas – escalada de suor e cãibras nas pernas. A natureza não era nada do que diziam quando abria caminho sob as macias solas dos pés humanos e se entrincheirava.

Norte, ele dissera. Com expressão sombria, acompanhava seu passo, na árdua subida pelas encostas rochosas. Continuaria a seguir Lord, prometeu a si mesma, o suor escorrendo pelas costas. Ele tinha o envelope. Mas, embora caminhassem juntos, suassem juntos e ofegassem juntos, não via motivo algum que a obrigasse a falar com ele.

Ninguém, absolutamente ninguém, mandara-lhe levantar o rabo e ficara impune. Talvez levasse dias, até semanas, mas ela o faria pagar. Aprendera com o pai uma regra básica: a vingança é um prato mais saboroso quando comido frio.

Norte. Doug olhou as colinas escarpadas e íngremes que os circundavam. O terreno era uma monotonia de mato alto que ondulava na brisa e de ásperas escarpas vermelhas onde a erosão levara a melhor. E rocha, infindável e implacável rocha. Mais acima, viam-se algumas árvores esparsas, altas e finas, mas ele não procurava sombra. Daquele ponto privilegiado, nada mais se avistava: cabanas, casas, campos, nada. Nem ninguém. Por enquanto, era exatamente o que queria.

Na noite anterior, enquanto Whitney dormia, examinara o mapa de Madagascar que arrancara do livro roubado da biblioteca. Não suportava danificar qualquer tipo de livro, porque eles lhe haviam proporcionado a imaginação como uma saída na infância, e fizeram-lhe companhia durante as noites solitárias na vida adulta. Mas nesse caso fora necessário. O pedaço de papel arrancado se encaixava à perfeição no bolso, enquanto o livro ficava na mochila. Apenas como apoio. No olho da mente, Doug separou o terreno em três cinturões paralelos que estudara. As baixadas ocidentais não importavam. Ao escalar um caminho rochoso, acidentado, esperava terem se desviado o mais longe para oeste que precisavam. Iriam fincar-se nas áreas montanhosas, evitar as margens de rio e áreas abertas enquanto pudessem. Dimitri chegara mais perto do que ele previra. Doug não queria cometer outro erro de cálculo.

O calor já era quase opressivo, mas o suprimento de água devia durar até a manhã seguinte. Iria preocupar-se em enchê-lo novamente quando precisasse. Gostaria de ter certeza de até que ponto deviam viajar para o norte antes de ousarem desviar-se para leste até a costa e encontrarem um terreno mais fácil.

Dimitri talvez esperasse em Tamatave, encharcando-se de vinho, luz solar e jantando peixe fresco local. Logicamente, essa deveria ser a primeira parada deles, portanto também era lógico terem de evitá-la. Por enquanto.

Doug não se importava de fazer um jogo de inteligências, quanto maiores as chances, melhor. Mais doce o pote, dissera uma vez a Whitney. Mas Dimitri... Dimitri era outra história.

Puxou as alças da mochila até o peso assentar-se mais confortável nos ombros. E não tinha de pensar apenas em si dessa vez. Um dos motivos para ter evitado parcerias por tanto tempo era que preferia ter apenas um corpo com que se preocupar. O seu. Disparou uma olhada de lado para Whitney, que permanecera em frio silêncio desde que tinham deixado os trilhos do trem e rumado para as áreas montanhosas.

Que mulher danada, pensou. Se achava que o número de tratá-lo com frieza iria abalá-lo, cometia um erro mortal. Ela era muito mais atraente de boca fechada, de qualquer modo.

Imagine queixar-se porque ele a tirara do trem inteira. Talvez houvesse sofrido algumas contusões, mas continuava respirando. O problema dela, decidiu, era que desejava tudo certinho e bonito, como aquele apartamento de alta classe... ou a minúscula peça de seda que usava sob a saia.

Doug apressou-se a afastar esse pensamento e concentrou-se na escolha do caminho entre as pedras.

Gostaria de limitar-se às colinas por algum tempo – dois dias, talvez três. Havia muita cobertura, e o caminho acidentado. Acidentado o bastante, sabia, para diminuir o avanço de Remo e de alguns outros cães de caça de Dimitri. Estavam mais habituados a andar com passos pesados em becos e quartos de motéis baratos que em pedras e colinas. Os acostumados a serem caçados aclimatavam-se com mais facilidade.

Parando numa crista, pegou o binóculo e fez uma demorada e vagarosa varredura. Abaixo e um pouco a oeste, localizou um pequeno povoado. A aglomeração de minúsculas casinhas vermelhas e amplos celeiros delimitava uma colcha de retalhos de campos. Arrozais, concluiu, pela cor verde-esmeralda molhada. Não viu linhas de transmissão de força e sentiu-se grato. Quanto mais afastados da civilização, melhor. O povoado seria uma tribo dos merinas, maior grupo étnico de Madagascar, se o que lembrava do guia fosse correto. Logo além, serpeava um rio estreito. Parte do Betsiboka.

Olhos estreitados, Doug acompanhou o curso d'água enquanto dava forma a um plano. O rio corria em direção ao noroeste, mas a ideia de viajar de barco exercia certa atração. Com ou sem crocodilos, por certo seria mais rápido que a pé, mesmo numa distância curta. A viagem pelo rio era algo que teria de decidir quando chegasse a hora. Precisaria de uma noite ou duas para ler a respeito – quais os rios conviriam melhor ao seu propósito e como os nativos de Madagascar viajavam por eles. Lembrou-se de haver passado os olhos por uma coisa que se assemelhava às canoas de casco chato usadas pelos cajuns, descendentes dos acadianos expulsos do Canadá que se fixaram na Luisiana. Ele próprio já viajara pelo afluente de um rio após quase estragar um serviço numa majestosa casa na periferia de Lafayette.

Quanto conseguira por aquelas antigas pistolas de duelo com cabo cravejado de pérolas? Não lembrava. Mas a perseguição pelo pântano no qual tivera de abrir caminho impelindo a embarcação com a ajuda de uma vara por entre ciprestes e sob o musgo gotejante – isso fora impressionante. Não, não o incomodava viajar de novo por rio.

De qualquer forma, ficaria de olho à procura de outros povoados. Mais cedo ou mais tarde, precisariam de comida e teriam de barganhá-la. Lembrando-se da mulher ao lado, decidiu que ela talvez fosse útil nisso.

Indignada e dolorida das contusões, Whitney sentou-se no chão. Não daria mais um passo enquanto não descansasse e comesse. A sensação em suas pernas parecia demais com o da primeira e única vez em que tentara correr ao máximo na esteira da academia de ginástica. Sem olhar para Doug, enfiou a mão na mochila. A primeira coisa que faria seria trocar os sapatos.

Tornando a guardar o binóculo, Doug virou-se para ela. O sol pairava acima deles. Poderiam percorrer quilômetros antes do entardecer.

– Vamos.

Friamente calada, Whitney encontrou uma banana e começou a descascá-la em longas e vagarosas tiras. Ele que a mandasse levantar o rabo de novo. Com os olhos nos de Doug, mordeu a fruta e mastigou.

Ficou com a saia repuxada acima dos joelhos ao sentar-se de pernas cruzadas. Molhada de suor, a blusa colara-se ao corpo. A trança caprichada que fizera enquanto ele a observava naquela manhã soltara-se, fazendo os cabelos claros e sedosos escaparem e roçarem-lhe as maçãs do rosto. Tinha o rosto frio e elegante como mármore.

– Vamos nos mexer. – O desejo deixava-o nervoso. Não iria permitir que ela o perturbasse, prometeu a si mesmo. De jeito nenhum. Toda vez que uma mulher o perturbava, ele acabava perdendo. Talvez, apenas talvez, ele dormiria com ela antes de terminarem a missão, mas de jeito nenhum aquela moça magricela abalaria suas prioridades. Dinheiro, vida mansa.

Perguntou-se como seria tê-la sob ele, nua, quente e vulnerável.

Whitney recostou-se numa pedra e deu outra mordida na fruta. Uma rara brisa cobriu-a de ar quente. Como quem não quer nada, coçou a parte de trás do joelho.

– Vai ver se estou na esquina, Lord.

Meu Deus, como ele gostaria de fazer amor com ela até deixá-la frouxa, mole e maleável. Gostaria de assassiná-la.

– Escute, benzinho, temos muito chão a percorrer hoje. Como estamos a pé...

– Culpa sua – ela lembrou-lhe.

Ele agachou-se até nivelar os olhos com os dela.

– Dimitri simplesmente adoraria pôr aquelas mãozinhas rechonchudas num exemplar classudo como você. Pode crer, ele tem uma imaginação sem igual.

Um rápido calafrio percorreu-a toda, mas ela continuou encarando-o.

– Dimitri é seu bicho-papão, não o meu.

– Ele não será seletivo.

– Não serei intimidada.

– Será morta – ele rebateu. – Se não fizer o que mando.

Firme, ela empurrou a mão dele. Levantou-se com graça. Embora a saia exibisse pó vermelho e um rasgo no quadril, ondulava-se à sua volta como um manto. Os grosseiros mocassins de Madagascar pareciam sapatos de cristal. Ele tinha de admirar como a moça se conduzia bem. Era inato, teve certeza. Ninguém poderia ter-lhe ensinado. Se fosse a camponesa com que se parecia naquele momento, mesmo assim andaria como uma duquesa.

Ela ergueu uma sobrancelha ao largar a casca de banana na mão dele.

– Nunca faço isso. De fato, com frequência faço questão de não fazer o que me mandam. Tente não esquecer isso no futuro.

– Continue assim, benzinho, e não terá futuro algum.

Sem se apressar, ela deslizou os dedos pela saia para tirar o pó.

– Vamos?

Ele jogou a casca num barranco e tentou convencer-se de que teria preferido uma mulher que se lastimasse e tremesse.

– Se tem certeza de que está pronta.

– Certeza absoluta.

Ele pegou a bússola para outra conferida. Norte. Continuariam rumando para o norte ainda por mais algum tempo. O sol talvez os castigasse sem clemência sem que tivessem sombra para combatê-lo, e o terreno seria um tormento para trilhar, mas as pedras e encostas ofereciam alguma proteção. Instinto ou superstição, alguma coisa formigava em sua nuca. Não tornaria a parar antes do pôr do sol.

– Sabe, duquesa, em outras circunstâncias eu admiraria essa sua classe. – Ele começou a caminhar num passo largo e constante. – No momento, você corre o risco de se tornar um pé no saco.

Pernas longas e determinação mantinham-na emparelhada com ele.

– Educação – ela corrigiu – é admirável em quaisquer circunstâncias. – Disparou-lhe um olhar divertido. – E invejável.

– Fique com sua educação, irmã, que eu fico com a minha.

Com uma risada, ela passou o braço pelo dele.

– Ah, pretendo ficar.

Ele olhou aquela mão perfeita. Achou que nenhuma outra mulher no mundo o faria sentir como se a acompanhasse a um baile quando avançavam a custo por uma rochosa encosta de montanha acima, em pleno sol da tarde.

– Decidiu ser amigável novamente?

– Decidi que, em vez de ficar mal-humorada, vou manter o olho aberto para a primeira oportunidade de me vingar pelas contusões. Enquanto isso, até onde vamos andar?

– A viagem de trem levaria umas 12 horas, e temos de seguir uma rota menos direta. Calcule você.

– Não precisa ficar irascível – ela respondeu com brandura. – Não podemos procurar uma aldeia e alugar um carro?

– Me avise quando vir a primeira placa da Hertz. O prazer será meu.

– Na verdade, você devia comer alguma coisa, Douglas. A falta de comida sempre me deixa de mau humor. – Afastando-se dele, ela ofereceu-lhe a mochila. – Vamos, pegue uma manga gostosa.

Resistindo a dar um sorriso, ele afrouxou a alça e enfiou a mão dentro da bolsa. A verdade era que gostaria de uma coisa quente e doce agora. Roçou os dedos na sacola de rede que guardava as frutas e tocou uma coisa macia e sedosa. Curioso, retirou-a e examinou a calcinha minúscula e entremeada de renda. Então ela ainda não a usara.

– Que belas mangas você tem aqui.

Whitney olhou para trás e viu-o deslizar o material entre os dedos.

– Tire as mãos da minha calcinha, Douglas.

Ele apenas riu e ergueu-a para que o sol a atravessasse.

– Para que se dar o trabalho de usar uma coisa dessas, de qualquer modo?

– Recato – ela respondeu num tom afetado.

Rindo, ele enfiou-a de volta na mochila.

– Claro. – Retirando uma manga, deu uma mordida grande e voraz. O suco escorreu-lhe pela garganta. – Seda e renda sempre me fazem pensar em recatadas freirinhas em países subdesenvolvidos.

– Que imaginação esquisita você tem – ela observou, e quase escorregou por uma encosta abaixo. – Sempre me fazem pensar em sexo.

Com isso, alargou o passo num ritmo de marcha e assobiou forte.

Andaram. E andaram. Aplicaram protetor solar em cada centímetro de pele descoberta e aceitaram o fato de que iriam queimar-se assim mesmo. Moscas zuniam, atraídas pelo cheiro do creme e do suor, mas eles aprenderam a ignorá-las. Fora os insetos, não tinham companhia.

À medida que ia diminuindo a intensidade da tarde, Whitney perdia o interesse nas ondulantes áreas montanhosas e nas faixas de vale embaixo. Os cheiros iniciais de terra e mato torrado pelo sol perdiam a atração quando ela era riscada pelos dois. Viu um pássaro sobrevoar, colhido numa corrente. Como olhava para cima, não percebeu a comprida e fina cobra que passou a centímetros do seu pé e se escondeu atrás de uma pedra.

Nada havia de exótico naquele pingar de suor, nem em escorregar nas pedras. Madagascar exerceria mais fascínio da fresca sacada de um quarto de hotel. Apenas o fio tênue do orgulho a impedia de pedir que parassem. Enquanto ele aguentasse andar, por Deus, ela também aguentaria.

De vez em quando, Whitney localizava um vilarejo ou povoado, sempre abrigado junto ao rio e estendido pelos campos. Das colinas, via fumaça e, às vezes, os latidos de cachorros ou mugidos de gado. A distância e a fadiga davam-lhe uma sensação de irrealidade. Talvez as cabanas e os campos fizessem apenas parte da encenação imaginária.

Uma vez, pelo binóculo de Doug, avistou trabalhadores curvados sobre arrozais semelhantes a pântanos. Muitas das mulheres estavam com bebês amarrados em lambas atravessadas no tronco para carregá-los às costas. Viu o terreno molhado tremer e ceder sob o movimento dos pés.

Em toda a sua experiência nas caminhadas pela Europa, Whitney jamais vira nada parecido. Paris, Londres e Madri ofereciam o brilho e o toque cosmopolita a que se habituara. Jamais pendurara uma mochila nas costas e percorrera o campo antes a pé. Ao deslocar de novo o peso, disse a si mesma que sempre havia uma primeira vez – e uma última. Embora gostasse da cor, do terreno e da amplidão, gostava muito mais dos seus pés.

Se quisesse transpirar, preferia fazê-lo numa sauna. Se quisesse exaurir-se, preferia fazê-lo trucidando alguém em rápidas partidas de tênis.

Dolorida e pegajosa de suor, apenas punha um pé na frente do outro. Não ficaria em segundo lugar para Doug Lord nem para ninguém mais.

Doug observou o ângulo do sol e soube que teriam de encontrar um lugar para acampar. As sombras alongavam-se. No oeste, o céu já adquiria faixas vermelhas. Em geral, ele fazia as melhores manobras à noite, mas não considerava as áreas montanhosas de Madagascar um bom lugar para tentar a sorte no escuro.

Percorrera as Montanhas Rochosas à noite uma vez e quase quebrara a perna na empreitada. Não precisou de muito esforço para lembrar o escorregão pelas pedras abaixo. A queda não planejada no penhasco mascarara sua pista, mas ele tivera de chegar claudicando a Boulder. Quando o sol se pusesse, iriam parar e aguardar o amanhecer.

Esperava o tempo todo que Whitney se queixasse, lamuriasse, exigisse – agisse em geral como julgava que agiria uma mulher naquelas circunstâncias. Mais uma vez, ela não agira como ele esperara desde que os dois haviam posto os olhos um no outro. A verdade era que desejava vê-la resmungar. Facilitaria a justificativa para descartá-la na primeira oportunidade. Depois que raspasse a maior parte do dinheiro vivo. Se ela se queixasse, ele poderia fazer as duas coisas sem qualquer escrúpulo. Na verdade, além de não diminuir a velocidade da marcha, Whitney carregava a parte da carga destinada a ela. Era apenas o primeiro dia, lembrou-se. Dê-lhe tempo. Flores de estufa murcham rápido quando expostas ao ar.

— Vamos dar uma olhada naquela gruta.

— Gruta? — Protegendo os olhos, Whitney acompanhou o olhar dele. Viu um pequeno arco e um buraco muito escuro. — Aquela gruta?

— É. Se não estiver ocupada por um dos nossos amigos de quatro patas, dará um hotel agradável para passar a noite.

— O Beverly de Wilshire é um hotel agradável.

Ele não lhe concedeu nem um olhar.

— Primeiro é melhor vermos se tem vaga.

Engolindo em seco, Whitney viu-o aproximar-se, livrar-se da mochila e entrar engatinhando. Por pouco, ela resistiu à compulsão de gritar para que ele saísse.

Todo mundo tem direito a uma fobia, lembrou-se ao chegar mais perto. A dela era o terror a espaços pequenos e fechados. Por mais cansada que estivesse, preferia andar mais 20 quilômetros a engatinhar por aquele minúsculo arco de escuridão adentro.

— Não é o Wilshire — disse Doug, ao tornar a sair engatinhando. — Mas serve. Já fiz as reservas.

Whitney sentou-se numa pedra e deu uma olhada demorada em volta. Nada, além de mais pedras, alguns pinheiros nanicos e terra esburacada.

— Parece que me lembro que paguei uma quantia exorbitante por aquela barraca que se dobra como um lenço. A que você insistiu que tínhamos de trazer — ela recordou-lhe. — Nunca ouviu falar no prazer de dormir sob as estrelas?

— Quando alguém está atrás da minha pele... e já chegou perto o bastante para arrancá-la inúmeras vezes... gosto de ter uma parede onde me encostar. — Ainda agachado, ele pegou a mochila. — Imagino que Dimitri esteja nos procurando a leste daqui, mas não vou correr riscos. Esfria nas áreas montanhosas à noite — acrescentou. — Ali dentro a gente pode arriscar uma pequena fogueira.

— Uma fogueira de acampamento. — Whitney examinou as unhas. Se não arranjasse uma manicure logo, ficariam muito maltratadas. — Encantador. Num lugar pequeno como este, a fumaça nos sufocaria em minutos.

— Mais ou menos 1,5 metro adentro, o lugar se abre. Dá para eu ficar em pé. — Dirigindo-se a um pinheiro mirrado, ele começou a cortar um galho com uma machadinha. — Já foi a um passeio espeleológico?

— Como?

— Exploração de grutas, cavernas — explicou Doug, rindo. — Conheci uma profissional em geologia. O pai dela tinha um banco.

Pelo que se lembrava, jamais conseguira explorá-la muito mais que duas inesquecíveis noites numa gruta.

— Sempre encontrei coisas melhores a explorar do que buracos no chão.

— Então perdeu muito, benzinho. Talvez não seja uma atração turística, mas tem algumas estalactites e estalagmites de primeira.

— Que emocionante — ela disse, secamente.

Quando olhou em direção à gruta, viu apenas um buraco muito pequeno e escuro na rocha. Só olhar fez o suor brotar-lhe frio da testa.

Irritado, Doug começou a cortar uma respeitável pilha de lenha.

— É, imagino que uma mulher como você não ia achar as formações rochosas muito emocionantes. A não ser que pudesse usá-las.

Eram todas iguais, as mulheres que usavam vestidos franceses e sapatos italianos. Por isso, para divertir-se, ele preferia uma dançarina de leque ou prostituta. Encontrava-se honestidade nelas, além de alguns ideais fortes.

Whitney parou de olhar a abertura por tempo suficiente para estreitar os olhos em direção aos dele.

— O que quer dizer exatamente com "mulher como eu"?

— Mimada — ele respondeu, baixando a machadinha com um golpe. — Superficial.

— Superficial? — Ela levantou-se da pedra. Aceitar o mimada não era um problema. Sabia que era a mais pura verdade. — Superficial? — repetiu. — É muito descaramento de sua parte me chamar de superficial, Douglas. Eu não precisei roubar para ter independência financeira.

— Não precisou. — Ele inclinou a cabeça e a encarou. Os olhos dele frios, os dela ardentes. — É quase só isso que nos separa, duquesa. Você nasceu com uma colher de prata na boca. Eu nasci para roubá-la e empenhá-la. — Enfiando a lenha debaixo do braço, voltou à gruta. —

Quer comer, moça, então ponha esse rabo de alta classe ali dentro. Não vai ter serviço de copa.

Ágil e rápido, ergueu a mochila pelas alças, entrou engatinhando e desapareceu.

Como ele ousava! Com as mãos nos quadris, Whitney fitou a gruta. Como ousava falar-lhe assim, depois de ela ter andado quilômetros e quilômetros? Desde que o conhecera, fora alvo de tiro, ameaçada, perseguida e jogada de um trem. E isso lhe custara milhares de dólares até agora. Como ele ousava falar-lhe como se ela fosse uma debutante coquete e desmiolada? Não iria escapar impune disso.

Por um breve momento, pensou apenas em continuar sozinha, deixando-o com sua gruta, como qualquer urso mal-humorado. Ah, não. Deu um longo e profundo suspiro ao encarar a abertura na rocha. Não, era isso mesmo que ele gostaria. Ficaria livre dela e com todo o tesouro para si. Não iria dar-lhe essa satisfação. Mesmo que acabasse se matando ao enfrentar o desafio, iria grudar-se nele até receber cada centavo que lhe devia. E muito mais.

Muitíssimo mais, acrescentou, quando cerrou os dentes. Pondo-se de quatro, Whitney iniciou a entrada na gruta.

A raiva pura impeliu-a nas primeiras engatinhadas. Então, o suor frio irrompeu e cravou-a no lugar. Quando a respiração começou a ficar difícil, ela não pôde mover-se para a frente nem para trás. Era uma caixa escura e sem ar. A tampa já se fechava para sufocá-la.

Apalpou as paredes, as escuras e úmidas paredes que se fechavam e expulsavam o ar de dentro dela. Apoiando a cabeça na terra dura, combateu a histeria.

Não, não iria entregar-se. Não podia. Ele estava logo ali adiante, logo ali. Se choramingasse, ouviria. O orgulho era tão forte quanto o medo. Não suportaria o desdém dele. Ofegante, avançou bem devagar. Ele dissera que a gruta se abria. Poderia respirar se conseguisse arrastar-se por mais alguns centímetros.

Ai, Deus, precisava de luz. E espaço. E ar. Fechando os punhos, combateu a necessidade de gritar. Não, não iria bancar a tola na frente dele, nem ser sua diversão.

Ali, deitada de bruços, travando sua própria luta, captou o vislumbre de uma cintilação de luz. Inteiramente imóvel, concentrou-se no ruído de madeira crepitante, no leve cheiro de fumaça de pinheiro. Ele acendera o fogo. Não estaria escuro. Tinha apenas de impelir-se por mais alguns centímetros.

Precisou de toda a força, e mais coragem do que julgara ter. Centímetro por centímetro, Whitney avançou aos poucos até a luz dançar em seu rosto e as paredes se abrirem ao redor. Esgotada, ficou ali deitada um momento, apenas respirando.

– Então decidiu se juntar a mim. – De costas para ela, Doug retirou da mochila uma das inteligentes panelas dobráveis para aquecer água. A ideia de um café quente e forte fizera-o seguir em frente nos últimos 8 quilômetros. – Jantar em que cada um paga sua parte, benzinho. Fruta, arroz e café. Eu cuido do café. Vamos ver o que você sabe fazer com o arroz.

Embora continuasse tremendo, Whitney forçou-se a sentar-se. Passaria, disse a si mesma. Em instantes, a náusea e a vertigem passariam. Então, de algum modo, ela o faria pagar.

– É uma pena não termos trazido um vinhozinho branco, mas... – Quando ele se virou para ela, a voz extinguiu-se. Era um truque de luz ou seu rosto estava lívido? Franzindo a testa, pôs a água para aquecer. Não havia truque de luz. Parecia que Whitney se dissolveria se a tocasse. Hesitante, Doug agachou-se. – O que houve?

Ela o encarou com olhos ardentes e duros.

– Nada.

– Whitney. – Estendendo o braço, ele tocou-lhe a mão. – Nossa, você está gelada. Venha para perto da fogueira.

– Estou bem. – Furiosa, ela empurrou a mão dele. – Só me deixe em paz.

– Espere um momento. – Antes que ela pudesse levantar-se, ele segurou-a pelos ombros. Sentiu-a tremer sob as palmas das mãos. Não esperava que parecesse tão jovem e indefesa. As mulheres com ações lucrativas e estáveis de uma empresa de prestígio e diamantes aquosos tinham toda a defesa de que precisavam. – Vou pegar um pouco d'água para você – murmurou. Em silêncio, pegou o cantil e abriu para ela. – Está meio quente, tome devagar.

Ela tomou um gole. Estava de fato quente e com gosto de ferro. Tomou mais um gole.

— Estou bem.

A voz dela saiu tensa e irritada. Não esperara que ele fosse tão amável.

— Descanse um minuto. Se estiver nauseada...

— Não estou nauseada. — Ela atirou o cantil de volta nas mãos dele. — Tenho um pequeno problema com lugares fechados, ok? Agora já estou aqui e vou ficar bem.

Não era um pequeno problema, ele percebeu ao tornar a pegar a mão dela. Estava molhada, gelada e trêmula. A culpa o atingiu, e ele detestava senti-la. Não lhe dera uma folga desde que haviam iniciado a caminhada, pensou. Não quisera dar. Assim que Whitney o amolecesse e o fizesse preocupar-se com ela, ele perderia sua vantagem. Já acontecera antes. Mas ela tremia.

— Whitney, você devia ter me dito.

Ela inclinou o queixo num gesto que ele não pôde deixar de admirar.

— Tenho um problema maior por ser tola.

— Por quê? Isso nunca me incomoda.

Rindo, ele retirou os cabelos das têmporas da companheira. Ela não iria chorar. Graças a Deus.

— As pessoas que nascem tolas raras vezes notam. — Mas desaparecera a mordacidade da voz dela. — De qualquer modo, estou aqui dentro. Talvez seja necessário um guindaste para me fazer sair. — Respirando devagar, ela olhou a ampla gruta em volta, com os pilares de pedra de que ele falara. À luz da fogueira, as pedras brilhavam. Aqui e ali, o piso estava coberto de excrementos de animais. Viu, com um estremecimento, a pele de uma cobra enroscada na parede.

— Temos uma corda. — Ele deslizou os dedos rápidos de um lado para o outro na face dela. A cor voltava. — Eu apenas puxarei você quando chegar a hora. — Olhando para trás, viu a água começar a ferver. — Vamos tomar um pouco de café.

Assim que ele se afastou, Whitney tocou a face no ponto aquecido pela mão dele. Não imaginara que pudesse ser tão inesperadamente meigo quando não tentava obter alguma coisa de forma ardilosa.

Ou tentava?

Com um suspiro, ela se livrou da mochila. Ainda guardava o dinheiro.

— Não sei nada sobre cozinhar arroz.

Abrindo a mochila, retirou o saco cheio de frutas. Várias haviam sofrido contusões, mas ainda conservavam o cheiro saboroso e maduro. Nenhum jantar de sete pratos jamais parecera tão bom.

— Devido às nossas atuais instalações, nada se pode fazer, além de ferver e mexer. Arroz, água, fogo... — Ele olhou para trás. — Você deve ser capaz de cuidar disso.

— Quem lava os pratos? — ela quis saber, despejando água em outra panela.

— Cozinhar é um trabalho conjunto, e o mesmo se aplica à lavagem dos pratos. — Ele dirigiu-lhe um rápido e cativante sorriso. — Afinal, nós somos sócios.

— Somos? — Dando um sorriso meigo, Whitney pôs a panela para aquecer e inalou o aroma de café. A gruta, cheia de excremento e umidade, se tornou logo civilizada. — Bem, sócio, que tal me deixar ver os papéis?

Doug entregou-lhe uma caneca de metal cheia de café.

— Que tal me deixar guardar metade do dinheiro?

Por cima da borda da caneca, ela sorriu com os olhos para ele.

— O café está ótimo, Douglas. Outro de seus muitos talentos.

— É, fui abençoado. — Tomando metade da caneca, ele deixou a bebida quente e forte fluir no organismo. — Vou deixar você na cozinha enquanto cuido das nossas acomodações para dormir.

Ela retirou o saco de arroz.

— É melhor aqueles sacos de dormir serem macios como camas de pena depois do que paguei por eles.

— Você tem fixação por dólar, benzinho.

— Eu tenho os dólares.

Ele resmungou baixinho enquanto abria espaços para os sacos de dormir. Embora Whitney não captasse as palavras, compreendeu o sentido. Rindo, começou a pegar o arroz com a mão. Um punhado, dois. Se aquilo seria o prato principal, pensou, era melhor comerem com fartura. Enfiou mais uma vez a mão no saco.

Levou um instante para entender o mecanismo da colher dobrável. Quando consegui abri-la, a água já fervia rápido. Um tanto satisfeita consigo mesma, ela começou a mexer.

– Use um garfo – disse Doug, desenrolando os sacos de dormir. – A colher esmaga os grãos.

– Exigente, exigente – ela resmungou, mas continuou com o garfo o mesmo processo que iniciara com a colher. – Como sabe tanto de culinária, aliás?

– Sei muito sobre comer – ele respondeu, sem dificuldade. – Não me vejo com frequência na posição em que posso sair e saborear o tipo de comida a que tenho direito. – Desenrolou o segundo saco junto ao primeiro. Após um instante de ponderação, afastou-os uns 30 centímetros um do outro. Sentia-se em melhor situação com uma pequena distância. – Por isso aprendi a cozinhar. É prazeroso.

– Desde que outra pessoa cozinhe.

Ele apenas encolheu os ombros.

– Eu gosto. Com o cérebro e algumas especiarias, é possível comer como um rei até num motel de quinta categoria com mau encanamento. E quando as coisas ficam difíceis, eu trabalho num restaurante por algum tempo.

– Emprego? Que decepção!

Ele desconsiderou o sarcasmo.

– O único que já consegui tolerar. Além disso, a gente come bem e tem chance de inspecionar a clientela.

– À procura de um possível alvo.

– Nenhuma oportunidade jamais deve deixar de ser explorada.

Sentando-se no saco de dormir, ele encostou-se na parede da gruta e pegou um cigarro.

– Isso é lema de escoteiro-mirim?

– Se não é, devia ser.

– Aposto que você teria ganhado muito dinheiro no negócio de venda de medalhas ao mérito, Douglas.

Ele riu, curtindo o silêncio, o tabaco e o café. Aprendera muito tempo atrás a curtir o que podia, quando podia, e a planejar para obter mais. Muito mais.

— De um jeito ou de outro — concordou. — A quantas anda o jantar?

Ela mexeu mais uma vez o arroz com o garfo.

— Saindo. Pelo que sabia.

Ele fitou o teto, examinando preguiçosamente a formação de rocha que gotejara ao longo dos séculos e formara longas lanças. Sempre fora atraído pela antiguidade, por qualquer herança cultural e histórica, talvez porque, no passado, lhe tivesse faltado o acesso a elas. Sabia que era parte do motivo de estar indo para o norte, em direção às joias e às histórias por trás delas.

— O arroz fica mais gostoso refogado na manteiga, com cogumelos e lascas de amêndoas.

Ela sentiu o estômago roncar.

— Coma uma banana — sugeriu, e atirou-lhe uma. — Alguma ideia de como vamos repor a água?

— Acho que podemos dar uma fugida até a aldeia lá embaixo de manhã.

Ele soprou uma nuvem de fumaça. A única coisa que faltava era, pensou, uma bela banheira quente e uma loura bonita, perfumada, para esfregar-lhe as costas. Seria uma das primeiras coisas que providenciaria quando pusesse as mãos no tesouro.

Whitney sentou-se com as pernas cruzadas sob o corpo e escolheu outra fruta.

— Acha que é seguro?

Ele encolheu os ombros e terminou o café. Era sempre mais uma questão de necessidade que de segurança.

— Precisamos de água, e podemos barganhar por um pouco de carne.

— Por favor, vai me deixar animada.

— Pelos meus cálculos, Dimitri sabia que o trem ia para Tamatave, logo, é onde vai estar nos procurando. Quando chegarmos lá, espero que esteja procurando em outro lugar.

Ela mordeu a fruta.

— Então ele não tem nenhuma ideia de para onde você está indo?

— Não mais que você, benzinho. — Ele esperava. Mas a comichão entre as omoplatas ainda não dera trégua. Dando a última tragada profunda, atirou a guimba no fogo com um piparote. – Pelo que sei, ele nunca viu os papéis, ao menos não todos.

– Se nunca viu, como descobriu sobre o tesouro?

– Fé, benzinho, o mesmo que você.

Ela ergueu a sobrancelha diante do sorriso afetado dele.

– Esse Dimitri não me parece um homem de fé.

– Instinto, então. Teve um homem chamado Whitaker que imaginou vender os documentos pelo lance mais alto e obter um belo lucro sem ter de cavar por ele. A ideia de um tesouro documentado atraiu a imaginação de Dimitri. Eu já disse que ele tinha um desses.

– Verdade. Whitaker... – Girando o nome na mente, Whitney esqueceu de mexer o arroz.

– George Allan Whitaker?

– Ele mesmo. – Doug soprou fumaça. – Conhece?

– Por acaso. Namorei um dos sobrinhos dele. Dizem que ganhou sua fortuna com a venda ilegal de bebidas, entre outras coisas.

– Contrabando, entre outras coisas, sobretudo nos últimos dez anos. Lembra as safiras Geraldi roubadas, quando mesmo, em 1976?

Ela franziu a testa um instante.

– Não.

– Devia se manter a par dos fatos atuais, benzinho. Leia este livro que afanei na capital.

– *Pedras preciosas desaparecidas através dos séculos?* – Whitney meneou os ombros. – Prefiro ler ficção.

– Alargue a sua mente. Pode aprender tudo que há para aprender nos livros.

– É mesmo? – Interessada, ela examinou-o mais uma vez. – Então você gosta de ler?

– Depois de sexo, é meu passatempo preferido. Mas, em todo caso, voltemos às safiras Geraldi. O mais lindo conjunto de pedras desde as joias da coroa.

Impressionada, ela ergueu uma sobrancelha.

– Você as roubou?

– Não. – Ele ajeitou os ombros na parede. – Passei um período de baixa atividade em 1976. Não tive o dinheiro da passagem para ir a Roma. Mas consegui contatos. Assim como Whitaker.

— Foi *ele* quem roubou?

Ela arregalou os olhos ao pensar no velho magérrimo.

— Planejou o roubo — corrigiu Doug. — Assim que fez 60 anos, Whitaker não quis mais sujar as mãos. Gostava de fazer de conta que era um especialista em arqueologia. Você não viu nenhum dos programas dele na televisão pública?

Então Doug também via a PBS. Ladrão experiente e culto.

— Não, mas soube que queria ser um Jacques Cousteau cercado de terra por todos os lados.

— Não tinha classe suficiente. Mesmo assim, ganhou muito boas contribuições durante dois anos, convencendo com lorotas um monte de magnatas bem-sucedidos com grandes contas bancárias a financiar escavações. Tinha um jogo realmente perfeito rolando.

— Meu pai dizia que ele era um saco de merda — disse Whitney, como quem não quer nada.

— Seu pai está por dentro de mais coisas que apenas sorvete cremoso. De qualquer modo, Whitaker agiu como intermediário para um monte de pedras e objetos de arte que atravessavam de um lado a outro o Atlântico. Há cerca de um ano, enrolou uma velha senhora inglesa e convenceu-a a lhe doar um maço de documentos e correspondência antiga.

O interesse dela aumentou.

— Os nossos documentos?

Ele não se incomodou com o pronome no plural, mas encolheu os ombros em sinal de impaciência.

— A senhora considerava tudo parte de arte ou história... valor cultural. Tinha escrito um monte de livros sobre coisas assim. Um certo general conhecido quase fechou contrato com ela, mas parece que Whitaker sabia mais sobre bajulação de patronesse, além de ter um raciocínio mais básico. Ganância. O problema é que ele quebrou e teve de fazer algumas campanhas para levantar fundos destinados à expedição.

— É aí que entra Dimitri.

— Exatamente. Como eu disse, Whitaker lançou a licitação. Era para ser um acordo comercial. Sócios — ele acrescentou com um sorriso vagaroso. — Dimitri decidiu que não gostava do mercado competitivo e fez uma proposta alternativa. — Cruzou os tornozelos e descascou a banana. – Whitaker o deixava ficar com a papelada e ele o deixava conservar todos os dedos das mãos e dos pés.

Whitney deu outra mordida na fruta, mas não foi fácil engoli-la.

– Parece um negociante contundente.

– É, Dimitri adora fazer negócios inescrupulosos. O problema é que o canalha usou persuasão demais em Whitaker. Parece que o velho teve um problema cardíaco. Tombou antes que Dimitri tivesse os papéis ou a comemoração... não sei qual das duas coisas o deixou mais fulo da vida. Um acidente infeliz, ou assim me disse quando me contratou para roubá-los. – Doug mordeu a banana e a saboreou. – Entrou em detalhes sobre como tinha planejado mudar a decisão de Whitaker... com a finalidade de me apavorar o bastante, para que eu mesmo não tivesse ideias. – Lembrou o minúsculo alicate que o ex-empregador acariciara durante a entrevista. – Funcionou.

– Mas você os roubou assim mesmo.

– Só depois que ele me traiu – ele respondeu após outra mordida na banana. – Se tivesse jogado limpo, teria os documentos. Eu receberia o meu pagamento e tiraria umas pequenas férias em Cancún.

– Mas ficou com eles. E nenhuma oportunidade jamais deve deixar de ser explorada.

– Isso mesmo. Muito bem! – Doug disparou do saco de dormir e arrastou-se até o fogo. Em defesa automática, Whitney enroscou as pernas, esperando tudo, de uma cobra pegajosa a uma aranha abominável. – Droga, mulher, quanto arroz você pôs aqui?

– Eu... – Ela se interrompeu e observou-o pegar a panela. O arroz escorria pelos lados como lava. – Só dois punhados – respondeu, e mordeu o lábio para não rir.

– Duvido.

– Bem, quatro. – Ela apertou as costas da mão na boca, enquanto ele procurava um prato. – Ou cinco.

– Quatro ou cinco – ele resmungou, servindo colheradas nos pratos. – Como diabos eu terminei numa gruta em Madagascar com "I Love Lucy"?

– Eu disse que não sabia cozinhar – ela lembrou-lhe, examinando a massa pegajosa e amarronzada no prato. – Só provei que estava dizendo a verdade.

— Sem dúvida. — Ao ouvir a risada abafada dela, ele olhou-a. Sentada em estilo indiano, tinha a saia e a blusa imundas, a fita na ponta da trança pendendo solta. Lembrou a primeira vez em que a vira, bem-arrumada e elegante, com um chapéu de feltro e casaco de pele luxuoso. Como parecia tão atraente agora? — Você está rindo — rebateu, empurrando-lhe um prato. — Mas vai ter de comer sua parte.

— Tenho certeza de que está ótimo. — Com o garfo que usara para cozinhar, Whitney cutucou o arroz. Corajosa, ele pensou, quando a viu dar a primeira garfada. Tinha sabor de nozes e não de todo desagradável. Ela encolheu os ombros e comeu mais. Embora jamais houvesse estado na posição de mendigo, sabia que não podiam ser seletivos. — Não seja infantil, Douglas — disse. — Se pudermos pôr as mãos em alguns cogumelos e amêndoas, faremos à sua maneira da próxima vez.

Com o entusiasmo de uma criança diante de uma taça de sorvete, escavou o arroz. Sem perceber inteiramente, tivera a primeira experiência com a verdadeira fome.

Comendo em ritmo mais lento e com menos entusiasmo, Doug observava-a. Já passara fome antes, e imaginava que passaria de novo. Mas ela... Talvez comesse arroz num prato de lata, com a saia riscada de sujeira, mas a classe ainda transparecia. Ele achava isso fascinante e intrigante o suficiente para valer a pena descobrir se sempre seria assim. A parceria, pensou, talvez fosse mais interessante que o acordo. Enquanto durasse.

— Douglas, e a mulher que deu o mapa a Whitaker?

— O que é que tem?

— Bem, o que aconteceu com ela?

Ele engoliu um bolo de arroz.

— Butrain.

Quando ela ergueu os olhos, ele viu o medo chegar e sair deles, e ficou satisfeito. Era melhor para os dois se Whitney entendesse que se tratava de uma turma da pesada. Mas foi com mãos já firmes que ela pegou o café.

— Entendo. Então você é a única pessoa viva que viu esses documentos?

— Isso mesmo, benzinho.

– Ele vai querer você morto, e eu também.
– Também acertou em cheio.
– Mas eu não vi.
Despreocupado, ele escavou mais arroz.
– Se ele puser as mãos em você, não pode revelar nada do que não sabe.
Ela esperou um minuto, examinando-o.
– Você é um patife de primeira classe, Doug.
Dessa vez ele riu, porque ouvira um leve traço de respeito.
– Gosto da primeira classe, Whitney. Vou viver lá o resto da vida.

Duas horas depois, amaldiçoava-a de novo, embora apenas para si mesmo. Haviam deixado o fogo reduzir-se a brasas, de modo que a luz na gruta era fraca e vermelha. Em algum lugar mais profundo, a água pingava num gotejo lento e musical. Lembrou-lhe um pequeno bordel caro e inovador em Nova Orleans.

Os dois estavam exaustos, doloridos das exigências de um dia muito longo e árduo. Doug descalçou os sapatos, com a única ideia nos prazeres da inconsciência. Jamais duvidara de que dormiria como uma pedra.

– Sabe como manusear essa coisa? – perguntou, abrindo devagar o zíper do saco de dormir.

– Acho que sei manusear um zíper, obrigada.

Então ele cometeu o erro de olhar – e não tornar a olhar.

Sem qualquer demonstração de constrangimento, Whitney tirou a blusa. Doug lembrou a finura do material da camisola à luz matinal. Quando ela tirou a blusa, ele ficou com água na boca.

Não, não se sentia envergonhada, mas próxima ao estado de coma pela fadiga. Jamais lhe ocorreu fazer uma encenação de recato. Mesmo que houvesse pensado nisso, teria julgado a camisola uma proteção adequada. Usava uma fração dela numa praia. Sua única ideia era deitar-se, fechar os olhos e apagar.

Se não estivesse tão cansada, Whitney talvez apreciasse o desconforto que causava na região da virilha de Doug. Talvez lhe desse algum prazer saber que os músculos dele se retesaram ao ver o sutil tremeluzir de luz da fogueira dançar na pele dela quando se abaixou para abrir o zíper do saco de dormir. Teria sentido pura satisfação feminina ao saber que ele prendera a respiração à visão do fino material levantando-se nas coxas e moldando-lhe o traseiro com os movimentos dela.

Sem hesitar, ela entrou no saco de dormir e fechou o zíper. Nada se via, além da nuvem de cabelos emaranhados da trança. Com um suspiro, apoiou a cabeça nas mãos.

— Boa noite, Douglas.

— É.

Ele despiu a camisa, segurou a ponta do adesivo e prendeu a respiração. Arrancou-o bruscamente, e o ardor serpeou-lhe pelo peito. Whitney não se mexeu quando a imprecação dele ricocheteou nas paredes da gruta. Já caíra no sono. Amaldiçoando-a, amaldiçoando a dor, ele enfiou o envelope na mochila e entrou no saco de dormir. Dormindo, ela suspirava baixo e tranquilamente.

Doug fitava o teto da gruta, bem desperto e sentindo mais dores que as escoriações na pele.

6

Alguma coisa fez cócegas nas costas da mão de Whitney. Esforçando-se para agarrar-se ao sono, ela sacudiu o punho numa indolente ação para a frente e para trás e bocejou. Sempre regulava as próprias horas de sono. Se precisasse dormir até o meio-dia, dormia até o meio-dia. Se precisasse acordar ao amanhecer, fazia-o. Quando se sentia com disposição, podia trabalhar 18 horas ininterruptas. Com um entusiasmo semelhante, dormia durante a mesma extensão de tempo.

No momento, interessava-a apenas o sonho que estava tendo. Ao sentir mais uma vez o roçar macio na mão, deu um suspiro, apenas um pouco irritada, e abriu os olhos.

Com toda a probabilidade, era a maior e mais gorda aranha que já vira. Grande, preta, peluda, deslizava com as patas arqueadas. Com a mão a poucos centímetros do rosto, Whitney viu-a agigantar-se e avançar preguiçosa pelos nós dos dedos numa linha direta para o seu nariz. Por um momento, zonza de sono, apenas fitou-a sob a luz fraca.

Os nós dos dedos. O nariz.

A compreensão chegou alta e clara. Abafando um grito, arremessou a aranha a vários centímetros no ar. Ela caiu com um audível ploft no piso da gruta e afastou-se serpeando.

O inseto não a assustara. Jamais pensara na possibilidade de que talvez fosse venenosa. Era simplesmente medonho, e Whitney não suportava o medonho.

Enojada, sentou-se e passou os dedos pelos cabelos emaranhados. Bem, quando se dormia numa gruta, a visita de vizinhos medonhos era esperada. Mas por que a aranha não fora para cima de Doug em vez dela? Decidindo que não tinha motivo algum para deixá-lo dormir quando fora tão rudemente acordada, virou-se com a plena intenção de dar-lhe um empurrão.

Ele se fora, assim como o saco de dormir.

Inquieta, mas não assustada, ela olhou em volta. Viu a gruta vazia, com as formações rochosas dando-lhe a aparência de um castelo abandonado e meio em ruínas. O fogo da comida era apenas uma pilha de brasas incandescentes. O ar exalava um cheiro maduro. Algumas frutas já passavam do ponto. A mochila dele, como o saco de dormir, desaparecera.

Canalha. Desaparecera com os documentos, e deixara-a presa numa maldita gruta com duas frutas, um saco de arroz e uma aranha do tamanho de um prato.

Furiosa demais para pensar, saiu em disparada e começou a rastejar para fora do túnel. Quando a respiração tornou-se difícil, continuou em frente. Que se danem as fobias, disse a si mesma. Ninguém iria traí-la e escapar impune. Para pegá-lo, tinha de sair. E quando o pegasse...

Viu a abertura e concentrou-se nela, e na vingança. Ofegando, tremendo, impeliu-se na direção da luz do sol. Levantou-se com esforço, inspirou todo o ar que conseguiu e gritou.

– Lord! Lord, seu filho da mãe!

O som ressoou e ricocheteou de volta para ela, quase tão alto, porém com duas vezes a mesma fúria. Impotente, olhou as colinas e as rochas vermelhas ao redor. Como podia saber para que lado ele fora?

Norte. Maldito norte, levara a bússola. E o mapa. Após ranger os dentes, ela tornou a gritar.

— Lord, seu safado, você não vai se dar bem!

— Me dar bem com o quê?

Ela se virou e quase se chocou com ele.

— Onde diabos você estava? – exigiu saber. Num arroubo de alívio e raiva, agarrou-o pela camisa e puxou-o para si. – Aonde você foi?

— Calma, benzinho. – Amistoso, deu-lhe uma palmada de leve no traseiro. – Se eu soubesse que você queria pôr as mãos em mim, teria ficado perto por mais tempo.

— Na sua garganta.

Com um empurrão, ela soltou-o.

— Tive de começar em algum lugar. – Pôs a mochila perto da entrada da gruta. – Acha que eu iria me livrar de você?

— Na primeira oportunidade.

Doug tinha de admitir, ela era astuta. A ideia ocorrera-lhe, mas, após uma rápida olhada em volta naquela manhã, não conseguira justificar o abandono dela numa gruta no meio do nada. Mesmo assim, a oportunidade por certo surgiria.

Na tentativa de impedi-la de dar um passo na frente dele, desmanchou-se em charme.

— Whitney, somos parceiros. E... – Ergueu a mão e deslizou um dedo pela face dela. – Você é mulher. Que tipo de homem eu seria se a deixasse sozinha num lugar desses?

Ela retribuiu o sorriso cativante.

— O tipo de homem que teria vendido a pele do cachorro da família se tivesse conseguido um bom preço por ela. Onde você estava?

Ele não teria vendido a pele, mas talvez penhorado o animal inteiro se necessário.

— Você é uma moça severa. Escute, você dormia como um bebê. – Como ela conseguira dormir a noite toda, enquanto ele passara boa parte dela agitado, virando-se e fantasiando? Não a perdoaria facilmente por isso, mas chegaria a hora e o lugar da desforra. – Quis fazer um pouco de reconhecimento da área, sem acordar você.

Ela deu um longo suspiro. Era razoável, e ele voltara.

– Da próxima vez que quiser dar uma de Daniel Boone, me acorde.
– Como quiser.

Whitney viu um pássaro sobrevoar acima deles. Observou-o por algum tempo até se acalmar. O céu, como o ar, estava claro – e frio. Poucas horas os separavam do calor. O silêncio daquele lugar ela só ouvira poucas vezes na vida. Acalmava.

– Bem, como andou fazendo reconhecimento, que tal um relatório?

– Tudo muito tranquilo lá embaixo, na aldeia. – Doug pegou um cigarro que ela lhe arrancou dos dedos. Pegando outro, ele acendeu os dois. – Não cheguei perto o bastante para obter detalhes específicos. Em minha opinião, como todos estão calmos e relaxados, é uma boa hora de aparecer para uma visita.

Whitney baixou os olhos para a camisola manchada de fuligem e terra.

– Assim?

– Eu já disse que é um belo vestido. – E tinha um certo encanto, com uma alça pendendo do ombro. – De qualquer jeito, não passei por nenhum salão de beleza nem butique locais.

– Você pode fazer visitas com uma aparência desmazelada. – Ela lançou um olhar demorado pelo corpo dele de cima a baixo. – De fato, sei que faz. Eu, por outro lado, pretendo me lavar primeiro.

– Faça como quiser. Na certa, sobrou água suficiente para tirar parte da sujeira do seu rosto. – Quando ela automaticamente levou a mão para roçar as faces, ele riu. – Cadê sua mochila?

Ela tornou a olhar para a abertura da gruta.

– Lá dentro. – Tinha o olhar desafiador e a voz firme ao desviá-lo de volta para ele. – Não entro lá de novo.

– Tudo bem, eu pego suas coisas. Mas não vai poder se embonecar a manhã toda. Eu não quero perder muito tempo.

Whitney apenas ergueu uma sobrancelha quando ele começou a engatinhar mais uma vez gruta adentro.

– Jamais me emboneco – disse, sem se alterar. – Não é necessário.

Com um resmungo, Doug desapareceu. Mordiscando o lábio, ela olhou de relance a gruta e depois a mochila que ele deixara ao lado.

Talvez não tivesse uma segunda chance. Sem hesitação, agachou-se e começou a vasculhá-la. Teve de enfiar as mãos entre os utensílios de cozinha e as roupas dele. Encontrou uma escova de homem muito elegante que a fez parar um instante. Quando conseguira aquilo?, perguntou-se. Conhecia cada artigo, até as cuecas que ela pagara. Dedos leves, pensou, e largou a escova de volta na mochila.

Ao encontrar o envelope, retirou-o com todo cuidado. Só podia ser aquilo. Tornou a vigiar a gruta. Apressou-se a puxar uma folha amarelada e fina, lacrada em plástico, e passou os olhos por ela. Escrita em francês, numa rebuscada caligrafia feminina. Uma carta, pensou. Não, parte de um diário. E a data – meu Deus. Arregalou os olhos e examinou o elegante e desbotado manuscrito: 15 de setembro de 1793. Ali parada, à escaldante luz do sol, numa rocha tortuosa e gasta pelo tempo, segurava a história nas mãos.

Passou mais uma vez os olhos, rapidamente, e captou frases de medo, ansiedade e esperança. Uma menina as escrevera, disso teve quase certeza, por causa de referências a *maman* e *papa*. Uma jovem aristocrata, confusa e amedrontada pelo que vinha acontecendo com sua vida e sua família, refletiu. Será que Doug tinha alguma ideia do que levava numa mochila de lona?

Não dava para correr o risco de ler tudo agora. Mais tarde...

Cuidadosamente, tornou a fechar a mochila e largou-a junto à abertura da gruta. Era muito satisfatório vencer um homem em seu próprio jogo, concluiu, e então ouviu os ruídos do retorno dele.

Com o envelope numa das mãos, examinou-se de cima a baixo. Em silêncio, passou a outra mão do seio à cintura. Em que droga de lugar iria escondê-lo? Mata Hari deve ter tido pelo menos um sarongue. Frenética, iria deslizá-lo pelo corpete da camisola, mas percebeu o absurdo. Era melhor grudá-lo na testa. Restando-lhe apenas segundos, enfiou-o pelas costas e deixou o resto à sorte.

– Sua bagagem, Sra. MacAllister.

– Depois eu lhe dou a gorjeta.

– É o que todos dizem.

– O bom serviço é sua própria recompensa.

Whitney deu-lhe um sorriso presunçoso, que logo foi retribuído por outro. Pegava a mochila da mão dele quando lhe ocorreu uma ideia repentina. Se ela pudera roubar o envelope com tanta facilidade, então ele... Abrindo a mochila, remexeu à procura da carteira.

— É melhor começar a se mexer, docinho. Já estamos atrasados para nossa visita matinal.

Ia tomar-lhe o braço quando ela empurrou a mochila na barriga dele. O ruído da respiração que expeliu dos pulmões deu-lhe grande satisfação.

— Minha carteira, Douglas. — Retirando-a, abriu e viu que ele fora generoso o bastante para deixá-la com uma nota de 20. — Parece que enfiou os dedos pegajosos nela.

— Achado não é roubado... parceira. — Embora esperasse que ela não descobrisse tão cedo, apenas encolheu os ombros. — Não se preocupe, terá mesada.

— Ah, é mesmo?

— Digamos que eu seja tradicional. — Satisfeito com a nova situação, ele começou a ajeitar a mochila nas costas. — Acho que o homem deve cuidar do dinheiro.

— Digamos que você seja um idiota.

— Seja o que for, mas vou cuidar do dinheiro a partir de agora.

— Ótimo. — Ela deu-lhe um sorriso meigo, que logo o deixou desconfiado. — E eu guardo o envelope.

— Nem pense nisso. — Ele entregou-lhe de volta a mochila. — Agora vá se trocar como uma boa menina.

A fúria saltou dos olhos dela. Palavras detestáveis embaralharam-se na língua. Havia a hora de perder a cabeça, lembrou a si mesma, e a hora de mantê-la fria. Outra das regras básicas de negócios do pai.

— Eu disse que guardo os documentos.

— E eu disse...

Mas ele se calou ao ver a expressão no rosto dela.

Uma mulher que acabara de ser roubada não devia parecer presunçosa. Doug baixou os olhos para a sua mochila. Ela não podia tê-los. Então tornou a olhá-la. O diabo que não podia.

Jogando a mochila no chão, ele enfiou a mão e vasculhou. Levou apenas um instante.

— Tudo bem, onde está?

De pé, em plena luz do sol, ela ergueu as mãos, palmas para cima. A sumária camisola ondulava pelo corpo como ar.

– Não parece necessário me revistar.

Ele estreitou os olhos. Era impossível impedi-los de percorrê-la de cima a baixo.

– Devolva, Whitney, ou vai ficar nua em pelo dentro de cinco segundos.

– E você com o nariz quebrado.

Encararam-se, cada um decidido a sair vencedor. E cada um sem outra opção além de aceitar o empate.

– Os documentos – ele repetiu, dando à força e ao domínio masculinos uma última chance.

– O dinheiro – ela devolveu, confiando na coragem e na malícia femininas.

Praguejando, Doug enfiou a mão no bolso de trás e tirou um rolo de notas. Quando ela estendeu a dela para pegar, ele o sacudiu de volta para longe de seu alcance.

– Os documentos – repetiu.

Ela examinou-o. Ele tinha um olhar muito direto, pensou. Muito claro e franco. E podia mentir com o melhor deles. Mesmo assim, confiava nele.

– Sua palavra – ela exigiu. – Pelo pouco que vale.

A palavra dele valia apenas o quanto ele escolhia que valesse a pena. Com ela, descobriu, seria demais.

– Tem minha palavra.

Assentindo com a cabeça, Whitney estendeu a mão por trás de si, mas o envelope escorregara para baixo, fora de alcance.

– Tenho um monte de motivos para não gostar de dar as costas a você. Mas... – Com um encolher de ombros, ela o fez. – Vai ter de tirá-lo sozinho.

Ele correu o olhar pela harmoniosa linha das costas dela e a sutil curva do quadril. Embora não tivesse muita coisa ali, pensou, o que tinha era excelente. Sem se apressar, deslizou a mão sob o material e continuou baixando-a.

– Apenas pegue o envelope, Douglas. Nada de desvios

Ela cruzou os braços sob os seios e fixou os olhos diretamente à frente. O roçar daqueles dedos sensibilizava cada nervo. Não estava acostumada a excitar-se com tão pouco.

– Parece que escorregou bem para baixo – ele murmurou. – Talvez eu leve algum tempo para encontrar.

Ocorreu-lhe que na verdade podia deixá-la sem a camisola em cinco segundos. O que ela faria então? Ele a colocaria no chão antes que Whitney conseguisse xingá-lo. Depois teria o que o fizera suar na noite anterior.

Mas, pensou, roçando os dedos na borda do envelope, ela talvez exercesse um controle sobre ele que não podia se permitir. Prioridades, lembrou-se, ao tocar ao mesmo tempo o papel manilha duro e a pele macia. Era sempre uma questão de prioridade.

Ela precisou de toda concentração para manter-se imóvel.

– Douglas, você tem dois segundos para tirar isso daí, ou perderá a mão direita.

– Você está um pouco agitada, não está?

Pelo menos teve a satisfação de saber que a deixara tão excitada quanto ele. Não lhe escaparam a rouquidão nem o leve tremor na voz dela. Com a ponta entre o indicador e o polegar, retirou o envelope.

Whitney logo se virou, a mão estendida. Doug tinha o mapa, o dinheiro, estava todo vestido, e ela quase nua. Ele não duvidava que aquela mulher pudesse descer até a aldeia e dar um jeito de conseguir transporte de volta à capital. Se pretendia descartá-la, não haveria hora melhor.

Ela manteve os olhos calmos e diretos nos dele. Doug também não duvidava que ela sabia o que ele estava pensando.

Embora hesitasse, descobriu que iria cumprir a palavra dada. Enfiou o rolo de notas na mão dela.

– Honra entre ladrões...

– ... é um importante mito cultural – ela concluiu. – Por um momento, apenas um momento, não teve certeza se ele cumpriria o compromisso. Erguendo a mochila e o cantil, dirigiu-se ao pinheiro. Era mais ou menos um anteparo. Embora no momento houvesse preferido uma parede de aço com uma fechadura resistente. – Podia pensar em fazer a barba, Douglas – gritou. – Detesto que meu acompanhante pareça relaxado.

Ele correu a mão pelo queixo e jurou não fazer a barba durante semanas.

Whitney achava mais fácil seguir quando avistava o destino.

Num inesquecível verão, no início da adolescência, ficara na propriedade dos pais em Long Island. O pai desenvolvera uma repentina obsessão por exercícios físicos. Todo dia que não era rápida o bastante para escapar, ele a rebocava para acompanhá-lo no jogging. Ela lembrava a determinação de emparelhar-se com um homem 25 anos mais velho, e o truque que criara de procurar as majestosas janelas do sótão da casa. Assim que as via, disparava na frente, sabendo que o fim estava à vista.

Nesse caso, o destino não passava de uma aglomeração de montanhas, campos verdes e um rio pardo que fluía para oeste. Após um dia de caminhada e uma noite numa gruta, parecia-lhe tão em ordem quanto New Rochelle.

Ao longe, homens e mulheres trabalhavam nos arrozais. Os nativos de Madagascar trabalhavam diligentemente. Eram ilhéus, lembrou, mas sem a animada ociosidade que a vida insular com frequência promovia. Observando-os, Whitney perguntou-se quantos já haviam visto o mar.

O gado, de olhos entediados e açoitando os rabos, amontoava-se em cercados. Ela viu um jipe caindo aos pedaços, sem rodas, escorado numa pedra. De algum lugar, vinha o monótono tinido de metal contra metal.

As mulheres penduravam num varal blusas floridas, de cores vivas, que contrastavam com suas roupas simples de trabalho. Os homens de calças folgadas capinavam um longo e estreito jardim. Alguns cantavam enquanto trabalhavam, uma melodia não tão triste quanto pretendiam.

À aproximação deles, cabeças viraram-se e o trabalho parou. Ninguém se adiantou, a não ser um esquelético cachorro que correu em círculos em volta deles e fez um grande alarido.

Em qualquer lugar, Whitney conhecia a curiosidade e a desconfiança quando as via. Lamentou não usar nada mais alegre que uma blusa e uma calça larga. Lançou um olhar a Doug. Com a barba por fazer, ele parecia recém-saído de uma festa – das longas.

Ao chegarem mais perto, ela distinguiu um punhado de crianças. Algumas das menores carregadas nas costas e nos quadris de homens e mulheres. No ar, um cheiro de esterco animal e de comida. Ela passou a mão pela barriga, esforçando-se na descida de uma colina atrás de Doug, que tinha o nariz grudado no guia.

– Precisa fazer isso agora? – quis saber. Como ele apenas resmungou, ela revirou os olhos. – Me admira que não tenha trazido um daqueles pequenos abajures com prendedor para poder ler na cama.

– Compraremos um. O grupo étnico merina é de descendência asiática... a camada superior da ilha. Você se identificaria com isso.

– Claro.

Ignorando o humor na voz dela, ele leu:

– Têm um sistema de castas que separa os nobres da classe média.

– Muito sensato.

Quando ele lhe disparou um olhar por cima do livro, ela apenas sorriu.

– Sensatamente – ele devolveu –, o sistema de classes foi abolido por lei, mas eles não prestam muita atenção.

– É uma questão de moralidade legislativa. Parece que nunca funciona.

Recusando-se a ser influenciado, Doug olhou adiante e franziu os olhos. As pessoas se juntavam, mas não parecia um comitê de boas-vindas. Segundo tudo o que lera, as cerca de vinte tribos ou grupos dos habitantes de Madagascar haviam empacotado as lanças e os arcos anos antes. Mas... tornou a ver dezenas de olhos sombrios. Ele e Whitney teriam apenas de dar um passo de cada vez.

– Como acha que vão reagir a visitantes não convidados? – Mais nervosa do que gostaria de admitir, Whitney enfiou o braço no dele.

Doug entrara devagar, sem convite, em mais lugares do que saberia contar.

– Seremos encantadores.

Em geral, isso funcionava.

— Acha que pode dar certo? — ela perguntou, e caminhou ao lado dele até o terreno plano na base da colina.

Embora estivesse nervosa, continuou andando, os ombros empertigados. O agrupamento resmungou e separou-se, abrindo passagem para um homem alto, rosto magro e comprido, de túnica preta sobre uma camisa branca engomada. Talvez fosse o líder, o sacerdote, o general, mas ela viu com apenas uma olhada que era importante... e que a intrusão o desagradara.

Parou na frente deles com o seu 1,95 metro de altura. Abandonando o orgulho, Whitney recuou um passo para que Doug ficasse na frente.

— Encante-o — ela desafiou-o num murmúrio.

Ele examinou o negro alto com o agrupamento atrás. Pigarreou. — Não tem problema. — Tentou o melhor sorriso. — Bom dia. Como tem passado?

O homem inclinou a cabeça, régio, distante e desaprovador. Numa voz profunda, estrondosa, lançou uma torrente na língua de Madagascar.

— Somos meio deficientes na língua, senhor, ah... — Ainda rindo, Doug estendeu a mão, que foi encarada e depois ignorada. Com o sorriso ainda estampado no rosto, pegou Whitney pelo cotovelo e empurrou-a para a frente. — Tente em francês.

— Mas seu encanto estava funcionando tão bem.

— Não é uma boa hora para bancar a sabichona, benzinho.

— Você disse que eles eram amistosos.

— Talvez ele não tenha lido o guia.

Whitney examinou o rosto duro como pedra vários centímetros acima do seu. Talvez Doug tivesse razão. Sorriu, adejou as pestanas e tentou uma saudação formal em francês.

O homem de túnica preta encarou-a por alguns segundos e retribuiu o cumprimento.

Ela quase desatou a rir de alívio.

— Certo, muito bem. Agora peça desculpas — ordenou Doug.

— Pelo quê?

– Pela intromissão – ele respondeu entre os dentes, apertando-lhe o cotovelo. – Diga que vamos para Tamatave, mas nos perdemos e estamos com as provisões baixas. Continue sorrindo.

– É fácil quando vejo você rindo como meu irmão idiota.

Ele vociferou, mas baixo, com os lábios ainda curvos.

– Pareça desamparada, do jeito que faria se tentasse trocar um pneu arriado no acostamento de uma estrada.

Ela virou a cabeça, sobrancelha erguida, olhos frios.

– O que foi que disse?

– Apenas finja, Whitney. Pelo amor de Deus.

– Vou falar com ele – ela disse, com uma fungada régia. – Mas não vou parecer desamparada.

Quando tornou a virar-se, tinha mudado a expressão para um sorriso simpático.

– Lamentamos muito termos nos intrometido em sua aldeia – começou em francês. – Mas estamos viajando para Tamatave e meu companheiro... – Indicou Doug e encolheu os ombros. – Ele se perdeu. E temos pouca comida e água.

– Tamatave é uma rota muito longa para o leste. Vão a pé?

– Infelizmente.

O homem examinou mais uma vez os dois, fria e deliberadamente. A hospitalidade fazia parte da herança e da cultura de Madagascar. Mas era oferecida de forma discriminada. Ele via coragem nos olhos dos estranhos, porém não maldade. Após um instante, fez uma mesura.

– Temos prazer em receber visitas. Podem partilhar nossa comida e água. Sou Louis Rabemananjara.

– Como vai? – Ela estendeu a mão e dessa vez ele aceitou. – Sou Whitney MacAllister e este é Douglas Lord.

Louis virou-se para sua gente e anunciou que teriam convidados na aldeia.

– Minha filha Marie. – A estas palavras, uma jovem baixinha, de pele cor de café e olhos pretos, adiantou-se. Whitney reparou no complexo estilo de cabelos trançados da moça e imaginou se sua própria cabeleireira seria páreo para Marie. – Ela vai cuidar de vocês. Depois que descansarem, partilharão nossa comida.

Com isso, Louis voltou para o agrupamento.

Após uma rápida inspeção na blusa azul e na calça de tecido fino dela, Marie baixou os olhos. O pai jamais lhe permitiria usar coisas tão reveladoras.

– Sejam bem-vindos. Se fizerem o favor de vir comigo, mostrarei onde podem se lavar.

– Obrigada, Marie.

Seguiram atrás da jovem por entre os nativos. Uma das crianças apontou os cabelos de Whitney, disse algo incompreensível e foi silenciada pela mãe. Uma palavra de Louis despachou todos de volta ao trabalho, antes de Marie chegar a uma pequena casa. O telhado de palha projetava-se numa inclinação acentuada, para ampliar a área de sombra. A casa era feita de madeira, com algumas das ripas arqueadas e onduladas. As janelas cintilavam. Diante da porta, via-se um tapete alvejado quase branco. Quando Marie abriu a porta, recuou para deixar os convidados entrarem.

No interior, tudo muito limpo, cada superfície polida. A mobília era rústica e lisa, mas almofadas coloridas afofavam todas as cadeiras. Flores amarelas, semelhantes a margaridas, brotavam de um vaso de barro perto de uma janela, onde ripas de madeira impediam a entrada da luz intensa e do calor.

– Há água e sabonete. – Ela conduziu-os para dentro da casa, onde a temperatura pareceu cair 10 graus centígrados. Numa pequena alcova, Marie ofereceu duas cumbucas fundas de madeira, jarros d'água e pedaços de sabonete marrom. – Faremos a refeição do meio-dia daqui a pouco, e vocês são nossos convidados. A comida é farta. – Sorriu pela primeira vez. – Temos nos preparado para *fadamihana*.

Antes que Whitney pudesse agradecer, Doug pegou-lhe o braço. Não entendera o francês, mas a frase o fizera lembrar de alguma coisa.

– Diga a ela que nós também honramos seus ancestrais.

– Como?

– Apenas diga.

Satisfazendo-o, Whitney o fez e foi recompensada com um sorriso radiante.

– Vocês são bem-vindos – ela disse e deixou-os sozinhos.

– O que foi isso?

— Ela falou alguma coisa sobre *fadamihana*.
— É, estão se preparando para isso, seja o que for.
— Banquete dos mortos.
Ela parou de examinar uma cumbuca e virou-se para ele.
— Como?
— É um costume bastante antigo. Parte da religião de Madagascar consiste na devoção aos ancestrais. Quando alguém morre, é sempre levado ao túmulo dos ancestrais. De tantos em tantos anos, desenterram os mortos e fazem uma festa para eles.
— Desenterram? — Uma repulsa imediata dominou-a. — Que coisa repugnante!
— Faz parte da religião deles, um gesto de respeito.
— Espero que ninguém me respeite assim — ela começou a dizer, mas a curiosidade venceu-a. Franziu as sobrancelhas quando ele despejou água na cumbuca. — Qual é a finalidade?
— Depois de retirarem os corpos, dão aos mortos um lugar de honra na comemoração. Eles recebem roupa branca nova, vinho de palma, feito da seiva naturalmente fermentada de várias palmeiras, e todas as últimas fofocas. — Ele mergulhou as mãos no balde d'água e salpicou-a no rosto. — Acho que é a maneira de honrarem o passado. De mostrarem respeito às pessoas de quem descendem. A devoção ao ancestral é a raiz da religião de Madagascar. Há música e dança. Todos, vivos e mortos, se divertem muito.

Então os mortos não eram pranteados, pensou Whitney. Eram recebidos. Uma comemoração da morte, ou talvez mais exatamente do elo entre a vida e a morte. De repente, percebeu que entendia a cerimônia e os sentimentos por ela mudaram.

Aceitou o sabonete que ele ofereceu e sorriu.
— É lindo, não é?
Doug pegou uma toalha pequena, áspera, e esfregou-a no rosto.
— Lindo?
— Não esquecem os seus quando eles morrem. Trazem-nos de volta, dão-lhes um lugar na primeira fila de uma festa, os põem a par de todas as notícias da aldeia e oferecem-lhes bebida. Uma das piores coisas da morte é perder a diversão.

– A pior coisa da morte é morrer – ele reagiu.

– Você é literal demais. Imagino que seja mais fácil enfrentar a morte sabendo que se tem uma coisa assim para aguardar ansiosamente.

Ele jamais imaginara que alguma coisa tornasse mais fácil enfrentar a morte. Era apenas algo que acontecia quando a gente não podia mais driblar a vida. Balançou a cabeça e largou a toalha.

– Você é uma mulher interessante, Whitney.

– Claro. – Rindo, ela pegou o sabonete e cheirou-o. Tinha aroma de flores. – E estou morta de fome. Vamos ver o que tem no cardápio.

Quando Marie voltou, trocara a roupa por uma saia colorida que batia na altura das panturrilhas. Do lado de fora, os aldeões se ocupavam em encher uma mesa de comida e bebida. Whitney, que esperava algumas porções de arroz e um cantil novamente cheio, dirigiu-se a ela mais uma vez com agradecimentos.

– São nossos convidados. – Solene e formal, Marie baixou os olhos. – Foram guiados para nossa aldeia. Oferecemos a hospitalidade de nossos ancestrais e comemoramos a visita dos dois. Meu pai disse que faremos hoje um feriado em homenagem a vocês.

– Só sei que estamos com fome. – Whitney estendeu o braço e tocou a mão dela. – E muito gratos.

Empanturrou-se. Embora não reconhecesse nada além da fruta e do arroz, não se fez de inibida. Aromas fluíam no ar, apimentados, exóticos e diferentes. A carne, sem a ajuda de eletricidade, fora preparada em fogueiras ao ar livre e fornos de pedra. Tinha gosto e cheiro de caça. O vinho, caneca após caneca, era forte.

A música começou, tambores, instrumentos toscos de sopro e corda, que formavam tênues melodias antigas. Os campos, parecia, podiam esperar um dia. Os visitantes eram raros e, tão logo aceitos, valorizados.

Um pouco tonta, Whitney entrou na dança com um grupo de homens e mulheres.

Eles a aceitaram, rindo e assentindo com a cabeça, enquanto ela imitava seus passos. Vendo alguns dos homens saltarem e girarem, Whitney jogou a cabeça para trás de tanto rir. Pensou nas boates enfumaçadas e apinhadas que frequentava. Música e luzes elétricas. Lá, cada um tentava brilhar mais que o outro. Pensou em alguns dos homens elegantes, egocêntricos, que a acompanhavam – ou tentavam acompanhá-la. Nenhum deles resistiria à comparação com um nativo merina. Rodopiou até ficar tonta e então se virou para Doug.

– Dance comigo – pediu.

Tinha a pele afogueada, os olhos brilhantes. Diante dele, parecia entusiasmada e incrivelmente meiga. Rindo, o parceiro fez que não com a cabeça.

– Eu passo. Você já está fazendo o suficiente por nós dois.

– Não seja chato. – Ela espetou um dedo no peito dele. – Os merinas reconhecem um desmancha-prazeres quando veem um. – Entrelaçou as mãos atrás dele e balançou-se. – Só precisa mexer os pés.

Sob controle, as mãos dele deslizavam até os quadris dela, para sentir o movimento.

– Só os pés?

Inclinando a cabeça, ela dirigiu-lhe um olhar sob as pestanas.

– Se é o melhor que pode fazer...

Soltou um grito rápido quando ele a girou num círculo.

– Apenas tente me acompanhar, benzinho.

De repente, ele engachou uma das mãos na cintura de Whitney e, estendendo a outra, pegou a dela. Manteve a dramática pose do tango por um instante e a fez deslizar com toda elegância para a frente. Separaram-se, viraram-se e tornaram a juntar-se.

– Nossa, Doug, acho que talvez você seja afinal uma companhia divertida.

Enquanto continuaram balançando e avançando adiante, a dança atraiu a aprovação dos que estavam ao redor. Viraram-se de modo a ficar com os rostos próximos, os corpos de frente um para o outro, mão na mão, enquanto ele a guiava.

Whitney sentiu o coração pulsar agradavelmente, com o constante roçar do corpo dele no seu. A respiração dele era quente. Seus olhos, tão incomuns e claros, permaneciam fixos nos dela. Não muitas vezes julgara-o um homem forte, mas agora, assim de perto, sentia a ondulação dos músculos nas costas dele, ao longo dos ombros. Ela inclinou a cabeça para trás em desafio. Iria acompanhá-lo passo por passo.

Ele a fazia rodopiar tão rápido que ela chegava quase a ficar tonta. Então se sentia lançada para trás. Solta, quase roçava o chão com a cabeça no exagerado mergulho. Com a mesma rapidez, via-se na posição vertical e recolhida junto ao peito dele. A boca de Doug a apenas um suspiro da sua.

Tinham apenas de mover-se – apenas um ligeiro movimento da cabeça uniria os lábios. Os dois respiravam rápido, do esforço e da excitação. Ela sentia o cheiro almiscarado de leve suor, a sugestão de vinho e carne saborosa. O gosto dele devia ser tudo isso.

– Que inferno! – resmungou Doug.

Mesmo com a mão apertada na cintura dela, mesmo vendo-a baixar as pestanas, ouviu o ronco de um motor. Virou a cabeça. Retesou-se como um gato, tão rápido que Whitney piscou.

– Merda.

Agarrando-lhe a mão, correu em busca de cobertura. Empurrou-a para uma parede na lateral de uma casa e comprimiu-se contra ela.

– Que diabos está fazendo? Um tango, e você se transforma num louco?

– Apenas não se mexa.

– Eu não... – Então ela também ouviu, alto e claro acima deles. – O que é isso?

– Um helicóptero.

Ele rezava para que o ressalto do telhado e a sombra que projetava os mantivessem fora da visão.

Ela conseguiu espiar por cima do ombro dele. Ouviu-o, mas não o viu.

– Pode ser qualquer um.

– Pode ser. Não arrisco minha vida com suposições. Dimitri não gosta de perder tempo. – Droga, como era possível encontrá-los no meio do nada? Cautelosamente, olhou em volta. Não havia como fugir. – Esse volume de cabelos louros vai se destacar como uma placa de sinalização.

– Mesmo sob pressão, você tem muito charme, Douglas.

– Esperemos apenas que ele não decida pousar para dar uma olhada mais de perto.

As palavras mal lhe haviam saído da boca quando o barulho ficou mais alto. Mesmo no outro lado da casa, sentiam o vento das pás das hélices. A poeira subia em ondas.

– Você deu a ideia a ele.
– Boca fechada por um instante.

Ele olhou para trás, pronto para correr. Para que lado?, perguntou a si mesmo, indignado. Para que droga de lado? Estavam tão encurralados quanto se corressem para um beco sem saída.

Ao som de um sussurro, rodopiou, os punhos erguidos. Marie parou e levantou a mão pedindo silêncio. Gesticulou e correu ao longo da lateral da casa. Com as costas bem junto da parede, avançou pelo lado direito até a porta. Embora isso significasse pôr mais uma vez a sorte nas mãos de uma mulher, Doug seguiu-a, mantendo na sua a mão de Whitney.

Tão logo entraram, ele fez um sinal às duas para que permanecessem imóveis e em silêncio, e dirigiu-se à janela. Ficando bem de lado, olhou para fora.

O helicóptero pousara a alguma distância, na região plana, na base das colinas. Remo se encaminhava a passos largos para a multidão de celebrantes.

– Filho da mãe – resmungou Doug.

Mais cedo ou mais tarde teria de optar por negociar com Remo. Precisava ter certeza de que ficaria em posição vantajosa. No momento, não tinha nada mais letal que um canivete no bolso da calça jeans. Então lembrou que haviam deixado as mochilas no lado de fora, perto da mesa de comida e bebida.

– É...
– Para trás – ele ordenou, quando Whitney se aproximou engatinhando. – É Remo, e mais dois soldadinhos de chumbo de Dimitri. – E mais cedo ou mais tarde, admitiu, passando a mão na boca, teria de enfrentar a negociação com Dimitri. Precisaria de mais sorte quando chegasse a hora. Quebrando a cabeça, olhou a sala em volta à procura de alguma coisa, qualquer coisa, com que se defender. – Diga a ela que esses homens estão atrás de nós e pergunte o que sua gente vai fazer.

Whitney olhou para Marie, parada em silêncio junto à porta. De forma sucinta, cumpriu as instruções de Doug.

Marie cruzou as mãos.

– Vocês são nossos convidados – ela respondeu, apenas. – Eles, não.

Whitney sorriu e disse a Doug:

– Temos proteção, se é que se pode chamar assim.

– É, isso é bom, mas lembre-se do que aconteceu com Quasímodo em *O corcunda de Notre Dame*.

Viu Remo encarado de cima por Louis. O líder da aldeia, olhos duros e aparência implacável, falou brevemente na língua de Madagascar. O som, mas não as palavras, entrou pela janela aberta. Remo retirou alguma coisa do bolso.

– Fotografias – sussurrou Whitney. – Ele deve estar mostrando fotos da gente.

A ele, concordou Doug em silêncio, e a todos os outros aldeões entre aquele ponto e Tamatave. Se saíssem dessa, não haveria mais festas ao longo do caminho. Fora idiota em achar que podia tirar um tempo para respirar com Dimitri na sua cola.

Junto com as fotos, Remo apresentou um rolo de notas. As duas coisas foram recebidas em silêncio temeroso.

Enquanto Remo tentava as forças de barganha com Louis, outro da tripulação do helicóptero foi até a mesa de comida e começou a provar um pouco de tudo. Impotente, Doug viu-o aproximar-se cada vez mais das mochilas.

– Pergunte se ela tem uma arma aqui.

– Arma? – Whitney engoliu em seco. Não o ouvira usar esse tom de voz antes. – Mas Louis não vai...

– Pergunte a ela. Já. – O colega de Remo serviu-se de uma caneca de vinho de palma. Tinha apenas de olhar embaixo à esquerda. Não faria a menor diferença de que lado ficariam os aldeões, se o cara visse as mochilas. Estavam desarmados. Doug sabia o que havia enfiado num coldre sob o paletó de Remo. Sentira-o cutucando-lhe as costelas alguns dias antes. – Droga, Whitney, pergunte.

À pergunta dela, Marie assentiu com a cabeça, o rosto sem expressão. Após deslizar até o quarto contíguo, voltou com um fuzil comprido e de aparência fatal. Quando Doug o pegou, Whitney agarrou-lhe o braço.

– Doug, eles também têm armas. Há bebês lá fora.

Fechando a cara, ele carregou a arma. Teria de ser bem rápido e certeiro. Rapidíssimo.

– Não vou fazer nada até ser obrigado.

Agachou-se, apoiou o cano no parapeito da janela e ajustou a mira no local. Tinha o dedo úmido antes de pô-lo no gatilho.

Detestava armas. Sempre detestara. Não importava em qual lado do cano estivesse. Já matara. No Vietnã, matara porque a mente rápida e as mãos inteligentes não o haviam livrado do alistamento, nem das florestas fedorentas. Aprendera coisas lá que gostaria de não ter aprendido, e que tivera de usar. A sobrevivência, esta sempre fora o número 1.

Matara. Numa desgraçada noite em Chicago, quando ficara com as costas contra a parede e uma faca sibilara na sua garganta. Sabia o que era olhar alguém quando a vida se esvaía. Sabia que a qualquer momento poderia ser ele...

Detestava armas. Segurou firme o fuzil.

Um dos parceiros de dança de Whitney soltou uma risada estridente. Com um jarro de vinho em cima da cabeça, agarrou o homem ao lado das mochilas. Quando o nativo deu meia-volta, saltando com o vinho, as mochilas deslizaram para longe entre a multidão e desapareceram.

– Pare de agir como um idiota – gritou Remo, ao ver o comparsa erguer a caneca para mais vinho. Tornando a virar-se para Louis, gesticulou com as fotos. Não conseguiu nada além de um olhar duro e um bramido na língua de Madagascar.

Doug viu Remo enfiar as fotos e o dinheiro de volta no bolso e afastar-se em direção ao helicóptero. Com um rugido, o veículo iniciou a subida. Quando atingiu 3 metros acima do chão, ele sentiu os músculos dos ombros relaxarem.

Não gostava da sensação da arma na mão. Ao ouvir o barulho do helicóptero extinguir-se, desarmou-a.

– Podia ter ferido alguém com isso – murmurou Whitney, quando ele a devolveu a Marie.

– É.

Doug virou-se, e ela viu uma brutalidade que não avaliara antes. Ele transpirava um nervosismo que nada tinha a ver com medo. Ladrão, sim, ela entendia e aceitava. Mas via agora que, à sua própria maneira, ele era tão brutal, tão duro, quanto os homens que os procuravam. Não sabia se aceitaria isso com a mesma facilidade.

A expressão desapareceu dos olhos dele quando Marie voltou à sala. Tomando-lhe a mão, levou-a aos lábios com cavalheirismo e realeza.

– Diga a ela que lhe devemos a vida.

Embora Whitney dissesse as palavras, Marie continuou a fitar Doug. De mulher para mulher, ela reconheceu o olhar. Uma conferida no parceiro mostrou-lhe que ele também o reconhecera e adorara cada minuto.

– Talvez vocês dois queiram ficar a sós – disse Whitney secamente. Atravessando a sala, abriu a porta. – Afinal, três é demais.

Deixou-a bater com mais força que seria necessário.

– Nada?

Uma baforada de fumaça perfumada elevou-se diante da cadeira forrada de brocado e encosto alto.

Remo mexeu os pés. Dimitri não gostava de relatos negativos.

– Krentz, Weis e eu cobrimos a área toda, cada centímetro. Paramos em cada aldeia. Pusemos cinco homens aqui na cidade esperando-os de tocaia. Nenhum sinal.

– Nenhum sinal. – O tom de voz de Dimitri era brando. A dicção, entre outras coisas, fora-lhe ensinada rigidamente pela mãe. A mão de três dedos bateu o cigarro num cinzeiro de alabastro. – Quando se tem olhos para ver, sempre há um sinal, meu caro Remo.

– Vamos encontrá-los, Sr. Dimitri. Só vai levar um pouco mais de tempo.

– Isso me preocupa. – Da mesa à direita, Dimitri pegou uma taça lapidada cheia até a metade de vinho tinto. Na mão que não estava lesada, usava um anel grosso, de ouro reluzente ao redor de um sólido diamante. – Eles o enganaram três vezes... – Interrompeu-se ao beber, deixando o vinho ficar na língua. Apreciava o doce. – Não, meu Deus quatro vezes agora. Seus erros estão se tornando um hábito muito inquietante. – Embora a voz fluísse baixa, ele acendeu o isqueiro e a chama subiu reta e fina. Por trás dela, cravou o olhar no de Remo. – Sabe como me sinto em relação a erros?

Remo engoliu em seco. Sabia bem das coisas para desculpar-se. Dimitri era cruel com as desculpas. Sentiu o suor brotar na nuca e escorrer devagar.

– Remo, Remo. – O nome saiu num suspiro. – Você tem sido como um filho para mim. – O isqueiro estalou. A fumaça tornou a elevar-se em plumas, fina e perfumada. Ele jamais falava depressa. Uma conversa, estendida até a última palavra, era mais assustadora que uma ameaça. – Sou um homem paciente e generoso. – Esperou o comentário de Remo, satisfeito por haver apenas silêncio. – Mas espero resultados. Tenha êxito da próxima vez, Remo. Um patrão, como um pai, precisa exercer disciplina. – Um sorriso saiu de seus lábios, mas não dos olhos, insensíveis. – Disciplina – repetiu.

– Vou pegar Lord, Sr. Dimitri. E entregar ao senhor numa bandeja.

– Uma ideia adorável, com certeza. Pegue os documentos. – A voz mudou, tornando-se gélida. – E a mulher. Estou cada vez mais intrigado com a mulher.

Num reflexo, Remo tocou a fina cicatriz na face.

– Pegarei a mulher.

7

Esperaram até uma hora antes do crepúsculo. Com grande cerimônia, água, comida e vinho foram embrulhados e presenteados a eles para a viagem adiante. Os merinas pareciam ter se divertido muito com a visita.

Num gesto de generosidade que fez Doug estremecer, Whitney enfiou cédulas nas mãos de Louis. Seu alívio, quando foram recusadas, teve vida curta. Para a aldeia, ela insistiu, e então, num lance de inspiração, acrescentou que o dinheiro era para expressar o respeito e os melhores votos dos dois aos ancestrais.

As notas desapareceram nas dobras da camisa de Louis.

– Quanto você deu? – Doug exigiu saber ao pegar a mochila recém-reabastecida.

– Só cem. – Diante da expressão dele, ela deu-lhe um tapa de leve na face. – Não seja pão-duro, Douglas. Não fica bem.

Entoando uma melodia com os lábios fechados, retirou a agenda.

– Ah, não, você gastou, não eu.

Whitney anotou a quantia na agenda com um floreio. A conta de Doug sem dúvida crescia.

– Você joga, você paga. De qualquer modo, tenho uma surpresa.

– O quê? Um desconto de 10 por cento?

– Não seja grosso. – Ela olhou ao ouvir o ruído estrepitoso de um jipe. – Transporte.

Acenou com o braço num amplo gesto.

O jipe com certeza já vira dias melhores. Embora brilhasse da lavagem recente, o motor cuspia e ziguezagueava pela estrada sulcada.

Como carro de fuga, ele imaginou que perdia apenas para uma mula cega.

– Não vai percorrer nem 40 quilômetros.

– Serão 40 quilômetros em que não precisaremos usar os pés. Agradeça, Douglas, e pare de ser rude. Pierre vai nos levar até a província de Tamatave.

Bastou uma olhada em Pierre para ver que se embebedara fartamente com o vinho de palma. Teriam sorte se não terminassem afundados num arrozal.

– Maravilha.

Pessimista e lidando com uma dor de cabeça por causa do vinho, Doug deu um adeus formal a Louis.

A despedida de Whitney foi muito mais demorada e elaborada. Doug subiu na parte de trás do jipe e esticou as pernas.

– Mexa o traseiro, querida. Vai escurecer em uma hora.

Sorrindo para os nativos que se amontoaram em volta do jipe, ela entrou.

— Vai ver se estou na esquina, Lord. — Acomodou a mochila ao lado dos pés, recostou-se e estendeu alegremente o braço no encosto do banco. — *Avant*, Pierre.

O jipe deu um solavanco para a frente, empacou e seguiu sacolejando pela estrada. Doug sentiu a dor de cabeça explodir em rajadas minúsculas, impiedosas. Fechou os olhos e forçou-se a dormir.

Whitney aceitou de bom humor a viagem, que lhe fazia os dentes trepidarem. Tomara vinho, jantara e fora entretida. O mesmo se podia dizer de um jantar no Clube 21 e um espetáculo da Broadway. E isso fora extraordinário. Talvez esse não fosse um passeio pelo parque numa charrete puxada por um único cavalo – qualquer pessoa com 20 dólares podia pagar por um desses. Ela sacolejava ao longo de uma estrada de Madagascar, num jipe dirigido por um merina, com um ladrão roncando de leve atrás. Era muito mais interessante que um tranquilo passeio pelo Central Park.

Na maior parte, um cenário monótono. Colinas vermelhas, quase sem árvores, vales extensos com retalhos de arrozais. Esfriara, agora que o sol pairava baixo, mas o intenso calor do dia deixara a estrada poeirenta. O pó formava nuvens sob as rodas e coloria o jipe recémlavado. Viam-se montanhas que se erguiam bruscamente, mas também pinheiros esparsos. Só rocha e terra. Apesar da mesmice, era o espaço básico que atraía a imaginação. Quilômetros e quilômetros com nada que pudesse bloquear o céu, nada que impedisse a visão. Ela sentia a possibilidade de encontrar ali uma sensação que o morador de cidade jamais entenderia.

De vez em quando, em Nova York, sentia falta do céu. Quando o sentimento se abatia sobre ela, Whitney pegava um avião e ia aonde o seu estado de espírito a levasse, ficando até o ânimo mudar de novo. Os amigos aceitavam isso porque nada podiam fazer a respeito. A família aceitava isso porque ainda esperava que ela sossegasse.

Talvez fosse o isolamento, talvez o estômago cheio e a cabeça vazia, mas sentia um estranho contentamento. Passaria. Conhecia-se bem demais para pensar de outro modo. Não fora moldada para longos períodos de contentamento, mas antes para lançar-se na esquina seguinte e ver no que dava.

Por enquanto, porém, recostava-se no banco do jipe e desfrutava a serenidade. As sombras deslocavam-se, encompridavam-se e tornavam-se mais espessas. Uma coisa precipitou-se na estrada bem defronte do jipe. Já subira as pedras e desaparecera antes que Whitney visse direito. O ar começava a adquirir aquele manto perolado que durava apenas uns instantes.

O sol se pôs espetacularmente. Ela teve de virar-se e ajoelhar-se no banco para ver o céu explodir em cores no oeste. Parte de sua profissão envolvia incorporar tonalidades e matizes a tecidos e pinturas. Contemplando o cenário, pensou em fazer um quarto nas cores do pôr do sol. Carmesins, dourados, azul-escuros de pedras preciosas e lilases calmantes. Uma interessante e intensa combinação. Baixou o olhar e deixou-o em Doug, que dormia. Combinaria com ele, concluiu. A luminosidade do brilho, a centelha de força e a intensidade por baixo.

Não era um homem a se levar com despreocupação, nem em quem confiar. Mesmo assim, ela começava a achá-lo um homem capaz de fascinar. Como um pôr do sol, ele deslocava-se e mudava diante dos olhos, depois desaparecia enquanto se continuava a olhá-lo. Assim que pusera aquele fuzil nas mãos, ela percebera que tinha uma brutalidade capaz de manifestar-se e irromper a qualquer momento. Se e quando julgasse necessário, seria igualmente brutal com ela.

Ela precisava de mais poder.

Prendendo a língua entre os dentes, desviou o olhar dele para o piso do carro. Doug trazia a mochila – e o envelope – acomodada junto aos pés. Whitney manteve os olhos no rosto dele, à procura de quaisquer sinais de despertar, e curvou-se. A mochila estava bem fora de alcance. O jipe sacudiu-se quando ela se ergueu o suficiente para dobrar-se sobre o encosto na altura da cintura. Doug continuava roncando baixo. Ela segurou com os dedos a alça da mochila. Com todo cuidado, começou a erguê-la.

Ouviu uma pancada alta o bastante para fazê-la arquejar. Antes de ter tempo para tatear e conseguir um bom apoio, o jipe deu uma guinada brusca, parou e derrubou-a com uma cambalhota no banco de trás.

Doug acordou sem ar e com Whitney estatelada em cima do seu peito. Ela cheirava a vinho e frutas. Bocejando, ele deslizou a mão pela coxa dela.

– Você não consegue mesmo ficar com as mãos longe de mim.

Soprando os cabelos para retirá-los dos olhos, ela olhou-o de cara feia.

– Eu só estava virada olhando o pôr do sol.

– Sei. – Ele fechou a mão sobre a dela, ainda na alça da mochila. – Dedos pegajosos, Whitney. – Estalou a língua. – Que decepção!

– Não sei do que você está falando.

Com um bufo de raiva, esforçou-se para levantar e dirigiu-se a Pierre. Embora sem entender francês, Doug não precisou de tradução quando o nativo chutou o pneu direito.

– Furado. Faz sentido. – Ia descendo quando se virou para trás, localizou a mochila e levou-a consigo. Whitney pegou a dela antes de segui-lo. – Que vai fazer? – ele perguntou.

Ela olhou o pneu sobressalente que Pierre rolava.

– Apenas ficar aqui e parecer desamparada, claro. A não ser que você queira que eu ligue para a Associação Automobilística Americana.

Praguejando, Doug agachou-se e começou a afrouxar as porcas. – O sobressalente está careca como a bunda de um bebê. Diga ao nosso chofer que vamos a pé daqui em diante. Ele terá sorte se isso o levar de volta à aldeia.

Quinze minutos depois, parados no meio da estrada, viram o jipe partir aos sacolejos sobre os buracos. Animada, Whitney enlaçou o braço no de Doug. Insetos e passarinhos haviam começado a cantar quando surgiram as primeiras estrelas.

– Um pequeno passeio noturno, querido?

– Por mais que eu deteste recusar um convite seu, vamos procurar abrigo e acampar. Mais uma hora, e ficará escuro demais para enxergar. Ali – ele decidiu, apontando um amontoado de pedras. A gente arma a barraca atrás delas. Nada podemos fazer em relação a eles nos localizarem do ar, mas ficaremos fora de visão da estrada.

– Então, acha que vão voltar?

– Vão, sim. Só precisamos não estar lá.

Como começara a perguntar-se se havia uma quantidade razoável de árvores em Madagascar, Whitney satisfez-se quando se aproximaram da floresta. Ajudou a aliviar o aborrecimento de ser acordada ao amanhecer. A única cortesia que ele lhe fizera fora uma xícara de café empurrada na cara dela.

As colinas em direção ao leste eram íngremes, erguiam-se a pique, de modo que a caminhada se tornara um fardo do qual estava disposta a livrar-se para sempre.

Doug encarou a floresta como uma cobertura bem-vinda e Whitney como uma bem-vinda mudança.

Embora o ar fosse ameno, após uma hora de subida, ela se sentia pegajosa e mal-humorada. Havia formas melhores de caça ao tesouro, tinha certeza. Um carro com ar-condicionado seria a primeira opção.

A floresta podia não ter ar-condicionado, mas era fresca. Whitney avançou por entre samambaias que se abriam como leques.

– Muito bonita – decidiu, olhando acima a perder de vista.

– Árvores de viajantes. – Ele arrancou um caule folhado e despejou a água cristalina da base da folha na palma da mão. – Útil. Leia o guia.

Whitney enfiou o dedo na poça na mão dele e tocou a língua.

– Mas é tão bom para o seu ego recitar conhecimento. – A um farfalho, inspecionou e viu uma peluda forma branca com cauda comprida desaparecer na moita. – Ora, é um cachorro.

– Não. – Doug segurou-lhe o braço antes que ela pudesse correr atrás dele. – Um sifaka... você acabou de ver seu primeiro lêmure. Olhe.

Ao acompanhar o dedo apontado dele, ela entreviu o animalzinho de corpo branco como a neve e cabeça preta, quando ele disparou pela copa das árvores. Ela riu e esticou-se para olhar novamente. – Que gracinha! Já começava a achar que não veríamos nada além de colinas, mato e pedra.

Ele gostava do seu jeito de rir. Talvez apenas um pouco demais. Mulheres, pensou. Já fazia um tempão desde que tivera uma.

– Isso não é uma excursão guiada – disse, sucintamente. – Uma vez que nós tenhamos o tesouro, você pode agendar uma. No momento, temos de seguir em frente.

– Para que a pressa? – Mudando a posição da mochila, Whitney passou a andar ao lado dele. – Me parece que, quanto mais tempo levarmos, menor a chance de Dimitri nos encontrar.

– Fico com comichão... sem saber onde ele está. À frente ou atrás de nós.

Isso o fez tornar a pensar no Vietnã, onde a selva escondia demais. Preferia as ruas escuras e os becos miseráveis da cidade.

Whitney olhou para trás e fez uma careta. A floresta já se fechara na retaguarda. Queria sentir-se reconfortada no verde profundo, na umidade e no ar fresco, mas Doug a fazia ver gnomos.

– Ora, não tem ninguém na floresta além de nós. Até aqui, mantivemos um passo à frente deles todas as vezes.

– Até aqui. Vamos manter a coisa assim.

– Que tal a gente conversar para passar o tempo? Você podia me falar dos documentos.

Doug já concluíra que ela não iria desistir, e que lhe daria informações suficientes para impedi-la de irritá-lo.

– Sabe muita coisa sobre a Revolução Francesa?

Ela ajeitava a detestável mochila ao andar. Seria melhor, calculou, não mencionar a rápida olhada que já dera na primeira página. Quanto menos ele achasse que sabia, mais poderia lhe contar.

– O suficiente para concluir um curso de história francesa na faculdade.

– E sobre pedras?

– Passei em geologia.

– Não pedra calcária e quartzo. Pedras de verdade, benzinho. Diamantes, esmeraldas, rubis do tamanho do seu punho. Colares, brincos e pedras avulsas. Uma infinidade delas foi roubada.

– E outra escondida e contrabandeada.

– Certo. Quando a gente pensa nisso, há ainda mais pedras desaparecidas do que alguém chegará a encontrar. Vamos encontrar uma pequena parte. É só o que preciso.

– O tesouro tem duzentos anos – ela disse, em voz baixa, e tornou a pensar no documento que lera às pressas. – Parte da história francesa.

– Antiguidades da monarquia – murmurou Doug, já as vendo brilhar nas mãos.

– Monarquia? – A palavra levou-a a erguer os olhos. – O tesouro pertencia ao rei da França?

Muito perto, decidiu Doug. Mais perto do que pretendia vê-la chegar assim tão depressa.

– Pertencia ao homem que foi esperto o suficiente para pôr as mãos nele. Em breve, pertencerá a mim. A nós. – Ele corrigiu-se antecipando-a. Mas ela permaneceu em silêncio.

– Quem era a mulher que deu o mapa a Whitaker? – perguntou Whitney afinal.

– A dama inglesa? Ah... Smythe-Wright. É, Lady Smythe-Wright.

Quando reconheceu o nome, ela cravou os olhos na floresta. Olivia Smythe-Wright era um dos poucos membros da aristocracia que merecia de fato o título. Dedicara-se às artes e à caridade com fervor quase religioso. Parte do motivo, ou assim dizia muitas vezes a senhora, devia-se a ser descendente de Maria Antonieta. Rainha, beldade, vítima – mulher que alguns historiadores consideravam uma tola egoísta e outros descreviam como vítima das circunstâncias. Whitney comparecera a algumas solenidades de Lady Smythe-Wright e admirava-a.

Maria Antonieta e joias francesas desaparecidas. Uma página de um diário datada de 1793. Fazia sentido. Se Olivia acreditara que os documentos eram história... Whitney lembrou que lera sobre a morte dela no *Times*. Fora um assassinato horripilante. Sangrento e sem motivo aparente. As autoridades continuavam investigando.

Butrain, pensou. Ele nunca seria levado à justiça, nem teria um julgamento por seus pares. Morrera, como também Whitaker, Lady Smythe-Wright e um jovem garçom chamado Juan. O motivo de tudo aquilo estava no bolso de Doug. Quantos mais haviam perdido a vida pelo tesouro de uma rainha?

Não, não pensaria nisso dessa forma. Agora, não. Se o fizesse, daria meia-volta e desistiria. O pai ensinara-lhe muitas coisas, mas a primeira, a mais importante, era terminar o que começara. Talvez isso pudesse parecer orgulho, mas era sua educação, de que sempre se orgulhara.

Iria continuar. Ajudaria Doug a encontrar o tesouro. Depois decidiria o que fazer.

Ele viu-se olhando para qualquer farfalhar em volta. Segundo o guia, as florestas pululavam de vida. Nada muito perigoso, lembrou. Não era a terra dos safáris. De qualquer modo, o que receava eram os carnívoros de duas pernas.

A essa altura, Dimitri estaria muito aborrecido. Doug ouvira algumas histórias sobre o que acontecia quando ele se irritava. A floresta cheirava a pinheiro. As grandes e densas árvores cortavam a claridade intensa do sol com que haviam vivido durante dias. Em vez disso, vinha em feixes, brancos, tremeluzentes e lindos. Flores rasteiras exalavam o perfume de mulheres caras, flores nas árvores se espalhavam e prometiam frutos. Flor de maracujá, pensou, vendo o desabrochar num maracujazeiro, com sua deslumbrante flor violeta. Lembrou-se da que entregara a Whitney em Antananarivo. Não haviam parado de fugir desde então.

Deixou os músculos relaxarem. Que se dane Dimitri, a quilômetros de distância e correndo em círculos. Mesmo ele não podia seguir a pista deles numa floresta inabitada. A comichão na nuca era apenas suor. Tinha o envelope seguro, enfiado na mochila. Dormira com ele enterrado nas costas, na noite anterior, por via das dúvidas. O tesouro, o fim do arco-íris, aproximava-se cada vez mais.

— Belo lugar — decidiu, erguendo os olhos e vendo alguns lêmures com cara de raposa arrastando-se nas copas de árvores.

— Que bom que você aprova — devolveu Whitney. — Talvez a gente possa parar para o desjejum que sua grande pressa nos impediu de tomar esta manhã.

— É, daqui a pouco. Vamos abrir o apetite.

Ela apertou a mão na barriga.

— Você só pode estar brincando. — Então viu várias borboletas grandes, vinte, talvez trinta, passarem voando. Pareciam uma onda que se avolumava, recuava e rodopiava. Era o mais lindo e brilhante azul que já vira. Ao passarem, ela sentiu a leve brisa ondulada pelas asas. A intensa força da cor quase lhe feriu os olhos. — Nossa, eu mataria por um vestido dessa cor.

— Compraremos depois.

Ela observou-as se movimentarem, dispersarem e reagruparem. Uma visão dessas ajudava-a a esquecer as horas de caminhada.

— Eu me contento com aquela carne caseira e uma banana.

Embora soubesse que devia ficar imune ao rápido sorriso e à adejada de pestanas dela a essa altura, Doug sentiu-se amolecido.

– Vamos fazer um piquenique.
– Esplêndido!
– Mais uns dois quilômetros.

Tomando-lhe a mão, ele continuou pela floresta, que emanava um cheiro agradável, pensou. Como o de mulher. E como mulher, tinha sombras e cantos frios. Valia a pena manter os pés firmes e os olhos abertos. Ninguém viajava por ali. Pela aparência da vegetação rasteira, ninguém viajara por ali havia algum tempo. Ele tinha a bússola para guiá-lo e isso era tudo.

– Não entendo por que você tem essa obsessão por cobrir quilômetros.

– Porque cada um me leva um tanto mais perto do pote de ouro, benzinho. Vamos os dois ter apartamentos de cobertura quando chegarmos em casa.

– Douglas. – Balançando a cabeça, ela se abaixou e colheu uma flor; clara, cor-de-rosa pastel e delicada como uma menina, o caule grosso e áspero. Sorriu e enfiou-a nos cabelos. – O dinheiro não devia ser tão importante assim.

– De fato, não quando se tem tudo.

Dando de ombros, ela pegou outra flor e girou-a sob o nariz.

– Você se preocupa demais com dinheiro.

– Como? – Ele parou e encarou-a boquiaberto. – Eu me preocupo? *Eu me preocupo*? Quem é que anota cada centavo na agendinha? Simplesmente quem dorme com a carteira embaixo do travesseiro?

– Isso é negócio – respondeu Whitney à vontade. Tocou a flor nos cabelos. Belas pétalas e um caule áspero. – Negócios são inteiramente diferentes.

– Papo-furado. Jamais vi alguém com tanta tendência a contar o troco, registrar cada centavo. Se eu sangrasse, você iria me cobrar uns malditos 25 centavos por um Band-Aid.

– Nem um a mais – ela corrigiu. – E não há a menor necessidade de gritar.

– Tenho de gritar para ser ouvido acima de toda essa barulheira.

Os dois pararam, franzindo a testa juntos. O ruído que haviam apenas começado a notar assemelhava-se ao de um motor. Não, decidiu Doug, mesmo ao retesar-se para correr, era demasiado constante e profundo para um motor. Trovão? Não. Ele tomou mais uma vez a mão dela.

— Venha. Vamos ver que droga é isso.

Foi ficando mais alto quando se encaminharam para o leste.

Mais alto, perdeu toda a semelhança com o ruído de motor.

— Água contra pedra — murmurou Whitney.

Ao pisarem na clareira, ela viu que quase acertara. Água contra água.

A cachoeira mergulhava uns 6 metros abaixo numa lagoa clara e gorgolejante. A água branca agitada era atingida pelo sol na queda e depois se transformava em um azul-escuro cristalino. Embora fizesse barulho de precipitação, motor e velocidade, a cachoeira era a própria imagem de serenidade. Sim, a floresta parecia uma mulher, tornou a pensar Doug. Intensamente linda, poderosa e cheia de surpresas. Sem se dar conta, Whitney apoiou a cabeça no ombro dele.

— Que linda — ela murmurou. — Totalmente linda. Como se estivesse à nossa espera.

Ele cedeu e deslizou o braço em volta dela.

— Lugar agradável para um piquenique. Não valeu a pena termos esperado?

Ela teve de retribuir o sorriso.

— Um piquenique — concordou, com os olhos dançando. — E um banho.

— Banho?

— Um banho frio e maravilhoso. — Tomando-o de surpresa, deu-lhe um beijo estalado, rápido, e saiu correndo para a beira da lagoa. — Não vou perder essa, Douglas. — Largou a mochila e começou a remexer dentro. — Só a ideia de pôr o corpo na água e lavar a sujeira dos últimos dois dias já me deixa louca.

Pegou um pedaço arredondado de sabonete francês e um pequeno frasco de xampu.

Doug tomou o sabonete e segurou-o sob o nariz. O cheiro dela — feminino, fresco. Caro.

— Vai dividir?

– Tudo bem. E neste caso, porque estou me sentindo generosa, sem cobrança.

Ele entortou o sorriso ao jogar-lhe de volta o sabonete.

– Não pode tomar banho de roupa.

– Não tenho a menor intenção de continuar com elas. – Devagar, Whitney abriu a fileira de botões, à espera de que ele desviasse o olhar para a trilha. Uma leve brisa ondulou pelas bordas do corpo e fez cócegas na linha da pele nua. – Você só tem – disse, em voz baixa – de se virar para o outro lado. – Quando ele ergueu o olhar para o dela e sorriu, Whitney brandiu o sabonete na mão. – Ou nada de sabonete.

– Desmancha-prazeres – ele resmungou, mas virou-se.

Em segundos, ela se despiu e mergulhou com destreza na lagoa. Rompendo a superfície, cortou a água.

– Sua vez. – Com o simples prazer de ter água na pele, mergulhou a cabeça para trás e deixou-a fluir pelos cabelos. – Não se esqueça do xampu.

A água era cristalina o suficiente para dar-lhe uma tentadora silhueta do corpo, dos ombros para baixo. Marulhava nos seios, enquanto ela batia de leve os pés. Sentindo a agitação, a incômoda e perigosa agitação de desejo, ele concentrou-se no rosto. Não ajudou.

Ela irradiava alegria, lavada da leve e sofisticada maquiagem que aplicava toda manhã. Os cabelos escorridos, lustrosos, escureceram com a água e o sol ao emoldurar os ossos elegantes que a manteriam linda mesmo quando tivesse 80 anos. Doug pegou um pequeno frasco plástico de xampu.

Naquelas circunstâncias, achou sensato ver com bom humor a situação. Tinha um ingresso para um prêmio de milhões de dólares nas pontas dos dedos, um inimigo decidido e muito inteligente bafejando na nuca, e iria mergulhar nu em pelo com uma princesa do sorvete.

Após retirar a camisa pela cabeça, estendeu a mão até o fecho da calça jeans.

– Você não vai se virar, vai?

Maldição, ela gostava quando ele ria daquele jeito. A alegre presunção era simplesmente cativante. Com generosidade, ela começou a ensaboar um dos braços. Não percebera o quanto sentia falta daquela sensação refrescante e escorregadia.

– Quer se gabar, é, Douglas? Eu não sou fácil de impressionar.

Ele se sentou para tirar os sapatos.

– Deixe minha parte do sabonete.

– Ande mais rápido, então. – Ela começou a ensaboar o outro braço. – Meu Deus, está melhor que na Elizabeth Arden.

Com um suspiro, deitou-se de costas e ergueu uma das pernas. Quando ele se levantou e deixou cair a calça jeans, ela o examinou de cima a baixo. Embora tivesse a expressão impassível, não lhe escaparam as coxas musculosas e esguias, a barriga firme, os quadris estreitos cobertos apenas por uma cueca justa. Tinha a constituição física de um corredor. E isso, ela imaginou, era o que ele era.

– Serve – disse, após um instante. – Como parece que você gosta de posar, é uma pena eu não ter trazido minha Polaroid.

Imperturbável, ele tirou a cueca. Por um momento, ficou ali nu, pronto para a ação – e ela foi obrigada a admitir, magnífico – à beira da lagoa. Deu um vigoroso mergulho antes de surgir à tona a uns 30 centímetros dela. O que ele vira debaixo d'água fazia sua boca secar de desejo.

– Sabonete – disse e entregou o xampu em troca.

– Não esqueça as orelhas.

Bastante generosa, ela despejou o xampu na palma da mão.

– Ei, metade é minha, lembre-se.

– Você vai receber. De qualquer modo, tenho mais cabelos que você.

Ele gesticulou com o sabão e esfregou-o no peito.

– E eu tenho mais corpo.

Com um sorriso, ela afundou, deixando uma espumante trilha de bolhas de sabão quando os cabelos se abriram em leque. A agitação da água sugava-os para baixo e para longe. Incapaz de resistir, Whitney mergulhou mais fundo e nadou. Ouvia as vibrações da cachoeira rufarem ininterruptas, via pedras cintilarem a meio metro embaixo dela, sentia o gosto da água doce e cristalina beijada pelo sol. Ao erguer os olhos, notou o corpo forte e esguio do homem que era agora seu parceiro.

A ideia de perigo, ou de homens armados, ou de ser perseguida, parecia ridícula. Ali era o paraíso. – Isso é fabuloso. Devíamos fazer reserva para o fim de semana.

Ele viu o sol disparar centelhas nos cabelos dela.

– Da próxima vez. Até saltarei para pegar o sabonete.

– É?

Doug parecia perigosamente atraente. Ela descobriu que preferia um toque de perigo num homem. A palavra tédio, a única que considerava uma verdadeira obscenidade, não se aplicava a ele. Inesperado. Era a palavra. Achava que tinha uma qualidade sensual.

Testando-o, e talvez a si mesma, encaminhou-se devagar até os corpos ficarem próximos demais para haver segurança.

– Troca – murmurou, mantendo os olhos fixos nos dele ao estender o frasco.

Ele apertou os dedos no sabonete escorregadio até quase deixá-lo escapulir. Mas que diabo ela estava tramando?, perguntou a si mesmo. Já vivera o suficiente para reconhecer aquele olhar nos olhos de uma mulher. Por que não me persuade? O problema era que ela em nada se parecia com as mulheres que conhecera. Não tinha muita certeza do que fazer com uma mulher assim.

Em vez disso, igualava-a a um trabalho, um luxuoso complexo de apartamentos que exigia cuidadoso levantamento, meticuloso planejamento e intricado trabalho de campo, antes de liquidá-lo. Era melhor que fosse o ladrão com ela. Conhecia as regras, porque as fizera.

– Claro.

Abriu a palma da mão para deixar o pedaço de sabonete escorregar. Em retribuição, ela atirou o frasco para o alto, rindo ao afastar-se.

Doug pegou-o centímetros acima da água.

– Espero que não se incomode com um toque de jasmim. – Indolente, Whitney ergueu a outra perna e começou a deslizar o sabonete pela panturrilha.

Ele despejou o xampu direto nos cabelos, tornou a enroscar a tampa e jogou-o no terreno à beira da lagoa.

– Já esteve num banho público?

– Não. – Curiosa, ela o olhou. – Você já?

– Em Tóquio, há dois anos. É uma experiência interessante.

– Em geral, eu limito a quantidade em minha banheira a dois. – Deslizou o sabonete pela coxa.

– Sem dúvida.

Ele mergulhou para lavar a cabeça e acalmar-se. Ela tinha pernas longas que subiam até a cintura.

– Conveniente, também – disse Whitney quando ele voltou à tona. – Sobretudo quando você precisa que ensaboem suas costas. – Com um sorriso, entregou-lhe de novo o sabonete. – Se incomoda?

Então ela queria jogar, ele concluiu. Bem, raras vezes rejeitava um jogo – desde que calculasse as probabilidades. Pegando o sabonete, começou a deslizá-lo pelas escápulas dela.

– Maravilhoso – ela disse, após um instante. Embora não fosse fácil manter a voz no mesmo tom quando o estômago começava a contrair-se, ela conseguiu. – Suponho que um homem no seu ramo de trabalho tenha mãos engenhosas.

– Ajuda. Suponho que todo aquele sorvete possa comprar uma pele de milhões de dólares.

– Ajuda.

Ele baixou a mão pela coluna dela e depois tornou a subi-la devagar. Despreparada para a perturbação que isso lhe causou, Whitney estremeceu. Doug riu.

– Frio?

Quem afinal fora provocado?, ela se perguntou.

– A água fica fria, a não ser que a gente se mexa.

Insinuando que não era uma retirada, ela se afastou com delicadas braçadas para o lado. Não tão fácil assim, benzinho, pensou Doug. Atirou o sabonete na relva ao lado do xampu. Num movimento rápido, agarrou-lhe o tornozelo.

– Problema?

Sem esforço, puxou-a de volta para ele.

– Visto que estamos jogando...

– Não sei do que você está falando – ela começou, mas a frase terminou num rápido arquejo quando os seus corpos se chocaram.

– Eu duvido.

Ele achou que apreciava – a incerteza, a irritação e a chama de consciência que saíram dos olhos dela. Tinha o corpo esguio e magro. Deliberadamente, imobilizou-lhe as pernas com a intenção de obrigá-la a segurar nos ombros dele para manter-se à tona.

– Atenção onde pisa, Lord – ela avisou.

– Jogos aquáticos, Whitney. Sempre fui doido por eles.

– Eu aviso quando quiser jogar.

Ele subiu as mãos até pouco abaixo dos seios dela.

– Já não avisou?

Ela pedira. Saber disso não lhe melhorava nada o gênio. Sim, quisera jogar com ele, mas em seus próprios termos, e em seu próprio tempo. Descobriu que era complicado demais para entender, e não gostou. Falou com voz muito fria e os olhos também.

– Você não acha de fato que somos do mesmo nível, acha?

Havia muito tempo descobrira que os insultos, ditos com frieza, eram a mais bem-sucedida das defesas.

– Não, mas nunca prestei muita atenção a sistemas de casta. Se você quer dar uma de duquesa, vá em frente. – Ele ergueu os polegares, deslizou-os pelos mamilos dela e ouviu-a inspirar e expirar, trêmula. – Pelo que lembro, a realeza sempre teve uma queda por levar plebeus para a cama.

– Eu não tenho a menor intenção de levar você para a minha.

– Você me quer.

– Está se gabando.

– E você mentindo.

Ela se irritou. A água fria contraiu-lhe a barriga.

– A água está ficando fria, Douglas. Eu quero sair.

– Você quer me beijar.

– Prefiro beijar um sapo.

Ele riu depois de ouvi-la praticamente sibilar as palavras.

– Fique tranquila, você não contrairá verrugas.

Decidindo-se sem demora, ele cobriu-lhe a boca com a sua.

Ela enrijeceu. Ninguém jamais a beijara sem o seu consentimento, sem cumprir as formalidades. Além do mais, ele a fez passar por uma situação difícil e desagradável. Quem diabos pensava que era?

Sentiu o coração disparar e a cabeça flutuar.

Com um ímpeto de paixão que abalou os dois, eles se beijaram. Ele arranhou-lhe o lábio inferior com os dentes quando deslizou os braços pelas costas dela para acomodarem-se mais colados um no outro. Surpresas, pensou, ao começar a perder-se nela. A moça era cheia de surpresas.

O gosto dele era frio, refrescante e diferente, muito excitante. A paixão levou-os a mergulhar. Enroscados um no outro, tornaram a subir, bocas coladas, água caindo da pele em cascatas.

Jamais houvera nada como Doug na vida de Whitney. Ele não pedia, tomava. Movia as mãos pelo seu corpo com uma intimidade que ela sempre concedera com parcimônia. Escolhia o amante, às vezes por impulso, às vezes de forma pensada, mas *escolhia*. Dessa vez não tivera opção. O momento de impotência era mais arrebatador que qualquer coisa por que já passara.

Doug a levaria à loucura na cama, se podia levá-la tão longe com um beijo... E agora, com as mãos dele a acariciá-la e a boca cada vez mais quente, faminta, ela queria ir.

E então, pensou, ele faria uma continência, daria um sorriso convencido e desapareceria noite adentro. Uma vez ladrão, sempre ladrão, fosse de ouro ou da alma de uma mulher. Talvez ela não houvesse escolhido esse começo, mas resistiria por tempo suficiente para escolher o próprio fim.

Afastou os arrependimentos. A dor era uma coisa a ser evitada a todo custo. Mesmo que o custo fosse o prazer.

Deixou o corpo parecer sem vida, como em total entrega. Então, de repente, levou as mãos aos ombros dele e empurrou-o. Com força.

Doug afundou sem nenhuma chance de respirar.

Antes que ele retornasse à superfície, Whitney já pisava na beira da lagoa e saía.

– O jogo acabou. Ponto para mim.

Pegou a blusa e vestiu-a, sem se dar o trabalho de secar-se.

Fúria. Ele achara que sabia exatamente o que era senti-la. Mulheres. Achara que sabia quais botões apertar. Descobriu que apenas começava a aprender. Nadando para a beira, içou-se para sair. Whitney já vestia a calça.

— Uma diversão agradável — ela disse, dando um suspiro baixo e aliviado quando acabou de vestir-se. — Agora acho melhor fazer aquele piquenique. Estou morta de fome.

— Moça... — Cravando os olhos nos dela, ele pegou a calça jeans. — O que tenho em mente para você não é nenhum piquenique.

— Sério? — Mais uma vez em terreno sólido, ela enfiou a mão na mochila e pegou a escova. Começou a passá-la devagar pelos cabelos. — Você parece precisar de um pouco de carne malpassada no momento. É essa a expressão que usa para assustar as velhinhas antes de assaltá-las?

— Sou ladrão, não assaltante. — Ele agarrou a calça, e tirando fios de cabelo molhado dos olhos aproximou-se dela. — Mas poderia fazer uma exceção no seu caso.

— Não faça nada de que se arrependa — ela disse em voz baixa.

Doug rangeu os dentes.

— Vou adorar cada minuto.

Quando a agarrou pelos ombros, ela encarou-o, solene.

— Você simplesmente não é do tipo violento — disse. — Mas...

Deu-lhe um soco na barriga, forte e rápido. Ofegando, ele dobrou-se ao meio.

— Eu sou.

Whitney largou a escova de volta na mochila e esperou que ele estivesse atordoado demais para ver que sua mão tremia.

— Isso resolve tudo.

Apertando a barriga dolorida, ele disparou-lhe um olhar que faria Dimitri recuar e pensar duas vezes.

— Douglas... — Ela ergueu a mão, como para um cachorro magro e mau. — Respire fundo. Conte até dez. — Que mais?, perguntou-se, frenética. — Corra sem sair do lugar — arriscou. — Não perca o controle.

— Estou em total controle — ele respondeu por entre os dentes, ao partir para cima dela. — Me deixe mostrar a você.

— Uma outra vez. Vamos tomar um pouco de vinho. Podemos... — Whitney interrompeu-se quando ele fechou a mão em volta da sua garganta. — Doug! — A voz saiu aguda e breve.

— Agora... — ele começou, depois ergueu os olhos para o céu. — Filho da mãe!

Não confundiria o ruído de um helicóptero pela segunda vez. Estava quase acima deles. Totalmente expostos, pensou, num arroubo de fúria. Soltando-a, começou a pegar o equipamento.

— Mexa o rabo – gritou. – O piquenique acabou.

— Se você me mandar mexer o rabo mais uma vez...

— Apenas mexa! – Ele atirou-lhe a primeira mochila enquanto erguia a outra. – Agora ponha essas bonitas pernas compridas em movimento, benzinho. Não temos muito tempo.

Entrelaçou a mão na dela e rumou para as árvores numa corrida mortal. Acima, na pequena cabine do helicóptero, Remo baixou o binóculo. Pela primeira vez em dias, um sorriso moveu-se sob o bigode. Sem se apressar, ele acariciou a cicatriz que lhe desfigurava o rosto.

— Nós os localizamos. Faça uma transmissão pelo rádio ao Sr. Dimitri.

8

— Acha que ele nos viu? – perguntou Whitney.

Em velocidade máxima, Doug corria direto para leste e mantinha-se na parte mais densa da floresta. Embora raízes e trepadeiras tentassem emaranhar-se nos pés dos dois, ele não diminuía a marcha. Corria por instinto, numa floresta estrangeira, apinhada de bambu e eucalipto, como faria em Manhattan. Folhas deslocavam-se e açoitavam-nos ao ricochetearem quando eles avançavam. Whitney talvez houvesse se queixado quando lhe batiam na cara, mas estava muito ocupada em poupar o fôlego.

— É, acho que nos viram. – Ele não perdia tempo com fúria, frustração ou pânico, embora sentisse tudo isso. Toda vez que pensava que haviam ganhado algum tempo, via Dimitri no rastro como um cão de caça bem-tratado, que já provara sangue. Precisava replanejar a estratégia, e teria de fazê-lo de pé. Por experiência, passara a acreditar que essa era a melhor maneira. Se a gente tem demasiado tempo para pensar, pensa demais nas consequências. – Não há lugar para descerem com aquele helicóptero nesta floresta.

Fazia sentido.

– Então ficaremos na floresta.

– Não. – Ele corria a passos largos como um maratonista, num passo uniforme, a respiração nivelada. Whitney talvez o detestasse por isso, embora o admirasse. Acima, lêmures tagarelavam de ensandecido medo e excitação. – Dimitri mandará homens varrerem esta área na próxima hora.

Também fazia sentido.

– Então sairemos da floresta.

– Não.

Exausta da corrida, ela parou, recostou-se numa árvore e apenas deslizou até o terreno coberto de musgo. Uma vez, por arrogância, considerara-se em forma. Os músculos nas pernas gritavam de revolta.

– O que vamos fazer? – quis saber. – Desaparecer?

Doug fechou a cara, não para o constante ruído giratório das pás das hélices e do motor acima. Fitava ao longe a floresta enquanto formulava o plano na mente.

Arriscado. De fato, sem a menor dúvida, perigoso. Ele ergueu os olhos para onde uma abóbada de folhas era tudo que o separava de Remo e uma .45.

Mas, talvez funcionasse.

– Desaparecer – murmurou. – É o que vamos fazer.

Agachando-se, abriu a mochila.

– Procurando o manto da invisibilidade?

– Tentando salvar essa sua pele de alabastro benzinho. – Ele pegou o lamba que Whitney comprara em Antananarivo. Com ela ali sentada, estendeu-o na cabeça dela, pensando mais em cobertura que em estilo. – Adeus, Whitney MacAllister, olá, matrona de Madagascar.

Ela soprou fios de cabelo dos olhos.

– Você só pode estar brincando.

– Tem uma ideia melhor?

Ela continuou sentada ali um instante. A floresta deixara de ser silenciosa com a intrusão das pás do helicóptero. A sombra e as árvores cheirando a musgo deixaram de representar proteção. Calada, ela cruzou o lamba sob o queixo e jogou as pontas para trás. Em geral, uma péssima ideia era melhor que nenhuma.

— Muito bem, vamos nos mexer. — Tomando-lhe a mão, ele levantou-a. — Temos trabalho a fazer.

Dez minutos depois, encontrou o que vinha procurando. Próxima ao sopé de uma encosta rochosa desigual, via-se uma clareira com um punhado de cabanas de bambu. O mato e a vegetação no declive haviam sido cortados e queimados, depois se plantara arroz. Abaixo, tinham escavado e capinado jardins, para que as folhudas trepadeiras de feijão crescessem em torno de estacas. Ela viu um cercado vazio e um pequeno telheiro, onde galinhas ciscavam à procura de qualquer coisa que achassem.

A colina era íngreme, de modo que as pequenas construções se erguiam sobre estacas para compensar o terreno irregular. Os telhados, embora de palha, mesmo ao longe pareciam necessitados de reforma. Uma linha de degraus toscos ia de encontro à colina e descia para um atalho estreito e acidentado. Dirigia-se para leste. Doug abaixou-se sob a proteção de moitas pequenas, atarracadas, e examinou a existência de algum sinal de vida.

Equilibrando-se com a mão no ombro de Doug, Whitney olhou por cima da cabeça dele. O agrupamento de casas parecia aconchegante. Lembrando os nativos merinas, ela sentiu certa segurança.

— Vamos nos esconder ali?

— Esconder-nos não vai ser de grande ajuda para nós por muito tempo. — Pegando o binóculo, ele deitou-se de bruços e deu uma olhada mais atenta no amontoado de casas. Não emanava cheiro algum de comida, nem se via movimento em qualquer das janelas. Nada. Decidindo-se rápido, entregou o binóculo a Whitney. — Sabe assobiar?

— Sabe o quê?

— Assobiar.

Ele emitiu um som constante por entre os dentes.

— Sei assobiar melhor que isso — ela disse, torcendo o nariz.

— Maravilha. Vigie pelo binóculo. Se vir alguém voltando em direção às cabanas, assobie.

– Se acha que vai até lá sem mim...

– Escute, vou deixar as mochilas aqui. As duas. – Ele puxou-a pelos cabelos para encará-la de perto. – Imagino que queira mais ficar viva do que pôr as mãos no envelope.

Ela assentiu com a cabeça, friamente.

– Ficar viva se tornou uma importante prioridade nos últimos dias.

Para ele, sempre fora.

– Então fique onde está.

– Por que você vai até lá?

– Se pretendemos passar por um casal de Madagascar, precisamos adquirir mais algumas coisas.

– Adquirir. – Ela ergueu uma sobrancelha. – Vai roubá-las.

– Acertou, benzinho, e você é a olheira.

Depois de pensar um pouco, Whitney decidiu que até gostava da ideia de ser olheira. Talvez em outra época e lugar, isso tivesse uma conotação rude, mas sempre acreditara em aproveitar cada experiência em seu próprio contexto.

– Se eu vir alguém voltando, assobio.

– Isso mesmo. Agora se abaixe e fique fora de visão. Remo pode passar zunindo no helicóptero.

Ela deitou-se de bruços e olhou pelo binóculo.

– Apenas faça seu trabalho, Lord. Eu faço o meu.

Com um rápido olhar para cima, ele começou a arrastar-se pela encosta escarpada atrás das cabanas. Os degraus o deixariam exposto no descampado por tempo demasiado, por isso os evitou. Seixos soltos ricocheteavam nas panturrilhas, e a encosta gasta pela erosão cedeu e o fez deslizar por quase 2 metros antes de recuperar o ponto de apoio. Já elaborava um plano alternativo, para o caso de topar com alguém. Não sabia falar a língua, e a intérprete de francês era agora sua olheira. Que Deus o ajudasse! Mas tinha poucos – muito poucos, pensou, fechando a carranca – dólares no bolso. Se o pior acontecesse, talvez pudesse comprar a maioria das coisas de que precisavam.

Parou um instante, esforçando-se por ouvir algum som, e precipitou-se desabalado para a clareira em direção à primeira cabana.

Teria gostado mais se a fechadura exibisse mais personalidade. Sempre sentira certa satisfação em passar a perna numa fechadura inteligente – ou numa mulher inteligente. Ergueu os olhos e desviou-os para onde Whitney o esperava. Não terminara ainda com ela, mas, no caso da fechadura, tinha de contentar-se com o que era. Em segundos, entrou.

Confortável no terreno macio da floresta, Whitney vigiava-o pelas lentes. Movimentava-se muito bem, decidiu. Como vinha correndo com ele desde o momento em que se conheceram, não tivera condições de apreciar a facilidade com que se deslocava. Impressionante, concluiu, e tocou com a língua o lábio superior. Recordava como a abraçara na água da lagoa.

E muito mais perigoso, lembrou a si mesma, do que ela julgara a princípio.

Quando ele desapareceu na cabana, Whitney começou uma lenta varredura com o binóculo. Duas vezes entreviu um movimento, mas eram apenas animais nas árvores. Alguma coisa semelhante a um porco-espinho bamboleou como um pato à luz do sol, ergueu a cabeça para farejar, depois deslizou de volta moita adentro. Ela ouvia o zumbido das moscas e o ruído produzido pelos insetos. Era o que a lembrava que o som do helicóptero tinha cessado. Mantinha a mente fixa em Doug, torcendo para que ele se apressasse.

Embora o povoamento abaixo parecesse disperso e encardido, era uma Madagascar muito mais luxuosa do que aquela pela qual passara nos últimos dois dias. Verde e úmida, vicejante de vida. Whitney sabia que pássaros e animais sobrevoavam ao redor, pois ouvia as folhas farfalharem. Pelas lentes do binóculo, identificou uma gorda perdiz sobrevoando baixo pela clareira.

Sentia o cheiro de grama e a leve fragrância das flores que brotavam à sombra. Comprimia os cotovelos no flexível musgo onde o terreno era escuro e rico. Alguns metros ao longe, a colina se precipitava abaixo, escarpada, e a erosão desgastara o solo até a rocha. Deitada ali, imóvel, ela sentia uma nova quietude cair sobre a floresta, um silêncio sussurrante, tocado pelo mistério que previra quando Doug dissera pela primeira vez o nome daquele país.

Fora mesmo apenas uma questão de dias, pensou, desde que haviam estado em seu apartamento, ele andando de um lado para o outro, tentando arrancar-lhe um empréstimo? Já tudo que acontecera antes daquela noite parecia um sonho. Ela nem chegara a desfazer as malas de Paris, mas não se lembrava de nada emocionante da penúltima viagem que fizera. Não conseguia pensar num único momento tedioso desde que Doug pulara em seu carro em Manhattan.

Sem a menor dúvida mais interessante, decidiu. Tornou a olhar as cabanas, mas continuavam tão tranquilas agora como antes de Doug arrastar-se pela colina abaixo. Ele era muito bom, pensou, na profissão escolhida. Tinha mãos ágeis, olho aguçado e pés muito leves, muito leves.

Embora ela não procurasse uma mudança de carreira, achou que seria divertido fazê-lo ensinar-lhe alguns truques do ofício. Era uma aluna rápida e boa com as mãos. Isso e certo encanto a haviam ajudado a alcançar o sucesso em sua ocupação sem o auxílio da influente família. Não eram os mesmos talentos exigidos no campo de Doug?

Talvez, apenas pela experiência, claro, pudesse fazer uma tentativa de ser ladra. Afinal, o preto era sua cor preferida.

Tinha um suéter de angorá bem-ajustado que serviria à perfeição. E, se lembrava bem, uma calça jeans preta. Sim, sem dúvida, justa, com uma fileira de tachas prateadas em toda uma perna. Na verdade, ficaria equipada a qualquer hora se comprasse um par de tênis pretos.

Podia tentar a propriedade da família em Long Island para começar. O sistema de segurança lá era complexo e sofisticado. Muito complexo, o pai disparava-o sempre, depois berrava para os empregados o desligarem. Se ela e Doug conseguissem driblá-lo...

Os quadros de Rubens, os dois cavalos da dinastia Tang, a salva medonha de ouro maciço que o avô dera à mãe dela. Podia levar algumas peças seletas, embalá-las e despachá-las por navio para entrega nos escritórios do pai. O que o deixaria enfurecido.

Divertindo-se com a ideia, Whitney tornou a examinar a área. Sonhando acordada, quase não viu o movimento no leste. Com um sobressalto, reacomodou o binóculo no lugar certo e focalizou.

Os três ursos voltaram, pensou. E Cachinhos de Ouro seria pega com os dedos no mingau.

Inspirou para assobiar, quando uma voz perto, bem atrás dela, a fez engolir em seco.

– Liquidamos tudo aqui ou os obrigamos a sair. – Folhas farfalharam com nitidez atrás e pouco acima dela. – Das duas maneiras, a sorte de Doug está se esgotando. – O homem que falava não esquecera que fora golpeado na cara com uma garrafa de uísque. Ao falar, tocou o nariz que Doug quebrara no bar em Manhattan. – Quero liquidar Lord eu mesmo.

– Quero primeiro liquidar a mulher – disse outra voz, alta e lamuriante.

Whitney sentiu como se uma coisa viscosa houvesse passado por sua pele.

– Pervertido – disse o primeiro, lançando-se pela floresta. – Pode brincar com ela, Barns, mas lembre-se que Dimitri a quer sã e salva. Quanto a Lord, o chefe não se importa em quantos pedaços fique.

Whitney continuou deitada imóvel no chão, olhos arregalados, boca seca. Lera em algum lugar que o verdadeiro medo obscurece a audição e a visão. Verificava isso agora em primeira mão. Ocorreu-lhe que a mulher de quem falavam tão despreocupados era ela. Só tinham de olhar para cima da subida que se aproximava, e a veriam estendida no chão da floresta como mercadoria numa feira.

Frenética, tornou a examinar as cabanas. Doug poderia surgir na clareira a qualquer momento. Da posição na subida, os homens de Dimitri iriam apenas alvejá-lo como um urso num estande de tiro. Se ficasse onde estava por muito mais tempo, os nativos que voltavam para casa talvez fizessem uma grande cena quando o descobrissem saqueando suas cabanas.

Primeiro as prioridades, preveniu-se Whitney. Precisava de melhor cobertura, e rápido. Mexendo apenas a cabeça, olhou de um lado para outro. A melhor tentativa parecia ser uma larga árvore derrubada entre ela e uma moita cerrada de arbustos. Sem se dar tempo para pensar, juntou as duas mochilas e seguiu de quatro para lá. Arranhando a pele na casca, rolou por cima da árvore e caiu no chão com um baque.

– Ouviu alguma coisa?

Prendendo a respiração, ela se achatou contra o tronco. Agora não veria nem as cabanas nem Doug. Mas via um exército de minúsculos insetos cor de ferrugem entocados na árvore morta, a 2 centímetros do rosto. Combatendo a repulsa, continuou imóvel. Doug estava sozinho agora, disse a si mesma. E ela também.

Ouviu um zunido que poderia ter sido um trovão pela maneira como lhe ecoou na cabeça. O medo a dominou, seguido por uma onda de vertigem. Como diabos iria explicar ao pai que fora sequestrada por dois gângsteres numa floresta em Madagascar, indo em busca de um tesouro perdido, com um ladrão?

Ele não tinha muito senso de humor.

Como ela conhecia a ira do pai e não conhecia Dimitri, a ideia do primeiro a amedrontou muito mais que a do segundo. Quase rastejou para dentro da árvore.

O farfalhar retornou. Não se ouvia mais a conversa entre os homens. A perseguição era feita em silêncio. Whitney tentou imaginá-los vindo em sua direção, contornando-a e seguindo adiante, mas tinha a mente congelada de medo. O silêncio arrastou-se até o suor adornar-lhe a testa como pérolas.

Ela cerrou os olhos com toda força, como na infância, quando acreditava na mágica do pensamento: *Não posso ver você, você não pode me ver.* Parecia fácil prender a respiração quando tinha-se o sangue circulando mais devagar e engrossado pelo terror. Ouviu uma pancada baixa no tronco bem acima da sua cabeça. Resignada, abriu os olhos. Encarando-a com intensos olhos projetados da cara preta, um lêmure de pelo macio.

— Mãe do céu! — As palavras saíram numa respiração trêmula, mas ela não teve tempo para alívio. Ouvia os homens aproximando-se, com mais cuidado agora. Perguntou-se se ser perseguida no Central Park provocaria o mesmo medo arrepiante. — Saia! — sibilou para o lêmure. — Vá embora. — Ficou ali, fazendo caretas para o animalzinho, sem ousar mexer-se. Obviamente mais entretido que intimidado, ele começou a retribuir-lhe as caretas. Whitney fechou os olhos num suspiro. — Meu Deus!

O lêmure irrompeu numa alta algaravia que fez os dois homens precipitarem-se para a elevação.

Ela ouviu um grito estridente e o estampido de uma arma, e então viu a madeira fender-se e ir pelos ares a menos de 15 centímetros do seu rosto. No mesmo instante, o lêmure saltou do tronco e embrenhou-se na mata.

– Idiota!

Ouviu o ruído rápido e forte de um tapa, e depois, incrédula, uma risada.

Foi a risada, mais que o disparo e mais que a perseguição, que lhe deixou o corpo quase sem vida de terror.

– Quase o peguei. Mais 2 centímetros, e teria acertado o safadinho.

– É, e esse disparo na certa fez Lord correr como um coelho.

– Gosto de atirar em coelhos. Os desgraçados ficam imóveis e olham direto para nós quando apertamos o gatilho.

– Merda. – Ela reconheceu a repugnância no tom de voz do homem e quase se solidarizou. – Vá andando. Remo quer a gente se movendo para o norte.

– Quase arranjei um macaco. – A risada tornou a ressoar. – Nunca atirei num macaco antes.

– Pervertido.

A palavra e a risada ecoando se extinguiram. Passaram-se alguns instantes. Whitney continuava deitada imóvel e em silêncio, como uma pedra. Os insetos haviam resolvido explorar seu braço, mas ela não se mexeu. Decidiu que talvez houvesse encontrado um bom lugar para passar os próximos dias.

Quando uma mão se fechou em sua boca, ela saltou como uma mola.

– Tirando um cochilo? – sussurrou-lhe Doug no ouvido. Observando seus olhos, ele viu a surpresa transformar-se em alívio, e o alívio em fúria. Como precaução, segurou-a junto ao chão mais um instante. – Calma, benzinho. Eles ainda não se afastaram tanto assim.

No momento em que se viu com a boca livre, ela explodiu.

– Quase levei um tiro – sibilou. – De algum vermezinho com um canhão.

Ele viu os estilhaços na árvore acima dela, mas deu de ombros.

– Você me parece bem.

– Não graças a você. – Whitney esfregou os dedos na manga da blusa, deixando os insetos nojentos se dispersarem pelo musgo. –

Enquanto ficou lá bancando Robin Hood, dois homens asquerosos com armas igualmente asquerosas passaram dando uma volta. Falaram de você.

— A fama é um fardo — ele murmurou. Fora por pouco, pensou, dando mais uma olhada na árvore estilhaçada. Muito pouco. Por mais que manobrasse, por mais que mudasse de direção e táticas, Dimitri persistia. Doug conhecia a sensação de ter alguém no seu encalço. E também a taquicardia que o fazia suar quando o caçador se aproximava. Não ia perder. Olhou a floresta e forçou-se a ficar calmo. Não ia perder quando já quase ganhara. — Por falar nisso, você é uma péssima olheira.

— Vai ter de me desculpar por ficar preocupada e não assobiar.

— Eu quase tive de me livrar de uma situação muito delicada. — De volta aos negócios, disse a si mesmo. Se Dimitri estava perto, teriam apenas de deslocar-se mais depressa e apressar o trabalho de campo. — Mas consegui pegar algumas coisas e me mandar antes de o lugar encher de gente.

Não importava que se sentisse aliviada por ele estar são e salvo, e mais ainda por tê-lo de novo. Não ia deixar que soubesse.

— Apareceu um lêmure e... — Ela se interrompeu ao ver uma das coisas que Doug trouxera. — O que... — começou, num tom que desprendia tão óbvia indignação quanto curiosidade — é isso?

— Um presente — ele pegou o chapéu de palha e ofereceu-o. — Não tive tempo de embrulhar.

— Sem graça e nenhuma classe.

— Tem aba larga — ele rebateu, e largou-o na cabeça dela. — Como não é possível prender uma mochila na sua cabeça, isso tem de dar conta.

— Que lisonjeiro.

— Peguei uma roupinha para combinar com o chapéu.

Atirou-lhe um vestido de algodão engomado, sem feitio e cor de estrume clareado ao sol.

— Douglas, faça o favor. — Ela suspendeu uma manga entre o polegar e o indicador. Sentiu uma repulsa quase idêntica à da manhã em que acordara com a aranha. Feio era feio, afinal. — Prefiro morrer a usar isso.

– É exatamente por isso que temos sido alvo de tiros, benzinho.

Ela lembrou-se da madeira estilhaçando a centímetros do próprio nariz. Talvez o vestido adquirisse um pouco de estilo quando estivesse no seu corpo.

– E enquanto eu uso essa pecinha encantadora, você vai usar o quê? – Ele pegou outro chapéu de palha, este com a aba levemente pontuda. – Muito chique.

Whitney abafou uma risada quando Doug ergueu uma comprida camisa pregueada e uma calça folgada de algodão.

– É óbvio que nosso anfitrião gosta de arroz – ele comentou ao abrir o generoso cós da calça. – Mas a gente consegue.

– Detesto trazer à tona os sucessos anteriores de seus disfarces, mas...

– Então não traga. – Ele enrolou as roupas. – De manhã, você e eu vamos ser um casal simpático de Madagascar a caminho da feira.

– Por que não uma mulher de Madagascar e o irmão idiota a caminho da feira?

– Não abuse da sorte.

Sentindo-se um pouco mais confiante, Whitney examinou a calça. Rasgada no joelho, na casca da árvore. O buraco aborreceu-a muito mais que a bala.

– Olhe só isso! – exigiu. – Se continuar assim, não vai me restar nenhuma roupa decente. Já arruinei uma saia e uma blusa muito bonitas, e agora esta calça. – Dava para enfiar três dedos no buraco. – Acabei de comprar na capital.

– Escute, eu trouxe um vestido novo para você, não trouxe?

Ela olhou o bolo emaranhado de roupas.

– Muito engraçado.

– Se lamurie depois – ele aconselhou. – No momento, me conte se ouviu alguma coisa que eu deva saber.

Ela disparou-lhe um olhar fulminante, enfiou a mão na bolsa e retirou a agenda.

– Esta calça está na sua conta, Douglas.

– E tudo não está? – Virando a cabeça, ele baixou os olhos para a quantia anotada. – Oitenta e cinco dólares? Quem diabos paga 85 paus por uma calça de algodão?

– Você – ela respondeu, com doçura. – Simplesmente agradeça por eu não acrescentar o imposto. Agora... – Satisfeita, largou a agenda de volta na bolsa. – Um dos caras era horripilante.

– Só um?

– Quero dizer horripilante de primeira, com uma voz de lesma.

Doug esqueceu por um instante a conta cada vez maior.

– Barns?

– Isso. O outro o chamou de Barns. Tentou acertar um daqueles lêmures bonitinhos e quase me arrancou a ponta do nariz.

Pensando melhor, ela enfiou a mão na bolsa e pegou o pó compacto para ter certeza de que não sofrera nenhum dano.

Se Dimitri soltara seu cachorro de estimação, Doug sabia que ele se sentia confiante. Barns não estava na folha de pagamentos por causa dos miolos ou da astúcia. Não matava por lucro nem por motivação prática. Matava por diversão.

– O que foi que eles disseram? O que foi que você ouviu?

Ela aplicou um pouco de pó no rosto.

– Ouvi em alto e bom som que o primeiro queria pôr as mãos em você. Parecia pessoal. Quanto a Barns... – Nervosa de novo, ela enfiou a mão no bolso de Doug e pegou um cigarro. – Ele prefere a mim. O que, suponho, revela certa discriminação.

Ele sentiu uma onda de fúria avolumar-se tão rápido que quase se engasgou. Enquanto a reprimia, pegou uma caixa de fósforos e acendeu o cigarro. Como o maço chegava ao fim, teriam de dividir por algum tempo. Sem nada dizer, tomou o cigarro de Whitney e deu uma profunda tragada.

Nunca vira Barns em ação, mas ouvira histórias. O que soubera não era bonito, nem em comparação com algumas obscenidades que aconteciam com regularidade em lugares de que Whitney jamais ouvira falar.

Barns tinha uma queda por mulheres e coisas frágeis, pequenas. Havia uma história particularmente pavorosa sobre o que fizera a uma fogosa prostituta em Chicago – e o que sobrara dela depois.

Doug olhou os dedos finos e elegantes de Whitney quando ela tornou a pegar o cigarro. Barns não poria as mãos suadas nela. Nem que ele tivesse de cortá-las do pulso primeiro.

— O que mais?

Ela só ouvira aquele tom de voz dele uma ou duas vezes antes: quando segurara o fuzil e quando fechara os dedos em volta de sua garganta. Whitney deu uma longa tragada no cigarro. Era mais fácil participar do jogo nas ocasiões em que Doug parecia meio divertido e meio frustrado. Quando ficava com os olhos frios e vazios assim, era outra história.

Lembrou-se do quarto de hotel em Washington e do jovem garçom com a mancha vermelha espalhada nas costas do impecável paletó branco.

— Doug, será que vale a pena?

Impaciente, ele mantinha os olhos treinados na elevação acima.

— O quê?

— Seu fim do arco-íris, seu pote de ouro. Esses caras querem você morto... Você quer fazer tinir algum ouro no bolso.

— Quero mais que tinidos, benzinho. Quero pingar gotas de ouro.

— Enquanto você pinga, eles atiram em você.

— É, mas terei alguma coisa. — O olhar dele mudou e cravou-se no dela. — Já fui alvo de disparos antes. Venho correndo há anos

Ela retribuiu o olhar, com tanta intensidade quanto ele.

— Quando planeja parar?

— Quando tiver alguma coisa. E desta vez vou ter. — Soprou uma longa torrente de fumaça. Como podia explicar-lhe o que era acordar de manhã com 20 dólares e só contar com a própria inteligência? Acreditaria nele se lhe dissesse saber que nascera para ser mais que um trambiqueiro barato? Ganhara um cérebro, afiara o talento, só precisava de uma aposta. Das grandes. — Sim, vale a pena.

Whitney ficou calada por um instante, sabendo que jamais entenderia realmente aquela necessidade. Primeiro era preciso ficar sem. Não era tão simples como a cobiça, o que entendia. Era tão complexa como a ambição e tão pessoal como os sonhos. Se iria continuar seguindo o primeiro impulso, ou alguma coisa mais profunda, estava com ele.

— Eles se dirigiam para o norte... o primeiro disse que foi o que Remo mandou. Imaginam liquidar a gente aqui, ou nos obrigar a sair para onde possam nos apanhar.

– Lógico. – Como se fosse o caro tabaco Columbian, passavam o cigarro da Virginia de um lado para o outro. – Então, por esta noite, ficaremos onde estamos.

– Aqui?

– O mais perto das cabanas que pudermos sem ser localizados. – Com pena, esmagou a guimba quando a brasa entrou no filtro. – Partiremos logo depois do amanhecer.

Whitney segurou o braço dele.

– Quero mais.

Doug lançou-lhe um olhar demorado, que a fez lembrar um momento junto à cachoeira.

– Mais o quê?

– Fui perseguida e atiraram em mim. Alguns minutos atrás, fiquei deitada ali atrás daquela árvore imaginando por mais quanto tempo iria continuar viva. – Precisou inspirar fundo para manter a voz firme. O olhar, porém, não vacilou. – Tenho tanto a perder quanto você, Doug. Quero ver os papéis.

Ele já tinha se perguntado quando ela iria encostá-lo na parede. Apenas esperava que estivessem mais perto antes de fazê-lo. Bruscamente, percebeu que parara de procurar oportunidades para descartá-la. Parecia que a aceitara como sócia, afinal.

Mas não precisava ficar dividido meio a meio. Indo até a mochila, remexeu no envelope até chegar a uma carta não traduzida. Se não fora traduzida, deduziu que não era tão importante quanto as outras. Por outro lado, não podia lê-la. Whitney talvez fosse útil.

– Tome.

Entregou-lhe a página lacrada com todo o cuidado e tornou a sentar-se no chão.

Os dois se olharam, cautelosos e desconfiados, antes de Whitney baixar os olhos para a folha, datada de outubro de 1794.

– Querida Louise – leu. – Rezo para que esta carta a alcance e a encontre bem. Mesmo aqui, a tantos quilômetros de distância, chegam-nos notícias da França. O povoamento é pequeno e muitas pessoas andam com os olhos fitando o chão. Deixamos uma guerra pela ameaça de outra. Jamais se escapa da intriga política, parece. Todo dia procuramos soldados franceses, o exílio de outra rainha, e meu coração fica dividido sem saber se os acolheria ou esconderia.

"Mas há certa beleza aqui. O mar fica perto, eu caminho nas manhãs com Danielle, e catamos conchas. Ela cresceu tanto nos últimos meses, viu mais, ouviu mais do que qualquer mãe suporta para a filha. De seus olhos, porém, o medo começa a desaparecer. Ela colhe flores... flores que jamais vi darem em qualquer lugar. Embora Gerald ainda sofra a perda da rainha, sinto que, com o tempo, poderemos ser felizes aqui.

"Escrevo-lhe, Louise, para implorar-lhe que reconsidere a possibilidade de juntar-se a nós. Mesmo em Dijon, você não pode estar segura. Ouço histórias de casas incendiadas e saqueadas, de pessoas arrastadas para a prisão e a morte. Um rapaz aqui recebeu a notícia de que os pais foram arrastados de casa perto de Versalhes e enforcados. À noite, sonho com você e receio, desesperada, por sua vida. Quero minha irmã comigo, Louise, em segurança. Gerald vai abrir uma loja e eu e Danielle plantaremos um jardim. Nossas vidas são simples, mas não há guilhotina, nem o Terror.

"Preciso conversar com você sobre muitas coisas, irmã. Coisas que não ouso escrever numa carta. Só posso lhe dizer que Gerald recebeu uma mensagem e uma obrigação da rainha, apenas meses antes da morte dela, que o oprimem. Numa caixa simples de madeira, ele guarda uma parte da França e uma de Maria que não o libertarão. Imploro-lhe, não se agarre ao que se virou contra você. Não do modo que fez meu marido ao que com certeza acabou. Parta da França e do que é passado, Louise. Venha para Diego-Suarez. Sua devotada irmã, Magdaline."

Devagar, Whitney devolveu-lhe a carta.

– Sabe o que é isso? – perguntou.

– Uma carta. – Como ficara comovido, ele deslizou-a de volta para o envelope. – A família veio para cá para escapar da Revolução. Segundo outros documentos, *esse* Gerald era uma espécie de mordomo de Maria Antonieta.

– É importante – ela murmurou.

– Certíssimo. Todo papel aqui é importante, porque acrescenta uma peça ao quebra-cabeça.

Ela viu-o fechar o envelope na mochila.

– É só isso?

– O que mais? – ele respondeu, disparando-lhe um olhar. – Claro que sinto muito pela jovem dama, mas ela já morreu há um tempão. Eu estou vivo. – Pôs a mão na mochila. – Isso vai me ajudar a viver exatamente como tenho esperado.

– A carta é de quase dois séculos atrás.

– Correto, e a única coisa que ainda existe é o que está na caixinha de madeira. Vai ser minha.

Ela examinou-o por um instante, os olhos intensos, a boca delicada. Com um suspiro, balançou a cabeça.

– A vida não é simples, é?

– Não. – Como precisava tirar a expressão solitária do rosto dela, ele sorriu. – Quem gostaria que fosse?

Pensaria depois, decidiu Whitney. Exigiria ver o resto dos documentos mais tarde. Por ora, queria apenas descansar, corpo e mente. Levantou-se.

– E agora?

– Agora... – Ele varreu com os olhos a área ao redor. – Vamos arrumar nossas acomodações.

Fazendo um acampamento primitivo enfurnado nas árvores na colina, comeram carne dos merinas e tomaram vinho de palma. Não acenderam fogueira. Durante a noite, iriam revezar-se na vigília e no sono. Pela primeira vez desde que haviam iniciado a viagem, mal falaram. Entre eles, pairavam o sopro do perigo e a lembrança de um momento ensandecido, descuidado, sob uma cachoeira.

A AURORA NA FLORESTA trouxe torrentes douradas, feixes de luz róseos e verdes enevoados. O perfume era igual ao de uma estufa com as portas recém-abertas. A luz parecia onírica e o ar tépido transportava o alegre som de pássaros saudando a luz do sol. O orvalho deslizava pelo chão e grudava-se nas folhas. Um raio de luz transformava minúsculas gotas em arco-íris. Havia recantos de paraíso no mundo.

Preguiçosa e contente, Whitney aconchegou-se mais no calor ao lado. Suspirou quando sentiu uma mão deslizar pelos seus cabelos.

Satisfeita com as sensações que flutuavam de cima a baixo, acomodou a cabeça num ombro masculino e dormiu.

Não era difícil perder tempo olhando-a assim. Doug permitiu-se um momento de prazer após uma longa e tensa noite. Whitney tinha uma beleza estontante. E, quando dormia, transmitia uma suavidade que a inteligência mordaz ocultava quando acordada. Os olhos quase sempre dominavam o rosto. Agora, fechados, era possível apreciar a pura beleza da estrutura óssea e a pureza imaculada da tez.

Um homem poderia se apaixonar, muito rápido e profundamente, por uma mulher como ela. Embora estivesse muito seguro do terreno, Doug já havia tropeçado uma ou duas vezes.

Queria fazer amor com ela, demorada e voluptuosamente, numa cama macia, cheia de travesseiros, coberta de seda e à luz de velas. Sua imaginação não tinha dificuldade para montar a cena. Queria, mas quisera muitas coisas na vida. Considerava uma das mais altas marcas do sucesso a capacidade de separar o que se queria do que se podia ter, e o que se podia ter do que se desejava pagar. Queria Whitney, e tinha uma boa chance de tê-la, mas o instinto avisava-o de que não compensaria.

Uma mulher como ela tinha um jeito de lançar amarras num homem... Depois puxá-las quando amarradas e seguras. Ele não tinha a menor intenção de ser amarrado, nem de amarrar-se. Pegar o dinheiro e fugir, lembrou a si mesmo. Era esse o nome do jogo. No sono, Whitney mexeu-se e suspirou. Acordado, ele fez o mesmo.

Hora de uma pequena distância, pensou. Estendendo o braço por cima dela, sacudiu-a pelo ombro.

– Levantar e brilhar, duquesa.

– Hum?

Ela apenas se enroscou nele, como um sonolento gato quente e sinuoso. Doug foi obrigado a dar um suspiro muito longo e vagaroso.

– Whitney, levanta o rabo daí.

A frase penetrou as névoas do sono. Fechando a cara, ela abriu os olhos.

– Não sei se 50 por cento de um pote de ouro valem ter de ouvir sua encantadora voz toda manhã.

– Não vamos envelhecer juntos. A hora que você quiser desistir, é só avisar.

Então lhe ocorreu que tinham os corpos grudados, como amantes após uma noite de paixão – e compaixão. Ela ergueu uma sobrancelha fina, arqueada e elegante.

– E que acha que está fazendo, Douglas?

– Acordando você – ele respondeu, despreocupado. – Foi você que começou a se arrastar para cima de mim. Sabe como é difícil resistir ao meu corpo.

– Não, mas sei como é difícil resistir a enfiar alguns dentes nele. – Empurrando-o, ela se sentou e sacudiu os cabelos para trás. – Ai, meu Deus!

Os reflexos dele foram rápidos. Tornou a pô-la debaixo de si num movimento rápido o bastante para deixá-la sem ar. Embora nenhum dos dois percebesse, ele fizera um dos poucos gestos puramente desprendidos na vida. Protegera-lhe o corpo com o seu sem sequer pensar na própria segurança ou no próprio proveito.

– O que foi?

– Nossa, precisa me tratar sempre com grosseria?

Resignada, ela suspirou e apontou direto para cima. Com cuidado, ele acompanhou a linha do dedo.

Dezenas de lêmures erguiam-se nas copas das árvores. Os corpos esguios e arqueados estavam eretos, as patas compridas e finas estendidas bem para cima em direção ao céu. Com os corpos esticados, alinhados nos galhos, pareciam uma fileira de pagãos extáticos num sacrifício.

Doug vociferou um xingamento e relaxou.

– Você vai ver muitos desses amiguinhos – disse, rolando para o lado. – Faça-me um favor e não grite toda vez que toparmos com um.

– Eu não gritei.

Sentia-se encantada demais para irritar-se quando ergueu os joelhos e circundou-os com os braços.

– Parece que estão rezando ou adorando o sol.

– Assim diz a lenda – concordou Doug quando começou a levantar acampamento. Mais cedo ou mais tarde, os homens de Dimitri refariam o caminho de volta. Não iria deixar-lhes uma pista. – Na verdade, só estão se aquecendo.

– Prefiro a mística.

– Ótimo. Você terá um monte de mística no vestido novo. – Jogou-o para ela. – Ponha, tem mais uma coisa que preciso pegar.

– Enquanto faz compras, que tal procurar algo mais atraente? Gosto de seda, pura ou refinada. Alguma coisa azul com um pouco de drapeado nos quadris.

– Apenas vista – ele ordenou e desapareceu.

Bufando e longe de estar satisfeita, Whitney despiu as roupas macias, caras e arruinadas que comprara em Washington, e enfiou pela cabeça a túnica amorfa, que deslizou sem vida até os joelhos.

– Talvez com um bonito cinto de couro largo – resmungou. – Roxo, com uma fivela bem vistosa. Correu a mão pelo algodão áspero e fechou a cara.

A bainha era toda defeituosa e a cor simplesmente sem esperança. Recusava-se a parecer tão desleixada. Sentada no chão, pegou o estojo de maquiagem. Pelo menos podia fazer alguma coisa com o rosto.

Quando Doug retornou, ela experimentava e rejeitava vários estilos diferentes de enrolar o lamba em volta dos ombros.

– Nada – disse – absolutamente nada funciona com este saco. Acho que eu preferiria usar sua camisa e calça. Pelo menos... – Ela interrompeu-se ao dar meia-volta. – Deus do céu, que é isso?

– Um porco – ele respondeu com muita clareza, enquanto lutava com o animal que se contorcia.

– Claro que é um porco. Para que serve?

– Mais disfarce. – Doug prendeu numa árvore a corda que passara em volta do pescoço do porco. Com alguns guinchos indignados, o animal acalmou-se na relva. – As mochilas vão naquelas cestas que afanei, assim parece que estamos levando nossas mercadorias à feira. O porco é mais para garantir. Muitos camponeses nesta região levam animais à feira. – Despiu a camisa enquanto falava. – Para que passou esse negócio na cara? O importante é ninguém ver mais do que o absolutamente necessário.

– Posso ter de usar esta mortalha, mas me recuso a parecer uma bruxa.

– Você tem um problema sério de vaidade – ele afirmou, vestindo a camisa recém-adquirida.

– Não vejo a vaidade como problema – ela protestou. – Quando justificada.

– Amontoe os cabelos debaixo desse chapéu...

Whitney obedeceu, afastando-se um pouco enquanto ele tirava a calça jeans e substituía pela de algodão. Para compensar a larga folga de centímetros, amarrou outro pedaço de corda na cintura. Quando ela se virou, os dois se examinaram.

A calça, amontoada com folga na cintura, caía ondulante pelos quadris e parava vários centímetros acima dos tornozelos. O lamba que ele enrolara nos ombros e nas costas escondia a constituição física. O chapéu obscurecia o rosto e cobria quase todo o cabelo. O disfarce parecia ótimo, desde que ninguém o examinasse de perto, pensou Whitney.

O longo e largo vestido escondia cada inclinação e curva do corpo dela. Deixava os pés e tornozelos expostos. Tornozelos elegantes demais, observou Doug, decidindo que tinham de ser disfarçados com pó e terra. O lamba, envolto ao redor do pescoço e dos ombros, descia por eles num ótimo toque. As mãos ficariam escondidas quase o tempo todo.

O chapéu de palha não tinha nenhuma classe nem a ostentação do de feltro branco que ela usara uma vez, mas, apesar do fato de cobrir-lhe toda a cabeça e os cabelos, não disfarçava em nada a beleza clássica e muito ocidental do seu rosto.

– Você não chega nem a um quilômetro.

– O que quer dizer?

– Seu rosto. Por Deus, tem de parecer uma coisa que acabou de sair da capa da *Vogue*?

Whitney curvou os lábios muito de leve.

– Tenho.

Insatisfeito, Doug rearrumou o lamba. Com um pouco de engenhosidade, subiu-o mais no pescoço, para o queixo ficar quase escondido nas dobras, depois enterrou mais o chapéu na cabeça e baixou a aba na frente.

– Como diabos eu vou enxergar? E respirar?

– Pode dobrar a aba para trás quando não tiver ninguém por perto.

Com as mãos nos quadris, ele recuou para dar uma olhada demorada, crítica. Ela parecia amorfa, assexuada e subjugada pelo xale enrolado... até erguer os olhos e disparar-lhe um olhar furioso.

Não havia nada de assexuado naqueles olhos, pensou Doug. Lembravam-lhe que de fato existia uma forma sob todo aquele algodão. Empurrou as mochilas dentro das cestas e cobriu-as com os punhados de frutas e comida que restavam.

— Quando sairmos na estrada, mantenha a cabeça baixa e venha atrás de mim, como uma esposa bem disciplinada.

— Isso mostra o que você sabe sobre esposas.

— Vamos indo, antes que decidam refazer o caminho de volta por esta parte da floresta.

— Não esqueceu alguma coisa?

— Você pega o porco, querida.

Decidindo que as opções eram limitadas, Whitney desamarrou a corda da árvore e começou a puxar o animal, que não cooperava. Finalmente, descobriu que era mais fácil carregá-lo nos braços, como uma criança intransigente. Ele se contorceu, roncou e cedeu.

— Venha, Douglinhas, papai vai nos levar à feira.

— Sabichona — resmungou Doug, embora risse, enquanto retiravam as coisas das árvores.

— Tem alguma semelhança — ela disse. — No focinho.

— Vamos tomar a estrada para o leste – ele rebateu, ignorando-a. — Com sorte, chegaremos ao litoral ao cair da noite.

Lutando com o porco, Whitney galgava os degraus de terra.

— Pelo amor de Deus, Whitney, ponha a porra do porco no chão. Ele sabe andar.

— Acho que você não devia falar palavrão na frente do bebê. — Delicadamente, ela largou-o no chão e puxou a corda para o animal acompanhá-la. As montanhas foram deixadas para trás. De um helicóptero, pensou, era provável que se assemelhassem bastante a camponeses para escaparem impunes. De perto... — E se dermos de cara com nossos anfitriões? — perguntou, lançando uma rápida olhada para as cabanas atrás deles. — Talvez reconheçam esse estilista original.

— Vamos correr o risco.

Doug começou a caminhar pela estreita estrada e ponderou que os pés de Whitney ficariam sujos o suficiente um quilômetro adiante.

— Seria muito mais fácil lidar com eles do que com a patrulha de chimpanzés de Dimitri.

Como a trilha à frente parecia infindável e o dia apenas começava, ela resolveu aceitar a palavra dele.

9

Após trinta minutos, Whitney soube que o lamba iria sufocá-la. Era um desses dias em que se sentiria melhor usando o mínimo possível de roupa. Em vez disso, achava-se presa num saco de mangas e saia comprida, enrolada em metros de lamba, e fora-lhe atribuída uma caminhada de quase 50 quilômetros.

Daria um ótimo episódio para suas memórias, decidiu. *Viagens com meu porco*.

De qualquer modo, começava a gostar do bichinho. Ele tinha um tipo de bamboleio, marchava junto dela, e virava repetidas vezes a cabeça de um lado para o outro, como se seguisse à frente de uma procissão. Ela se perguntou o que acharia de uma manga madura demais.

— Ele é muito fofo — ela disse.

Doug baixou os olhos para o porco.

— Seria mais fofo grelhado.

— Que coisa horrível! — Ela disparou-lhe um olhar demorado e crítico. — Você não faria isso.

Não, não faria, só porque não tinha estômago. Mas não via motivo algum para deixar Whitney saber que tinha certa delicadeza. Se fosse comer presunto, queria-o magnificamente curado e embalado primeiro.

— Tenho uma receita de porco agridoce. Vale o peso dele em ouro.

— Apenas a mantenha arquivada — ela rebateu rápido. — Este porquinho está sob minha proteção.

— Eu o preparei durante três semanas num restaurante chinês em São Francisco. Antes de deixar a cidade, tirei o mais refinado colar de rubi de um museu, um alfinete de gravata com uma pérola do tamanho de um ovo de pintarroxo e um bloco cheio de receitas maravilhosas. – Só lhe restavam as receitas. Satisfaziam-no. – Você deixa o porco numa marinada da noite para o dia. É tão macio que quase se dissolve no prato.

– Empanturre-se.

– Salsicha de erva num invólucro muito fino. Grelhada.

– Seu QI está todo no estômago.

A estrada se tornava mais nivelada e larga à medida que deixavam as colinas para trás. A planície oriental era exuberante, verde e úmida. E exposta demais, na opinião de Doug. Ele olhou as linhas de energia elétrica acima deles. Uma desvantagem. Dimitri podia dar ordens por telefone. De onde? Estava no sul, seguindo a trilha que Doug tentava com tanto desespero despistar? Um pouco atrás, tentando aproximar-se?

Vinham sendo seguidos, disso tinha certeza. Reconhecia a sensação, e não conseguira livrar-se dela desde que haviam saído de Nova York. E no entanto... Mudou a cesta de posição. Tampouco conseguia afastar a ideia de que Dimitri sabia o destino e esperava pacientemente para fechar o cerco. Olhou mais uma vez em volta. Dormiria com mais facilidade sabendo em que direção o caçavam.

Embora não ousassem arriscar-se a usar o binóculo, viam plantações amplas, bem-cuidadas – com longos trechos de área plana que podia acomodar o pouso de um helicóptero. Flores projetavam-se em toda parte para assar no calor. A poeira da estrada cobria as pétalas, mas não as tornava em nada menos exóticas. A visão era excelente, o dia, claro. Mais fácil ainda de localizar duas pessoas e um porco viajando pela estrada. Ele mantinha o ritmo constante, esperando encontrar um grupo de viajantes com os quais pudessem misturar-se. Uma olhada para Whitney lembrou-lhe que se misturar não era uma questão simples.

– Você precisa andar como se passeasse em direção à Bloomingdale's?

– Como foi que disse?

Ela começava a pegar o jeito de conduzir o porco e perguntava-se se daria um animal de estimação mais interessante que um cachorro.

– Anda como rica. Tente ser mais humilde.

Whitney exalou um suspiro de longa resignação.

– Douglas, eu posso ter de usar esse traje sem atrativos e puxar um porco pela corda, mas não serei humilde. Agora, por que não para de reclamar e curte a caminhada? Tudo é bonito, verde, e o ar cheira baunilha.

– Tem uma lavoura ali. Eles cultivam.

Na plantação havia alguns veículos. Ele gostaria de saber até que ponto seria arriscado tentar liberar um.

– É mesmo? – Ela franziu os olhos ao olhar contra o sol. Os campos eram extensos e muito verdes, pontilhados de pessoas. – A baunilha cresceu em pequenas favas, não é? – perguntou como quem não quer nada. – Sempre gostei do aroma daquelas finas velas brancas.

Doug olhou-a com indulgência. Velas e seda brancas. Era o estilo dela. Ignorando a imagem, tornou a voltar a atenção para os campos por onde passavam. Muitas pessoas trabalhavam ali, e havia bastante espaço aberto para tentar fazer uma ligação direta numa caminhonete.

– O clima sem dúvida se tornou tropical, não? – Abafada pelo calor opressivo, ela enxugou a testa com as costas da mão.

– Os ventos alísios trazem a umidade – ele explicou. – É quente e úmido até o próximo mês, mas perdemos a estação dos ciclones.

– Que boa notícia – ela murmurou.

Achava que via, na verdade, o calor subindo em ondas da estrada. O estranho foi que isso provocou um arroubo de saudade de Nova York no alto verão, quando o calor emanava das calçadas.

Um café da manhã tardio no Palm Court seria agradável, morangos com creme e um copo longo de café gelado. Ela balançou a cabeça a fim de pensar em outra coisa.

– Num dia assim, eu gostaria de estar na Martinica.

– Quem não gostaria?

Ignorando o tom impaciente da voz dele, ela continuou.

– Tenho um amigo que tem uma vila lá.

– Sem dúvida.

– Talvez você já tenha ouvido falar dele... Robert Madison. Escreve livros de suspense de espionagem.

– Madison? – Surpreso, Doug tornou a dar-lhe atenção. – *O signo de peixes*?

Impressionada ao ver que ele citara o título do que ela considerava a obra-prima de Madison, ela o olhou sob a aba do chapéu.

– Você leu?

– Sim. – Doug ajeitou as cestas nos ombros. – Eu consegui ir além do bê-á-bá.

– Não seja mal-humorado. Sou uma grande fã. A gente se conhece há anos. Bob se mudou para a Martinica quando a Receita Federal tornou sua permanência nos Estados Unidos desconfortável. A vila é linda, com uma vista espetacular do mar. Neste momento, eu me sentaria à beira da piscina no terraço, com uma enorme *frozen marguerita*, vendo pessoas seminuas brincarem na praia.

Era o estilo dela, certo, ele pensou, incompreensivelmente irritado. Piscinas em terraço e ar sufocante, serviçais baixinhos de terno branco servindo drinques em bandejas de prata, enquanto algum babaca com mais aparência que miolos lhe esfregava óleo nas costas.

– Se você não tivesse nada a fazer num dia como este, o que escolheria?

Ele lutou contra a imagem dela, deitada seminua numa espreguiçadeira, a pele brilhante e bronzeada.

– Ficaria na cama – respondeu. – Com uma ruiva espevitada de olhos verdes amendoados...

– Uma fantasia muito comum – ela interrompeu.

– Eu tenho desejos muito comuns.

Ela fingiu um bocejo.

– Como nosso porco também, tenho certeza. Veja – continuou, antes que ele pudesse revidar –, vem vindo alguma coisa.

Doug viu uma coluna de poeira adiante na estrada. Músculos tensos, olhou para um lado e para o outro. Se necessário, podiam correr desabalados pelos campos, mas não era provável que chegassem longe. Se a vestimenta improvisada não funcionasse, tudo poderia acabar em minutos.

– Apenas mantenha a cabeça baixa – disse para Whitney. – E não me interessa o quanto isso é contra a sua natureza, pareça humilde e subserviente.

Ela inclinou a cabeça para olhá-lo sob a aba do chapéu.

– Não teria a mínima ideia de como agir assim.

– Cabisbaixa e andando.

O motor do caminhão ressoou bem afinado e poderoso. Embora tivesse a pintura salpicada de terra, Doug viu que era novo em folha. Lera que muitos proprietários de lavouras prosperavam, enriquecidos pela venda de baunilha, café e cravos que vicejavam na região. Quando o caminhão se aproximou mais, ele deslocou um pouco a cesta no ombro para ocultar quase todo o rosto. Os músculos formigaram e retesaram-se. O caminhão mal reduziu a velocidade ao passar por eles. Doug só pensava na rapidez com que podiam chegar à costa se ele conseguisse pôr as mãos num.

— Deu certo. — Whitney ergueu a cabeça e riu. — Passou direto por nós, sem sequer uma olhada.

— Quase sempre, se você mostra às pessoas o que esperam ver, elas não veem nada.

— Que profundo!

— É a natureza humana — ele rebateu, ainda lamentando não estar atrás do volante de um caminhão. — Entrei em muitos quartos de hotel usando um paletó vermelho de mensageiro e um sorriso de 5 dólares.

— Rouba hotéis em plena luz do dia?

— Na maioria das vezes, as pessoas não ficam nos quartos durante o dia.

Ela pensou um instante e balançou a cabeça.

— Não parece tão emocionante assim. Agora, entrar em silêncio na calada da noite, de terno preto e lanterna, enquanto as pessoas dormem no mesmo quarto, isso é emocionante.

— E é assim que você consegue de dez a vinte anos na prisão.

— Os riscos aumentam a emoção. Já esteve na cadeia?

— Não. É um dos pequenos prazeres da vida que nunca experimentei.

Ela assentiu com a cabeça. Confirmou sua opinião de que ele era bom no que fazia.

— Qual foi seu maior trambique?

Embora o suor escorresse livremente pelas costas, Doug riu.

— Nossa, onde arranjou essa terminologia? Vendo reprises da série *Starsky & Hutch* na tevê?

— Por favor, Doug, isso se chama passar o tempo. — Se não passasse o tempo, iria desabar na estrada numa poça de gotas de exaustão.

Antes, achava que nunca mais sentiria calor e desconforto iguais aos da caminhada pelas montanhas. Enganara-se. – Você deve ter feito um grande roubo em sua ilustre carreira.

Ele nada disse por um instante, olhando a estrada reta e infindável. Mas não via a poeira, as cabanas, as sombras curtas projetadas pelo perfurante sol do meio-dia.

– Pus as mãos num diamante do tamanho do seu punho.

– Diamante?

Por acaso tinha uma fraqueza por eles, o brilho cristalino, as cores ocultas, a ostentação.

– É, não uma pedra qualquer; grande, brilhante e respeitável. O pedaço de gelo mais bonito que já vi. O Diamante Sydney.

– O Sydney? – Ela parou, boquiaberta. – Meu Deus, são 48,5 quilates de perfeição. Lembro que vi numa exposição em São Francisco há uns três, não, quatro anos. Foi roubado... – Interrompeu-se, pasma e profundamente impressionada. – Você?

– Isso mesmo, benzinho. – Gostou da surpresa repleta de fascinação no rosto dela. – Tive aquele filho da mãe na mão. – Ele olhou para a palma vazia enquanto lembrava. Estava arranhada, agora, da fuga pela floresta, mas podia ver nela o diamante. – Juro, dava para sentir o calor dele, ver uma centena de imagens diferentes erguendo-o na luz. Era como segurar uma loura fria de sangue quente.

Ela sentia a excitação, a pura emoção física. Desde que ganhara o primeiro colar de pérolas, Whitney com frequência pegara e usara diamantes e outras pedras preciosas. Agradava-a. Mas o prazer de segurar o Sydney era muito mais profundo, de arrancá-lo do frio mostruário de vidro e ver a luz e a vida brilharem na mão.

– Como?

– Melvin Feinstein. O Verme. O safadinho era meu parceiro.

Ela viu pela rigidez da boca de Doug que a história não tivera um final de feliz.

– E?

– O Verme mereceu seu nome por muitos motivos. Tinha 1,50 metro de altura. Juro, o cara podia deslizar por baixo da fenda de uma porta. Tinha as plantas do museu, mas não os miolos para cuidar da segurança. Foi aí que eu entrei.

– Você cuidou dos alarmes.

– Todo mundo tem uma especialidade. – Ele lembrou do passado, dos dias enevoados e das noites frias em São Francisco. – Trabalhamos nesse serviço durante semanas, calculando cada ângulo possível. O sistema de alarme era uma beleza, o melhor que já encontrei.

A lembrança satisfazia-o, o desafio e a lógica sobre os quais levara a melhor em esperteza.

– Os alarmes são como as mulheres – disse, como que para si mesmo. – Eles piscam e nos atraem. Com um pouco de charme e o talento certo, você descobre como disparam. Paciência – murmurou. – O toque certo, e nós os ajustamos exatamente no lugar em que os queremos.

– Uma analogia fascinante, sem dúvida. – Ela olhou-o friamente sob a aba do chapéu. – A gente pode até dizer que elas têm o hábito de disparar quando provocadas.

– É, mas não quando você se mantém um passo à frente.

– É melhor continuar a história antes de afundar mais no buraco, Douglas.

A mente dele voltara a São Francisco, a uma noite gélida em que o nevoeiro descia com dedos compridos para varrer o chão.

– Entramos pelos dutos, mais fácil para o Verme do que para mim. Tive de jogar uma corda e avançar, uma mão após a outra, porque havia sensores de alarme no piso. Eu me suspendi; o Verme era desajeitado com as mãos e não tinha altura suficiente para alcançar a vitrine. Precisei me pendurar sobre a caixa. Levei uns seis minutos para passar pelo vidro. E o peguei.

Ela conseguia visualizar a cena: Doug pendurado pelos pés sobre a vitrine, vestido de preto, o diamante cintilando embaixo dele.

– O Sydney jamais foi recuperado.

– Isso mesmo, benzinho. É uma das pequenas anotações no livro em minha mochila.

Ele não sabia como explicar o prazer e a frustração que sentira ao ler sobre isso.

– Se você o pegou, por que não está morando numa vila na Martinica?

– Boa pergunta. – Com algo entre um sorriso e uma careta, ele balançou a cabeça. – É uma pergunta realmente boa. – murmurou. Ajeitou o chapéu para a frente, mas, apesar disso, franziu os olhos contra o sol. – Por um minuto, fui um filho da mãe rico.

Ainda via a cena, ainda sentia a atração quase sexual de ficar ali suspenso sobre a vitrine, com o diamante cintilante na mão. O mundo a seus pés.

– O que aconteceu?

A imagem e a sensação se despedaçaram, como um diamante mal lapidado.

– Começamos a sair refazendo o caminho de volta. Como eu disse, o Verme se contorcia pelos tubos como uma lesma. Quando atravessei e saí, ele já tinha desaparecido. O canalha nanico surrupiou a pedra da minha bolsa e desapareceu. E ainda por cima deu um telefonema anônimo para a polícia. Quando voltei, os policiais fervilhavam por todo o hotel. Saltei num cargueiro só com a roupa do corpo. Foi quando passei algum tempo em Tóquio.

– E o Verme?

– A última vez que eu soube, tinha comprado um confortável iate e dirigia um cassino flutuante de primeira classe. Qualquer dia desses... – Saboreou a fantasia um instante, depois encolheu os ombros. – De qualquer modo, foi a última vez que aceitei um parceiro.

– Até agora – ela lembrou-lhe.

Ele a encarou com desprezo e estreitou os olhos. Voltara a Madagascar, onde não havia nevoeiro frio algum. Apenas suor, músculos doloridos e Whitney.

– Até agora.

– No caso de ter qualquer ideia de imitar seu amigo Verme, Douglas, lembre-se, não há um buraco fundo o bastante para você escorregar para dentro.

– Benzinho. – Ele beliscou o queixo dela. – Confie em mim.

– Eu passo, obrigada.

Por algum tempo, caminharam em silêncio, Doug revivendo cada passo do roubo do Diamante Sydney – a tensão, a calma concentração que mantinha o sangue imóvel e as mãos firmes, a emoção de dominar o mundo, embora apenas por um instante. Ele o teria de novo. Isso ele prometia a si mesmo.

Não seria o Sydney dessa vez, mas uma caixa de joias que o faria parecer um brinde numa caixinha de Kinder Ovo. Dessa vez ninguém tiraria isso dele, nenhum nanico de pernas arqueadas nem qualquer loura classuda.

Muitas vezes tivera o arco-íris nas mãos e vira-o desaparecer. Não era tão ruim que ele o torrasse em algazarras. Mas quando era muito idiota para confiar em alguém... Isso sempre foi um de seus grandes problemas. Podia roubar, mas era honesto. De algum modo, imaginava que as pessoas também fossem. Até terminar com os bolsos vazios.

O Sydney, cismou Whitney. Nenhum ladrão de segunda tentaria roubá-lo ou teria sucesso. A história confirmava-lhe o que pensara o tempo todo. Doug Lord era um ladrão de primeira. Mas também se deu conta de que seria muito possessivo com o tesouro quando, e se, o encontrassem. Tinha de pensar nisso com muito cuidado.

Distraída, sorriu para duas crianças que corriam pelo campo. Talvez os pais trabalhassem na plantação, talvez fossem os donos. Mesmo assim, a vida deles seria simples, pensou. Era interessante como de vez em quando a simplicidade podia ser cativante. Sentiu o vestido de algodão roçar desconfortavelmente no ombro. Mas alguma coisa se tinha a dizer a favor do luxo.

Os dois estremeceram ao ruído de um motor. Quando se viraram, o caminhão já vinha quase em cima deles. Se tivessem de correr, não percorreriam 10 metros. Doug amaldiçoou-se, e depois, mais uma vez, quando o motorista se inclinou sobre a janela e gritou.

Não era um modelo novo como o que passara por eles antes, nem tão dilapidado quanto o jipe dos nativos merinas. O motor girava com um ruído bastante uniforme quando parou no meio da estrada, a carroceria carregada de mercadorias, desde potes e cestas a cadeiras e mesas de madeira.

Um caixeiro-viajante, concluiu Whitney, já olhando o que ele tinha a oferecer. Perguntou-se quanto iria querer pelo colorido pote de barro. Ficaria bonito numa mesa com uma coleção de cactos.

O motorista seria um betsimisaraka, calculou Doug, a julgar pela região em que viajavam e pelo toque europeu do chapéu. Ele riu, mostrando uma boca cheia de dentes brancos, quando gesticulou para que se aproximassem do caminhão.

– Bem, e agora? – perguntou Whitney, baixinho.

– Acho que acabamos de arranjar uma carona, benzinho, queiramos ou não. É melhor darmos ao seu francês e ao meu charme outra tentativa.

– Usemos apenas o meu francês, está bem?

Esquecendo de parecer humilde, foi até o caminhão. Enquanto espreitava por baixo da aba do chapéu, deu ao motorista o melhor sorriso e inventou uma história quando se aproximou.

Ela e o marido, embora Whitney tivesse de engolir em seco esta última palavra, viajavam de sua fazenda nas colinas para a costa, onde morava a família dela. A mãe, decidiu de repente, estava doente. Notou que o motorista examinava com olhos curiosos o rosto dela, claro e régio, sob aquele simples chapéu de palha. Sem pestanejar, ela despejou uma explicação. Aparentemente satisfeito, o motorista indicou-lhe a porta. Viajava para a costa, e eles eram bem-vindos.

Curvando-se, Whitney ergueu o porco.

– Venha, Douglas, temos um novo chofer.

Ele acomodou as cestas na carroceria e subiu, sentando-se ao lado dela. A sorte jogava dos dois lados, sabia muito bem. Dessa vez, desejava acreditar que jogava a seu favor.

Whitney deitou o porco no colo, como se fosse uma criança pequena e cansada.

– O que disse a ele? – perguntou Doug, assentindo com a cabeça para o motorista e sorrindo.

Ela suspirou, absorvendo o luxo de ser conduzida.

– Que íamos para a costa. Minha mãe está doente.

– Lamento saber disso.

– É muito provável que encontremos uma cena com leito de morte, portanto não fique com essa expressão tão feliz.

– Sua mãe jamais gostou de mim.

– Isso nada tem a ver com o assunto. Além do mais, é porque ela queria que eu me me casasse com Tad.

Ele parou no ato de oferecer um dos poucos cigarros ao motorista.

– Tad o quê?

Whitney gostou da expressão carrancuda no rosto dele e alisou a saia do vestido.

– Tad Carlyse IV. Não fique enciumado, querido. Afinal, escolhi você.

– Sorte minha – resmungou Doug. – Como contornou o fato de não sermos nativos?

– Sou francesa. Meu pai era um capitão do mar que se estabeleceu na costa. Você era um professor de férias. Nos apaixonamos perdidamente, nos casamos contra o desejo de nossas famílias, e agora cuidamos de uma pequena fazenda nas colinas. Aliás, você é britânico.

Doug refez a história na mente e decidiu que não faria melhor.

– Boa ideia. Há quanto tempo nos casamos?

– Não sei, por quê?

– Eu só gostaria de saber se devemos nos mostrar afetuosos ou entediados.

Whitney estreitou os olhos.

– Não enche.

– Mesmo que fôssemos recém-casados, acho que não seria tão afetuoso assim na frente dos outros.

Mal contendo uma risada, Whitney fechou os olhos e fingiu que estava numa limusine. Momentos depois, aconchegara a cabeça no ombro de Doug. O porco roncava baixinho em seu colo.

Ela sonhava que estava com Doug num quarto pequeno e elegante, banhado de velas que exalavam aroma de baunilha. Usava seda, branca e fina o bastante para revelar a silhueta do corpo. E ele, todo vestido de preto.

Reconheceu o olhar no rosto dele, o repentino escurecimento daqueles olhos verde-claros, antes de deslizar as mãos habilidosas pelo seu corpo e beijá-la na boca. Sentiu-se sem peso, flutuando, incapaz de tocar o chão com os pés – mas sentia cada plano e linha do corpo comprimidos no dela.

Sorrindo, Doug afastou-se e pegou uma garrafa de champanhe. O sonho era tão claro que Whitney via as gotas d'água na taça. Ele retirou a rolha. A garrafa se abriu com uma explosão ensurdecedora.

Quando ela tornou a olhar, ele segurava apenas uma garrafa quebrada. Na porta, viu a sombra de um homem e o brilho do sol.

Rastejavam por um buraco escuro e pequeno. O suor escorria dela. De algum modo, sabia que serpeavam por dutos, mas era igual ao túnel de acesso à gruta – escuro, úmido, sufocante.

Ela ouviu-o falar e viu algo cintilar acima dela. Era a luz emitida pelas facetas de um enorme diamante. Por um momento, encheu a escuridão com uma luz intensa, quase religiosa. Então desapareceu, e ela se viu em pé sozinha numa encosta árida.

– Lord, seu filho da puta!

– Levante, benzinho. Esta é a nossa parada.

– Seu verme – ela resmungou.

– Isso não é maneira de falar com o seu marido.

Abrindo os olhos, ela olhou o rosto sorridente dele.

– Seu filho da...

Doug calou o xingamento com um beijo forte e demorado.

Com os lábios a um sopro dos dela, ele beliscou-a.

– Devíamos parecer apaixonados, benzinho. Nosso simpático chofer talvez tenha a ideia de algumas das mais grosseiras expressões inglesas.

Zonza, ela fechou os olhos com força e tornou a abri-los.

– Eu estava sonhando.

– É. E parece que não terminei muito bem.

Doug saltou para pegar as cestas na parte de trás.

Whitney sacudiu a cabeça para afastar o sonho e olhou pelo para-brisa. Uma cidade. Pequena, com cheiro de peixe no ar. Mas era uma cidade. Tão emocionada quanto se houvesse acordado em Paris em uma manhã de abril, saltou do caminhão.

Cidade significava hotel. Hotel, uma banheira, água quente, cama de verdade.

– Douglas, você é maravilhoso!

Com o porco imprensado entre os dois, abraçou-o.

– Nossa, Whitney, você está me emporcalhando todo.

– Absolutamente maravilhoso – ela repetiu, e deu-lhe um beijo sonoro e exuberante.

— Bem, eu sou mesmo. — Ele viu que a sua mão se acomodava com conforto na cintura dela. — Mas um minuto atrás eu era um verme.

— Um minuto atrás eu não sabia onde estávamos.

— Agora sabe? Por que não me informa?

— Na cidade. — Segurando o porco junto ao corpo, ela deu meia-volta. — Água corrente quente e fria, camas, lençóis e colchões. Onde fica o hotel?

Protegendo os olhos, começou a vasculhar o lugar.

— Escute, eu não planejava ficar...

— Ali! — ela exclamou triunfante.

Era limpo e sem afetação, mais no estilo de pousada que de hotel. Tratava-se afinal de uma cidade de marinheiros, pescadores, com as costas voltadas para o Oceano Índico. Um quebra-mar erguia-se alto como proteção contra as inundações que ocorriam em cada estação. Aqui e ali, redes estendidas secavam ao sol. Palmeiras e trepadeiras, com gordas flores cor-de-laranja, subiam encostadas em tábuas. Uma gaivota dormia aninhada num poste de telefone. As linhas retas da orla marítima impediam-na de ser um porto, mas a pequena cidade à beira-mar, obviamente, aproveitava um comércio turístico superficial de vez em quando.

Whitney já agradecia ao motorista. Embora o surpreendesse, Doug não teve coragem de dizer-lhe que não podiam ficar. Ele planejara reabastecer as provisões e providenciar o transporte antes de continuarem. Viu-a sorrir para o motorista.

Uma noite não podia fazer mal, decidiu. Partiriam revigorados pela manhã. Se Dimitri estivesse perto, pelo menos Doug teria uma parede na retaguarda por algumas horas. Uma parede e algumas horas para planejar o passo seguinte. Pendurou uma cesta em cada ombro.

— Dê o porco a ele e se despeça.

Whitney sorriu para o motorista uma última vez, saiu e atravessou a rua. Conchas esmagadas misturavam-se com terra sob os pés e uma malcheirosa camada de cascalho.

— Abandonar nosso primogênito com um caixeiro-viajante? Douglas, seria como vendê-lo aos ciganos.

— Que engraçadinha, vejo que já se afeiçoou.

– E você também se afeiçoaria se não estivesse pensando com o estômago.

– Mas que diabos vamos fazer com ele?

– Encontrar um lar decente.

– Whitney. – Bem diante da pousada, ele tomou-lhe o braço. – Isso é uma grossa fatia de bacon, não um brinquedinho.

– Quieto!

Aconchegando o porco para protegê-lo, ela entrou.

Era maravilhosamente fresco no interior. Os ventiladores de teto circulavam preguiçosos e fizeram-na pensar na casa e boate de Rick em *Casablanca*. Paredes caiadas de branco, pisos de madeira escura, arranhados. Alguém pregara com tachas, nas paredes, esteiras de fibra natural alvejadas, a única decoração. Grupos de pessoas sentavam-se às mesas e tomavam um líquido dourado-escuro em copos grossos. Whitney captou o cheiro de alguma coisa não identificável e deliciosa, transportado pelo ar por uma porta aberta nos fundos.

– Guisado de peixe – murmurou Doug, quando o estômago sentiu saudades. – Uma coisa próxima a *bouillabaisse*, com um toque de... alecrim – disse, fechando os olhos. – E um pouco de alho.

Como ficou com água na boca, Whitney foi obrigada a engolir.

– Parece almoço para mim.

Uma mulher chegou pela porta, enxugando as mãos do preparo da comida num grande avental branco. Embora tivesse o rosto profundamente enrugado e as mãos revelassem a sua idade, usava os cabelos em alegres anéis trançados, como uma menina. Examinou Whitney e Doug, olhou o porco apenas por um instante, e perguntou num inglês rápido e carregado de sotaque, pondo por água abaixo os disfarces de Doug.

– Querem um quarto?

– Por favor.

Lutando para não desviar os olhos além da mulher até a porta de onde saíam os aromas, Whitney sorriu.

– Minha mulher e eu gostaríamos de um quarto para esta noite, um banho e uma refeição.

– Para dois? – perguntou a velha, e tornou a olhar o porco. – Ou para três?

185

– Encontrei o porquinho vagando no acostamento da estrada – improvisou Whitney. – Não gostaria de abandoná-lo. Talvez a senhora conheça alguém que cuide dele.

A velha examinou o porco de um jeito que a fez abraçá-lo com mais força. Então sorriu.

– Meu neto cuidará dele. Tem 6 anos, mas é responsável. – Estendeu os braços, e, com relutância, Whitney entregou-lhe seu ex-animal de estimação. Pondo o porco embaixo do braço, a mulher enfiou a mão no bolso à procura de chaves. – O quarto está pronto, subindo a escada, duas portas à direita. Sejam bem-vindos.

Whitney viu-a voltar para a cozinha com o porco embaixo do braço.

– Ora, ora, benzinho, toda mãe tem de deixar os filhos irem embora um dia.

Ela fungou e saiu em direção à escada.

– É melhor que não esteja no cardápio esta noite.

O quarto era muito menor que a gruta onde haviam dormido. Mas tinha algumas alegres pinturas marinhas do litoral da cidade na parede e a cama com uma colcha de retalhos num vistoso estampado floral meticulosamente remendada. O banheiro não passava de uma alcova separada da cama por um biombo de bambu.

– O paraíso – pensou Whitney, após uma olhada, e jogou-se de braços abertos na cama.

Cheirava, apenas de leve, a peixe.

– Não sei até que ponto é celestial. – Ele verificou a fechadura na porta e considerou-a resistente. – Mas servirá até termos alguma coisa de verdade.

– Vou me arrastar para dentro da banheira e ficar lá durante horas.

– Tudo bem, fique com o primeiro turno. – Sem cerimônia, ele jogou as cestas no chão. – Vou dar uma checada por aí e ver que tipo de transporte a gente pode conseguir.

– Eu preferiria um belo e majestoso Mercedes. – Suspirando, ela apoiou a cabeça nas mãos. – Mas me contento com uma carroça e um pônei de três pernas.

— Talvez eu possa encontrar alguma coisa intermediária. — Sem correr riscos, Doug retirou o envelope da mochila e prendeu-o no avesso da camisa. — Não use toda a água quente, benzinho. Vou voltar.

— Não se esqueça de verificar o serviço de copa, sim? Detesto quando servem os canapés com atraso.

Ouviu a porta fechar-se com um estalo e espreguiçou-se à vontade. Por mais que gostasse de dormir, decidiu que desejava, acima de tudo, um banho.

Levantando-se, despiu o longo vestido de algodão e deixou-o cair amontoado.

— Meus respeitos à dona anterior — murmurou, e lançou o chapéu de palha como um disco ao outro lado do quarto.

Sobre a pele nua, os cabelos caíram em cascata como a luz do sol.

Alegre, ela abriu a torneira de água quente e mexeu na mochila à procura da bolsa com óleo e espuma de banho. Em dez minutos, impregnava-se de água fumegante e espumosa.

— O paraíso — tornou a dizer e fechou os olhos.

Ao sair, Doug logo ganhou a cidade. Algumas lojinhas expunham artesanatos nas vitrines. Redes coloridas pendiam de ganchos em parapeitos de varandas, e uma fileira de dentes de tubarão debruava a escada de subida de uma entrada. Era óbvio que as pessoas estavam acostumadas a turistas. O cheiro de peixe foi se tornando mais forte à medida que ele se dirigia para o cais. Ao chegar lá, admirou os barcos, os rolos de cordas, as redes de pesca estendidas para secar.

Se conseguisse encontrar um jeito de conservar alguns peixes em gelo, poderia barganhar por isso. Realizavam-se milagres com um peixe numa fogueira ao ar livre quando se tinha o toque certo. Mas primeiro impunha-se a questão dos quilômetros que ainda tinham a percorrer costa acima, e como iriam fazer isso.

Já decidira que ir por água seria o meio mais prático e rápido. Pelo mapa no guia, vira que o Canal de Pangalanes os levaria direto a Maroantsetra. Dali, teriam de viajar pela floresta tropical.

Sentia-se seguro naquele lugar, com o calor, a umidade e a generosa cobertura. O canal era a melhor rota. Só precisava de um barco e de alguém com habilidade para conduzi-lo.

Localizando uma pequena loja, encaminhou-se para lá. Não via um jornal havia dias e decidiu comprar um, embora tivesse de depender de Whitney para traduzi-lo. Ao estender a mão para a porta, sentiu um rápido lampejo de desorientação. Vindo de dentro, ouviu o inconfundível som do rock pesado de Pat Benatar.

– "Hit me with your best shot!" – desafiava a cantora, quando ele abriu a porta.

Atrás do balcão, um jovem alto, magricela, a pele brilhante de suor, balançava-se ao ritmo de um pequeno e caro estéreo portátil. Arrastando os pés, lustrava o vidro das janelas ao lado do balcão e martelava a letra da música com:

– Dispaaaare! – gritou, e virou-se quando a porta bateu atrás de Doug. – Boa tarde.

O sotaque sem a menor dúvida era francês, a camisa desbotada que usava dizia City College of New York – CCNY. Sorriso jovem e cativante. Nas prateleiras, um pouco de tudo: quinquilharia, roupa de cama, mesa, banho, latas e garrafas. Um armazém em Nebraska não teria um estoque tão bom.

– Interessado em alguns suvenires?

– CCNY? – perguntou Doug.

– Americano! – Reverente, o rapaz abaixou a voz de Pat para um rugido abafado e estendeu a mão. – Você é dos Estados Unidos?

– Isso. Nova York.

O rapaz se iluminou como um fogo de artifício.

– Nova York! Meu irmão... – puxou a camiseta – ...frequenta a faculdade lá. Intercâmbio estudantil. Vai ser advogado, sim, senhor. Dos bem-sucedidos.

Era impossível não sorrir. Com a mão ainda presa na do rapaz, Doug balançou de leve a cabeça.

– Sou Doug Lord.

– Jacques Tsiranana. Estados Unidos. – Obviamente relutante, ele soltou a mão de Doug. – Eu também vou no ano que vem de visita. Conhece o Soho?

– Sim. – Até esse momento, ele não se dera conta da saudade que sentia. – Sim, conheço o Soho.

– Tenho uma foto.

Enfiando a mão por trás do balcão, pegou uma foto meio torta. Mostrava um homem alto, musculoso, de calça jeans, em pé de frente à gravadora Tower Records.

— Meu irmão, ele compra os discos e grava para mim. Música americana — pronunciou a palavra forte. — Rock and roll. Que tal Pat Benatar?

— Fantástica — concordou Doug, devolvendo a foto.

— Então, o que faz aqui, quando podia estar no Soho?

Ele balançou a cabeça. Em algumas ocasiões, fizera-se a mesma pergunta.

— Minha, ah, patroa e eu estamos viajando pela costa.

— Férias?

Deu uma rápida olhada nas roupas de Doug. Embora vestido como o mais humilde camponês de Madagascar, ele transmitia no olhar uma expressão de incisiva autoridade.

— É, tipo férias. — Se não incluísse as armas e a fuga. — Achei que uma subida pelo canal talvez proporcionasse a ela um pouco de emoção, você sabe, cênica.

— Belo país — concordou Jacques. — Até onde?

— Aqui. — Doug tirou o mapa do bolso e correu o dedo pela rota. — Direto até Maroantsetra.

— Que barato — murmurou Jacques. — Dois dias, dois longos dias. Em alguns lugares, o canal é difícil de navegar. — Os dentes brilharam. — Crocodilos.

— Ela é durona — afirmou Doug, pensando naquela pele muito sensível, muito suave. — Você sabe, do tipo que gosta de acampamento e fogueiras a céu aberto. Precisamos apenas de um bom guia e um barco resistente.

— Paga em dólares americanos?

Doug estreitou os olhos. Parecia que a sorte jogava de fato a seu favor.

— Podem ser providenciados.

Jacques espetou o polegar na estampa da própria camiseta.

— Então eu levo vocês.

— Tem barco?

— O melhor da cidade. Eu mesmo construí. Tem 100 paus?

Doug olhou as mãos dele. Pareciam competentes e fortes.

— Cinquenta adiantados. Vamos ficar prontos para partir de manhã. Às 8 horas.

Alheia aos prazeres que a aguardavam, Whitney quase cochilava na banheira. Toda vez que a água esfriava um pouco, deixava entrar mais um jato quente. De sua parte, poderia passar a noite ali mesmo. Descansava a cabeça na borda, os cabelos escorriam para atrás, molhados e brilhantes.

— Tentando um recorde mundial? — perguntou Doug atrás dela.

Com um arquejo, ela se sobressaltou tanto que a água se agitou junto à borda.

— Você não bateu — acusou-o. — E eu tranquei a porta.

— Dei um jeitinho — ele explicou, sem dificuldade. — Preciso manter a prática. Que tal a água? — Sem esperar resposta, mergulhou um dedo. — Que cheiro bom! — Deslizou os olhos pela superfície. — Parece que suas bolhas de sabão estão se esgotando.

— Ainda restam alguns minutos. Por que não se livra desse traje ridículo?

Rindo, Doug começou a desabotoar a camisa.

— Achei que você nunca ia pedir.

— No outro lado do biombo. — Sorrindo, ela examinou o dedão do pé pouco acima da superfície da água. — Vou sair para que tenha sua vez.

— Uma pena desperdiçar toda essa bela água quente. — Pondo uma mão em cada lado da banheira, ele se curvou sobre ela. — Já que somos sócios, deveríamos dividir.

— Acha mesmo? — Ele pôs a boca muito perto da sua, e ela se sentia relaxada. Erguendo a mão, deslizou um dedo molhado pela face dele. — Exatamente o que tinha em mente?

— Um pequeno... — com delicadeza, ele roçou os lábios nos dela — negócio inacabado.

— Negócio? — Whitney riu e deixou a mão vagar pelo pescoço dele. — Quer negociar? — No impulso, puxou-o, e, desequilibrado, Doug escorregou para dentro da banheira. A água transbordou por uma das bordas laterais. Rindo como uma colegial, ela o viu retirar as bolhas de sabão do rosto. — Douglas, você nunca teve melhor aparência.

Agarrado nela, ele lutou para não submergir.

— A moça gosta de jogos.

— Ora, você parecia tão quente e suado.

Generosa, ofereceu-lhe o sabão e tornou a rir quando ele o esfregou na camisa grudada.

— Que tal eu dar uma ajuda? — Antes que Whitney pudesse evitá-lo, ele correu o sabão do pescoço até a cintura dela. — Parece que lembro que você me deve uma escovada nas costas.

Cautelosa, e ainda divertida, ela tirou-lhe o sabão da mão.

— Por que você não...

Ambos se retesaram à batida à porta.

— Não se mexa — sussurrou Doug.

— Eu não ia me mexer.

Desembaraçando-se, Doug saiu da banheira. A água escorria por toda parte e assobiou nos sapatos quando ele foi até a mochila e retirou a arma que enfiara no fundo. Não a tivera nas mãos desde a fuga de Washington. Não gostou mais da sensação agora.

Se Dimitri os encontrara, não podia tê-los encurralado de forma mais perfeita. Doug olhou de relance a janela atrás. Daria para sair e descer em segundos. Então viu o biombo de bambu. Na banheira de água quente esfriando, Whitney se estendia nua e completamente vulnerável. Ele deu uma última olhada pesarosa para a janela.

— Merda.

— Doug...

— Calada. — Segurando a arma apertada, cano para cima, transferiu-se para a porta. Era hora de testar mais uma vez sua sorte.

— Capitão Sambirano, polícia. A seu serviço.

— Merda. — Olhando rápido em volta, Doug enfiou a arma na cinta da calça, atrás. — Seu distintivo, capitão? — Em posição para saltar, abriu uma fresta e examinou o distintivo, depois o homem. Sabia reconhecer policial a 10 quilômetros de distância. Relutante, abriu a porta. — O que posso fazer pelo senhor?

O capitão, pequeno, arredondado e de roupas muito ocidentais, entrou.

— Parece que o interrompi.

– Tomando um banho.

Doug viu que a poça se formava aos pés e pegou uma toalha atrás do biombo.

– Me perdoe, senhor...

– Wallace, Peter Wallace.

– Sr. Wallace. É meu costume cumprimentar qualquer um que passa por nossa cidade. Temos uma comunidade tranquila. – O capitão puxou de leve a bainha do paletó. Doug notou que ele tinha as unhas curtas e polidas. – De vez em quando, recebemos turistas que não têm pleno conhecimento de nossa lei ou de nossos costumes.

– É sempre um prazer cooperar com a polícia – disse Doug, com um sorriso escancarado. – Por acaso, vou embora amanhã.

– É uma pena não estender sua estada. Pressa, talvez?

– Peter... – Whitney espichou a cabeça e um ombro nu pela borda do biombo. – Me desculpe. – Esforçou-se ao máximo para enrubescer ao adejar as pestanas.

Se o rubor funcionou ou não, o capitão tirou o chapéu e curvou-se.

– Madame.

– Minha mulher, Cathy. Cath, este é o capitão Sambirano.

– Como vai?

– Encantado.

– Lamento não poder sair no momento. Como pode ver, estou... Calou-se e sorriu.

– Claro. Deve perdoar minha interrupção, Sra. Wallace. Sr. Wallace, se eu puder ser de alguma ajuda durante a estada de vocês, por favor, não hesitem.

– Que amável!

Meio caminho porta afora, o capitão virou-se.

– E seu destino, Sr. Wallace?

– Ah, seguimos os instintos – afirmou Doug. – Cathy e eu somos formados em botânica. Até agora, achamos seu país fascinante.

– Peter, a água está esfriando.

Doug olhou para trás, tornou a virar a cabeça para o capitão e riu.

– É nossa lua de mel, o senhor entende.

– Claro. Posso parabenizá-lo pelo seu bom gosto? Boa tarde.

– Obrigado, até mais. – Fechou a porta, recostou-se e praguejou. – Não gosto disso.

Enrolada numa toalha, Whitney saiu de trás do biombo.

– O que acha que foi toda essa visita?

– Quisera eu saber. Mas de uma coisa eu sei: quando os tiras começam a bisbilhotar, procuro outras acomodações.

Whitney deu uma olhada demorada na cama arrumada.

– Mas, Doug.

– Lamento, benzinho. Vista-se. – Começou a despir as próprias roupas molhadas. – Vamos pegar um barco um pouco antes do previsto.

– TEM ALGUMA novidade?

Após brincar com uma peça de xadrez de vidro, Dimitri moveu o peão do bispo.

– Acho que eles rumaram em direção à costa.

– Acha? – Ao estalo dos dedos de Dimitri, um homem de terno escuro pôs-lhe uma taça de cristal na mão.

– Tinha um pequeno povoado nas colinas. – Remo observou o patrão beber e engoliu em seco. Não tivera uma noite de sono decente fazia uma semana. – Quando investigamos, uma família estava em polvorosa. Alguém os tinha roubado enquanto trabalhavam nos campos.

– Entendo. – O vinho era excelente, claro, ele trouxera seu estoque consigo. Dimitri gostava de viajar, mas não de inconveniências. – E o que exatamente foi tirado dessas pessoas? – Dois chapéus, algumas roupas, cestas... – Remo hesitou.

– E? – incitou Dimitri, com demasiada delicadeza para ser um consolo.

– Um porco.

– Um porco – repetiu o patrão, e deu uma risadinha. Remo quase deixou os ombros relaxarem. – Que engenhoso! Começo a lamentar ter de descartar Lord. Eu poderia aproveitar um homem como ele. Continue, Remo. O resto.

– Duas crianças viram um vendedor ambulante num caminhão pegar um homem e uma mulher... e um porco... no fim desta manhã. Rumaram para o leste.

Fez-se um longo silêncio. Remo não o teria quebrado mesmo que tivesse uma faca nas costas. Dimitri examinou o vinho na taça e tomou um gole, prolongando o momento. Ouvia os nervos de Remo retesando-se, retesando-se. Ergueu o olhar.

— Sugiro que também rume para o leste, Remo. Enquanto isso, eu vou embora. — Deslizou os dedos por outra peça de xadrez, admirando a habilidade artesanal, os detalhes. — Já calculei a área para onde se dirigiram nossas presas. Enquanto você caça os dois, esperarei. — Levou mais uma vez a taça aos lábios e respirou fundo o buquê do vinho. — Estou farto de hotéis, embora o serviço aqui seja excelente. Quando receber nossa convidada, gostaria de fazer isso com mais intimidade.

Largando o vinho, ergueu o cavaleiro branco e sua rainha.

— Sim, adoro receber.

Num movimento rápido, quebrou uma peça na outra. Os cacos tilintaram de leve ao caírem no tabuleiro.

10

— Não comemos.

— Comeremos mais tarde

— Você vive dizendo isso. E outra coisa — continuou Whitney. — Ainda não entendo por que temos de sair desse jeito.

Olhou a pilha de roupas "emprestadas" amontoadas no chão. Não estava habituada a ver alguém mover-se tão rápido quanto Doug nos últimos cinco minutos.

— Já ouviu falar na expressão *o seguro morreu de velho,* benzinho?

— Com um pouco de sal, eu *comeria* o tal seguro, no momento. — Ela olhou de cara feia as pontas dos dedos do parceiro no peitoril da janela. Num piscar de olhos, desapareceram, e ela prendeu a respiração ao vê-lo saltar no chão do lado de fora do prédio.

Doug sentiu as pernas chiarem brevemente. Uma olhada rápida em volta mostrou-lhe que ninguém vira o salto, além de um gato gordo, assustado, que cochilava à luz do sol. Erguendo os olhos, ele fez sinal para Whitney.

— Jogue as mochilas. — Ela jogou, com um entusiasmo que quase o derrubou. — Calma — ele disse, entre os dentes. Afastando-as para o lado, firmou-se embaixo da janela. — Muito bem, agora você.

— Eu?

— Você é tudo o que restou, querida. Venha, eu a agarro.

Não que duvidasse dele. Afinal, tomara a precaução de tirar a carteira da mochila — e certificar-se de que ele notasse esse gesto — antes de vê-lo transpor a janela. Da mesma forma, lembrou que Doug passara o envelope para o bolso da calça jeans. Confiança entre ladrões era obviamente o mesmo tipo de mito que a honra.

Whitney achou meio estranho a queda parecer muito mais longa agora do que quando ele se pendurara pelos dedos. Olhou-o com um ar de reprovação.

— Uma MacAllister sempre deixa um hotel pela porta da frente.

— Não temos tempo para tradições de família. Pelo amor de Deus, venha, antes que chamemos atenção.

De cara amarrada, ela transpôs uma perna. Agilmente, mas muito devagar, contorceu-se e baixou-se. Levou apenas um instante para descobrir que não gostava nada da sensação de pendurar-se no peitoril da janela de uma pousada em Madagascar.

— Doug...

— Se solte — ele ordenou.

— Não sei se posso.

— Pode, a não ser que queira que eu comece a atirar pedras.

Talvez atirasse mesmo. Whitney fechou os olhos, prendeu a respiração e soltou-se.

Caiu em queda livre por uma fração de segundo até ele segurá-la com as mãos nos quadris e subi-las para as axilas. Mesmo assim, a parada abrupta deixou-a sem ar.

— Está vendo? — disse Doug, ao largá-la de leve no chão. — Sem problemas. Você tem potencial de verdade como gatuna.

— Maldição! — Virando-se, Whitney examinou as mãos. — Quebrei uma unha. E agora, o que vou fazer?

– Que tragédia! – Ele curvou-se para pegar as mochilas. – Acho que eu podia dar um tiro em você e livrá-la do sofrimento.

Ela puxou a mochila das mãos dele.

– Muito engraçado. Por acaso, acho que andar por aí com nove unhas é extremamente deselegante.

– Ponha as mãos nos bolsos – sugeriu Doug, e saiu andando.

– Para onde vamos agora?

– Providenciei uma pequena viagem por água. – Ele enfiou os braços pelas alças até acomodar a mochila com conforto nas costas. – Só temos de chegar ao barco. Discretamente.

Whitney seguiu-o enquanto ele serpeava pelo caminho, mantendo-se junto aos fundos das casas, longe da rua.

– Tudo isso porque um policialzinho gordo apareceu para dizer olá.

– Os policiaizinhos gordos me deixam nervoso.

– Ele era muito educado.

– É, policiaizinhos gordos e educados me deixam mais nervoso.

– Fomos muito grosseiros com a bondosa senhora que ficou com o nosso porco.

– Qual o problema, benzinho? Nunca ignorou uma conta antes?

– Com certeza, não. – Ela torceu o nariz e correu atrás dele, quando Doug atravessou uma estreita rua lateral. – Nem pretendo começar. Deixei 20 dólares para ela.

– Vinte! – Agarrando-a, Doug parou atrás de uma árvore ao lado da loja de Jacques. – Por quê? Nem usamos a cama.

– Usamos o banheiro – ela lembrou-lhe.

– Puxa vida! Eu nem tirei as roupas.

Resignado, ele examinou a pequena estrutura do prédio ao lado. Enquanto esperava que Doug seguisse caminho, Whitney olhou melancólica para trás, em direção ao hotel. Outra reclamação saltou-lhe à mente antes de ela ver um homem de chapéu-panamá branco atravessar a rua. Olhou-o como quem não queria nada, até começar a suar sem parar.

– Doug. – Ficara com a garganta seca, com uma ansiedade que não sabia explicar. – Doug, aquele homem. Veja. – Agarrou-lhe a mão, virando-se apenas um pouco. – Juro que é o mesmo que vi no *zoma*, e depois de novo no trem.

— Sombras saltitantes — ele resmungou, mas olhou para trás.

— Não. — Whitney deu-lhe um leve puxão no braço. — Eu o vi. Duas vezes. Por que ia aparecer de novo? Por que devia estar aqui?

— Whitney...

Mas ele se interrompeu quando viu o homem dirigir-se sem pressa ao encontro do capitão. E lembrou com repentina clareza de que era o mesmo que se levantara de um salto do assento no trem, em meio à confusão, deixando um jornal cair no chão e olhando-o direto no olho. Coincidência? Puxou Whitney de volta para trás da árvore. Não acreditava nisso.

— É um dos homens de Dimitri?

— Não sei.

— Quem mais poderia ser?

— Droga, eu não sei. — A frustração dilacerava-o. Sentia que vinha sendo perseguido de todos os lados. Sabia disso, mas não entendia. — Seja quem for, vamos dar o fora. — Tornou a olhar a loja de Jacques. — É melhor irmos pelos fundos. Ele talvez tenha clientes e, quanto menos pessoas nos virem, melhor.

Encontraram a porta dos fundos trancada. Agachando-se, Doug pegou o canivete e pôs mãos à obra. Em cinco segundos, a fechadura abriu-se com um estalo. Whitney contou.

Impressionada, viu-o guardar o canivete de novo no bolso.

— Gostaria que me ensinasse a fazer isso.

— Uma mulher como você não tem de abrir fechaduras. As pessoas abrem as portas para você.

Enquanto ela refletia sobre o assunto, ele se esgueirou para dentro.

Era parte depósito, parte quarto de dormir, parte cozinha. Junto ao beliche estreito, bem-arrumado, via-se uma coleção de umas seis fitas cassetes. A música de Elton John atravessava as paredes revestidas de fibra de madeira e parecia inundar o ambiente. Preso com tachas, um pôster colorido em tamanho natural de Tina Turner. Ao lado, um anúncio de Budweiser, uma flâmula dos Yankees de Nova York e uma fotografia do Empire State Building ao entardecer.

— Por que tenho a sensação de que acabei de entrar num quarto na Segunda Avenida? — perguntou Whitney.

– O irmão dele é estudante de intercâmbio na CCNY.
– Isso explica tudo. Irmão de quem?
– Quieta!

Pisando sem fazer barulho Doug foi até a porta de ligação com a loja. Abriu uma fresta e espiou.

Jacques curvava-se sobre o balcão, no meio de uma transação que envolvia o que era uma óbvia e detalhada troca de fofocas da cidade. Parecia que a moça ossuda, de olhos escuros, entrara mais para flertar do que comprar. Remexia em carretéis de linhas coloridas e ria.

– O que está acontecendo? – Whitney deu um jeito de espiar por baixo do braço do parceiro. – Ah, flerte – proclamou. Gostaria de saber onde ela comprou aquela blusa. Olhe só o trabalho de bordado.

– Teremos um desfile de moda mais tarde.

A moça comprou dois carretéis de linha, riu por mais alguns instantes e saiu. Doug abriu a porta mais um pouco e assobiou entre os dentes. Não era páreo para Elton John. Jacques continuou a girar os quadris ao acompanhar a letra. Com uma olhada pela janela que se abria para a rua, Doug abriu mais a porta e chamou-o pelo nome.

Sobressaltado, o rapaz quase derrubou o mostruário de carretéis que arrumava.

– Cara, que susto você me deu! – Ainda cauteloso, Doug curvou o dedo e esperou-o aproximar-se. – O que está fazendo escondido aí nos fundos?

– Uma mudança de planos – respondeu Doug. Tomando a mão de Jacques, puxou-o para dentro. Percebeu que ele cheirava a couro inglês. – Queremos partir agora.

– Agora? – Estreitando os olhos, o rapaz examinou o rosto do americano. Podia viver numa pequena aldeia à beira-mar, mas não era tolo. Dava para ver nos olhos de um homem quando ele estava em fuga. – Meteu-se em encrenca?

– Olá, Jacques. – Adiantando-se, Whitney estendeu a mão. – Sou Whitney MacAllister. Deve perdoar Douglas por esquecer de nos apresentar. Ele carece, frequentemente, de boas maneiras.

Jacques tomou a fina mão branca na sua e apaixonou-se no mesmo instante. Jamais vira nada tão lindo. Pelo que sabia, Whitney

MacAllister excedia em brilho Tina Turner, Pat Benatar e a alta sacerdotisa Linda Ronstadt juntas. Ficou simplesmente sem fala.

Ela já vira esse olhar antes. Em um profissional liberal, elegante, num terno de três peças, na Quinta Avenida, isso a entediava. Num clube badalado no West Side, a divertia. Em Jacques, achou uma graça.

— Temos de nos desculpar por entrar sem pedir licença.

— É... — Ele teve de procurar as gírias americanas que em geral tinha na ponta da língua. — Tudo bem — conseguiu dizer.

Impaciente, Doug pôs a mão no ombro de Jacques.

— Queremos ir logo. — Seu bom senso não iria deixá-lo arrastar o rapaz às cegas para a confusão em que se achavam. Seu instinto de sobrevivência impedia-o de contar tudo. — Tivemos uma visitinha da polícia local.

O rapaz conseguiu desprender o olhar de Whitney.

— Sambirano?

— Isso mesmo.

— Babaca — proclamou Jacques, muito orgulhoso da forma como pronunciou a palavra. — Não se preocupe com ele. É apenas enxerido, como uma velha.

— É, talvez, mas tem umas pessoas que gostariam de encontrar a gente. Não queremos ser encontrados.

Jacques ficou um momento olhando de um para o outro. Marido ciumento, pensou.

— Nós, de Madagascar, não nos preocupamos com o tempo. O sol nasce, o sol se põe. Querem partir agora, partimos agora.

— Esplêndido. Estamos com as provisões meio baixas.

— Não tem problema. Esperem aqui.

— Como conseguiu encontrá-lo? — perguntou Whitney, quando Jacques foi de novo para a frente da loja. — É uma graça.

— Claro, só porque ficou com olhar de peixe morto para você.

— Olhar de peixe morto? — Ela riu e sentou-se na beira da cama de Jacques. — Francamente, Doug, para qualquer coisa você desenterra sempre suas expressões estranhas?

— Os olhos dele quase saltaram da cabeça.

— É. — Ela correu a mão pelos cabelos. — Foi mesmo, não foi?

— Você se acha, não? — Irritado, Doug pôs-se a andar de um lado para o outro no quarto e desejou poder fazer alguma coisa. Qualquer coisa. Sabia sentir o cheiro de problema, que não se achava tão longe quanto gostaria. — Simplesmente adora quando os homens babam por você.

— Você não se sentiu exatamente ofendido quando a pequena Marie quase beijou seus pés. Pelo que lembro, ficou se pavoneando como um galo com dois rabos.

— Ela ajudou a salvar nossa pele. Foi apenas gratidão.

— Acrescentada de um toque de luxúria.

— Luxúria? — Ele parou direto em frente dela. — Marie não podia ter mais de 16 anos.

— O que tornou tudo ainda mais repugnante.

— É, bem, o velho Jacques deve estar beirando os 20.

— Ai, ai. — Whitney pegou a lixa de unhas e começou a aparar a unha lascada. — Isso parece nitidamente ciúmes.

— Merda. — Doug andava de uma porta até a outra. — Eis um homem que não vai babar por você, duquesa. Tenho coisas melhores a fazer.

Dando-lhe um sorriso irônico, ela continuou a lixar as unhas e a sussurrar a melodia junto com Elton John.

Alguns minutos depois, tudo silenciou. Quando Jacques retornou, trazia uma sacola de bom tamanho numa das mãos e o estéreo portátil na outra. Com um sorriso, empacotou o restante das fitas.

— Agora estamos prontos. Rock and roll.

— Ninguém vai querer saber por que você fechou cedo?

Doug abriu uma fresta da porta dos fundos e espiou para fora.

— Fecho depois, fecho agora. Ninguém se importa.

Assentindo com a cabeça, o americano abriu a porta para ele.

— Então vamos.

O barco estava ancorado a menos de meio quilômetro dali, e Whitney jamais vira coisa igual. Muito comprido, talvez uns 5 metros, e não mais que 1 metro de largura. Pensou na canoa que remara uma vez num acampamento no norte do estado de Nova York. De pés leves, Jacques entrou de um salto e começou a arrumar o equipamento.

A canoa era tradicional de Madagascar, o chapéu dele, um boné de jogador de beisebol dos Yankees de Nova York, e os pés descalços. Whitney achou-o uma estranha e agradável combinação de dois mundos.

– Belo barco – murmurou Doug, desejando ver um motor em algum lugar.

– Eu mesmo o construí. – Num gesto que ela julgou muito elegante e cortês, estendeu a mão para Whitney. – Pode se sentar aqui – disse, indicando um lugar confortável no centro da embarcação.

– Obrigada, Jacques.

Quando a viu instalada em frente ao lugar em que se sentaria, ele estendeu uma vara comprida para Doug.

– Impelimos com a vara aqui, onde a água é rasa.

Pegando outra para si, Jacques deslocou-o. O barco deslizou como um cisne num lago.

Relaxando, Whitney decidiu que a viagem de barco tinha potencial – o cheiro do mar, folhas leves dançando na brisa, o suave movimento embaixo de si. Então, a meio metro, viu a medonha cabeça escumar a superfície.

– Ai... – Foi tudo que conseguiu dizer.

– É, verdade. – Com uma risadinha, Jacques continuou a impelir o barco com o pau. – Esses crocodilos estão em toda parte. A gente tem de tomar cuidado com eles.

Os olhos redondos e sonolentos na superfície não se aproximaram. Sem nada dizer, Doug enfiou a mão na mochila, retirou a arma e enfiou-a de novo na cinta. Dessa vez, Whitney não fez a menor objeção.

Quando a água ficou profunda o bastante para usarem os remos, Jacques ligou o estéreo. Clássicos dos Beatles saíram estrondosos. Estavam a caminho.

O rapaz remava incansável, com uma energia e um entusiasmo desembaraçados que Whitney admirava. Durante uma hora e meia ele cantou junto com os Beatles, rindo quando ela se juntava à cantoria.

Com os víveres que trouxera para bordo, os três fizeram um almoço improvisado de coco, bagas e peixe frio. Quando ele passou o cantil para Whitney, ela tomou um longo gole, esperando água pura.

Ao emborcar mais uma vez o cantil, bochechou o líquido. Não era desagradável, mas também não era água pura.

– *Rano vola* – disse Jacques. – Bom para viagem.

O remo de Doug varava a água sem dificuldades.

– É feito adicionando água ao arroz que se gruda no fundo da panela – ele explicou.

Whitney engoliu, tentando fazê-lo com graciosidade.

– Entendo.

Virando-se um pouco, passou o cantil a Doug.

– Você também vem de Nova York?

– Sim. – Ela pôs outra baga na boca. – Doug me disse que seu irmão frequenta a faculdade lá.

– De Direito. – As letras na camiseta dele quase tremeram de orgulho. – Vai ser um maioral. Esteve na Bloomingdale's.

– Whitney praticamente mora lá – disse Doug, baixinho.

Ignorando-o, ela falou com Jacques.

– Planeja ir aos Estados Unidos?

– Ano que vem – ele respondeu, apoiando o remo no colo. – Visitar meu irmão. Vamos faturar a cidade. Times Square, Macy's, McDonald's.

– Quero que me ligue. – Como se estivesse num luxuoso restaurante em Manhattan, ela retirou um cartão da carteira e entregou-o. Como a dona, o cartão era elegante, classudo e fino. – Daremos uma festa.

– Festa? – Os olhos dele se iluminaram. – Uma festa em Nova York?

Visões de pistas de dança cintilantes, cores berrantes e música ainda mais berrante dispararam em sua mente.

– Com certeza.

– Com todo o sorvete que aguentar – disse Doug.

– Não seja mal-humorado, Douglas. Você também pode vir.

Jacques calou-se por um instante, enquanto a imaginação elaborava todos os fascínios de uma festa em Nova York. O irmão escrevera sobre mulheres com vestidos que batiam bem acima dos joelhos e carros tão compridos quanto a canoa que ele remava. E edifícios tão altos como as montanhas a oeste. Uma vez comera no mesmo restaurante que Billy Joel.

Nova York, pensou, embasbacado. Talvez os novos amigos conhecessem Billy Joel e o convidassem para a festa. Acariciou o cartão de Whitney antes de guardá-lo no bolso.

– Vocês dois são...

Não sabia ao certo o termo americano para o que queria dizer. Pelo menos, não um termo educado.

– Parceiros comerciais – sugeriu Whitney, sorrindo.

– É, somos só parceiros.

Fechando a carranca, Doug varou a água com o remo.

Jacques podia ser jovem, mas não nascera ontem.

– Vocês têm negócios? Que tipo?

– No momento, viagem e escavação.

Whitney ergueu uma sobrancelha à terminologia de Doug.

– Em Nova York, sou designer de interiores. Doug é...

– Freelancer – ele concluiu. – Trabalho por conta própria.

– A melhor maneira – concordou Jacques, batendo ao ritmo da música com o pé. – Quando eu era menino, trabalhava numa fazenda de café. Faça isso, faça aquilo. – Balançou a cabeça e riu. – Agora, tenho minha loja. Sou eu que digo faça isso, faça aquilo. Mas não tenho de obedecer.

Rindo, Whitney alongou as costas enquanto a música a fazia lembrar-se de casa.

Mais tarde, o pôr do sol lembrou-lhe o Caribe. A floresta em cada lado do canal tornara-se mais densa, mais profunda e mais parecida com selva. Juncos brotavam ao longo da margem, finos e marrons, antes de darem lugar à espessa folhagem. À visão do primeiro flamingo, todo coberto de penas rosa-forte e de patas frágeis, ficou encantada. Viu o brilho azul iridescente na moita e ouviu o canto rápido e repetitivo que Jacques identificou como o de um cuco. Uma ou duas vezes julgou avistar um veloz e ágil lêmure. A água, que se tornava rasa o bastante de vez em quando para exigir as varas, inundava-se de vermelho, e a superfície cobria-se de uma fina camada de insetos. Por entre as árvores a oeste, o céu se mostrava aceso como um incêndio florestal. Whitney decidiu que o passeio de canoa tinha muito mais sedução que um barco de fundo chato no Tâmisa, embora fosse igualmente relaxante – a não ser por um ou outro crocodilo.

Acima do silencioso crepúsculo da selva, o estéreo de Jacques despejava o que qualquer DJ que se preza chamaria de um sucesso atrás do outro – sem comercial. Ela teria flutuado durante horas.

– É melhor acamparmos.

Desviando os olhos do pôr do sol, ela sorriu para Doug. Muito antes, ele despira a camisa. O peito brilhava à luz fraca, com uma leve camada de suor.

– Tão cedo?

Ele teve de engolir o revide de Whitney. Não foi fácil admitir que seus braços pareciam de borracha, e as palmas das mãos ardiam. Não enquanto o jovem Jacques balançava-se no ritmo da música, como se pudesse remar incansavelmente até meia-noite, sem nem sequer diminuir o passo.

– Escurecerá logo – foi só o que ele respondeu.

– Tudo bem. – Os músculos flexíveis e enxutos de Jacques ondulavam-se enquanto ele remava. – Encontraremos um local de acampamento. – Dirigiu um tímido sorriso a Whitney. – Você deve descansar – disse. – Longo dia na água.

Resmungando baixinho, Doug remou em direção à margem.

Jacques não a deixou carregar nenhuma mochila. Içando a bagagem dela e seu saco de viagem, confiou-lhe o estéreo. Em fila indiana, embrenharam-se na floresta, onde a luz era colorida de rosa, com toques de malva. Pássaros invisíveis cantavam para o céu que escurecia. Folhas verdes cintilavam, molhadas com a umidade sempre presente. De vez em quando, o rapaz parava e cortava trepadeiras e bambus com uma pequena foice. O perfume era intenso: vegetação, água, flores – flores que subiam pelas trepadeiras e irrompiam pelos arbustos. Ela jamais vira tantas cores num único lugar, nem esperara ver. Insetos sobrevoavam, zumbiam e gemiam no lusco-fusco. Num frenético farfalhar de folhas, uma garça elevou-se da moita e deslizou em direção ao canal. A floresta era quente, úmida, cerrada, e tinha todos os gostos do exótico.

Armaram o acampamento ao som da melodia *Born in the USA*, de Springsteen.

Quando já haviam acendido uma fogueira e aquecido o café, Doug encontrou uma coisa com a qual se alegrar. Do saco de Jacques, saíram alguns recipientes de temperos, dois limões e o resto do peixe cuidadosamente embrulhado. Com eles, descobriu dois maços de Marlboro. No momento, não tinham valor algum se comparados a esses itens.

– Até que enfim. – Levou ao nariz um recipiente que cheirava a algo como manjericão adocicado. – Uma refeição com classe.

Podia estar sentado no chão, cercado de espessas trepadeiras e insetos que começavam a picar, mas gostava do desafio. Comera com os melhores *chefs*, nos melhores restaurantes. Essa noite não seria em nada diferente. Retirando os utensílios de cozinha, preparou-se para divertir-se.

– Doug é um grande comilão – disse Whitney a Jacques. – Não tem sido fácil pra ele. – Então cheirou o ar. Com a boca aguando, virou-se e viu-o fritando o peixe no fogo. – Douglas. – O nome saiu num suspiro sensual. – Acho que estou apaixonada.

– É. – Olhos intensos, mãos firmes, ele deu uma virada experiente no peixe. – É o que todas dizem, benzinho.

Naquela noite, os três dormiram profundamente, saciados de comida farta, vinho espesso e rock and roll.

Quando o sedã escuro parou na pequena cidade à beira-mar, uma hora depois do amanhecer, atraiu uma multidão. No comando, impaciente e mal-humorado, Remo saltou e passou esbarrando num grupo de crianças. Com o instinto dos pequenos e vulneráveis, elas abriram caminho. Fazendo um sinal brusco com a cabeça, ele mandou os outros dois homens o seguirem.

Não tentavam deliberadamente parecer deslocados. Ainda que houvessem chegado à cidade em mulas, usando lambas, teriam continuado a parecer bandidos.

Os habitantes da cidade, apesar da inerente desconfiança de estranhos, também eram hospitaleiros. Mesmo assim, ninguém se aproximou dos três. O termo da ilha para tabu era *fady*. Remo e companhia, embora bem-arrumados em ternos engomados de verão e lustrosos sapatos italianos, eram sem a menor dúvida *fady*.

Remo localizou a pousada, fez sinal aos homens para que a cercassem e aproximou-se da fachada.

A mulher na pousada usava um avental novo. O aroma do café da manhã vinha dos fundos, embora apenas duas mesas estivessem ocupadas. Ela olhou para Remo, mediu-o de cima a baixo e decidiu que não tinha quartos vazios.

– Estou procurando umas pessoas – ele disse, embora não esperasse que ninguém naquela ilha falasse inglês.

Apenas retirou as fotos de Doug e Whitney e balançou-as sob o nariz dela.

Nem por um piscar de olhos a mulher mostrou qualquer reconhecimento. Talvez eles tivessem saído de forma brusca, mas deixaram 20 dólares americanos na cômoda. Ela fez que não com a cabeça.

Remo desprendeu uma nota de 10 do maço que trazia. A mulher simplesmente encolheu os ombros e devolveu-lhe as fotos. O neto passara uma hora na noite anterior brincando com o porco. Ela preferia o cheiro do animal ao da colônia de Remo.

– Escute, vovó, sabemos que eles saíram daqui. Por que não facilita isso para todo mundo?

Como incentivo, desprendeu outra nota de 10.

A dona da pousada dirigiu-lhe um olhar sem expressão e outra encolhida de ombros.

– Não estão aqui – ela disse, surpreendendo-o com inglês preciso.

– Vou dar uma olhada pessoalmente.

Remo seguiu para a escada.

– Bom dia.

Como Doug, Remo não tinha a menor dificuldade para reconhecer um policial, numa cidade insignificante em Madagascar ou num beco nas ruas de Manhattan.

– Sou o capitão Sambirano. – Com o devido rigor, ele estendeu a mão. Admirou o gosto de Remo por roupas, notou a cicatriz ainda inchada na face e a fria crueldade nos olhos do estranho. Não deixou de perceber o vultoso maço de notas em sua mão. – Talvez eu possa ser de alguma ajuda.

Remo não gostava de tratar com policiais. Além disso, não lhe agradava a ideia de voltar a Dimitri de mãos vazias.

– Procuro minha irmã. – Doug dissera que ele tinha miolos. Remo empregou-os. – Ela fugiu com um cara, que não passa de um ladrão barato. A moça está cega de paixão, se entende o que digo.

O capitão assentiu com a cabeça, educadamente.

– Sem dúvida.

– Papai está doente de preocupação – improvisou Remo. Retirou um fino charuto cubano de um estojo de ouro. Oferecendo um, notou a apreciação do capitão pela fragrância e o brilho do refinado metal. Sabia que método empregar. – Consegui seguir os dois até aqui, mas... – Deixou a frase extinguir-se e tentou parecer um irmão preocupado. – Faremos qualquer coisa para levá-la de volta, capitão. Qualquer coisa.

Enquanto deixava as palavras no ar, Remo pegou as fotos.

As mesmas, notou em silêncio o capitão, que o outro homem lhe mostrara ainda na véspera. A história dele também fora a de um pai procurando a filha, e também oferecera dinheiro.

– Meu pai está oferecendo uma recompensa a quem puder nos ajudar. Entenda que minha irmã é a única filha dele. E a caçula – acrescentou. Lembrou, sem muito afeto, como sua própria irmã fora mimada. – Também está disposto a ser generoso.

Sambirano olhou as fotos de Whitney e Doug. Os recém-casados que haviam deixado a cidade de forma meio abrupta. Deu uma olhada na dona da pousada, que mantinha os lábios juntos em reprovação. Os que tomavam o café da manhã entenderam o olhar e retornaram à refeição.

O capitão não ficou mais impressionado com a história de Remo do que com a de Doug na véspera. Whitney sorria-lhe. Ela, contudo, o impressionara.

– Uma linda mulher.

– Pode imaginar como se sente meu pai, capitão, sabendo que ela está com um homem como ele. Escória.

Desprendeu-se suficiente paixão na palavra para o capitão ver que a animosidade não era fingida. Se um encontrasse o outro, um dos dois morreria. Pouco lhe importava, contanto que não morresse em sua cidade. Não viu necessidade de falar do homem de chapéu panamá com duas fotos semelhantes.

– Um irmão – disse, devagar, pondo o charuto sob o nariz – é responsável pelo bem-estar da irmã.

– Ando doente de preocupação com ela, capitão. Sabe Deus o que ele fará quando acabar o dinheiro ou quando apenas se encher dela. Se puder fazer alguma coisa... prometo ser muito grato.

O capitão optara pela aplicação da lei na tranquila cidadezinha porque não tinha muita ambição. Isto é, não gostava do suor nos campos nem dos calos nas mãos num barco de pesca. Mas acreditava em faturar uma considerável soma. Entregou as fotografias a Remo.

– Me solidarizo com sua família. Também tenho uma filha. Se vier comigo ao meu escritório, poderemos conversar mais sobre isso.

Os olhos dos dois homens se encontraram. Cada um reconheceu o outro pelo que era. Negócio era negócio.

– Agradeço, capitão. Agradeço muito.

Ao transpor a porta, Remo tocou a cicatriz na face. Quase podia sentir o gosto do sangue de Doug. Dimitri, pensou com uma onda de alívio, ficaria muito satisfeito. Muito satisfeito.

11

No café da manhã, Whitney somou o adiantamento de 50 dólares a Jacques e refez o total das despesas de Doug. Uma caça ao tesouro, concluiu, tinha um custo indireto muito elevado.

Enquanto os outros haviam dormido durante a noite, Doug ao seu lado na barraca, Jacques contente sob as estrelas, ela ficara acordada por algum tempo, repassando a jornada. Em muitos aspectos, até então, resumira-se a férias divertidas, emocionantes, um tanto tortuosas, completas até nos suvenires e algumas refeições exóticas. Se nunca encontrassem o tesouro, ela descreveria mais ou menos assim – a não ser pela lembrança de um jovem garçom que morrera só porque estava lá.

Algumas pessoas nascem com, digamos, uma certa ingenuidade que nunca as deixa, sobretudo porque a vida continua confortável. O dinheiro pode provocar o cinismo ou amortecê-lo.

Talvez a riqueza em certa medida a tenha protegido, mas Whitney jamais fora ingênua. Contava o troco, não porque tivesse de preocupar-se com centavos, mas por esperar o valor do que pagava. Aceitava elogios com graça e certo ceticismo. E sabia que para alguns a vida não tinha valor.

A morte às vezes era um meio para um fim, algo realizado por vingança, diversão ou remuneração. A remuneração podia variar – a vida de um estadista, sem a menor dúvida, valia mais no mercado aberto que a de um traficante de drogas de um gueto. Uma pessoa poderia não valer mais que o preço de uma seringa cheia de heroína, e outra, centenas de milhares de francos suíços.

Um negócio, a vida de alguém em troca da ascensão em uma firma de corretagem, por exemplo. Conhecera isso antes, mas encarava como uma das muitas enfermidades sociais. Com distanciamento. Mas agora lidaria com a questão pessoalmente. Um inocente morrera, e ela mesma também poderia ter matado um homem. Não havia como saber quantas vidas se haviam perdido, quantas haviam sido compradas e vendidas na busca desse pote de ouro em particular.

Dólares e centavos, refletia, olhando as bem-arrumadas colunas e os totais na agenda. Mas se tornara muito mais que isso. Talvez como grande parte dos ricos descuidados, deslizara com frequência pela superfície da vida, sem ver os turbilhões e as correntes que os menos afortunados eram obrigados a enfrentar. Talvez a própria visão do que era certo e errado dependesse das circunstâncias e de seus caprichos. Mas tinha um senso definido de bem e mal.

Doug Lord podia ser ladrão, e ter feito na vida inúmeras coisas consideradas erradas pelos padrões da sociedade. Ela não dava a mínima para os padrões da sociedade. Ele era, passara a acreditar, intrinsecamente bom, assim como acreditava que Dimitri era em essência mau. Acreditava nisso não de forma ingênua, mas com toda a convicção, com toda a sua inteligência e todo seu instinto.

Fizera uma outra coisa enquanto os outros dormiam. Inquieta, Whitney decidira afinal dar uma olhada nos livros que Doug roubara da biblioteca em Washington. Para passar o tempo, disse a si mesma, ao acender uma lanterna e localizar os livros. Quando começou a ler um sobre as joias, as pedras preciosas perdidas ao longo dos séculos, absorveu. As ilustrações em si não a comoveram. Diamantes e rubis significavam mais em três dimensões. Mas a fizeram pensar.

Lendo toda a história compreendeu que alguns homens e mulheres desejaram as joias para enfeite, outros haviam morrido por elas. Cobiça, desejo, luxúria. Eram coisas que ela entendia, mas paixões que julgava demasiado superficiais para se morrer por elas.

Mas e quanto à lealdade? Whitney repassara na mente as palavras que lera na carta de Magdaline. A jovem falara da dor do marido pela morte da rainha, porém mais pela obrigação dele com ela. Quanto teria sacrificado Gerald por lealdade e o que guardara na caixa de madeira? As joias. Mantivera a herança numa caixa de madeira e lamentara um modo de vida que jamais poderia ter de novo?

Era dinheiro, arte, história? Ao fechar o livro, estava sem respostas. Respeitara Lady Smythe-Wright, embora jamais compreendesse muito bem seu fervor. Agora ela estava morta, por acreditar que a história, escrita em volumes empoeirados ou em joias cintilantes, pertencia a todos.

Antonieta perdera a vida, junto com centenas de outros, pela brutalidade da guilhotina. Pessoas haviam sido arrastadas de casa, caçadas e assassinadas. Outras haviam morrido de fome nas ruas. Por um ideal? Não, Whitney duvidava que as pessoas morressem com frequência por ideais tanto quanto lutassem verdadeiramente por eles. Morriam porque eram colhidas por alguma coisa que as arrebatava, quer quisessem quer não. Que punhado de joias teria significado para uma mulher que se dirigia à guilhotina?

Isso fazia a caça ao tesouro parecer uma tolice. A não ser... a não ser que tivesse uma moral. Talvez fosse a hora de Whitney descobrir a sua.

Por causa disso, e de um jovem garçom chamado Juan, decidir encontrar o tesouro, e chutar poeira na cara de Dimitri quando conseguisse.

Enfrentou a manhã com confiança. Não, não era ingênua. Mesmo assim, agarrava-se à crença básica de que o bem acabaria por sobrepujar o mal – sobretudo se o bem fosse muito inteligente.

– Que diabos vai fazer quando as pilhas dessa coisa se esgotarem?

Whitney ergueu o rosto sorridente para Doug e guardou a fina calculadora de mão com a agenda na bolsa. Que pensaria ele se soubesse que ela passara várias horas durante a noite analisando-o e pensando no que vinham fazendo?

– Duracell – ela respondeu, sorrindo. – Gostaria de um pouco de café?

– Sim.

Ele sentou-se, meio desconfiado da maneira tão alegre como ela despejou o café e serviu-o.

Ela estava belíssima. Ele imaginou que alguns dias na estrada a deixariam um pouco cansada e com a aparência meio maltratada. Arranhou a palma da mão na barba por fazer. Mas ela parecia radiante. Os cabelos claros, louros, angelicais brilhavam, ondulando-se pelas costas. O sol aquecera-lhe a pele, destacando toques róseos que apenas acentuavam a perfeição e a clássica linha óssea. Não, ela parecia tudo, menos cansada no momento.

Doug aceitou o café e tomou-o com vontade.

– Que lugar adorável – disse Whitney, erguendo os joelhos e enlaçando-os com os braços.

Ele olhou em volta. A umidade pingava das folhas. O chão era úmido e esponjoso. Deu um tapa num mosquito e perguntou-se quanto tempo o repelente resistiria. A névoa elevava-se da terra em pequenos dedos, como o vapor num banho turco.

– Se você gosta de saunas.

Whitney ergueu uma sobrancelha.

– Acordou de mau humor?

Doug apenas resmungou. Acordara com comichão, como qualquer homem saudável após passar a noite junto a uma mulher saudável sem poder se dar o luxo de levar as coisas à conclusão natural.

– Veja por este lado, Douglas. Se houvesse um hectare disso em Manhattan, as pessoas lutariam por ele, empilhando-se umas em cima das outras. – Ela ergueu as mãos, palmas viradas para cima. O canto de pássaros irrompeu num êxtase de sons. Um camaleão rastejou até uma pedra cinzenta e desapareceu. Flores pareciam fluir do solo e o verde, o verde das folhas e samambaias ainda molhadas de orvalho dava exuberância a tudo. – Temos tudo só para nós.

Ele se serviu de uma segunda caneca de café.

– Imaginei que uma mulher como você preferisse multidões.

– Cada lugar é único, Douglas – ela murmurou. – Cada lugar é único. – Então sorriu com tanta simplicidade e refinamento que ele sentiu um aperto no coração. – Gosto de estar aqui com você.

O café escaldara-lhe a língua, mas ele não notou. Engoliu-o, ainda encarando-a. Nunca tivera problemas com mulheres, despejando o charme arrogante, de contornos rudes, que aprendera muito jovem que elas achavam irresistível. Agora, quando podia ter usado um excedente daquilo que lhe vinha tão facilmente, não encontrava sequer um resquício.

– Ah, é? – conseguiu dizer.

Divertida por ele poder ser derrubado com tanta facilidade, ela assentiu com a cabeça.

– É. Pensei nisso por algum tempo. – Curvando-se, beijou-o muito, muito de leve. – O que acha?

Embora tropeçasse, anos de experiência haviam-no ensinado a cair de pé. Estendendo o braço, arrebanhou os cabelos dela numa das mãos.

– Bem, talvez a gente deva... – ele mordiscou o lábio dela.

Ela gostou da forma como a beijou sem na verdade beijá-la, como a abraçou sem de fato abraçá-la. Lembrou como fora quando fizera as duas coisas de cabo a rabo.

– Talvez a gente deva, sim.

Não fizeram nada mais que provocar os lábios um do outro. Olhos abertos, mordiscavam, testavam, tentavam. Não se tocavam. Cada um se habituara a comandar, ter o controle. Perder a vantagem – esse era o principal erro, em assuntos de amor e dinheiro, para ambos.

Desde que mantivessem o comando das rédeas, mesmo frouxo, nenhum dos dois achava que iria perder o controle.

Os lábios aqueceram-se. Os pensamentos nublaram-se. As prioridades mudaram.

Ele apertou a mão nos cabelos dela, e ela agarrou-se à camisa dele. A necessidade tornou-se o líder, e o desejo, o mapa. Cada um se rendeu sem hesitação nem arrependimento.

Por entre espessas e úmidas folhas, ouviram uma explosão gorgolejante e animada de Cyndi Lauper.

Como crianças flagradas com as mãos no fundo do pote de biscoitos, Whitney e Doug separaram-se de um salto. Jacques entoava a música alegre de Cyndi Lauper. Os dois pigarrearam.

– Companhia chegando – comentou Doug, e pegou um cigarro.

– É. – Levantando-se, Whitney passou os dedos para limpar a calça fina e larga. Embora o ar estivesse um pouco úmido de orvalho, o calor já secava o chão. Ela viu raios de sol açoitarem as copas dos ciprestes. – Como eu disse, um lugar assim atrai as pessoas. Bem, acho que vou...

Interrompeu-se surpresa quando ele lhe segurou o tornozelo. – Whitney. – Os olhos eram intensos, como se tornavam quando menos se esperava, os dedos muito firmes. – Um dia, vamos terminar isso.

Ela não estava habituada a receber ordens, e não viu motivo algum para começar naquele momento. Disparou-lhe um olhar demorado e neutro.

– Talvez.

– Com certeza.

O olhar neutro tornou-se uma sugestão de sorriso.

– Douglas, você vai descobrir que eu posso ser muito do contra.

– Você vai descobrir que eu tomo o que quero. – Ele disse isso muito amável, e o sorriso dela se desfez. – É minha profissão.

– Caramba, pessoal, eu consegui alguns cocos para nós.

Aparecendo entre os arbustos, Jacques sacudiu a sacola de rede que trazia.

Whitney riu quando ele tirou um e lançou-o para ela.

– Alguém tem um saca-rolhas?

— Não precisa.

Usando uma pedra, o rapaz bateu-a com força contra o coco. Um camaleão saiu correndo sem um ruído. Com um sorriso, Jacques quebrou a fruta ao meio e entregou-lhe os dois pedaços.

— Que engenhoso!

— Um pouco de rum, e a gente podia ter piña colada.

A sobrancelha arqueada, ela estendeu uma metade a Doug.

— Não seja tão irascível, querido. Tenho certeza de que você também conseguiria trepar num coqueiro.

Rindo, Jacques escavou um pedaço da polpa com uma pequena faca.

— É *fady* comer qualquer coisa branca às quartas-feiras — disse, com uma simplicidade que fez Whitney examiná-lo com mais cuidado. Enfiou o pedaço de coco na boca com uma espécie de prazer culpado. — É pior não comer nada.

Whitney olhou o boné de beisebol, a camiseta e o rádio portátil. Difícil lembrar que ele era nativo de Madagascar e parte de uma tribo antiga. Com Louis dos merinas fora fácil, pois se assemelhava ao papel. Jacques parecia alguém por quem ela passaria nas ruas de Nova York.

— Você é supersticioso, Jacques?

Ele meneou os ombros.

— Peço perdão aos deuses e espíritos. E os mantenho felizes. Enfiando a mão no bolso da frente, retirou o que parecia uma pequena concha numa corrente.

— Um *ody* — explicou Doug, entre divertido e tolerante. Não acreditava em talismãs, mas em fazer sua própria sorte. Ou converter a de outra pessoa em dinheiro. — É como um amuleto.

Whitney examinou-o, intrigada com os contrastes entre a roupa e a fala americanizada de Jacques e sua crença arraigada em tabus e espíritos.

— Para sorte? — ela perguntou.

— Para segurança. Os deuses têm maus humores. — Esfregou a concha entre os dedos e ofereceu-a a Whitney. — Você leva hoje.

— Tudo bem. — Ela deslizou a corrente pelo pescoço. Afinal, pensou, não era tão estranho. O pai levava um pé de coelho tingido de azul-bebê. O amuleto se encaixava no mesmo espírito. — Para segurança.

– Vocês dois podem continuar o intercâmbio cultural depois. Vamos andando.

Ao levantar-se, Doug jogou a fruta de volta para o rapaz. Whitney piscou para Jacques.

– Eu já disse que muitas vezes ele é grosso.

– Não tem problema – repetiu o rapaz, e enfiou a mão no bolso de trás, onde pusera com todo cuidado o caule de uma flor.

Puxando-o, ofereceu-a a Whitney.

– Uma orquídea. – Era branca, um puro e espetacular branco, e tão delicada que parecia que ia dissolver-se na mão dela. – Jacques, que gentil! – Tocou-a na face e enfiou o caule nos cabelos acima da orelha. – Obrigada.

Quando o beijou, ouviu o audível estalo do ato de engolir em seco dele.

– Ficou bonita. – Jacques começou a juntar rápido o equipamento. – Montes de flores em Madagascar. Qualquer flor que quiser, você encontra aqui.

Ainda papeando, juntou os utensílios para levar à canoa.

– Se queria uma flor – resmungou Doug –, bastava se curvar e arrancar uma.

Whitney tocou as pétalas acima da orelha.

– Alguns homens entendem a delicadeza – comentou –, outros não.

Pegando a mochila, seguiu Jacques.

– Delicadeza – resmungou Doug, lutando com o resto dos utensílios. – Tenho uma matilha de lobos no meu encalço e ela quer delicadeza. – Ainda resmungando, extinguiu o fogo a chutes. – Eu podia ter colhido uma droga de flor para ela. Dezenas. – Olhou para trás ao ouvir a risada de Whitney. – Oh, Jacques, que gentil – imitou-a. Com um ronco de repugnância, checou o dispositivo de segurança na arma antes de prendê-la ao cinto. – E também posso quebrar a porra de um coco.

Deu um último chute na fogueira, pegou o material restante e dirigiu-se à canoa.

Quando Remo cutucou a fogueira do acampamento com o bico do sapato caro, não restava mais que uma pilha de cinzas frias. O sol reverberava; não havia alívio do calor à sombra. Ele tirara o paletó e a gravata – coisa que jamais fizera na frente de Dimitri durante as horas de trabalho. A camisa, antes engomada à perfeição, afrouxara-se com o suor. Seguir Lord vinha-se tornando um pé no saco.

– Parece que passaram a noite aqui. – Weis, homem alto, com aparência de banqueiro, o nariz quebrado por uma garrafa de uísque, enxugou o suor da testa. Exibia uma linha de picadas de insetos no pescoço que não parava de atormentá-lo. – Suponho que estejam quatro horas à nossa frente.

– Você é indígena por acaso? – Dando um chute violento no resto da fogueira, Remo virou-se. Pousou o olhar em Barns, que tinha a cara de lua vincada de sorrisos. – Do que está rindo, seu babaca?

Mas Barns não parara de rir desde que Remo lhe mandara cuidar do capitão de Madagascar. O chefe sabia que ele cumprira a ordem, mas mesmo um homem com a experiência de Remo não quis saber dos detalhes. Era do conhecimento de todos que Dimitri nutria uma afeição especial por Barns, como a que se tem por um cachorro meio retardado que joga galinhas mutiladas e pequenos roedores destroçados aos pés das pessoas. Também sabia que Dimitri muitas vezes deixava Barns cuidar dos empregados por ocasião da demissão. O patrão não acreditava em seguro-desemprego.

– Vamos – disse Remo, curto e grosso. – Vamos pegar os dois antes do pôr do sol.

Whitney aninhara-se confortavelmente entre as mochilas. Sombras alongadas dos ciprestes e eucaliptos se projetavam nas dunas ao longo do canal e no espesso matagal no lado oposto. Finos juncos marrons ondulavam na corrente. De vez em quando, uma garça nova assustada dobrava as patas e alçava voo mato adentro com um ruído sibilante de asas e pressa. Flores lançavam-se para cima, profusas em alguns lugares, vermelhas, laranja e amarelo-queimado. Borboletas, às vezes solitárias, às vezes em bandos, precipitavam-se e adejavam as asas em volta das pétalas. Sua cor era uma chama em contraste com a vegetação e o marrom de esterco do canal. Aqui e ali, crocodilos jaziam em margens inclinadas, tomando sol. A maioria mal virava a cabeça quando a canoa passava. Com a aba do boné de Jacques protegendo os olhos, ela se deitara atravessada na canoa, os pés apoiados na borda. A longa vara de pesca que o rapaz confeccionara estendia-se frouxa nas suas mãos enquanto ela quase cochilava.

Decidiu que descobrira o que o travesso personagem Huck Finn de Mark Twain achava tão fascinante em flutuar rio Mississippi abaixo. Grande parte era a preguiça até os ossos, e o restante, aventura de arregalar os olhos. Uma combinação deliciosa.

– O que planeja fazer se um peixe pular e morder esse alfinete de segurança torto?

Sem se apressar, ela esticou os ombros.

– Ora, jogo direto no seu colo, Douglas. Sei que você sabe exatamente o que fazer com um peixe.

Jacques dava longas remadas, que fariam o coração de um aluno da Universidade de Yale tamborilar de orgulho. Tina Turner ajudava-o no ritmo.

– Minha comida... – Ele abanou a cabeça. – Muito ruim. Quando eu me casar, tenho de me certificar antes que minha mulher cozinha e bem. Como minha mãe.

Whitney deixou escapar um ronco por baixo da aba do boné. Uma mosca pousara no seu joelho, mas exigia muito esforço rechaçá-la com a mão.

– Mais um homem cujo coração é o estômago.

– Escute, o rapaz tem razão. Comer é importante.

– Para você, é mais como uma religião. Cozinha com a tradição e o respeito certos, ou não cozinha. – Ela mudou a posição da aba para ver Jacques melhor. Jovem, pensou, rosto bem-humorado, bonito, corpo musculoso. Não acreditava que tivesse alguma dificuldade para atrair as meninas. – Então, põe o estômago no mesmo nível que o coração. O que acontece se você se apaixonar por uma garota que não sabe cozinhar?

Jacques pensou na pergunta. Tinha apenas 20 anos, e as respostas não eram tão fáceis e básicas como a vida. Deu-lhe um sorriso juvenil, inocente e presunçoso o bastante para fazê-la rir.

– Levo à casa da minha mãe para aprender.

– Muito sensato – concordou Doug.

Interrompeu o ritmo das remadas para pôr um pedaço de coco na boca.

– Imagino que nunca tenha pensado em aprender a cozinhar.

Whitney observou o rapaz ruminar a ideia, enquanto trabalhava nos remos com os braços esguios e fortes. Sorrindo-lhe, ela deslizou um dedo pela concha aninhada pouco acima dos seios.

– Em Madagascar a mulher prepara as refeições.

– E entre as refeições, toma conta da casa, dos filhos e cultiva os campos, imagino – completou Whitney.

Jacques assentiu com a cabeça e, sorrindo, disse:

– Mas também toma conta do dinheiro.

Whitney sentiu o volume da carteira no bolso de trás.

– *Isso* é muito sensato – ela concordou, sorrindo para Doug.

Com o envelope seguro no bolso, ele comentou:

– Achei que você ia gostar.

– Mais uma vez, é apenas uma questão de as pessoas fazerem o que melhor lhes convém. – Ia recostar-se de novo quando a linha vibrou. De olhos arregalados, sentou-se ereta. – Meu Deus, acho que peguei um!

– Um o quê?

– Um peixe! – Agarrando com força a vara de pescar, ela viu a linha inclinar-se. – Um peixe! – repetiu. – Um peixe danado de grande.

Um sorriso dividiu o rosto de Doug quando viu a linha improvisada retesar-se.

– Filho da mãe. Agora, calma – aconselhou quando ela se esforçou para ficar de joelhos e balançou o barco. – Não solte, é o prato principal desta noite.

– Não vou soltar – respondeu Whitney entre dentes. E não queria, mas não tinha a menor ideia do que fazer em seguida. Após outro instante de luta, virou-se para Jacques. – E agora?

– Puxe devagar. É um safado grande. – Estendendo o remo na canoa, foi até ela com movimentos leves que mantiveram o barco firme. – Sim, senhor, comeremos esta noite. Ele vai lutar. – Pôs a mão no ombro dela enquanto olhava pela lateral. – Está pensando na frigideira.

– Vamos, benzinho, você consegue. – Doug largou os remos atrás, engatinhou até o centro e firmou-se. – Basta puxar.

Ele o cortaria em filés e serviria num leito de arroz soltinho.

Estonteada, empolgada, decidida, Whitney prendeu a língua entre os dentes. Se um dos dois se oferecesse para pegar a vara, teria rosnado. Usando os músculos dos braços, que lembrava ter apenas durante uma ou outra breve partida de tênis, tirou o peixe da água.

Debatendo-se no fim da linha, ele refletia o brilho do sol do cair da tarde. Não passava de uma truta, contorcia-se num frenesi, mas por um instante pareceu régio, um lampejo prateado em contraste com o azul do céu crepuscular. Whitney soltou um grito agudo e caiu sentada.

– Não solte agora!

– Ela não vai soltar. – Estendendo o braço, Jacques pegou a linha entre o polegar e os outros dedos, e puxou-a devagar para dentro. O peixe balançava para a frente e para trás como uma bandeira na brisa. – O que acha disso? Uma grande sorte.

Ele riu, peixe na mão, enquanto Tina Turner rangia uma melodia saída do estéreo às suas costas.

Aconteceu muito rápido. Mesmo assim, enquanto vivesse, Whitney lembraria o instante como se houvesse sido captado quadro a quadro em filme. Num momento, Jacques ali em pé, brilhando com saudável suor e triunfo. A risada dela ainda pairava no ar. No instante seguinte, ele desabava na água. A explosão nem sequer chegou a registrar-se em sua mente.

– Jacques? – Tonta, ela ficou de joelhos.

– Para baixo.

Doug prendeu-a embaixo de si, de modo que a respiração dela saiu em arquejos. Manteve-a assim, enquanto o barco balançava e ele rezava para que não emborcasse.

– Doug?

– Deitada imóvel, entendeu?

Mas ele não a olhava. Embora com a cabeça apenas a centímetros da dela, examinava a margem nos dois lados do canal. O matagal era espesso o suficiente para esconder um exército. Onde diabos estavam? Mantendo os movimentos vagarosos, pegou a arma no cinto.

Quando Whitney a viu, deslocou a cabeça à procura de Jacques.

– Ele caiu? Achei ter ouvido um... – Quando viu a resposta nos olhos de Doug, curvou-se como um arco.

– Não! – Debateu-se, quase derrubando a arma da mão dele ao tentar levantar-se. – Jacques! Oh, meu Deus!

– Fique abaixada. – Doug deu a ordem entre os dentes, imobilizando as pernas dela com as suas. – Você não pode fazer nada por ele agora. – Como Whitney continuou lutando, ele enterrou os dedos com força o suficiente para machucá-la. – Ele está morto, droga. Morreu antes de chegar à água.

Quando o encarou, ela tinha os olhos arregalados, marejados. Sem uma palavra, fechou-os e deitou-se imóvel.

Embora ele sentisse culpa e dor, lidaria com elas depois. Agora se voltava para o que era prioridade. Ficar vivo.

Não ouvia nada além do suave marulho da água, enquanto o barco era levado pela corrente. Eles podiam estar em qualquer uma das margens, pelo que Doug sabia. O que não entendia era por que não haviam simplesmente crivado a canoa de balas. O fino casco externo não seria proteção alguma.

Tinham ordens para levá-los vivos. Doug olhou de relance Whitney, que continuava imóvel e passiva, olhos fechados. Ou levar um deles vivo, ele concluiu.

Dimitri devia estar curioso em relação a uma mulher como Whitney MacAllister. Saberia tudo o que havia para saber sobre ela a essa altura. Não, não iria querê-la morta. Iria querer entretê-la por algum tempo – ser entretido por ela – e depois pedir resgate para entregá-la. Não iriam disparar na canoa, mas apenas esperar que saíssem. A primeira coisa a fazer era descobrir onde esperavam. Doug já sentia o suor empoçando-se entre as escápulas.

– É você, Remo? – gritou. – Continua pondo demais essa colônia elegante. Sinto o cheiro daqui. – Esperou um instante, esforçando-se para ouvir algum ruído. – Dimitri sabe que tenho obrigado você a correr em círculos?

– É você quem está correndo, Lord.

À esquerda. Não sabia ainda aonde ia, mas sabia que tinham de chegar à margem oposta.

– É, talvez eu esteja reduzindo a marcha. – Verificando diferentes ângulos, Doug continuou a falar. Os pássaros que haviam fugido para o céu, gritando ao ruído do disparo, mais uma vez se acalmaram. Alguns haviam retomado a tagarelice ociosa. Viu que Whitney abrira os olhos, mas não se mexia. – Talvez seja hora de a gente fazer um trato, Remo. Com o que eu pegar, você poderia encher uma piscina dessa colônia francesa. Já pensou em abrir um negócio próprio, Remo? Você tem miolos. Não anda cheio de receber ordens e fazer o trabalho sujo de outra pessoa?

– Você quer conversar, Lord? Reme até aqui. Teremos uma agradável reunião de trabalho.

– Ir até aí para você pôr uma bala no meu cérebro, Remo? Por favor, não insultemos a inteligência um do outro.

Talvez, apenas talvez, pudesse pôr uma das varas na água e guiar o barco. Se conseguisse esperar até o crepúsculo, talvez tivessem uma chance.

– É você quem quer negociar, Lord. O que tem em mente?

– Tenho os papéis, Remo. – Com toda delicadeza, abriu a mochila. Também tinha uma caixa de balas. – E arranjei uma dama classuda. As duas coisas valem muito mais do que todo o dinheiro que você já viu. – Disparou um olhar a Whitney, que o encarava, pálida e com os olhos opacos. – Dimitri contou que arranjei uma herdeira, Remo? MacAllister. Sabe o sorvete MacAllister? Melhor sorvete cremoso dos Estados Unidos. Sabe quantos milhões eles ganham só com sorvete cremoso, Remo? Sabe quanto o velho dela pagaria para tê-la de volta ilesa?

Deslizou a caixa de balas para o bolso, sob o olhar de Whitney.

– Coopere comigo, benzinho – disse, ao conferir se a arma estava toda carregada. – Nós dois talvez saiamos vivos. Vou dar a ele uma lista dos seus atributos. Quando der, quero que comece a me xingar, balançar o barco, fazer uma cena. Enquanto faz isso, pega aquela vara. Certo?

Sem expressão, ela assentiu com a cabeça.

– Ela não tem muita carne, mas aquece para valer os lençóis, Remo. E não é muito seletiva na escolha de quem os aquece. Entende o que quero dizer? Não tenho o menor problema em dividir a riqueza.

– Seu filho da puta podre. – Com um grito estridente, que deixaria uma vendedora de peixes orgulhosa, Whitney exibiu sua raiva. Ele não pretendera que ela se pusesse ao alcance de tiros e tentou agarrá-la. Agitada, ela golpeou-lhe a mão e afastou-a. – Você não tem o mínimo de educação – gritou. – Absolutamente nenhuma classe. Eu preferiria dormir com uma lesma a deixar você deitar na minha cama.

Na luz que se esvaía, Whitney estava magnífica, veemente, os cabelos ondulando-se atrás, olhos sombrios. Ele não teve a menor dúvida de que a atenção de Remo se fixava nela.

– Pegue a vara e não seja tão pessoal, porra – resmungou.

– Acha que pode falar assim comigo, seu verme?

Agarrando a vara, Whitney ergueu-a acima da cabeça.

– Bom, muito bom, agora... – Doug interrompeu-se quando percebeu a expressão no rosto dela. Vira vingança nos olhos de uma mulher antes. Automaticamente, levantou uma das mãos. – Ei, espere um minuto – começou quando a vara veio abaixo numa pancada. Ele rolou para o lado a tempo de ver Weis vir na direção do barco, com uma pequena e escura jangada. Teriam emborcado se Whitney não se houvesse desequilibrado e caído metade para a outra ponta, endireitando mais uma vez a canoa.

– Meu Deus, abaixe-se.

Mas o aviso terminou numa lufada de ar ruidosa, quando ele começou a lutar com Weis.

O golpe de Whitney acertara o homenzarrão no ombro, derrubando sua arma para o lado, porém mais o irritara que machucara. Além de lembrar-lhe a sensação de ter o nariz quebrado. Ela tornou a erguer a vara e a teria trazido abaixo de novo, mas Doug rolou para cima dele. O barco oscilou, permitindo a entrada de água. Ela viu o corpo de Jacques flutuando na superfície do canal antes de congelar o coração e lutar pela vida.

– Pelo amor de Deus, saia da linha de tiro – ela gritou, e logo caiu para trás quando o barco balançou violentamente.

Na margem, Remo empurrou Barns para o lado.

– Lord é meu, seu canalhazinha. Lembre-se disso. Pegando a arma, apontou e esperou.

Parecia um jogo, pensou Whitney, sacudindo a cabeça para clarear os pensamentos. Dois garotos crescidos demais lutando num barco. A qualquer momento um deles talvez gritasse "tio", depois bateriam a sujeira com as mãos e continuariam à procura de outras diversões.

Tentou levantar-se de novo, mas quase caiu pela borda. Via a arma ainda na mão de Doug, mas o outro o excedia em peso pelo menos uns 20 quilos. Equilibrando-se nos joelhos, agarrou mais uma vez a vara.

— Droga, Doug, como posso esmagar esse cara com você deitado em cima dele? Mexa-se!

— Claro. — Arfando, ele conseguiu arrancar a mão de Weis de sua garganta. — Só me dê um minuto.

Então Weis atingiu-o na mandíbula, jogando a cabeça dele para trás. Doug sentiu gosto de sangue.

— Você quebrou a porra do meu nariz – disse Weis, arrastando-o para pô-lo em pé.

— Era você?

Ali ficaram, pernas firmadas, e Weis começou a virar o cano da arma de Doug para o rosto dele.

— É. E eu vou arrancar o seu à bala.

— Escute, não leve para o lado pessoal.

Firmando os pés, Doug teve certeza de que sentiu alguma coisa rasgar-se por dentro do seu ombro esquerdo. Mas só pensaria nisso depois, quando o tambor de uma arma não o encarasse.

O suor escorria-lhe enquanto lutava para impedir que o dedo de Weis escorregasse sobre o gatilho. Viu o sorriso e amaldiçoou que fosse a última coisa que veria. Bruscamente, Weis arregalou os olhos e logo expeliu com força ar pela boca quando Whitney empurrou a vara certeira em seu estômago.

Agarrando Doug na tentativa de equilibrar-se, Weis mexeu-se.

Tornara-se o escudo de Doug no instante em que Remo disparara da margem. Com um olhar de surpresa, caiu como uma pedra na lateral da canoa. Quando Whitney menos esperava, já engolia água.

No primeiro pânico, subiu à superfície, engasgando-se e debatendo-se.

– Pegue as mochilas – gritou Doug, empurrando-as para ela, enquanto pisava ao lado da canoa emborcada. Duas balas atingiram a água a centímetros de sua cabeça. – Meu Deus! – Ele viu abrirem-se e fecharem-se as mandíbulas do primeiro crocodilo no torso de Weis. E ouviu o nauseante ruído de carne rasgando-se e ossos quebrando-se. Com um avanço frenético, cerrou os dedos em volta da alça de uma mochila. A outra flutuava pouco além do alcance. – Ande! – tornou a gritar. – Vá para a margem.

Ela também viu o que restou de Weis e nadou às cegas. Uma névoa vermelha fosca flutuava acima da água parda. O que não viu, até quase estar em cima dele, foi o segundo crocodilo.

– Doug!

Ele virou-se a tempo de ver as mandíbulas abertas. Disparou cinco tiros à queima-roupa antes de elas tornarem a fechar-se e afundarem numa poça vermelha.

Havia mais. Doug apalpou-se à procura da caixa de balas, sabendo que jamais acertaria todos eles. Num movimento desesperado, meteu-se entre Whitney e um crocodilo que se aproximava, erguendo primeiro a coronha. Esperou o impacto, a dor. O réptil preparou-se para o ataque, os beiços repuxados para trás em ameaçador rosnado. O topo da cabeça explodiu a menos de um braço de distância. Antes que ele pudesse reagir, outros três crocodilos passaram debaixo d'água, rabeando. Havia um redemoinho de sangue ao redor.

Os tiros não haviam vindo de Remo. Mesmo ao virar-se em direção à margem, Doug soube disso. Haviam vindo de mais ao sul. Um dos dois tinha uma fada madrinha ou alguém mais estava no encalço deles. Entreviu um movimento e o vislumbre de um panamá branco. Quando percebeu que Whitney continuava bem atrás, não parou para pensar duas vezes.

– Vá, droga.

Agarrou-a pelo braço e puxou-a em direção à margem. Ela não olhou para trás, mas apenas forçou as pernas a impulsioná-la até a margem.

Doug a arrastou pelos juncos molhados na beira do canal e mato adentro. Arfando, sentindo dor, escorou-se no tronco de uma árvore.

– Ainda tenho os papéis, seu filho da puta! – gritou para o outro lado do canal. – Ainda tenho. Por que não dá uma nadada pelo canal e tenta tirá-los de mim? – Por um momento, fechou os olhos e apenas se esforçou para recuperar o fôlego. Ouviu Whitney ao seu lado vomitando água do canal. – Diga a Dimitri que tenho os papéis e que devo uma a ele. – Limpou todo o sangue da boca e cuspiu. – Entendeu, Remo? Diga que devo uma a ele. E, por Deus, ainda não estou liquidado.

Contraindo-se de dor, esfregou o ombro que torcera com força durante a luta com Weis. Tinha as roupas emplastradas no corpo, molhadas, cobertas de sangue e fedendo a lama. No canal, a alguns metros dali, crocodilos disputavam o que restava, em frenesi. A arma continuava na mão, vazia. Deliberadamente, pegou a caixa de balas e recarregou-a.

– Muito bem, Whitney, vamos...

Ela estava encolhida como uma bola ao lado dele, a cabeça nos joelhos. Embora não emitisse som algum, ele viu que chorava. Confuso, passou-lhe a mão pelos cabelos.

– Escute, Whitney, não se entregue.

Ela não se mexeu, não falou. Doug baixou os olhos para a arma na mão. Enfiou-a com força de volta na cintura.

– Vamos, querida. Temos de nos mexer.

Ia abraçá-la, mas ela o empurrou para trás.

Embora lágrimas escorressem livres pelo rosto, os olhos queimavam quando o olhou.

– Não me toque. É você que tem de se mexer, Lord. Foi feito para isso. Mexer-se, fugir. Por que apenas não leva esse envelope tão importante e se manda? Tome. – Enfiando a mão no bolso, ela lutou para tirar a carteira da calça grudada. Atirou-a nele. – Leve isto também. É só o que lhe interessa, só no que pensa. Dinheiro. – Não se deu o trabalho de enxugar as lágrimas, mas encarou-o por trás delas. – Não tem muito dinheiro vivo aí, apenas umas centenas, mas tem vários cartões. Leve tudo.

Era o que ele quisera o tempo todo, não? O dinheiro, o tesouro e nenhum parceiro. Estava mais perto que nunca, sozinho chegaria mais rápido e ficaria com o pote todo só para si. Era o que quisera o tempo todo.

Largou a carteira de volta no colo dela e tomou-lhe a mão.

– Vamos nos mexer.

– Eu não vou com você. Vá atrás do seu pote de ouro sozinho, Douglas. – A náusea avolumou-se no estômago e subiu para a garganta. Ela engoliu-a. – Cuide para que possa viver com isso agora.

– Não vou deixar você aqui sozinha.

– Por que não? – ela rebateu. – Deixou Jacques lá atrás. – Olhou em direção ao rio e recomeçou a tremedeira. – Você o deixou. Me deixe. Qual é a diferença?

Ele agarrou-lhe os ombros com bastante força para fazê-la estremecer.

– Ele estava morto. Não podíamos fazer nada.

– Nós o matamos.

A ideia já lhe ocorrera antes. Talvez por causa disso, segurou-a com mais força.

– Não. Tenho bagagem suficiente para carregar sem isso. Dimitri o matou da mesma maneira que mata uma mosca na parede. Porque não significa mais que isso para ele. Matou sem nem mesmo saber o nome dele, porque matar não o faz suar nem o deixa nauseado. Nem sequer se pergunta quando vai ser sua vez.

– Você se pergunta?

Ele ficou imóvel um instante, a água pingando dos cabelos.

– Sim, droga, eu me pergunto.

– Ele era tão jovem. – A respiração falhou quando ela agarrou a camisa dele. – Tudo que queria era ir para Nova York. Jamais chegará lá. – Outras lágrimas derramaram-se, mas dessa vez ela começou a soluçar junto. – Jamais vai chegar a lugar algum. E tudo por causa desse envelope. Quantas pessoas morreram por isso? – Apalpou a concha, o *ody* de Jacques para dar segurança, sorte e tradição. Chorou até sentir a dor do pranto, mas a da perda não passou. – Ele morreu por causa desses papéis, e nem sequer sabia que existiam.

– Vamos seguir esta coisa até o fim – disse Doug, puxando-a mais para perto. – E vamos vencer.

— Por que diabos isso tem tanta importância?

— Quer razões? — Ele afastou-a para ficar com o rosto a centímetros do dela. Olhos endurecidos, respiração rápida. — São muitas. Porque pessoas morreram por esse tesouro. Porque Dimitri o quer. Vamos vencer, Whitney, porque não vamos deixar Dimitri nos derrotar. Por causa da morte desse rapaz, para que ele não tenha morrido por nada. Não é só o dinheiro agora. Merda, nunca é só o dinheiro, você não entende? É a vitória. É sempre a vitória, e fazer Dimitri suar porque vencemos.

Ela deixou-o puxá-la, envolvê-la com os braços e embalá-la.

— A vitória. Tão logo a gente deixa de se importar com ela, está morto. — Isso ela entendia, porque também sentia essa necessidade.

— Não vai ter nenhum *fadamibana* para Jacques — murmurou. — Nenhuma festa em sua homenagem.

— A gente faz uma para ele. — Doug acariciou os cabelos dela, lembrando a expressão de Jacques quando segurara o peixe. — Uma verdadeira festa em Nova York.

Ela assentiu com a cabeça e encostou seu rosto na garganta dele um instante.

— Dimitri não vai escapar impune a isso, Doug. A isso, não. Vamos vencê-lo.

— É, vamos vencê-lo. — Afastando-a, ele se levantou. Haviam perdido a mochila dele no canal, e com ela a barraca e os utensílios para cozinhar. Içando a dela, prendeu-a nas costas. Molhados, exaustos, ainda sentiam a tristeza pela morte do rapaz. Doug estendeu-lhe a mão. — Mexa o traseiro, benzinho.

Extenuada, ela se levantou e enfiou a carteira de volta no bolso. Fungou, sem elegância.

— Vá ver se estou na esquina, Lord.

Seguiram para o norte na luz que se esvaía ao cair da tarde.

12

Haviam escapado de Remo, mas sabiam que ele os perseguia, e por isso não pararam. Caminharam enquanto o sol se punha e a floresta adquiria as luzes que só os artistas e os poetas entendiam. No crepúsculo, com o ar ficando cinza-perolado pela névoa e o orvalho que caía, caminharam em silêncio. O céu escureceu e enegreceu antes de a lua subir, uma bola majestática, branca como osso. As estrelas brilhavam iguais a joias de outra era.

O luar transformou a floresta num conto de fadas. Sombras baixaram e deslocaram-se. As flores fecharam as pétalas e dormiam como animais que apenas a noite agitava. Ouviram um adejar de asas, uma sacudida de folhas e alguma coisa gritar no mato. Caminharam.

Quando Whitney sentia vontade de enroscar-se numa bola de entorpecida exaustão, pensava em Jacques. Cerrando os dentes, continuava.

– Me fale de Dimitri.

Doug parou apenas o suficiente para pegar a bússola no bolso e verificar a direção. Vira-a manuseando a concha quando partira e durante a caminhada, mas ficara sem palavras de conforto.

– Já falei.

– Não o bastante. Me fale mais.

Ele reconheceu o tom de voz. Ela queria vingança. E vingança, Doug sabia, era uma ambição perigosa. Podia cegar a visão para as prioridades – como manter-se saudável.

– Apenas aceite minha palavra, você não precisa saber de mais nada.

– Você se engana. – Embora ofegante, a voz de Whitney saiu inalterada e firme. Ela limpou o suor da testa com as costas da mão. – Me fale sobre o nosso Sr. Dimitri.

Ele perdera a noção dos quilômetros que haviam percorrido, até das horas. Só sabia de duas coisas: haviam posto distância entre eles e Remo e precisavam descansar.

— Vamos acampar aqui. Devemos nos enfiar bem fundo no palheiro.

— Palheiro.

Ela afundou agradecida no chão macio. Se fosse possível, as pernas teriam chorado de alívio.

— Somos a agulha, este é o palheiro. Tem alguma coisa aí que podemos usar?

Whitney retirou da mochila a maquiagem, calcinhas de renda, roupas já rasgadas, sujas ou arruinadas, e o que restara na sacola de frutas que comprara em Antananarivo.

— Duas mangas e uma banana muito maduras.

— Pense nisso como uma salada Waldorf — aconselhou Doug, pegando uma das mangas.

— Tudo bem. — Ela fez o mesmo e esticou as pernas. — Dimitri, Doug. Me fale.

Ele esperava fazê-la pensar em outra coisa. Devia ter imaginado que não conseguiria.

— Dimitri poderia fazer Nero parecer um coroinha de igreja. Gosta de poesia e filmes pornôs.

— Gosto eclético.

— É. Coleciona antiguidades... especialmente instrumentos de tortura. Você sabe, parafusos de aperto manual para polegares.

Whitney sentiu o polegar direito latejar.

— Fascinante.

— Claro, Dimitri é verdadeiramente fascinante. Tem predileção por coisas bonitas e macias. As duas mulheres dele eram de uma beleza estonteante. — Deu-lhe uma olhada direta e demorada. — Gostaria de sua classe.

Ela tentou não estremecer.

— Então casou-se.

— Duas vezes — explicou Doug. — E enviuvou tragicamente duas vezes, se entende o que quero dizer.

Ela entendeu e mordeu a fruta, pensativa.

— O que o torna tão... bem-sucedido? — escolheu o termo por falta de outro melhor.

— Inteligência e um veio de maldade fria como aço. Eu soube que pode recitar poemas enquanto espeta alfinetes entre os dedos de alguém.

Ela perdeu o apetite pela fruta.

— Poesia e tortura?

— Ele não apenas mata, mas executa, e executa com ritual. Mantém um estúdio de primeira classe onde grava as vítimas antes, durante e depois.

— Oh, meu Deus! — Ela examinou o rosto de Doug, querendo acreditar que ele criava uma história. — Não está inventando.

— Não tenho tanta imaginação assim. A mãe dele era professora, eu soube de ouvir falar. — O suco pingou-lhe do queixo e Doug limpou-o, distraído. — Dizem que quando ele não soube recitar algum poema, Byron ou algo assim, acho, ela cortou o dedo mindinho dele.

— Ela... — Whitney engasgou-se e forçou-se a engolir. — A mãe cortou o dedo dele porque não soube recitar?

— É a história que se conta nas ruas. Parece que era religiosa e misturava um pouco poesia e teologia. Imaginou que, se o filho não sabia citar Byron, estava sendo sacrílego.

Por um instante, ela esqueceu o horror e as mortes pelas quais Dimitri fora responsável. Pensou num menino.

— Que coisa horrível! Ela devia ter sido internada.

Ele queria fazê-la evitar a vingança, mas não queria substituí-la por pena. Uma era tão perigosa quanto a outra.

— Dimitri cuidou disso também. Quando saiu de casa para começar seu... negócio, provocou um incêndio. Ateou fogo no prédio inteiro de apartamentos onde morava a mãe.

— Matou a própria mãe?

— A mãe... e vinte ou trinta outras pessoas. Não tinha nada contra elas, entenda. Apenas estavam lá na hora, por acaso.

— Vingança, diversão ou lucro — murmurou Whitney, lembrando os primeiros pensamentos sobre assassinato.

— Isso mais ou menos resume tudo. Se existir essa coisa de alma, Whitney, a de Dimitri é preta e com furúnculos.

— Se existir essa coisa de alma — ela repetiu —, vamos ajudar a dele a ir para o inferno.

Doug não riu. Ela dissera isso baixo demais. Examinou-lhe o rosto, pálido e cansado no claro luar. Falara a sério. Ele já era responsável indireto pela morte de duas pessoas. Nesse momento, assumiu a responsabilidade por Whitney. Outra primeira vez para Doug Lord.

– Benzinho – Mudou de posição para sentar-se ao lado dela –, a primeira coisa que temos de fazer é continuar vivos. A segunda é chegar ao tesouro. É só o que precisamos para fazer Dimitri pagar.

– Não basta.

– Você é nova nisso. Escute, a gente acerta um chute quando pode e depois se retira. Esta é a maneira de continuar no negócio. – Ela não escutava. Inquieto, Doug tomou a uma decisão. – Talvez seja hora de você dar uma olhada nos papéis.

Não precisou ver o rosto dela para saber que ficou surpresa. Sentiu pela forma como ela mexeu o ombro junto ao seu.

– Ora, ora – disse Whitney, baixinho. – Abra o champanhe.

– Seja esperta demais e eu talvez mude de ideia. – Aliviado com o sorriso dela, ele enfiou a mão no bolso. Com toda a reverência, segurou o envelope. – Esta é a chave – disse. – A maldita chave. E vou usá-la para enfiar na fechadura que nunca consegui arrombar.

Retirando os papéis um a um, alisou-os.

– A maioria em francês, como a carta – murmurou. – Mas alguém já traduziu boa parte. – Hesitou mais um instante e entregou-lhe uma folha amarelada, lacrada em plástico transparente. – Veja a assinatura.

Whitney pegou-a e passou os olhos pelo texto.

– Meu Deus!

– É. Que eles comam brioches. Parece que ela enviou a mensagem poucos dias antes de ser levada prisioneira. A tradução está aqui.

Mas Whitney já lia a primeira linha escrita de próprio punho pela trágica rainha.

– Leopoldo me decepcionou – murmurou.

– Leopoldo II, imperador do Sacro Império Romano e irmão de Maria.

Ela ergueu o olhar para Doug.

– Você fez o dever de casa.

– Gosto de conhecer os fatos de qualquer serviço. Tenho me aprofundado na Revolução Francesa. Maria vinha tentando mobilizar políticos e lutava para manter sua posição. Não teve sucesso. Quando escreveu isso, sabia que estava quase liquidada.

Com apenas um assentimento de cabeça, Whitney retornou à carta.

"Ele é mais imperador que irmão. Sem sua ajuda, tenho poucos a quem recorrer. Não posso lhe dizer, meu caro mordomo, da humilhação de nosso forçado retorno de Varennes. Meu marido, o rei, disfarçado de criado comum, e eu... é vergonhoso demais. Ser detidos, presos e levados de volta a Paris como criminosos por soldados armados. O silêncio assemelhava-se à morte. Embora respirássemos, era um cortejo fúnebre. A Assembleia disse que o rei fora sequestrado e já revisava a constituição. Essa conspiração foi o início do fim.

"O rei acreditou que Leopoldo e o rei prussiano interviriam. Comunicou ao seu agente, Le Tonnelier, que as coisas ficariam bem melhores assim. Uma guerra estrangeira, Gerald, deve apagar os incêndios dessa agitação civil. A burguesia girondina revelou-se incapaz e teme as pessoas que seguem Robespierre, o demônio. Você sabe que, embora a guerra tenha sido declarada na Áustria, nossas expectativas não foram satisfeitas. As derrotas militares do passado demonstraram que os girondinos não compreendem como é conduzir uma guerra.

"Agora se fala em julgamento... seu rei em julgamento, e temo pela vida dele. Temo, meu confiável Gerald, pela vida de todos nós.

"Preciso agora pedir sua ajuda, depender de sua lealdade e amizade. Não tenho condições de fugir, portanto preciso esperar e confiar. Peço-lhe, Gerald, que receba isto que meu mensageiro lhe leva. Guarde-o. Tenho de depender de seu amor e de sua lealdade, agora que tudo desmorona à minha volta. Fui traída, demasiadas vezes, mas às vezes é possível transformar a traição em vantagem.

"Esta pequena parte do que é meu como rainha, eu a confio a você. Talvez seja necessário pagar pela vida de meus filhos. Se os burgueses forem bem-sucedidos, eles também cairão. Receba o que é meu, Gerald Lebrun, e guarde-o para os meus filhos, e os deles. Chegará o tempo em que mais uma vez ocuparemos nosso lugar legítimo. Você precisa esperá-lo."

Whitney olhava as palavras escritas por uma obstinada mulher que tramara e manobrara, em direção à própria morte. Mesmo assim, fora mulher, mãe, rainha.

– Tinha apenas mais alguns meses de vida – murmurou. – Me pergunto se ela sabia.

E ocorreu-lhe que a própria carta deveria estar guardada em segurança atrás de um vidro, em algum canto arrumado do museu do Instituto Smithsonian. É no que teria acreditado Lady Smythe-Wright. Por isso fora muito tola ao dá-la com o restante a Whitaker. Agora estavam os dois mortos.

– Doug, você faz ideia de como isso é valioso?

– É exatamente o que vamos descobrir, benzinho – ele resmungou.

– Pare de pensar em dinheiro. Quero dizer em termos culturais, históricos.

– É, vou comprar um carregamento de cultura.

– Ao contrário da crença popular, não se pode comprar cultura. Doug, o lugar disso é num museu.

– Depois que eu pegar o tesouro, doarei cada folha. Vou precisar de alguns abatimentos no imposto de renda.

Whitney balançou a cabeça e encolheu os ombros.

– O que mais tem aí?

– Páginas de um diário, parecem com as escritas pela filha de Gerald.

Ele lera as partes traduzidas, que eram sinistras. Sem uma palavra, entregou uma delas a Whitney. Datada de 17 de outubro de 1793, a caligrafia jovem e as palavras simples demonstravam um medo sombrio e uma confusão atemporal. A redatora vira a rainha ser executada.

"Ela parecia pálida, simples e muito velha. Trouxeram-na numa carroça pelas ruas, como uma prostituta. Não revelava medo algum quando subiu os degraus. Mamãe disse que ela foi rainha até o fim. As pessoas se amontoavam em volta e mercadores vendiam produtos como numa feira. Cheirava a animais, e as moscas chegavam em nuvens. Vi outras pessoas puxadas em carroças pelas ruas, como ovelhas. Mademoiselle Fontainebleau estava entre elas. No ano passado comia bolos com mamãe no salão.

"Quando a lâmina desceu no pescoço da rainha, as pessoas aplaudiram. Papai chorou. Jamais o vi chorar antes e não pude fazer nada, além de segurar sua mão. Vendo aquelas lágrimas, senti medo, mais medo do que quando vi as carroças ou olhei para a rainha. Se papai chorava, o que ia acontecer a nós? Naquela mesma noite deixamos Paris. Acho que talvez nunca torne a vê-la, nem meu lindo quarto que dá para o jardim. O belo colar de ouro e safira de mamãe foi vendido. Papai nos disse que partiremos numa longa viagem e precisaremos ser valentes."

Whitney passou para outra página, datada de três meses depois.

"Ando quase morta de enjoo. O barco oscila, balança e fede da sujeira dos conveses miseráveis. Papai também adoeceu. Durante algum tempo, tememos que morresse e ficássemos sozinhas. Mamãe reza e, às vezes, quando ele tem febre, não saio de perto e seguro sua mão. Parece fazer muito tempo desde quando éramos felizes. Mamãe tem emagrecido e os lindos cabelos de papai ficam mais brancos a cada dia.

"Deitado na cama, ele me mandou trazer uma pequena caixa de madeira. Parecia simples, como uma na qual uma menina camponesa poderia esconder suas quinquilharias. Disse-nos que a rainha enviara a ele, pedindo que guardasse. Um dia, retornaremos à França e entregaremos o conteúdo ao novo rei em nome dela. Cansada, enjoada, quis me deitar, mas papai fez mamãe e eu jurarmos que cumpriríamos o juramento dele. Depois de jurarmos, ele abriu a caixa.

"Vi a rainha usar essas coisas, com um penteado armado e o rosto brilhando de alegria. Na caixa simples, o colar de esmeraldas que vi uma vez em seu pescoço parecia captar a luz das velas e refleti-las nas outras joias. Havia um anel de rubi com diamantes semelhantes a uma explosão de estrelas e um bracelete de esmeraldas para combinar com o colar. Além de pedras ainda para serem montadas.

"Mas, quando olhei, meus olhos ficaram ofuscados. Vi um colar de diamantes mais lindo que todo o resto. Era montado em fileiras, mas cada pedra, algumas das maiores que já vi, parecia ter vida independente. Eu me lembro de mamãe falando sobre o escândalo envolvendo o cardeal de Rohan e um colar de diamantes. Papai me disse que o cardeal fora enganado, a rainha usada, e o colar desaparecera.

Mas enquanto olhava dentro da caixa, me perguntei se a rainha conseguira encontrá-lo."

Whitney largou o papel, mas não tinha as mãos firmes.

– O colar de diamantes era para ter sido desfeito e vendido.

– Era – repetiu Doug. – Mas o cardeal foi banido, e a condessa La Motte capturada, julgada e sentenciada. Ela fugiu para a Inglaterra, mas nunca li nada que provasse que tinha o colar.

– É. – Whitney examinou a página do diário. O valor do próprio papel teria feito qualquer curador de museu babar. – Esse colar foi um dos catalisadores da Revolução Francesa.

– Valia um bocado, então. – Doug entregou-lhe outra página. – Pode calcular quanto valeria hoje?

Inestimável, ela pensou, mas sabia que ele não entenderia em que sentido. A folha que lhe dera relacionava, num detalhado inventário, o que a rainha confiara a Gerald. Descreviam-se e avaliavam-se as joias. Quanto às fotos nos livros, não achou emocionantes. Mesmo assim, o brilho de uma sobressaía comparado ao das demais. Um colar de diamantes avaliado em mais de um milhão de vidas. Doug entenderia isso, refletiu Whitney, largando o papel de lado e retomando mais uma vez o diário.

Meses haviam passado, e Gerald e a família se estabeleceram na Costa nordeste de Madagascar. A menina escreveu sobre dias longos e difíceis.

"Sinto saudades da França, de Paris, de meu quarto e dos jardins Mamãe diz que não devemos nos queixar e às vezes sai comigo para caminhadas na praia. Esses são os melhores momentos, com os pássaros voando e nós procurando conchas. Ela parece feliz agora, mas às vezes olha o mar e sei que também sente saudades de Paris.

"Os ventos sopram do mar e os navios chegam. As notícias de casa são de morte. O Terror impera. Os mercadores dizem que há milhares de prisioneiros e muitos enfrentaram a guilhotina. Outros foram enforcados, até queimados. Falam do Comitê de Segurança Pública. Papai diz que Paris é insegura por causa dos membros desse comitê. Se alguém menciona o nome de Robespierre, ele não dirá mais nenhuma palavra. Por isso, embora eu sinta saudades da França, começo a entender que a pátria que conheci se foi para sempre.

"Papai trabalha muito. Abriu uma loja e faz negócios com outros colonos. Mamãe e eu temos um jardim, mas cultivamos apenas verduras. As moscas nos atormentam. Não temos criados e precisamos nos defender sozinhas. Encaro isso como uma aventura, mas mamãe se cansa facilmente agora que está grávida. Aguardo ansiosa a chegada do bebê e me pergunto quando vou ter o meu. À noite, costuramos, embora sejam poucas as moedas para velas extras. Papai está construindo um berço. Não falamos da pequena caixa escondida debaixo do piso da cozinha."

Whitney largou a página de lado.

– Gostaria de saber quantos anos ela tinha.

– Quinze. – Ele tocou outro papel lacrado em plástico. – O registro de nascimento, a genealogia dos pais. – Entregou-a a Whitney. – E a certidão de óbito. Morreu quando tinha 16. – Pegou a última página. – Com esta, é tudo.

– Ao meu filho – começou Whitney e olhou para Doug.

"Dorme no berço que fiz para você, usando a pequena bata azul que sua mãe e sua irmã costuraram. Elas já faleceram, sua mãe dando-lhe a vida, sua irmã de uma febre que a atacou com tanta rapidez que não houve tempo para chamar um médico. Descobri o diário de sua irmã, li e chorei. Um dia, quando for mais velho, também será seu. Fiz o que julguei necessário, para meu país, minha rainha, minha família. Eu as salvei do Terror só para perdê-las neste lugar estrangeiro desconhecido.

"Não tenho forças para continuar. As irmãs cuidarão de você, pois eu não posso. Só posso lhe dar as palavras de sua irmã, o amor de sua mãe. Com elas, acrescento a responsabilidade que assumi por nossa rainha. Uma carta será deixada com as irmãs, instruções para passar-lhe este pacote quando for maior de idade. Você herda minha responsabilidade e meu juramento à rainha. Embora vá estar enterrado comigo, você o levará adiante e lutará pela causa. Quando chegar o momento, vá aonde eu descanso e encontre Maria. Rogo para que não fracasse como eu."

– Ele se matou. – Whitney largou a carta com um suspiro. – Perdeu o lar, a família e a coragem. – Ela podia vê-los: aristocratas franceses destituídos pela política e pela agitação social, em apuros num país estrangeiro, lutando para ajustar-se a uma nova vida. E Gerald, vivendo e morrendo sob a promessa feita a uma rainha. – O que aconteceu?

– O melhor que posso deduzir é que o bebê foi levado para um convento. – Ele remexeu em outros papéis. – Foi adotado e emigrou com a nova família para a Inglaterra. Parece que os documentos foram guardados e apenas esquecidos até Lady Smythe-Wright descobri-los.

– E a caixa da rainha?

– Enterrada – respondeu Doug com uma expressão distante nos olhos. – Num cemitério em Diego-Suarez. Só temos de encontrá-la.

– E depois?

– Daremos um bom passeio pela boa vida.

Whitney olhou os papéis no colo. Vidas espalhavam-se ali, sonhos, esperanças e lealdade.

– Só isso?

– Não basta?

– Esse homem fez uma promessa à rainha.

– E ela está morta – observou Doug. – A França é uma democracia. Acho que ninguém iria nos apoiar se decidíssemos usar o tesouro para restaurar a coroa.

Ela ia falar, mas estava cansada demais para discutir. Precisava de tempo para absorver tudo, avaliar seus próprios propósitos. De qualquer modo, ainda tinham de encontrá-lo. Doug dissera que isso era a vitória. Depois que vencesse, ela falaria com ele sobre moral.

– Então acha que pode encontrar um cemitério, entrar e desenterrar o tesouro de uma rainha?

– Isso mesmo.

Ele deu-lhe um sorriso intenso, rápido, que a fez acreditar.

– Talvez já tenha sido encontrado.

– Hum-hum. – Ele fez que não com a cabeça e afastou-se. – Uma das peças que a menina descreveu, o anel de rubi. Tinha uma seção inteira sobre ele no livro da biblioteca. Esse anel foi transmitido pela sucessão real durante uma centena de anos antes de desaparecer... na Revolução Francesa. Se o anel ou qualquer uma das outras peças tivesse aparecido, enterrada ou de outro modo, eu teria sabido. Está tudo lá, Whitney. À nossa espera.

— É plausível.

— Ao diabo com plausível. Tenho os documentos.

— Nós temos os documentos — corrigiu Whitney, recostando-se numa árvore. — Agora só temos de encontrar um cemitério com dois séculos de existência.

Fechou os olhos e dormiu no mesmo instante.

A fome a acordou, de um modo que jamais sentira. Com um gemido, rolou para o lado e viu-se de nariz grudado no de Doug.

— Bom dia.

Ela passou a língua pelos dentes.

— Eu mataria por um croissant.

— Uma omelete mexicana. — Ele fechou os olhos enquanto a imaginava. — Preparada até ficar dourado-escura, pululando de pimenta e cebola.

Whitney deixou a imaginação absorver a imagem, mas ela não se encaixava no seu estômago.

— Temos apenas uma banana marrom.

— Aqui, é o que serve. — Esfregando as mãos no rosto, Doug sentou-se. Passava muito do amanhecer. O sol já queimava a névoa. A floresta ganhava vida com ruído, movimento e aromas matinais. Ele ergueu os olhos para as copas das árvores, onde os pássaros se escondiam e cantavam.

— O lugar está cheio de frutas. Não sei qual é o gosto da carne de lêmure, mas...

— Não.

Ele riu ao levantar-se.

— Só uma ideia. Que tal uma refeição leve? Salada de frutas frescas.

— Parece delicioso.

Quando ela se espreguiçou, o lamba escorregou-lhe do ombro. Manuseando-o, percebeu que Doug devia tê-lo estendido em cima dela na noite anterior. Depois de tudo que acontecera, tudo que haviam visto, ele ainda conseguia surpreendê-la. Como se fosse a mais elegante das sedas, Whitney dobrou-o e tornou a guardá-lo na mochila.

— Você pega as frutas, eu, os cocos.

Ela estendeu os braços para os galhos.

— Parecem bananas atrofiadas.

— Papaias.

Whitney pegou três e fez uma careta.

— O que eu não daria por uma única e humilde maçã, só para variar.

— Eu levo a moça para tomar o seu café da manhã fora e ela reclama.

— O mínimo que você poderia fazer é me pagar um Bloody Mary – ela começou, depois se virou e viu-o trepado no tronco de um coqueiro, escalando-o. – Douglas – perguntou, aproximando-se com cautela –, sabe o que está fazendo?

— Trepando na porra de uma árvore – ele conseguiu dizer, escalando mais alguns centímetros.

— Espero que não esteja planejando cair e quebrar o pescoço. Detesto viajar sozinha.

— Você é só coração – ele resmungou baixinho. – Não é muito diferente de escalar três andares para entrar pela janela.

— Não é provável que um belo prédio de tijolos o deixe com farpas nos pontos sensíveis.

Ele estendeu a mão e arrancou um coco.

— Para trás, benzinho, posso ficar tentado a mirar em você.

Curvando os lábios, Whitney obedeceu. Um, dois, três cocos pousaram aos seus pés. Pegando um, ela o bateu no tronco de uma árvore até rachá-lo.

— Muito bem! – disse a Doug quando desceu. – Acho que gostaria de ver você trabalhar.

Aceitou o coco oferecido por ela e, sentado no chão, pegou o canivete para tirar a polpa, fazendo-a lembrar-se de Jacques. Whitney tocou a concha que ainda usava e repeliu a tristeza.

— Sabe, a maioria das pessoas em sua posição não seria tão... tolerante – ele concluiu – com alguém no meu ramo de trabalho.

— Sou uma crente convicta na livre-iniciativa. – Ela se sentou ao lado dele. – Também é uma questão de freios e contrapesos – arrematou, com a boca cheia.

— Freios e contrapesos?

— Digamos que você roube meus brincos de esmeralda.

– Não esquecerei.

– Vamos manter isso em termos hipotéticos. – Ela sacudiu a cabeça para afastar os fios de cabelo do rosto e teve a ideia fugaz de pegar a escova. A comida vinha primeiro. – Bem, a companhia de seguro faz corpo mole para desembolsar o dinheiro. Eu venho pagando quantias exorbitantes por ano e nunca uso as esmeraldas, porque são vistosas demais. Você empenha as esmeraldas, outra pessoa que as acha atraentes compra, e tenho dinheiro para comprar uma coisa inteiramente mais adequada. Em longo prazo, todo mundo fica satisfeito. Poderia quase ser considerado um serviço público.

Ele partiu um pedaço de coco e mastigou.

– Acho que nunca pensei na coisa desse modo.

– Claro que a companhia de seguro não vai ficar satisfeita – ela acrescentou. – E algumas pessoas talvez não gostem de perder uma determinada joia ou uma peça da prataria da família, mesmo que seja ostentosa demais. Você nem sempre faz uma boa ação quando arromba a casa delas, você sabe.

– Acho que não.

– E suponho que eu tenha mais respeito pelo roubo direto e honesto que pelos crimes de informática e fraudes de colarinho-branco. Como os corretores da bolsa desonestos – ela continuou, provando o coco. – Prevaricar com o portfólio de uma velhinha aristocrata até embolsar os lucros e ela ficar sem nada. Isso não está no mesmo nível de bater a carteira de alguém ou roubar o Diamante Sydney.

– Não quero falar do Sydney – ele resmungou.

– Em certo sentido, o diamante mantém o ciclo em funcionamento, mas por outro lado... – Ela parou para raspar mais fruta. – Não acho que o roubo tenha potencial de ocupação muito bom. Um passatempo interessante, sem dúvida, mas, como carreira, limitado.

– É, tenho pensado em me aposentar... quando puder fazer isso em grande estilo.

– Quando voltar para os Estados Unidos, o que vai fazer?

– Comprar uma camisa de seda e mandar bordar minhas iniciais nos punhos. Vou ter um terno italiano para usar por cima e um elegante

Lamborghini para realçar tudo. – Cortou uma manga pela metade, limpou a lâmina na calça jeans e ofereceu-lhe uma parte. – E você?

– Vou me empanturrar – respondeu Whitney, com a boca cheia. – Vou fazer carreira comendo. Acho que começarei com um hambúrguer, coberto com uma fatia grossa de queijo e cebola, e avançarei até as caudas de lagosta levemente grelhadas e mergulhadas em manteiga derretida.

– Para alguém tão preocupada em comer, não entendo como você é tão magra.

Ela engoliu a manga.

– É a falta de ocupação que leva à preocupação – disse. – E sou esguia, não magra. Mick Jagger é magro.

Rindo, ele pôs outro pedaço de manga na boca.

– Não esqueça, benzinho, que tive o privilégio de ver você nua. Não é exatamente uma figura de ampulheta.

Com a sobrancelha erguida, ela lambeu o suco dos dedos.

– Tenho uma compleição muito delicada – disse, e como ele continuou rindo, deslizou o olhar de cima a baixo. – É bom lembrar que também tive a fascinação de ver você sem roupas. Não faria mal bombear os músculos com um pouco de ferro, Douglas.

– Músculos óbvios atrapalham. Prefiro ser sutil.

– Você sem dúvida é.

Ele disparou-lhe um olhar e largou a casca do coco.

– Você gosta de bíceps e tríceps projetados de uma camiseta sem mangas?

– A masculinidade – ela respondeu, com um ar leviano – é muito excitante. O homem confiante não julga necessário lançar olhares convidativos a uma mulher provida em excesso que opta por usar suéteres justos para disfarçar o fato de ter um cérebro muito pequeno.

– Acho que você não gosta que a olhem assim.

– Com certeza, não. Prefiro classe a mostrar os seios.

– Grande coisa.

– Não há necessidade de ser ofensivo.

– Só estou sendo agradável. – Ele lembrava bem demais como ela chorara em seus braços na noite anterior, e como o fizera sentir-se impotente. Agora descobria que desejava tocá-la de novo, ver o sorriso dela, sentir sua suavidade. – De qualquer modo – disse, voltando de um longo devaneio –, você pode ser magra, mas eu gosto do seu rosto.

Ela curvou os lábios naquele sorriso frio, distante, que o enlouquecia de sedução.

– É mesmo? O que acha dele?

– A pele. – Levado pelo impulso, ele correu os nós dos dedos pela linha do maxilar dela. – Topei com um camafeu de alabastro, uma vez. Não era grande – lembrou, descendo o dedo pela maçã do rosto. – Na certa, não valia mais que algumas centenas de dólares, mas era a coisa mais classuda que já peguei. – Riu e deixou as mãos vagarem pelos cabelos. – Até você.

Ela não se afastou, mas manteve os olhos nos dele, sentindo a respiração dele deslizar pela sua pele.

– Foi o que fez, Douglas? Me pegou?

– Você podia ver dessa forma, não podia? – Ele sabia que cometia um erro. Mesmo ao roçar os lábios nos dela, sabia que cometia um erro muito grande. Já o cometera antes. – Desde que a peguei –, murmurou – não tenho sabido bem o que fazer com você.

– Eu não sou um camafeu de alabastro – ela sussurrou, enlaçando os braços no pescoço dele. – Nem o Diamante Sydney, nem um pote de ouro.

– Eu não sou membro do clube campestre que você frequenta, nem tenho uma vila na Martinica.

– Parece... – ela desenhou o contorno da boca dele com a língua – que temos muito pouco em comum.

– Nada em comum – corrigiu Doug, e deslizou as mãos pelas costas dela. – Pessoas como eu e você só trazem problemas uma para a outra.

– É. – Whitney sorriu, os olhos sob a franja de cílios longos, exuberantes, escuros e divertidos. – Quando começamos?

– Já começamos.

Quando Doug colocou os lábios nos dela, haviam deixado de ser uma dama e um ladrão. A paixão era um grande equalizador. Juntos, rolaram para o chão macio da floresta.

Ela não pretendia que isso acontecesse, mas não se arrependia. A atração que sentira assim que ele tirara os óculos escuros no elevador e a olhara com aqueles olhos claros, diretos, vinha avançando devagar para algo mais profundo, amplo e perturbador. Doug começara a tocar alguma coisa nela, e agora, com a paixão, liberara muito mais.

Ela beijava-o com a boca tão quente e faminta quanto a dele. Já acontecera antes. O pulso acelerou-se – nenhuma experiência nova. O corpo retesava-se e arqueava-se ao toque das mãos de um homem. Sentira as mesmas sensações antes. Mas, dessa vez, a primeira e única vez, desligou a mente e dedicou-se ao ato sexual como tinha de ser. Prazer despreocupado e libertador.

Embora a entrega da melhor defesa, da mente, fosse completa, ela não era passiva. Sentia uma necessidade tão grande, primitiva e elementar quanto a dele. Quando despiram um ao outro num frenesi, movimentou as mãos com a mesma rapidez que ele.

Carne contra carne, tépida, firme, macia. Boca contra boca, aberta, quente, faminta. Rolaram no chão macio sem mais inibições que crianças, mas com paixão e tensão maduras.

Ela não conseguia se fartar dele, provava-o, tocava-o como se nunca houvesse conhecido um homem antes. Naquele momento não se lembrava de outros. Ele a saciava, coração e mente, ameaçava ficar de um modo que não deixasse espaço algum para outro. Ela entendeu, e após o primeiro medo aceitou.

Ele quisera, desesperado, mulheres antes. Ou assim achara. Até agora, não conhecera o sentido completo do desespero. Até agora não conhecera o que era querer. Ela se infiltrava nele, poro por poro. Doug permitia às mulheres proporcionarem e receberem prazer, mas não intimidade. Intimidade significava complicações que um homem em fuga não podia se permitir. Mas não havia como detê-la.

Embora deslizasse as mãos espertas, talentosas e fortes pela pele de Whitney, era ela quem conduzia. Sabia que um homem ficava vulnerável ao máximo quando estava nos braços de uma mulher – mãe, esposa ou amante –, mas esqueceu tudo, menos a necessidade de estar ali. Whitney fundia-se nele, perigosamente quente e macia, mas ele aceitava e amaldiçoava as consequências.

Nua, ágil, primorosa, ela movia-se sob seu corpo, envolta nele. Com o rosto enterrado nos cabelos dela, Doug ouviu a porta fechar-se atrás. Ouviu o ferrolho encaixar-se em silêncio. Não deu a mínima.

Sem se apressar, distribuía-lhe beijos pelo rosto, testa, nariz, boca, queixo. Sentia o sorriso dela responder ao dele. Whitney deslizou os dedos elegantes e delicados até os quadris dele. Tinham os olhos abertos quando ele mergulhou nela.

Penetrou-a e gemeu para o intenso calor e a suavidade que o envolveram. O rosto salpicado de sol e sombra, os olhos semifechados, ela correspondia estocada a estocada, pulsação a pulsação.

A velocidade intensificou-se, as necessidades rodopiaram. Quando ele sentiu as ideias começarem a desordenar-se e deslizar, o último pensamento racional foi de que talvez já houvesse encontrado o fim do arco-íris.

FICARAM ALI EM silêncio. Não eram crianças, nem inexperientes. Os dois sabiam que nunca haviam feito amor antes, e se perguntavam que diabos iriam fazer.

Com delicadeza, ela correu a mão acima e abaixo nas costas dele.

— Acho que sabíamos que isso ia acontecer — disse após um momento.

— Acho que sim.

Ela olhou para o dossel de árvores acima e o puro azul além.

— E agora?

Não era prático pensar além do presente. Se a pergunta tratava do futuro, Doug achou melhor fingir que não. Beijou-lhe o ombro.

— Chegamos à cidade mais próxima, imploramos, pegamos emprestado ou roubamos um meio de transporte, e rumamos para Diego-Suarez.

Whitney fechou os olhos por um instante e tornou a abri-los.

Afinal, entrara nisso de olhos abertos. E os manteria assim.

— O tesouro.

— Vamos pegar, Whitney. É só uma questão de dias agora.

— E depois?

Mais uma vez, o futuro. Apoiando-se nos cotovelos, ele a olhou.

– O que você quiser – respondeu, porque não conseguiu pensar em nada além de como ela era linda. – Martinica, Atenas, Zanzibar. Compraremos uma fazenda na Irlanda e criaremos ovelhas.

Ela riu, porque parecia tão simples no momento.

– Podíamos plantar trigo em Nebraska com mais ou menos a mesma medida de sucesso.

– Certo. O que devíamos fazer é abrir um restaurante americano aqui mesmo em Madagascar. Eu cozinho e você cuida da contabilidade.

Bruscamente, ele se sentou, trazendo-a consigo. De algum modo, deixara de sentir-se solitário e não se dera plena conta disso até aquele momento. Deixara de ser solitário, quando solitário sempre parecera o melhor ângulo. Queria dividir, fazer parte, ter alguém ali bem ao lado. Embora isso não fosse inteligente, era assim que se sentia.

– Vamos pegar aquele tesouro, Whitney. Depois disso, nada nos deterá. Qualquer coisa que quisermos, a qualquer hora que quisermos. Posso derramar diamantes em seus cabelos.

Correu um dedo por eles, esquecendo no momento que ela podia ter sua parte de diamantes se quisesse.

Whitney sentiu uma pontada de arrependimento, e de alguma coisa semelhante a pesar. Ele não conseguia ver além do pote de ouro. Não agora, e talvez nunca. Sorrindo, acariciou-lhe o rosto com a mão. No entanto, soubera disso o tempo todo.

– Vamos encontrar.

– Vamos encontrar – ele concordou, puxando-a mais para perto.

– E quando encontrarmos, teremos tudo.

CAMINHARAM MAIS UM dia até o crepúsculo, Whitney com o estômago roncando e as pernas doloridas. Como Doug, fixava a mente na meta de Diego-Suarez. Ajudava-a a manter os pés em movimento e impedia-a de questionar racionalmente. Haviam chegado até ali pelo tesouro. O que acontecesse antes, depois ou no espaço intermediário, descobririam. A hora de pensar, questionar e analisar ficaria para depois.

Ela fez que não com a cabeça para a fruta oferecida por Doug.

– Meu organismo vai me castigar se eu comer mais manga. – Como para acalmá-la, pôs a mão na barriga. – Achei que o McDonald's tinha franquias em toda parte. Percebe a distância que percorremos sem ter visto um arco dourado?

— Esqueça fast-food. Quando liquidarmos isso, vou preparar um jantar de cinco pratos para você, que certamente a fará sentir que foi ao paraíso.

— Eu me contentaria com um cachorro-quente completo.

— Para alguém que pensa como uma duquesa, você tem estômago de camponesa.

— Mesmo os servos comiam uma coxa de carneiro de vez em quando.

— Escute, vamos...

Então ele a agarrou e empurrou-a para o mato.

— O que foi?

— Uma luz, logo adiante. Está vendo?

Com todo cuidado, ela olhou por cima do ombro dele e entortou a cabeça. Lá estava, fraca, branca, à luz obscurecida do entardecer e entre a folhagem espessa. Automaticamente, Whitney baixou a voz para um sussurro.

— Remo?

— Não sei. Talvez. — Ele se calou, pensando e rejeitando meia dúzia de ideias. — Vamos devagar.

Levaram 15 minutos para chegar ao minúsculo povoado. A essa altura, já escurecera por completo. Viam a luz através da janela do que parecia um pequeno depósito ou posto comercial. Mariposas do tamanho da palma da mão batiam no vidro. Do lado de fora, um jipe.

— Quem procura acha — disse Doug em voz baixa. — Vamos dar uma olhada.

Agachando-se, aproximou-se mais da janela. O que viu o fez dar um riso forçado.

Remo, a camisa feita sob medida manchada e desengomada, sentava-se a uma mesa olhando de cara feia um copo de cerveja. Na frente dele, Barns, careca, igual a uma toupeira, ria de nada em particular.

— Ora, ora — sussurrou Doug. — Parece nosso dia de sorte.

— O que estão fazendo aí?

— Correndo em círculos. Remo parece necessitado de fazer a barba e de uma enérgica massagista norueguesa.

Doug contou três outros no bar, todos mantendo grande distância dos outros americanos. Também viu duas tigelas com sopa fumegante, um sanduíche e o que parecia um saco de batatas fritas. Sentiu a boca salivar.

– Que pena não podermos pedir alguma coisa para viagem!

Whitney também vira a comida.

– Não podemos esperar que vão embora, depois entrar e comer?

– Eles vão, e o jipe também. Muito bem, doçura, você vai ser a olheira de novo. Dessa vez faça um serviço melhor.

– Eu lhe disse que não pude assobiar na última vez porque estava tratando de me manter viva.

– Vamos ficar vivos os dois, e liberar um conjunto de rodas para nós. Venha.

Movendo-se rápido, ele contornou a cabana. Com sussurros e sinais de mão, postou Whitney perto da janela da frente, rastejou até o jipe e pôs mãos à obra.

Ela vigiava quando Remo se levantou e começou a andar de um lado para o outro. Olhos arregalados, Whitney desviou o olhar para o jipe, e viu Doug esparramado no chão, ocultando-se do campo visual. Rangeu os dentes e comprimiu-se na parede quando Remo passou pela janela.

– Depressa – ela sibilou. – Ele está ficando nervoso.

– Não me apresse – resmungou Doug, soltando fios. – Essas coisas exigem um toque delicado.

Ela olhou para dentro a tempo de ver Remo levantar Barns com um puxão.

– É melhor se apressar com esse toque delicado, Douglas. Estão vindo.

Praguejando, ele enxugou o suor dos dedos. Mais um minuto. Só precisava de mais um minuto.

– Entre, benzinho, quase terminamos. – Como ela não respondeu, ele ergueu os olhos e viu que a pequena varanda da frente da cabana estava vazia. – Filha da mãe. – Lutando com os fios, vasculhou os arredores à procura dela. – Whitney? Maldita seja, não é hora de dar uma volta.

Ainda praguejando, trabalhando com os dedos, ele percorreu com os olhos o povoado.

Sobressaltou-se ao ouvir o barulho de grunhidos, latidos e confusão, quando o motor roncou e ganhou vida. Já ia saltar do jipe, arma apontada, quando Whitney contornou correndo a lateral da cabana e pulou dentro do veículo.

– Pise fundo, benzinho – ela disse ofegante. – Ou vamos ter companhia.

As palavras mal chegaram a sair-lhe da boca e o jipe já seguia bramindo pela estreita estrada de terra. Um galho suspenso muito baixo bateu no para-brisa e quebrou-se com um estalo igual ao disparo de uma arma. Olhando para trás, ele viu Remo sair correndo do lado da cabana. Empurrou o rosto de Whitney contra o banco e esmagou o pedal, antes do primeiro disparo de três tiros.

– Onde você se meteu? – perguntou Doug, quando deixaram para trás a luz do povoado. – Que porra de olheira é você, se quase levo um tiro por procurá-la.

– Isso que é gratidão. – Ela sacudiu os cabelos ao erguer-se. – Se eu não tivesse criado uma distração, você jamais teria ligado a ignição a tempo.

Ele reduziu a marcha apenas o suficiente para assegurar-se de que não bateria o jipe contra árvore.

– Do que está falando?

– Quando vi Remo sair, imaginei que você precisava de uma distração... como no cinema.

– Fantástico.

Ele transpôs uma curva, bateu com força numa pedra e continuou em frente.

– Então contornei até os fundos e deixei o cachorro entrar no chiqueiro. – Whitney afastou os cabelos dos olhos e revelou um sorriso muito presunçoso. – Foi bem divertido, mas não pude ficar para ver. Funcionou, porém, à perfeição.

– Sorte sua não ter a cabeça arrancada à bala – ele resmungou.

– Continuo impedindo que tenha a sua arrancada e você ainda se ressente disso – ela rebateu. – Típico ego masculino. Não sei por que eu... – Interrompeu-se e aspirou o ar. – Que cheiro é esse?

— Que cheiro?

— Esse. — Não era mato, umidade, animal, odores aos quais se haviam acostumado nos últimos dias. Ela aspirou mais uma vez, e então se virou e ajoelhou-se no banco. — Cheira a... — Abaixou-se, de modo que, quando Doug virou a cabeça, viu apenas o traseiro enxuto e bem-feito. — Galinha! — Triunfante, Whitney levantou-se de um salto, com uma coxinha na mão. — É galinha — repetiu, e deu uma enorme mordida. — Tem uma galinha inteira aí atrás e uma pilha de latas... latas de comida. Azeitonas — anunciou, enfiando mais uma vez a mão na carroceria. — Azeitonas gregas, gordas. Cadê o abridor de lata?

Enquanto ela cavava, cabeça abaixada, Doug arrancou-lhe a coxinha da mão.

— Dimitri gosta de comer bem — disse, dando uma saudável mordida. Teria jurado que sentiu a carne deslizar direto para dentro. — Remo é esperto o bastante para atacar a despensa quando vai pegar a estrada.

— Dá para perceber. — Com os olhos iluminados, ela tornou a sentar-se. — Beluga. — Segurou a latinha entre o polegar e o indicador. — E uma garrafa de Pouilly-Fuissé, safra 1979.

— Sal?

— Claro.

Rindo, ele devolveu-lhe a coxinha mordida.

— Parece que viajaremos para Diego-Suarez em grande estilo, benzinho.

Whitney pegou a garrafa de vinho e retirou a rolha.

— Benzinho — falou arrastado. — Eu nunca viajo de outra maneira.

13

Fizeram amor no jipe como adolescentes eufóricos, inebriados de exaustão e vinho. A lua era branca, a noite tranquila. Ouvia-se a música de pássaros noturnos, insetos e sapos. Com o jipe embrenhado no fundo do mato, banquetearam-se de caviar e um do outro, tendo o canto da floresta ao redor. Whitney ria enquanto os dois se espremiam no pequeno e não cooperativo banco da frente do jipe.

Semivestida, a mente leve e a fome saciada, ela rolou para cima dele e sorriu.

— Não tenho um encontro como este desde os 16 anos.

— Ah, é? — Ele correu a mão pela coxa até o quadril dela. Viu os olhos escuros, vidrados, com uma combinação de cansaço, vinho e paixão. Prometeu a si mesmo que a veria assim de novo quando estivessem em algum hotel confortável no outro lado do mundo. — Então um cara colocava você no banco de trás só com um pouco de vinho e caviar?

— Na verdade, bolacha salgada e cerveja. — Ela chupou o beluga do dedo. — E eu terminava dando um soco na barriga dele.

— Você é uma companhia divertida, Whitney.

Ela derramou as últimas gotas da garrafa na boca. Em volta, a floresta pululava de insetos que esfregavam as asas e cantavam.

— Sou, e sempre fui, seletiva.

— Seletiva, é? — Doug mudou de posição e deitou-a em cima dele, apoiando-se na porta do jipe. — Que diabos está fazendo comigo, então?

Ela se fizera a mesma pergunta, e a simplicidade da resposta a deixara inquieta. Porque queria estar. Ficou calada um instante, a cabeça aninhada no ombro dele. Parecia certo estar ali e, embora fosse tolice, seguro.

— Acho que me deixei seduzir pelo seu charme.

— Todas se deixam.

Whitney inclinou a cabeça, sorriu e afundou os dentes, não com muita delicadeza, no lábio inferior dele.

— Escute! — Enquanto ela ria, ele prendeu-lhe os braços do lado. — Então quer jogar pesado.

— Você não me assusta, Lord.

— Não? — Sorrindo, ele agarrou-lhe os punhos com uma das mãos e envolveu-lhe o pescoço com a outra. Ela nem pestanejou. — Talvez eu tenha sido tranquilo demais com você até agora.

— Vá em frente — ela o desafiou. — Faça o pior de que é capaz.

Olhou-o com aquele esboço de sorriso frio, os olhos cor de uísque escuros e sonolentos. Doug fez o que evitara durante toda a vida, o que evitara com mais inteligência e cuidado que os xerifes de cidades pequenas e os tiras de cidades grandes. Apaixonou-se.

– Nossa, como você é linda!

Desprendeu-se alguma coisa do tom da voz dele. Antes que ela pudesse analisá-la ou a expressão que surgira em seus olhos, Doug beijava-a na boca. Os dois se apaixonaram.

Era como da primeira vez. Ele não esperava que acontecesse. Os sentimentos, as necessidades que o atravessavam eram simplesmente tão intensos, tão arrebatadores. Diante deles, ele era impotente.

Sob as mãos dele, a pele dela escorria como água. Sob a boca, os lábios eram fortes, mais vigorosos que delicados. A exaustão inebriante transformou-se numa força inebriante. Com ela, ele podia fazer e ter tudo.

A noite era quente, o ar úmido e pesado, com o aroma de dezenas de flores inundadas de calor. Insetos de alimentação noturna esfregavam as asas e gemiam. Ele queria luz de velas para ela, além de uma macia e fria cama de penas com travesseiros forrados de seda. Ele queria dar, uma novidade para um homem que, embora generoso, sempre tomava primeiro.

Whitney tinha um corpo tão delicado. Fascinava-o de uma forma como nenhuma outra – as exuberantes, as óbvias, as profissionais – jamais tinha feito. Curvas sutis, ossos longos e elegantes. A pele macia revelava o mimo diário. Doug disse a si mesmo que em algum momento se daria o luxo de explorar cada centímetro dela, vagarosa e inteiramente, até conhecê-la como nenhum outro homem antes, como nenhum outro homem jamais conheceria.

Alguma coisa mudara nele. O entusiasmo continuava intenso, mas Whitney viu que tinha alguma coisa...

Com os sentidos emaranhados, sobrepostos uns nos outros, ela foi tomada por um delicioso volume de sensações. Sentia, mas o que sentia vinha dele. A carícia da ponta de um dedo, o roçar de lábios. Sentia o gosto, mas era o sabor dele que a saciava, quente, masculino, excitante. Ouvia-o murmurar, e sua própria resposta flutuava no ar.

O cheiro dele a impregnava, almiscarado, mais inebriante que a estufa em volta. Até então, não entendera o que significava ser absorvida por alguém. Até então, não quisera entender.

Ela abria. Ele saciava, dava. Ela absorvia.

Desde o início, haviam corrido juntos. Nisso, não eram em nada diferentes. Coração martelando contra coração, corpos próximos, transpuseram o limite que buscam todos os amantes.

Dormiram um sono leve, apenas uma hora, mas foi um luxo que receberam cobiçosos, enroscados juntos no banco do jipe. A lua baixara agora, mostrando a Doug sua posição por entre as árvores, antes de ele cutucar Whitney.

– Temos de continuar.

Remo talvez ainda lutasse para conseguir transporte; mas também já poderia estar na estrada atrás deles. Das duas maneiras, nada satisfeito.

Ela suspirou e espreguiçou-se.

– Quanto falta ainda?

– Não sei... mais uns 150, talvez 200 quilômetros.

– Tudo bem. – Bocejando, ela começou a vestir-se. – Eu dirijo.

– De jeito nenhum. Já andei num carro com você antes, lembra?

– Claro que sim. – Após uma breve inspeção, Whitney percebeu que as dobras nas roupas eram permanentes. Imaginou se teria alguma chance de encontrar uma lavanderia a seco. – Como lembro que também salvei sua vida então.

– Salvou? – Doug virou-se e viu-a pegar a escova de cabelo. – Você quase nos matou.

Ela passou a escova pelos cabelos.

– Queira me desculpar. Com o meu talento e minha estratégia superiores, não apenas salvei seu rabo, mas detive Remo e seus seguidores.

Doug ligou a ignição.

– Acho que tudo é uma questão de perspectiva. De qualquer modo, eu dirijo. Você bebeu demais.

Ela disparou-lhe um olhar demorado e contundente.

– Os MacAllister nunca perdem as faculdades mentais.

Ela agarrou a maçaneta quando partiram aos solavancos pelo mato e tomaram a estrada.

– Todo aquele sorvete – disse Doug, engrenando uma velocidade constante – forra o estômago para neutralizar a bebedeira.

– Muito engraçado. – Ela soltou a maçaneta, apoiou os pés no para-brisa e viu a noite passar voando. – Me ocorre que você está muito por dentro da história e da experiência de minha família. E a sua?

– Que história quer? – ele perguntou, despreocupado. – Tenho várias, a depender da ocasião.

– Do órfão destituído ao aristocrata deslocado, estou certa. – Quem era ele?, ela se perguntou. E por que se importava? Não tinha a primeira resposta, mas já passara o tempo em que podia fingir não ter a segunda. – Que tal a verdadeira, apenas para variar?

Ele poderia ter mentido. Poderia apenas ser o caso de contar a ela a história de um menino pobre, sem lar, dormindo em becos e fugindo do padrasto violento. Ele poderia tê-la feito acreditar. Ajeitando-se no banco, Doug fez o que raramente fazia. Contou-lhe toda a verdade.

– Fui criado no Brooklyn, um lugar agradável, tranquilo. Minha mãe cuidava da casa, meu pai era bombeiro, consertava encanamentos. Minhas duas irmãs eram líderes de torcida. Tínhamos um cachorro chamado Checkers.

– Parece muito normal.

– É, era. – E às vezes, raramente, conseguia trazer a imagem de volta com clareza e apreciá-la. – Meu pai era do partido progressista e minha mãe fazia a melhor torta de mirtilo que alguém já provou. Ainda faz.

– E quanto ao jovem Douglas Lord?

– Como eu era, ah, brilhante com as mãos, meu pai achou que daria um bom encanador. Apenas não parecia minha ideia de diversão.

– O preço da hora de um encanador sindicalizado é muito impressionante.

– É, bem, jamais me interessou trabalhar por hora.

– Então, em vez disso, decidiu ser... como você se chama... freelancer?

– Vocação é vocação. Eu tinha um tio... A família sempre manteve um pouco de segredo sobre ele.

– Uma ovelha negra? – ela perguntou, interessada.

– Imagino que não o chamaria de lírio-branco. Parece que cumpriu pena durante algum tempo. De qualquer modo, para resumir, ele veio morar conosco por uns tempos e trabalhava para o meu pai. – Disparou um olhar rápido, cativante, para Whitney. – Também era bom com as mãos.

– Entendo. Então você ganhou o talento de herança, ouso dizer, honestamente.

– Jack era bom. Muito bom mesmo, só que tinha um fraco pela bebida. Quando se entregava à bebida, ficava relaxado. Fique relaxada e você é pega. Uma das primeiras coisas que ele me ensinou foi a nunca beber em serviço.

– Não imagino que se refira aos canos que não param de vazar.

– Não. Jack era um encanador de segunda, mas um ladrão de primeira. Eu tinha 14 anos quando ele me ensinou a abrir uma fechadura. Nunca soube ao certo por que me levou. De uma coisa sei: eu gostava de ler e ele, de ouvir histórias. Não era muito de ficar sentado com um livro, mas passava horas ouvindo a história de *O homem da máscara de ferro* ou *Dom Quixote*.

Ela dera-se conta, desde o início, do intelecto afiado e do tipo variado de gosto.

– Então, o jovem Douglas gostava de ler.

– É. – Ele meneou os ombros. – A primeira coisa que roubei foi um livro. Não éramos realmente pobres, mas não podíamos ter o estoque de livros que eu gostaria.

– Precisava, corrigiu. Precisava dos livros, a fuga do cotidiano, da mesma forma que precisava de comida. Ninguém entendia.

– De qualquer modo, Jack gostava de ouvir histórias. Me lembro do que leio.

– Os autores esperam que os leitores lembrem.

– Não, quero dizer que lembro quase linha por linha. Só isso me fez concluir meus estudos.

Ela pensou na facilidade com que ele despejara fatos e números do guia.

– Quer dizer que tem memória fotográfica?

– Eu não vejo em imagens, simplesmente não esqueço, só isso. – Ele riu, pensando. – O que me fez obter uma bolsa de estudos para Princeton.

Whitney sentou-se ereta.

– Você frequentou Princeton?

O sorriso de Doug alargou-se com a reação dela. Até então, jamais considerara a verdade mais interessante que a ficção.

– Não, decidi que preferia treinamento prático à faculdade.

– Está me dizendo que recusou uma bolsa de estudos de Princeton?

– É. O curso de bacharel em Direito parecia bem chato.

– Bacharel em Direito – ela murmurou e teve de rir. – Então poderia ter sido advogado. Além disso, formado por uma universidade de altíssimo nível acadêmico.

– Eu teria odiado tanto quanto os banheiros que não param de vazar. Aí apareceu tio Jack. Ele sempre dizia que não tinha filhos e queria passar o ofício adiante.

– Ah, um tradicionalista.

– É, bem, à maneira dele, sim. Eu peguei rápido. Me divertia muito mais arrombando uma fechadura que conjugando verbos, mas Jack tinha essa coisa sobre educação. Não me arranjaria um serviço de verdade enquanto eu não recebesse o diploma do ensino médio. E um pouco de matemática e ciência é útil quando a gente lida com sistemas de segurança.

Com o seu talento, ela imaginou que Doug poderia ter sido um engenheiro profissional de primeira linha. Deixou passar.

– Muito sensato.

– Continuamos melhorando e nos saímos muito bem durante uns cinco anos. Serviços pequenos, limpos. A maioria, hotéis. Numa noite memorável, roubamos 10 mil no Waldorf. Fomos para Las Vegas e perdemos quase tudo, mas foi uma época sensacional.

– Fácil vem, fácil vai?

– Se você não se diverte com o dinheiro, não faz o menor sentido roubá-lo.

Ela teve de sorrir diante da explicação. O pai também gostava de dizer que, se não se podia divertir com o dinheiro, não fazia o menor sentido ganhá-lo. Imaginou que ele teria apreciado a ligeira variação de Doug sobre o tema.

– Jack teve a ideia de roubar uma joalheria. Iria nos deixar tranquilos por muitos anos. Precisávamos apenas resolver alguns detalhes.

– O que aconteceu?

– Jack começou a encher a cara. Tentou fazer o serviço sozinho, o que se poderia chamar de uma coisa de ego. Eu vinha melhorando cada vez mais, e ele cometendo alguns erros. Acho que era difícil ele aceitar. De qualquer modo, tornou-se displicente. Não teria sido tão ruim se não houvesse violado as regras e levado uma arma consigo. – Doug estendeu o braço no encosto do banco e balançou a cabeça. – Essa pequena fanfarra lhe custou dez bons anos.

– Então tio Jack acabou vendo o sol nascer quadrado. E você?

– Vendo o sol nascer quadrado – ele murmurou, divertido. – Fui para as ruas. Tinha 23 anos e era muito mais inexperiente do que julgava. Mas aprendi rapidinho.

Desistira de uma bolsa de estudos em Princeton para escalar janelas no segundo andar. A educação acadêmica talvez lhe houvesse proporcionado parte do luxo pelo qual parecia ansiar. No entanto... No entanto, Whitney não conseguia vê-lo escolhendo um caminho bem-trilhado.

– E seus pais?

– Diziam aos vizinhos que eu trabalhava para a General Motors. Minha mãe continua com a esperança de que me case e sossegue. Talvez me torne chaveiro. Por falar nisso, quem é Tad Carlyse IV?

– Tad? – Whitney notou que o céu no leste começava a clarear. Poderia fechar os olhos e dormir se as pálpebras não se houvessem enchido de areia. – Fomos meio comprometidos durante algum tempo.

Ele detestou Tad Carlyse IV imediata e completamente.

– Tipo noivos?

– Bem, digamos que meu pai e ele nos consideravam noivos. Eu considerava a situação um assunto para debate. Os dois ficaram um pouco chateados quando optei por cair fora.

— Tad. — Doug visualizou um louro de queixo mole, blazer azul, mocassins brancos, sem meias. — O que ele faz?

— Faz? — Whitney adejou as pestanas. — Ora, imagino que se diria que Tad delega. É herdeiro da Carlyse & Fitz, fabricam tudo, desde aspirina até combustível de foguete.

— É, ouvi falar deles. — Mais megamilhões, pensou, passando pelos três sulcos seguintes de forma meio violenta. O tipo de gente que esbarrava num homem comum sem sequer notar. — Então por que não é a Sra. Tad Carlyse IV?

— Na certa, pelo mesmo motivo que você não se tornou encanador. Não me pareceu ser uma grande diversão. — Ela cruzou os pés nos tornozelos. — Talvez você queira voltar alguns metros, Douglas. Creio que perdeu o último buraco.

ERA MANHÃ CHEIA quando se puseram de pé no alto de uma montanha de onde se descortinava uma vista panorâmica de Diego-Suarez. Daquela distância, a água na baía doía de tão azul. Mas os piratas que outrora vagavam por ali não a teriam reconhecido. Os navios que pontilhavam a água eram cinzentos e resistentes. Não se viam elegantes velas enfunadas, nem cascos de madeira ondulados.

A baía, que antes fora o sonho de piratas e a esperança de imigrantes, era agora uma importante base naval francesa. A cidade que antes fora o orgulho deles era uma moderna cidade ordenada, de uns cinquenta mil habitantes, nativos de Madagascar, franceses, indianos, orientais, britânicos e americanos. Onde antes houvera cabanas encimadas por telhados de palha, erguiam-se prédios de concreto e aço.

— Bem, aqui estamos. — Whitney enlaçou o braço no dele. — Que tal a gente descer, ir para um hotel e tomar um banho quente?

— Aqui estamos — ele murmurou. Julgou sentir os papéis se aquecerem no bolso. — Primeiro vamos encontrar o tesouro.

— Doug. — Ela virou-se para encará-lo, as mãos nos ombros dele. — Sei que é importante para você. Também quero encontrar. Mas olhe para a gente. – Ela se examinou de cima a baixo. Estamos imundos. Exaustos. Embora isso não nos incomode, as pessoas com certeza vão notar.

– Não vamos confraternizar. – Ele olhou por cima da cabeça dela a cidade abaixo. O fim do arco-íris. – Começaremos com as igrejas.

Voltou para o jipe. Resignada, Whitney seguiu-o.

OITENTA QUILÔMETROS ATRÁS, sacolejando ao longo da estrada do norte num Renault modelo 1968, com o exaustor em péssimo estado, vinham Remo e Barns. Como precisava pensar, Remo deixou Barns dirigir. O pequeno homem parecendo uma toupeira, com as mãos agarradas ao volante, ria enquanto olhava direto para a frente. Gostava de dirigir, quase tanto quanto de passar por cima de qualquer coisa peluda que se precipitasse na estrada.

– Quando a gente agarrar eles, eu fico com a mulher, certo?

Remo disparou-lhe um olhar de leve repugnância. Considerava-se um homem exigente e Barns, uma lesma.

– É melhor lembrar que Dimitri quer a mulher. Se fizer alguma asneira com ela, talvez deixe o chefe puto da vida.

– Não vou fazer asneira.

Os olhos se iluminaram por um instante quando se lembrou da foto. Ela era tão bonita. Ele gostava de coisas bonitas. Coisas bonitas, macias. Então pensou em Dimitri.

Ao contrário dos outros, não o temia. Adorava-o. A adoração era simples, básica, de modo muito semelhante à adoração de um cachorrinho medonho pelo dono, mesmo depois de alguns bons chutes. Os poucos miolos com que Barns fora abençoado haviam-se esgotado com as pancadas ao longo dos anos. Se Dimitri queria a mulher, iria levá-la para ele. Deu um sorriso amável a Remo, porque, à sua maneira, gostava dele.

– Dimitri quer as orelhas de Lord – disse com uma risadinha. – Quer que eu corte para você, Remo?

– Apenas dirija.

Dimitri queria as orelhas de Lord, mas Remo tinha plena consciência de que talvez decidisse arranjar um substituto. Se tivesse alguma esperança de escapar impune, teria levado o carro na direção oposta. O patrão o encontraria porque acreditava que um empregado continuava sendo empregado até a morte. Prematura ou não. Só restava a Remo rezar para continuar com as próprias orelhas após comunicar a Dimitri seu alojamento temporário em Diego-Suarez.

CINCO IGREJAS EM duas horas, ela pensou, e não haviam encontrado nada. A sorte deles tinha de chegar logo.

– E agora? – ela quis saber quando pararam diante de mais uma. Era menor que as anteriores. E o telhado precisava de reparos.

– Prestamos nossos respeitos.

A cidade fora construída num promontório que se projetava sobre o mar. Embora ainda fosse de manhã, o ar era quente e pegajoso. Acima, as folhagens das palmeiras mal se moviam na leve brisa. Com um pouco de imaginação, Doug vislumbrava mentalmente a cidade como fora antes, ruidosa, simples, protegida por montanhas de um lado e do outro pela muralha feita pelo homem. Quando ele se afastou do jipe, Whitney o alcançou.

– Gostaria de saber quantas igrejas, quantos cemitérios há aqui? Ainda melhor, quantas igrejas foram construídas sobre cemitérios?

– Não se constrói em cima de cemitérios. Isso deixa as pessoas nervosas.

Doug gostava da disposição do lugar. A porta da frente pendia torta das dobradiças, fazendo-o pensar que ninguém usava a igreja com regularidade. Em torno das laterais, sob palmeiras que pairavam como um dossel, e meio cobertos de vegetação, enfileiravam-se grupos de lápides. Ele teve de agachar-se para ler as inscrições.

– Não se sente um pouco mórbido? – Com a pele arrepiada, Whitney esfregou os braços e olhou para trás.

– Não. – A resposta simples veio enquanto ele examinava de perto lápide após lápide. – Os mortos estão mortos, Whitney.

– Não tem ideia do que acontece depois?

Ele disparou-lhe um olhar.

– Não importa o que eu pense, o que está enterrado a um metro no chão não tem sentimentos. Venha, me dê uma mãozinha.

O orgulho a fizera agachar-se ao lado dele e arrancar ervas daninhas das lápides.

– As datas são boas. Veja... 1790, 1793.

– E os nomes são franceses. – A comichão na nuca disse-lhe que estava perto. – Se pudéssemos apenas...

– *Bonjour.*

Whitney levantou-se de um salto, pronta para correr, antes de ver o padre idoso aproximar-se por entre as árvores. Lutou para impedir que a culpa aflorasse no rosto, sorriu e respondeu-lhe em francês.

– Bom dia, padre. – A batina preta fazia um agudo contraste com os cabelos brancos e o rosto pálido. As mãos, quando foram enlaçadas, revelaram manchas de idade. – Espero que a gente não esteja violando direitos de propriedade.

– Todo mundo é bem-vindo à casa de Deus. – Ele observou a aparência desarrumada do casal. – Estão viajando?

– Sim, padre. – Doug postou-se ao lado dela, mas nada disse.

Whitney soube que lhe cabia inventar a história, mas descobriu que não podia contar uma mentira deslavada a um homem do clero.

– Percorremos um longo caminho, procurando as sepulturas de famílias que imigraram para cá durante a Revolução Francesa.

– Muitos vieram. São seus ancestrais?

Ela encarou os olhos claros e calmos do padre. Pensou nos nativos merinas que veneravam os mortos.

– Não. Mas é importante que os encontremos.

– Encontrar o que se foi? – Os músculos do padre, desgastados pela idade, tremeram com o simples movimento de unir as mãos. – Muitos procuram, poucos encontram. Vocês percorreram um longo caminho?

A mente do ancião, ela pensou, lutando com a impaciência, era tão velha quanto o corpo.

– Sim, padre, um longo caminho. Achamos que a família que procuramos talvez esteja enterrada aqui.

Ele pensou, depois aquiesceu.

– Talvez eu possa ajudá-los. Têm os nomes?

– Família Lebrun. Gerald Lebrun.

– Lebrun. – O padre franziu o rosto enrugado, enquanto pensava. – Não tem Lebrun nenhum na minha paróquia.

– Do que ele está falando? – resmungou Doug ao pé do ouvido de Whitney, mas ela apenas balançou a cabeça.

– Eles imigraram para cá da França há 200 anos. Morreram aqui.

– Todos precisamos enfrentar a morte a fim de ter a vida eterna.

Whitney rangeu os dentes.

– Sim, padre, mas temos interesse pelos Lebrun. Interesse histórico – decidiu, achando que na verdade não era mentira.

– Vocês percorreram um longo caminho. Precisam de um lanche. Madame Dubrock vai preparar o chá.

Ele pôs a mão no braço de Whitney, como a guiá-la pelo caminho. Ela ia recusar, mas sentiu o braço do ancião tremer.

– Seria adorável, padre.

Escorou o peso dele.

– O que está acontecendo?

– Vamos tomar chá – ela disse a Doug e sorriu para o padre. – Tente se lembrar de onde você está.

– Pai do céu.

– Exatamente.

Ela ajudou o padre idoso a seguir pelo atalho estreito até a casa paroquial. Antes que ele estendesse a mão até a maçaneta, a porta foi aberta por uma mulher de vestido caseiro, cujo rosto sucumbia às rugas. O cheiro da idade era igual a papel velho, rarefeito e empoeirado.

– Padre. – Madame Dubrock tomou-lhe o outro braço e ajudou-o a entrar. – Teve uma caminhada agradável?

– Eu trouxe viajantes. Precisam tomar chá.

– Claro, claro.

A velha conduziu o padre por um estreito e escuro corredor até um salão entulhado. Uma Bíblia encadernada de preto com páginas amareladas encontrava-se aberta no Livro de Davi. Velas com a chama baixa repousavam sobre cada mesa e em cada lado de um antigo piano de armário que parecia ter desabado mais de uma vez. Havia uma estátua da Virgem, lascada e desbotada, mas de algum modo linda, no nicho perto da janela. Madame Dubrock murmurou e tratou o padre com exagerado cuidado ao instalá-lo numa cadeira.

Doug olhou o crucifixo na parede esburacada pela idade, manchado do sangue da redenção. Passou a mão pelos cabelos. Jamais se sentia muito à vontade nas igrejas, e aquela era pior.

— Whitney, não temos tempo para isso.

— Quieto! Madame Dubrock — ela começou.

— Por favor, sentem-se, vou trazer o chá.

Compaixão e impaciência guerrearam dentro de Whitney quando ela tornou a olhar para o padre.

— Padre...

— Vocês são jovens. — Ele suspirou e avançou com esforço pelo rosário. — Rezo a missa na Igreja de Nosso Senhor há mais tempo do que os dois já viveram. Mas bem poucos vêm.

Mais uma vez, Whitney fora atraída pelos olhos claros, a voz fraca.

— Os números não importam, importam, padre? — Ela se sentou na cadeira ao lado dele. — Basta um.

Ele sorriu, fechou os olhos e cochilou.

— Coitado do velho — ela murmurou.

— E eu gostaria de viver tanto quanto ele — insistiu Doug. — Benzinho, enquanto esperamos o chá, Remo vai fazer sua alegre entrada na cidade. Na certa, está um pouco chateado por termos roubado seu jipe.

— O que quer eu faça? Peça ao padre que se retire, pois temos um matador profissional em nosso encalço?

Ele viu a expressão nos olhos dela quando o fulminou com eles, a expressão querendo dizer que se condoera.

— Tá bem, tá bem. — Pontadas de pena vinham sensibilizando-o também e ele não gostava disso. — Fizemos nossa boa ação, e agora ele está tirando um cochilo. Vamos fazer o que viemos fazer.

Whitney cruzou os braços no peito e sentiu-se uma ladra de túmulos.

— Escute, talvez haja registros, livros contábeis, que podíamos examinar, em vez de... — Ela se interrompeu e olhou em direção ao cemitério. — Você sabe.

Ele esfregou os nós dos dedos na face dela.

– Por que você não fica aqui e eu dou uma olhada?

A necessidade de concordar a fez sentir-se meio covarde.

– Não, estamos nisso juntos. Se Magdaline ou Gerald Lebrun estão lá, vamos descobrir juntos.

– Havia uma Magdaline Lebrun que morreu no parto, e sua filha, Danielle, que sucumbiu à febre.

Madame Dubrock voltou para a sala arrastando os pés com uma bandeja de chá e biscoitos duros.

– É verdade. – Whitney virou-se para Doug e tomou-lhe a mão. – É verdade.

A velha sorriu ao ver Doug encará-la desconfiado.

– Tenho muitas horas à noite para mim mesma. O meu passatempo é ler e estudar os registros da igreja. A própria igreja tem três séculos de existência. Resistiu a guerras e ciclones.

– Lembra-se de ter lido sobre os Lebrun?

– Sou velha. – Quando Doug lhe tomou a bandeja das mãos, ela deu um suspiro de alívio. – Mas minha memória é boa. – Lançou um olhar ao padre, que tirava uma soneca. – Um dia também irá embora. – Mas disse isso com uma ponta de orgulho. Ou talvez, pensou Whitney, com uma espécie de fé. – Muitos vieram aqui para fugir da Revolução, muitos morreram. Lembro que li sobre os Lebrun.

– Obrigada, madame.

Whitney enfiou a mão na carteira e tirou metade das notas que lhe haviam restado.

– Para a igreja. – Examinou por alto o padre e acrescentou mais notas. – Para a igreja dele, em nome da família Lebrun.

Madame Dubrock aceitou o dinheiro com tranquila dignidade.

– Se Deus quiser, vocês vão encontrar o que procuram. Se precisarem de repouso, voltem à casa paroquial. Serão bem-vindos.

– Obrigada, madame. – No impulso, Whitney adiantou-se. – Há homens atrás de nós.

Ela olhou Whitney direto nos olhos, paciente.

– É mesmo, minha filha?

– São perigosos.

O padre mexeu-se na cadeira e olhou para Doug.
– Deus os proteja.
Fechou de novo os olhos e adormeceu.
– Eles não fizeram perguntas – murmurou Whitney quando saíram.

Doug olhou para trás.
– Algumas pessoas têm todas as respostas que precisam. – Ele não era uma delas. – Vamos encontrar o que viemos procurar.

Por causa do crescimento excessivo da vegetação, das trepadeiras e da idade das lápides, eles levaram uma hora para percorrer metade do cemitério. O sol elevava-se alto no céu, projetando sombras finas e curtas. Mesmo ao longe, Whitney sentia o cheiro do mar. Cansada e desanimada, sentou-se no chão e ficou vendo Doug trabalhar.

– Devíamos voltar amanhã e fazer o resto. Mal consigo me concentrar nos nomes a esta altura.

– Hoje. – Falou meio para si mesmo, ao curvar-se sobre outra sepultura. – Tem de ser hoje, eu sinto.

– Eu só sinto uma dor na base das costas.

– Estamos perto. Eu sei. A gente fica com as palmas das mãos molhadas. E com a sensação intuitiva de que tudo está prestes a se encaixar. É como abrir um cofre. Não precisa nem ouvir o último estalo pra saber. Simplesmente se sabe. O filho da mãe está aqui – Ele enfiou as mãos nos bolsos e esticou as costas. – Vou encontrar nem que sejam necessários mais dez anos.

Whitney olhou-o e, com um suspiro, levantou-se. Apoiou a mão numa lápide para equilibrar-se ao prender o pé numa trepadeira. Praguejando, curvou-se para libertar-se. Sentiu o coração sobressaltar-se, olhou mais uma vez e leu o nome na pedra abaixo. Ouviu o último estalo da fechadura.

– Não vai ser necessário tanto tempo assim.
– O quê?
– Não vai ser necessário tanto tempo assim. – Ela riu, e a clara luminosidade do sorriso o fez endireitar-se. – Encontramos Danielle. – Teve de conter as lágrimas quando limpou a pedra. – Danielle Lebrun – leu. – 1779-1795. Pobre menina, tão longe de casa.

— A mãe está aqui. — A voz de Doug saiu nivelada, sem a cadência animada. Ele deslizou a mão até encontrar a de Whitney. — Ela morreu jovem.

— Deve ter usado os cabelos cobertos de talco, com plumas enfiadas. Os vestidos caíam bem abaixo dos ombros e varriam o chão. — Ela deitou a cabeça no braço dele. — Depois aprendeu a cultivar um jardim e guardou o segredo do marido.

— Mas onde ele está? — Doug tornou a agachar-se. — Por que não foi enterrado ao lado dela?

— Ele deve... — Ocorreu-lhe uma ideia e ela se afastou num rodopio, sentindo o gosto de uma maldição. — Ele se matou, não poderia ter sido enterrado aqui, em terreno consagrado. Doug, Gerald não está no cemitério.

Ele encarou-a.

— Como?

— Suicídio. — Ela correu a mão pelos cabelos. — Ele morreu em pecado, por isso não podia ser enterrado em terreno consagrado. — Olhou em volta, esperançosa. — Não sei nem onde procurar.

— Tiveram de enterrá-lo em algum lugar. — Ele começou a andar de um lado para o outro entre as sepulturas. — O que faziam com aqueles que não podiam deixar entrar?

Ela franziu um pouco a testa e pensou.

— Dependeria, suponho. Se o padre fosse misericordioso, acho que ele seria enterrado por perto.

Doug baixou os olhos.

— Estão aqui — resmungou. — E as palmas das minhas mãos continuam suadas. — Tomando a mão dela, dirigiu-se à cerca baixa que contornava o cemitério. — Começamos aqui.

Passou-se outra hora enquanto andavam e vasculhavam o mato. A primeira cobra que Whitney viu quase a fez voltar correndo para o jipe, mas Doug entregou-lhe um pau, sem nenhuma solidariedade. Endireitando a coluna, ela fincou-o no réptil. Quando Doug tropeçou, caiu e xingou, ela não lhe deu a menor atenção.

— Minha nossa!

Whitney ergueu o pau, pronta para baixá-lo.

— Cobra!

— Esqueça as cobras. — Ele tomou-lhe a mão e trouxe-a consigo mais uma vez para o chão. — Encontrei.

O marcador, pequeno, simples e também quase enterrado, informava apenas GERALD LEBRUN. Whitney pôs a mão em cima, perguntando-se se alguém lamentara a morte dele.

— E na mosca.

Doug arrancava uma trepadeira da grossura de um polegar e crivada de flores em forma de trompa de outra pedra. Informava apenas MARIA.

— Maria — ela murmurou. — Talvez fosse outra suicida.

— Não. — Ele segurou os ombros dela para os dois ficarem defronte um do outro. — Gerald guardou o tesouro exatamente como tinha prometido. Morreu ainda guardando. Deve ter enterrado aí, antes de escrever aquela última carta. Talvez tenha deixado por escrito o pedido para ser enterrado neste local. Não podiam enterrá-lo com a família, mas não tinham motivo algum para não lhe conceder um último desejo.

— Tudo bem, faz sentido. — Mas Whitney ficou com a boca seca. — E agora?

— Agora, vou roubar uma pá.

— Doug...

— Não é momento para sensibilidades.

Ela engoliu de novo em seco.

— Certo, mas faça isso depressa.

— Prenda a respiração.

Ele deu-lhe um beijo rápido, antes de correr e desaparecer.

Whitney sentou-se entre as duas pedras, os joelhos encolhidos junto ao corpo, o coração martelando. Estariam mesmo tão perto, tão perto da conclusão, afinal? Examinou o pedaço de terra abandonado sob a mão. Teria Gerald, o confidente da rainha, guardado o tesouro ao seu lado durante dois séculos?

E se o encontrassem? Whitney arrancou a grama com os dedos. Por enquanto, ia lembrar apenas que eles, e não Dimitri, o encontraram. Ficaria satisfeita com isso no momento.

Doug voltou pelo mato, sem fazer barulho. Ela só o ouviu quando ele murmurou seu nome. Xingou e ajoelhou-se atrapalhada.

– Precisa fazer isso?

– Preferi não anunciar nosso pequeno serviço vespertino. – Ele trazia na mão uma pá amassada, de cabo curto. – O melhor que pude arranjar em cima da hora.

Por um instante, apenas fitou a terra sob os pés. Queria saborear a sensação de pisar no portão para a boa vida.

Whitney leu os pensamentos nos olhos dele. Mais uma vez, sentiu pontadas das sensações contraditórias de aceitação e decepção. Então, pôs a mão sobre a dele na pá e deu-lhe um beijo demorado.

– Boa sorte.

Doug começou a cavar. Durante um minuto após o outro, não se ouviu ruído algum além do ritmo constante de metal varando a terra. Nenhuma brisa soprava do mar, e o suor escorria do rosto dele como chuva. O calor e o silêncio pressionavam-os. À medida que o buraco ia ficando maior, cada um lembrava os estágios da jornada que o haviam trazido tão perto assim.

Uma louca perseguição pelas ruas de Manhattan, uma corrida a pé na capital dos Estados Unidos. O salto de um trem em movimento, uma infindável caminhada por colinas áridas e ondulantes. A aldeia dos merinas. Cyndi Lauper ao longo do Canal des Pangalanes. Paixão e caviar num jipe roubado. Morte e amor, os dois inesperados.

Doug sentiu a ponta da pá tocar algo sólido. O ruído abafado ecoou pelo mato quando os seus olhos encontraram os de Whitney. De quatro, os dois começaram a afastar com os dedos a terra. Sem ousarem respirar, suspenderam-no.

– Oh, meu Deus – ela disse num sussurro. – É real.

Não tinha mais de 30 centímetros de comprimento nem tanto de largura. O próprio estojo estava mofado de terra e umidade. Era, como descrevera Danielle, muito simples. Mesmo assim, Whitney soube que o modesto cofre valeria uma pequena fortuna para um colecionador ou museu. Os séculos transformavam metal em ouro.

– Não quebre a fechadura – pediu a Doug quando ele ia forçar a abertura.

Embora impaciente, ele levou mais um minuto para abri-lo com suavidade, como se tivesse a chave. Quando abriu e jogou para trás a tampa, nenhum dos dois pôde fazer mais que olhar fixamente.

Whitney não saberia dizer o que vinha esperando. Quase sempre, encarara toda a aventura como um capricho. Mesmo quando arrebatada pelo entusiasmo de Doug, pedaços de seus sonhos, ela jamais acreditara com convicção que encontrariam uma coisa daquelas.

Viu o lampejo dos diamantes, o brilho do ouro. Ofegante, mergulhou a mão neles.

O colar de diamantes que lhe pendia da mão era tão brilhante, frio e refinado como o luar no inverno.

Poderia ser aquele? Haveria alguma chance de o colar que segurava ser o usado na traição a Maria Antonieta nos últimos dias antes da Revolução? Tê-lo-ia usado a rainha, mesmo uma única vez, em desafio, vendo como as pedras se tornavam gelo e fogo em sua pele? Teriam a cobiça e o poder dominado a jovem que amava coisas belas, ou ela apenas teria ignorado o sofrimento que acontecia fora dos muros do palácio?

Eram perguntas para historiadores, pensou, embora pudesse ter certeza de que Maria inspirara lealdade. Gerald de fato guardara as joias para sua rainha e seu país.

Doug tinha as esmeraldas nas mãos, cinco voltas delas num colar tão pesado que talvez houvesse distendido um pescoço. Vira-o no livro. O nome de uma mulher. Maria, Louise, não sabia ao certo. Mas, como uma vez pensara Whitney, as joias significavam mais em três dimensões. O que brilhava na mão dele não vira luz durante dois séculos.

Havia mais. O bastante para cobiça, paixão e luxúria. O pequeno cofre quase transbordava de pedras preciosas. E história. Com todo cuidado, Whitney enfiou a mão por baixo e pegou a pequena miniatura.

Vira retratos da rainha consorte muitas vezes. Mas nunca segurara uma obra-prima de arte antes. Maria Antonieta, frívola, imprudente e extravagante, retribuía-lhe o sorriso como se continuasse em pleno reinado. A miniatura não tinha mais de 15 centímetros, forma oval, emoldurada em ouro. Não conseguiu ler o nome do pintor e, embora o retrato precisasse muito de um tratamento, ela sabia seu valor. E a moral.

– Doug...

– Santo Deus!

Por mais alto que houvesse deixado os sonhos o embalarem, ele jamais acreditara que seria assim tão delicioso no fim. Tinha a fortuna nas pontas dos dedos, o sucesso último. Segurava, numa das mãos, um perfeito diamante em forma de gota e, na outra, um bracelete cintilante de rubis. Simplesmente vencera o jogo. Mal percebendo o que fazia, enfiou o diamante no bolso.

– Olhe bem, Whitney, temos o mundo todo bem aqui. Todo o maldito mundo. Deus abençoe a rainha.

Rindo, deslizou um fio de diamantes e esmeraldas pela cabeça dela.

– Doug, veja isto.

– O que é que tem? – Interessavam-no mais as joias brilhantes que caíam da caixa que um quadrinho desbotado. – A moldura vale uma nota – disse, como quem não quer nada, e pegou um ornado colar confeccionado com safiras do tamanho de moedas de 25 centavos.

– É um retrato de Maria Antonieta.

– É valioso.

– Inestimável.

– Ah, é?

Interessado, ele deu atenção ao retrato.

– Doug, esta miniatura tem duzentos anos. Ninguém ainda vivo a viu antes. Ninguém sequer sabe que existe.

– Então valerá um ótimo preço.

– Será que não entende? – Impaciente, ela pegou-o de volta. – Isso tem de fazer parte de um museu. Não é uma coisa que se pode levar a um intermediário que vende artigos roubados. É arte. Doug... – Ela ergueu o colar de diamantes. – Olhe isto. Não é apenas um monte de pedras bonitas de alto valor de mercado. Veja a habilidade artesanal, o estilo. É arte, história. É o colar do Caso do Diamante, poderia projetar toda uma nova luz sobre teorias aceitas.

– É a minha liberdade – ele corrigiu, e guardou o colar de volta no estojo.

– Doug, essas joias eram de uma mulher que viveu há dois séculos. Duzentos anos. Você não pode levar o colar e o bracelete dela a uma casa de penhores e mandar desmanchar. Isso é imoral.

– Vamos falar de moral depois.

– Doug...

Aborrecido, ele fechou a tampa da caixa e levantou-se.

– Escute, você quer dar a pintura a um museu, talvez duas das joias, tudo bem. A gente fala sobre isso depois. Arrisquei minha vida por essa caixa, e porra, a sua também. Não vou abrir mão da única chance que tenho de me dar bem e ser alguém, para que as pessoas possam ficar boquiabertas diante de pedras preciosas num museu.

Ao levantar-se e ficar diante dele, Whitney lançou-lhe um olhar que ele não entendeu.

– Você é uma figura – ela disse, em voz baixa.

Isso mexeu em alguma coisa dentro dele, mas Doug apenas balançou a cabeça.

– Não boa o bastante, benzinho. As pessoas como eu precisam das coisas com que não nasceram. Estou cansado de disputar o jogo. Isso me leva à linha de chegada.

– Doug...

– Escute, o que quer que aconteça com tudo isso, primeiro temos de tirá-lo daqui.

Ela ia argumentar, mas cedeu.

– Tudo bem, mas vamos discutir isso depois.

– Como quiser. – Doug deu-lhe aquele sorriso irresistível em que ela aprendera a não confiar. – O que acha de levarmos o bebê pra casa?

Com um balanço de cabeça, Whitney retribuiu o sorriso.

– Chegamos até aqui. Talvez a gente consiga escapar sãos e salvos.

Puseram-se em marcha, mas, quando ele se virou para empurrar o mato alto, ela recuou. Arrancou algumas flores de trepadeiras e as depositou na sepultura de Gerald.

– Você fez tudo que podia.

Virando-se, seguiu Doug até o jipe. Com outra olhada em volta, ele pôs o cofre no banco de trás e jogou uma manta por cima. – Muito bem, agora procuramos um hotel.

– É a melhor notícia que tive o dia todo.

Quando ele encontrou um que parecia elegante e caro o bastante para seu gosto, encostou no meio-fio.

– Escute, faça o registro de entrada. Vou providenciar as coisas para nos tirar do país no primeiro avião amanhã de manhã.

– E a nossa bagagem em Antananarivo?

– Mandamos buscar depois. Para onde você quer ir?

– Paris – ela respondeu no mesmo instante. – Tenho a impressão de que não vou me entediar desta vez.

– É para já. Agora, que tal me dar um pouco desse dinheiro vivo para eu cuidar das coisas?

– Claro. – Como se nunca lhe houvesse negado um centavo, Whitney pegou a carteira. – É melhor levar, em vez disso, um cartão – decidiu e retirou um cartão de crédito. – Primeira classe, Doug, por favor.

– Nada mais. Pegue o melhor quarto no hotel, benzinho. Esta noite começamos a viver em grande estilo.

Ela sorriu, mas se curvou sobre o banco de trás e pegou a caixa coberta com a manta junto com a mochila.

– Vou levar isso comigo.

– Não confia em mim?

– Eu não diria isso. Exatamente.

Saltando, ela soprou-lhe um beijo. Com a calça manchada de terra e uma blusa rasgada, entrou no hotel como uma princesa reinante.

Doug viu três homens apressarem-se a abrir-lhe a porta da frente. Classe, pensou mais uma vez. Ela a emanava. Lembrou que uma vez lhe pedira um vestido de seda azul. Com um sorriso, ele se afastou do meio-fio. Iria trazer-lhe algumas surpresas.

WHITNEY APROVOU O QUARTO e expressou a aprovação ao mensageiro com uma generosa gorjeta. A sós, retirou a manta da caixa e tornou a abri-la.

Jamais se considerara conservacionista, entusiasta das artes, nem puritana. Olhando as pedras preciosas, joias e moedas de outra era, sabia que nunca conseguiria transformá-las em algo tão ordinário quanto dinheiro vivo. Pessoas haviam morrido pelo que tinha nas mãos. Algumas por cobiça, outras por princípios, outras ainda por nada mais que a escolha do momento. Se fossem apenas joias, as mortes não significariam nada. Ela pensou em Juan e em Jacques. Não, elas eram muito, muito mais que joias.

O que tinha ali, nas pontas dos dedos, não era dela nem de Doug. O difícil seria convencê-lo disso.

Deixando a tampa fechada, entrou no banheiro e abriu a torneira toda. O ato trouxe de volta a lembrança da pequena pousada no litoral e de Jacques.

Embora ele houvesse morrido, talvez quando a miniatura e o tesouro estivessem no lugar certo, seria lembrado. Uma pequena placa com seu nome num museu em Nova York. Sim. A ideia a fez sorrir. Jacques apreciaria isso.

Deixou a água correr enquanto ia até a janela olhar a vista. Agradou-lhe ver a baía e a movimentada cidadezinha abaixo. Gostaria de caminhar pelo bulevar e absorver a textura do porto marítimo. Navios, homens do mar. Haveria lojas abarrotadas de mercadoria, daquelas que uma mulher na sua profissão vasculhava. Uma pena se não pudesse voltar para Nova York com alguns engradados de mercadorias de Madagascar.

Com a mente vagando, um vulto na calçada atraiu-lhe a atenção e a fez debruçar-se. Um chapéu-panamá branco. Mas que ridículo, disse a si mesma. Inúmeros homens usavam panamás nos trópicos. Não podia ser... Mas, quando o olhou, teve quase certeza de que era o homem que vira antes. Esperou, sem ar, o homem virar-se para certificar-se. Quando o chapéu desapareceu no vão de uma porta, ela deu um suspiro frustrado. Estava apenas nervosa. Como alguém poderia ter seguido a trilha em zigue-zague que haviam tomado para Diego-Suarez? Era melhor Doug voltar logo, pensou. Queria tomar um banho, trocar de roupa e entrar num avião.

Paris, ela imaginou e fechou os olhos. Uma semana sem fazer nada, além de relaxar. Entregues ao amor e ao champanhe. Depois de tudo por que haviam passado, era o mínimo que mereciam. Depois de Paris... Suspirou e voltou ao banheiro. Essa era outra questão.

Fechou as torneiras, endireitou-se e começou a desabotoar a blusa. Ao fazê-lo, encontrou os olhos de Remo no espelho acima da pia.
– Srta. MacAllister. – Ele sorriu, tocando de leve a cicatriz na face.
– É um prazer.

14

Ela pensou em gritar. O gosto do medo surgiu no fundo da garganta, quente e amargo. Fechou-se na boca do estômago, forte e frio. Mas uma expressão no olhar de Remo, calma e à espera, avisou-a de que ele teria apenas muito prazer em silenciá-la. Ela não gritou.

No instante seguinte, pensou em fugir – lançar-se numa louca e heroica corrida passando por ele e saindo pela porta. Sempre havia uma possibilidade de conseguir. E de não conseguir.

Ela recuou, a mão ainda pronta para a ação no primeiro botão da blusa. No pequeno banheiro, sua respiração rápida, desigual, ecoava de volta. O ruído fez Remo sorrir. Ao ver isso, Whitney lutou para controlar-se. Chegara tão longe, trabalhara tão duro, e agora estava encurralada. Fechou os dedos na borda de porcelana da pia. Não ia choramingar, prometeu a si mesma. Nem suplicar.

Ao ver um movimento atrás de Remo, ela desviou o olhar e deu de cara com os olhos sorridentes e idiotas de Barns. Aprendera que o medo às vezes era primitivo, descuidado, como o terror que um camundongo sente quando vê um gato começar a bater as patas de brincadeira. O instinto disse-lhe que o perigo era muito maior nele que no homem alto e moreno que lhe apontava uma pistola. Havia hora para heroísmo, hora para temer e hora para jogar os dados. Ela se forçou a relaxar os dedos e rezou.

– Remo, eu presumo. Você trabalha rápido.

E a mente dela também, logo começando a indicar ângulos e rotas de fuga. Doug saíra havia não mais de vinte minutos. Estava sozinha.

Ele esperava que ela gritasse ou tentasse correr, de modo a ter um motivo para deixá-la com alguns hematomas. A vaidade dele ainda se ressentia da cicatriz no rosto. Fora a vaidade, temia demais Dimitri para pôr uma marca nela sem provocação. Sabia que o patrão gostava de mulheres entregues ilesas, não importava a condição em que se encontrassem quando as liquidava. Intimidação, porém, era diferente. Encostou o cano da arma sob o queixo dela para apertá-lo no ponto da suave e vulnerável garganta. Ao vê-la estremecer, alargou o sorriso.

– Lord – disse sem rodeios. – Onde está?

Ela encolheu os ombros, porque jamais se sentira tão assustada na vida. Quando falou, a voz saiu deliberadamente uniforme e fria. Cada gota de saliva na boca secara.

– Eu o matei.

A mentira saíra tão fácil e rápida que quase a surpreendeu. Por causa disso, as mentiras fáceis desprendiam um toque de verdade. Whitney continuou. Erguendo um dedo, afastou o cano da garganta.

Remo encarava-a. Raras vezes seu intelecto fora capaz de perceber sutilezas, tanto que viu a insolência nos olhos dela sem perceber o medo por trás. Puxando-a pelos braços, arrastou-a até o quarto e empurrou-a rudemente numa cadeira.

– Onde está Lord?

Whitney empertigou-se na cadeira e correu a mão pela já rasgada manga da blusa. Não podia deixá-lo ver que seus dedos tremiam. Seria necessária toda a sua perspicácia para ela ter sucesso.

– Francamente, Remo, eu esperava um pouco mais de classe de você que de um ladrão de segunda categoria.

Com um balanço brusco da cabeça, ele fez sinal a Barns para se aproximar. Ainda rindo, o outro se aproximou com um revólver pequeno e medonho.

– Bonita – disse, e quase babou. – Macia e bonita.

– Ele gosta de acertar pessoas em lugares como rótulas – disse Remo. – Agora, onde está Lord?

Whitney esforçou-se para ignorar a arma que Barns apontava para seu joelho. Se a olhasse, se apenas pensasse nela, teria desabado numa poça de súplicas.

– Eu o matei – repetiu. – Tem um cigarro? Não sei o que é um há dias.

O tom da voz era naturalmente régio, e Remo pegara o maço antes mesmo de percebê-lo. Frustrado, apontou a arma bem entre os olhos dela. Whitney sentiu o coração disparar.

– Só vou perguntar mais uma vez. Onde está Lord?

Ela deu um suspiro curto e irritado.

– Acabei de dizer. Morreu. – Sabia que Barns continuava a encará-la, cantando baixo com os lábios fechados. Sentiu o estômago revirar-se ao dar uma olhada crítica nas unhas. – Não imagino que saiba onde posso arranjar uma boa manicure neste lugar imundo.

– Como o matou?

A batida do coração dela se acelerou. Se ele perguntava agora, era porque estava prestes a acreditar.

– Atirei nele, claro. – Ela deu um sorriso meio vago e cruzou as pernas. Viu Remo sacudir a cabeça para Barns baixar a arma. Não se permitiu um suspiro de alívio. – Pareceu a maneira mais garantida.

– Por quê?

– Por quê? – Ela piscou. – Como assim?

– Por que o matou?

– Eu não precisava mais dele – ela respondeu simplesmente.

Barns adiantou-se e passou a mão rechonchuda pelos cabelos dela. Emitiu um som que talvez fosse de aprovação. Whitney cometeu o erro de virar a cabeça e os olhos dos dois se encontraram. O que ela viu fez seu sangue congelar. Imóvel, lutou para não revelar o medo, apenas a repulsa.

– Este é seu roedor de estimação, Remo? – perguntou sem alterar a voz. – Espero que saiba controlá-lo.

– Fora, Barns.

Ele deslizou a mão até o ombro dela.

– Só quero tocar.

– Fora!

Whitney viu a expressão nos olhos de Barns quando se virou para Remo. A amabilidade se fora. A idiotice neles agora era sombria e vil. Engoliu em seco, sem saber se ele iria obedecer ou apenas atirar em

Remo ali mesmo. Se tivesse de lidar com um deles, não queria que fosse Barns.

– Senhores – ela disse numa voz clara, calma, que os fez tornar a olhá-la. – Se vamos continuar nisso por muito tempo, eu agradeceria aquele cigarro. Foi uma manhã muito cansativa.

Com a mão esquerda, Remo enfiou a mão no bolso e ofereceu-lhe um cigarro. Whitney pegou-o, e então, segurando-o entre dois dedos, olhou-o em expectativa. Ele teria disparado uma bala no cérebro dela sem um instante de hesitação. Mas também apreciava mulheres conservadoras. Pegando o isqueiro, acendeu-o para ela.

Com o olhar fixo no dele, Whitney sorriu e soprou uma baforada.

– Obrigada.

– Claro. Como espera que eu acredite que você liquidou Lord? Ele não é nenhum tolo.

Ela recostou-se, levando mais uma vez o cigarro aos lábios.

– Nisso, não temos a mesma opinião, Remo. Lord era um tolo de primeira classe. É lamentavelmente fácil se aproveitar de um homem cujos miolos, digamos assim, ficam abaixo da cintura.

Uma gota de suor escorreu-lhe pelas escápulas. Foi necessário todo o seu esforço para não se contorcer na cadeira.

Remo examinou-a. Rosto calmo, mãos firmes. Ou tinha mais coragem do que ele esperava, ou dizia a verdade. Em geral, teria apreciado alguém pôr as coisas em ordem por ele, mas queria matar Doug ele mesmo.

– Escute, boneca, você estava com Lord de muito bom grado. Ajudou-o o tempo todo.

– Claro. Ele tinha uma coisa que eu queria. – Ela tragou com delicadeza, grata por não se engasgar. – Ajudei-o a sair do país e até o banquei financeiramente. – Deu uma batidinha com o cigarro no cinzeiro ao lado. Esquivar-se não era possível, compreendeu. Se Doug retornasse com eles ainda ali, estaria tudo perdido. Para os dois. – Tenho de admitir, foi meio emocionante durante algum tempo, embora faltasse classe a Doug. É o tipo de homem do qual uma mulher se cansa facilmente, se sabe o que quero dizer. – Ela sorriu, olhando Remo de cima a baixo por trás de uma névoa de fumaça. – De qualquer modo, não vi motivo algum para ficar presa a ele, nem para dividir o tesouro com ele.

– Então o matou.

Whitney notou que Remo não disse isso com nenhum traço de repugnância ou repulsa. Ouviu apenas especulação.

– Claro. Ele passou a ser um tolo presunçoso depois que roubamos seu jipe. Foi apenas uma questão de convencê-lo a parar... passar para o outro lado da estrada por algum tempo. – Brincou, como quem não quer nada, com o primeiro botão e viu Remo baixar os olhos para ali. – Eu tinha os papéis e o jipe. Com certeza, não precisava mais dele. Atirei nele, joguei-o no mato e vim para a cidade.

– Muito descuido da parte de Lord deixar você meter uma bala nele.

– Ele estava... – Whitney deslizou o dedo para baixo. – Ocupado. – Remo não engolia a história, ela pensou e deu de ombros. – Pode perder seu tempo procurando-o, se quiser. Mas deve saber que vim para o hotel sozinha. E, como parece que você conhecia Douglas, talvez leve em consideração que eu tenho o tesouro. Acha mesmo que ele o teria confiado a mim?

Ela apontou com um elegante dedo a cômoda.

Remo aproximou-se e abriu a tampa. O que viu fez a boca encher-se d'água.

– Impressionante, não? – Whitney apagou de leve o cigarro.

– Impressionante demais para dividir com alguem do calibre de Doug. Mas... – Interrompeu-se até Remo dirigir-lhe de novo o olhar. – Um homem de certa classe e educação seria muito diferente.

Era tentador. Ela encarava-o com olhos escuros e promissores. Ele quase podia sentir o calor que subia do pequeno tesouro sob os dedos. Mas lembrou-se de Dimitri.

– Você vai mudar de acomodações.

– Tudo bem.

Como se não desse a mínima, Whitney levantou-se. Tinha de fazê-los sair, e rápido. Ir com eles era preferível a levar um tiro na rótula, ou em outro lugar.

Remo pegou o cofre do tesouro. Dimitri ficaria satisfeito, pensou. Muito, muito satisfeito. Deu a Whitney um sorrisinho.

– Barns vai acompanhar você até o carro. Eu não tentaria nada... a não ser que queira ter todos os ossos da mão direita quebrados.

Uma olhada para a cara sorridente de Barns a fez estremecer.

– Não tem a menor necessidade de ser bruto, Remo.

DOUG NÃO LEVOU muito tempo para conseguir as duas passagens só de ida para Paris, porém a expedição de compras consumiu mais tempo. Deu-lhe muito prazer comprar a roupa íntima transparente de Whitney – embora fosse o número do cartão de crédito dela estampado na nota. Ele passou quase uma hora, para grande deleite da vendedora, escolhendo um vestido de seda azul-real profundo com um corpete drapeado e uma saia justa lisa.

Satisfeito, presenteou-se com um terno de elegância descontraída. Era assim mesmo que pretendia viver. Pelo menos por algum tempo: descontraído e elegante.

Quando voltou ao hotel, vinha carregado de caixas e assobiava. Estavam a caminho. Via-os na noite seguinte tomando champanhe no Maxim's e fazendo amor num quarto com uma vista panorâmica do rio Sena. Nunca mais embalagens de seis cervejas e motéis de beira de estrada para Doug Lord. Primeira classe, dissera Whitney. Ele ia aprender a viver com isso.

Surpreendeu-se ao encontrar a porta destrancada. Não teria Whitney percebido a essa altura que ele não precisava de chave para algo tão básico quanto uma fechadura de hotel?

– Ei, amor, pronta para comemorar? – Largando as caixas na cama, pegou a garrafa de vinho na qual gastara o equivalente a 75 dólares. Ao dirigir-se ao banheiro no outro lado, começou a afrouxar a rolha na garrafa. – A água ainda está quente?

Água fria e sem Whitney. Por um instante, Doug ficou no centro do banheiro olhando a água limpa e imóvel. Cedendo à pressão, a rolha saltou com um estampido comemorativo. Ele mal notou a inundação de champanhe que lhe molhava os dedos. Com o coração na garganta, voltou correndo para o quarto.

A mochila dela continuava onde ela a jogara no chão. Mas não se via nenhuma pequena caixa de madeira. Com rapidez e precisão, ele vasculhou o quarto. A caixa e tudo o mais dentro dela haviam desaparecido. E Whitney também.

Sua primeira reação foi de fúria. Ser traído por uma mulher de olhos cor de uísque e sorriso frio era pior, centenas de vezes pior do que ser traído por um anão de pernas arqueadas. Pelo menos o anão fazia parte do ramo. Praguejando, ele bateu a garrafa na mesa.

Mulheres! Eram e continuavam sendo seu maior problema desde a puberdade. Quando aprenderia? Elas sorriam, sussurravam, adejavam as pestanas e enrolavam a gente por cada último dólar.

Como pôde ter sido tão babaca? Acreditara realmente que ela sentia alguma coisa por ele. O jeito como o olhara quando haviam feito amor, como ficara ao seu lado e lutara por ele, e agora sem mais nem menos o abandonara na primeira chance que tivera.

Examinou a mochila no chão. Ela levara-a nas costas, percorrera quilômetros a pé, rira, queixara-se, provocara-o. E então... Sem pensar, Doug abaixou-se e pegou-a. Dentro, as coisas dela – a calcinha de renda, um pó compacto, uma escova. Sentiu seu cheiro.

Não. A negação golpeou-o forte e abrupta no íntimo. Com isso, atirou a mochila na parede. Whitney não o teria abandonado. Mesmo que se houvesse enganado em relação aos sentimentos, ela tinha simplesmente classe demais para quebrar um acordo.

Então, se não fugira, fora levada.

Ele ficou ali parado, com a escova na mão, enquanto o medo o inundava. Levada. Percebeu que teria preferido acreditar em traição. Teria preferido acreditar que ela já estava num avião, rumando para o Taiti, rindo dele.

Dimitri. A escova quebrou-se na metade exata sob a pressão das mãos. Dimitri estava com sua mulher. Doug atirou os dois pedaços no outro lado do quarto. Não ficaria com ela por muito tempo.

A CASA ERA MAGNÍFICA. Mas Whitney supôs que não devia ter esperado menos de um homem com a reputação de Dimitri. No exterior, elegante, quase feminina, branca e limpa, com sacadas de ferro forjado que deviam proporcionar uma linda vista da baía. O terreno bem espaçoso, exuberante, ornado com flores tropicais da região e sombreado pelas palmeiras. Ela examinou-a com um pavor nauseante, arrepiante.

Remo parou o carro na ponta do acesso de veículos de cascalho branco. Embora a coragem começasse a faltar-lhe, Whitney lutava para recuperá-la. Um homem que adquiria uma casa daquelas tinha cérebro. E, com cérebro, ela sabia lidar.

Era Barns, com os gananciosos olhos pretos e o sorriso ávido, que a preocupava.

— Bem, devo admitir que isso é preferível ao hotel.

Com o ar de alguém se preparando para ir a um jantar festivo, Whitney desceu do carro. Arrancou um hibisco e encaminhou-se para a porta da frente, girando-o sob o nariz.

À batida de Remo, a porta foi aberta por outro homem de terno escuro. Dimitri insistia na aparência profissional impecável dos empregados. Todos usavam gravata mas também as .45 de ponta rombuda. Quando o homem sorriu, exibiu um dente da frente com uma terrível lasca. Whitney não tinha ideia de que ele o adquirira quando atravessara a vitrine da Godiva Chocolatiers.

— Então você a pegou. — Ao contrário de Remo, via o dente lascado como um risco ocupacional. Tinha de admirar uma mulher que dirigia com tanta loucura e sangue-frio. — Onde está Lord?

Remo sequer o olhou. Respondia apenas a um homem.

— Fique de olho nela — ordenou, e foi fazer o relato diretamente a Dimitri.

Como levava o tesouro, andava rápido, com o ar de um homem no comando. Na última vez que se apresentara, quase rastejara.

— Então qual é a história, Barns? — O homem de terno escuro lançou um demorado olhar a Whitney. Bonita, a dama. Imaginou que Dimitri tivesse alguns planos interessantes para ela. — Esqueceu as orelhas de Lord para o patrão?

A risadinha de Barns causou arrepios na pele de Whitney.

— Ela matou o cara.

— Ah, é?

Ela percebeu o olhar interessado e penteou com a mão os cabelos para trás.

— Isso mesmo. Tem algum jeito de conseguir uma bebida neste lugar?

Sem esperar resposta, atravessou o largo corredor e entrou na primeira sala.

Era um salão obviamente formal. Quem o decorara tinha um fraco por ornamentos. Whitney teria escolhido algo muito mais alegre.

As janelas, duas vezes mais altas que ela, eram enfeitadas com festões de brocado escarlate. Vagando pelo salão, ela se perguntava se seria possível abri-las e escapar. Doug, a essa altura, teria voltado ao hotel, calculou, correndo a ponta do dedo por uma mesa cilíndrica com elaborado entalhe. Mas não podia contar com a chegada dele no comando de um ataque da Sétima Cavalaria. Qualquer movimento que ela fizesse, teria de fazê-lo sozinha.

Sabendo que os dois observavam cada passo que dava, foi até uma garrafa de bebida de cristal lapidado Waterford e serviu-se. Tinha os dedos dormentes e molhados. Uma pequena dose de coragem não faria mal, decidiu. Sobretudo enquanto ainda não soubesse o que iria enfrentar. Como se tivesse todo o tempo do mundo, sentou-se numa cadeira de espaldar alto e começou a tomar um vermute muito suave.

O pai sempre dizia que se podia negociar com um homem que mantinha um bom bar. Tornou a beber e desejou que ele tivesse razão.

Minutos se passaram. Sentada na cadeira, bebia e tentava ignorar o terror que se avolumava dentro de si. Afinal, raciocinou, se ele fosse apenas matá-la, já o teria feito a essa altura. Não? Não era mais provável que a mantivesse presa para exigir resgate? Talvez não lhe agradasse muito ser trocada por algumas centenas de dólares, mas era um destino muito melhor que uma bala.

Doug falara de tortura como se fosse o passatempo de Dimitri. Torniquetes de dedo e poesia. Ela engoliu mais vermute, sabendo que jamais manteria a lucidez se pensasse muito a fundo no homem que agora tinha sua vida nas mãos.

Doug estava seguro. Pelo menos por enquanto. Whitney concentrou-se nisso.

Quando Remo voltou, ela se retesou de cima a baixo, músculo por músculo. Com deliberado cuidado, levou mais uma vez a taça aos lábios.

— É uma terrível grosseria deixar uma convidada esperar mais de dez minutos — disse, como quem não quer nada.

Ele tocou a cicatriz no rosto, gesto que não passou despercebido por ela.

— O Sr. Dimitri gostaria que você se juntasse a ele para almoçar. Achou que talvez quisesse tomar um banho e se trocar primeiro.

Uma prorrogação.

— Muito atencioso. — Levantando-se, ela largou o copo ao lado. — Mas lamento sua pressa em me fazer sair sem minha bagagem. Simplesmente não tenho nada para usar.

— O Sr. Dimitri já cuidou disso. — Tomando-lhe o braço, um pouco firme demais para dar-lhe conforto, Remo conduziu-a ao corredor e subiu a ampla escadaria até o segundo andar. Não apenas o corredor cheirava a uma sala fúnebre, ela percebeu, mas a casa toda. Ele abriu a porta. — Você tem uma hora. Fique pronta, ele não gosta que o deixem esperando.

Ela entrou e ouviu a fechadura girar atrás de si.

Cobriu o rosto com as mãos um instante porque não conseguia deter o tremor. Um minuto, disse a si mesma, começando a respirar fundo. Só precisava de um minuto. Estava viva. Era nisso que tinha de concentrar-se. Devagar, baixou as mãos e olhou em volta.

Dimitri não era sovina, decidiu. A suíte que lhe dera parecia tão elegante quanto prometera o exterior da casa. A sala de estar, larga e comprida, tinha vasos de flores frescas em abundância. Cores femininas, rosa e cinza perolado no sedoso papel de parede, combinando com os tons do tapete oriental no piso. O sofá-cama era de um matiz mais escuro, amarronzado e arredondado, com almofadas feitas à mão. No todo, decidiu como profissional, um trabalho bem-feito e refinado. De repente, chegou às janelas, forçando-as para abrir.

Uma olhada mostrou-lhe a impossibilidade. Da pequena sacada ornada, a queda era de quase 30 metros. Não haveria salto ágil, como na pousada litorânea. Fechando-as mais uma vez, começou a explorar a suíte à procura de outras possibilidades.

O quarto era todo lindo, com uma cama chippendale grande, encerada, e delicados abajures chineses. O armário de jacarandá já se achava aberto, mostrando-lhe uma seleção de roupas que nenhuma mulher ousada rejeitaria. Whitney manuseou a seda pura marfim de uma manga e afastou-se. Parecia que Dimitri esperava que ela fixasse residência ali por algum tempo. Podia encarar isso como um bom sinal ou preocupar-se.

Examinando em volta, Whitney deu uma olhada em si mesma num espelho alto, encaixado no meio de uma moldura vertical para poder ser inclinado. Aproximou-se. Tinha o rosto pálido, as roupas sujas e rasgadas. Os olhos, percebeu, tornaram a ficar assustados. Indignada, começou a tirar a blusa.

Dimitri não veria uma mulher esfarrapada tremendo de medo no almoço, decidiu. Se nada mais podia fazer no momento, cuidaria disso. Whitney MacAllister sabia vestir-se para qualquer ocasião.

Verificou todas as portas de acesso ao quarto e viu que estavam trancadas pelo lado de fora. Toda janela que abriu também a levou à compreensão de que estava completamente aprisionada.

Por ser o passo seguinte mais lógico, Whitney deu-se o luxo de um banho na funda banheira de mármore, perfumada com generosidade por óleos que Dimitri providenciara. Na penteadeira, via-se maquiagem, desde base até delineador, tudo da marca e dos tons que ela preferia.

Então, ele era meticuloso, disse a si mesma ao usá-la. Um perfeito anfitrião. Um frasco de cristal ametista continha seu perfume. Ela escovou os cabelos recém-lavados com xampu, depois os retirou do rosto com dois pentes de madrepérola. Outro presente do anfitrião.

Indo até o armário, dedicou à escolha do traje todo o cuidado e a deliberação que talvez um guerreiro dedicasse à escolha da armadura. Em sua posição, considerava importante cada detalhe. Optou por um vestido de verão verde-menta com metros de saia e costas de fora, ao qual deu um realce com um xale de seda amarrado na cintura.

Dessa vez, quando se olhou no espelho de corpo inteiro, assentiu com a cabeça em aprovação. Estava pronta para qualquer coisa.

Quando a pancada soou na porta da sala de estar, respondeu com ousadia. Deu a Remo o frio olhar de princesa que Doug admirava.

Sem uma palavra, passou deslizando por ele. Tinha as palmas úmidas, mas resistiu à compulsão de fechar os punhos. Em vez disso, correu de leve os dedos pelo corrimão ao descer a escada. Se caminhava para a sua execução, pensou, pelo menos caminhava com classe. Comprimindo os lábios apenas um instante, seguiu Remo pela casa e saiu num largo terraço cercado de flores.

– Srta. MacAllister, finalmente.

Whitney não tinha certeza absoluta do que esperara. Sem dúvida, após todas as histórias de horror por que passara e que ouvira, esperava alguém feroz, cruel e exuberante. O homem que se levantou da mesa de vime e vidro fumê era pálido, pequeno e sem graça. Tinha um rosto redondo brando e alguns fios de cabelos escuros ralos puxados para trás. A pele era pálida, tão pálida que parecia nunca ter visto o sol. Ela teve uma rápida e irrefletida visão de que, se enfiasse o dedo na face dele, se desfaria como massa de farinha quente, mole. Os olhos quase não tinham cor, um azul-claro aquoso, sob sobrancelhas escuras e inofensivas. Ela não soube definir se ele tinha 40 ou 60 anos, ou qualquer idade intermediária.

A boca fina, o nariz pequeno e as faces redondas, a não ser que seu palpite estivesse errado, haviam sido levemente tingidas de ruge.

O terno alinhado branco que ele usava não disfarçava muito a pança. Talvez fosse tentador considerá-lo um homenzinho idiota, mas ela notou as nove unhas cobertas por uma fina camada de esmalte e o toco do dedo mindinho.

Em contraste com a aparência rechonchuda, bem-cuidada, a deformidade chocava e embaraçava. Ele estendeu a mão, palma virada para cima, em cumprimento, de modo que ela viu onde a pele ficara espessa e dura na ponta. A palma era lisa como a de uma menina.

Fosse qual fosse a aparência dele, não a fazia esquecer que Dimitri era tão perigoso e astuto quanto qualquer coisa que se arrastava como uma cobra no pântano. A extensão de seu poder talvez não fosse visível na superfície, mas ele dispensou o alto e magro Remo com não mais que um olhar.

– Fico muito feliz em tê-la comigo, minha cara. Nada é mais deprimente do que almoçar sozinho. Tenho um delicioso Campari. –

Ergueu outra garrafa Waterford de cristal lapidado. – Posso persuadi-la a experimentar?

Ela abriu a boca para falar e nada saiu. O brilho de prazer nos olhos dele a fez avançar.

– Eu adoraria. – Whitney deslizou para a mesa. Quanto mais se aproximava, mais o medo se avolumava. Era irracional, pensou. O homem parecia o tio pomposo de alguém. Mas o medo se intensificava. Aqueles olhos, percebeu, não piscavam. Ele apenas encarava, encarava, encarava. Ela teve de concentrar-se para manter a mão firme ao pegar a taça. – Sua casa, Sr. Dimitri, é admirável.

– Tomo isso como um grande elogio de alguém da sua reputação profissional. Tive sorte de encontrá-la em cima da hora. – Ele bebeu e secou delicadamente a boca com o guardanapo de linho branco. – Os donos foram... bastante generosos ao me emprestá-la por algumas semanas. Gosto muito dos jardins. Um alívio agradável nesse calor pegajoso. – Num gesto cortês, aproximou-se para segurar a cadeira dela. Whitney teve de reprimir uma onda de pânico e repulsa. – Sei que deve estar faminta após a viagem.

Ela deu uma rápida olhada para trás e obrigou-se a sorrir.

– Na verdade, jantei muito bem ontem à noite, mais uma vez graças à sua hospitalidade.

Uma leve curiosidade atravessou o rosto do anfitrião enquanto ele retornava à própria cadeira.

– É mesmo?

– No jipe que Doug e eu adquirimos de seus... empregados? – Ao assentimento dele, ela continuou. – Havia uma deliciosa garrafa de vinho e uma refeição muito gostosa. Gosto muito de esturjão branco.

Ela viu o caviar, preto e brilhante, empilhado no gelo ao lado. Serviu-se.

– Entendo.

Whitney não sabia dizer se o aborrecera ou divertira. Dando uma mordida, sorriu.

– Mais uma vez, preciso dizer que sua despensa é bem-estocada.

– Espero que continue a achar minha hospitalidade a seu gosto. Deve provar a sopa de lagosta, minha cara. Deixe-me servi-la. Com uma graça e economia de movimento que ela não esperava, Dimitri mergulhou uma concha de prata na sopeira. — Remo me informou que você se livrou do nosso Sr. Lord.

— Obrigada. O cheiro é delicioso. — Whitney não se apressou tomando a sopa. — Douglas vinha se tornando meio incômodo. — Era um jogo, disse a si mesma. E ela apenas começara a jogar. A conchinha que usava no pescoço balançou de leve na corrente quando estendeu a mão para a taça. Jogava para vencer. — Sei que me entende.

— De fato. — Dimitri comia devagar e com delicadeza. — O Sr. Lord foi um incômodo para mim durante algum tempo.

— Roubar os documentos debaixo do seu nariz. — Whitney viu os dedos brancos, manicurados, enrijecerem-se na colher de sopa. Um ponto sensível, ela pensou. Não devia ficar satisfeito por ter sido feito de bobo. Ela resistiu à compulsão de engolir em seco e sorriu em vez disso. — Douglas era inteligente, à sua maneira — disse, com um ar despreocupado. — Pena que fosse tão pouco refinado.

— Suponho que se deva admitir a inteligência dele até certo ponto — concordou Dimitri. — A não ser que você culpe meu pessoal por inépcia.

— Talvez as duas coisas sejam verdade.

Ele reconheceu isso com um levíssimo assentimento da cabeça.

— Mas ele tinha você, Whitney. Posso chamá-la de Whitney?

— Claro. Admito que o ajudei. Gosto de ver como caem as cartas.

— Muito sensato.

— Várias vezes eu... — Ela se interrompeu, retornando à sopa. — Não gosto de falar mal dos mortos, Sr. Dimitri, mas Douglas com frequência era imprudente e ilógico. Porém, facilmente levado.

Ele observava-a comer, admirando as mãos de ossatura fina, o brilho da pele jovem saudável em contraste com o vestido verde. Seria lamentável desfigurá-la. Talvez encontrasse algum uso para ela. Pensou em instalá-la em sua casa em Connecticut, majestosa e elegante nas refeições, submissa e obediente na cama.

— Mas jovem e rudemente atraente, não concorda?

— Ah, sim. — Ela conseguiu dar outro sorriso. — Foi uma intrigante diversão por algumas semanas. Em longo prazo, prefiro um homem com mais classe que físico. Caviar, Sr. Dimitri?

– Sim.

Ao aceitar a tigela de louça, ele deixou a pele roçar na dela e sentiu-a enrijecer-se ao contato do dedo mutilado. A pequena exibição de fraqueza excitou-o. Lembrou o prazer que lhe dera ver um louva-a-deus fisgar uma mariposa – a forma como o esguio e inteligente inseto arrastou a presa frenética mais para perto, esperando pacientemente a luta diminuir, enfraquecer, até acabar devorando as asas brilhantes e frágeis. Mais cedo ou mais tarde, o jovem, o fraco e o delicado sempre se submetem. Como o louva-a-deus, Dimitri tinha paciência, classe e crueldade.

– Preciso dizer que acho difícil acreditar que uma mulher de sua sensibilidade pudesse atirar num homem. As verduras da salada são muito frescas. Tenho certeza de que vai gostar.

Falando, ele começou a servir a alface de uma grande tigela.

– Perfeita para uma tarde sufocante – ela concordou. – A sensibilidade – continuou, examinando o líquido na taça – torna-se secundária à necessidade, não acha, Sr. Dimitri? Afinal, eu sou uma profissional. E como disse, Douglas vinha se tornando meio incômodo. Creio em oportunidades. – Ergueu a taça e sorriu por cima da borda. – Vi a oportunidade de me livrar de um aborrecimento e ficar com os papéis. Apenas aproveitei. Ele não passava, afinal, de um ladrão.

– Exatamente.

Começava a admirá-la. Embora não estivesse muito convencido de que aquela fria atitude era autêntica, não tinha como negar a educação que tivera. Filho ilegítimo de uma religiosa fanática e um músico itinerante, Dimitri nutria enraizado respeito e inveja pela educação. Com o passar dos anos, tivera de contentar-se com o mais próximo disso: o poder.

– Então pegou os papéis e encontrou o tesouro sozinha?
– Foi muito simples. Os papéis explicavam tudo. Você viu?
– Não. – Mais uma vez, ele enrijeceu os dedos. – Só uma amostra.
– Oh, bem, cumpriram a função, em todo caso.

Whitney mergulhou o garfo na salada.

– Ainda não vi todos – ele disse, num tom indulgente, os olhos fixos nos dela.

Ela teve a lembrança fugaz de que estavam de novo guardados no jipe, com Doug.

– Temo que jamais veja – informou-o, deixando a satisfação da verdade acalmar-lhe os nervos. – Destruí-os depois que terminei. Não gosto de pontas soltas.

– Sábio. E o que planejava fazer com o tesouro?

– Fazer? – Whitney ergueu os olhos surpresa. – Ora, aproveitá-lo, claro.

– Exatamente – ele concordou, rindo. – Agora eu tenho o tesouro. E você.

Ela esperou um instante e encarou diretamente os olhos dele. A salada quase se grudou na garganta.

– Quando se joga, é preciso aceitar a perspectiva de perder, por mais desagradável que seja.

– Palavras sensatas.

– Agora dependo de sua hospitalidade.

– Vê as coisas com muita clareza, Whitney. Isso me agrada. Também me agrada ter a beleza ao alcance das mãos.

A comida revirou-se, desconfortável, no estômago dela, que estendeu a taça e esperou-o encher até um centímetro da borda.

– Espero que não me julgue grosseira por perguntar durante quanto tempo pretende me estender sua hospitalidade?

Ele encheu a própria taça e brindou na dela.

– De modo algum. Durante o tempo que eu quiser.

Sabendo que, se pusesse mais alguma coisa no estômago, talvez não a mantivesse lá, Whitney correu um dedo pela borda do copo.

– Ocorreu-me que talvez esteja pensando em exigir resgate ao meu pai.

– Por favor, minha cara. – Ele deu-lhe um sorriso com um toque de desaprovação. – Não considero tais assuntos uma conversa adequada a almoços.

– Foi apenas uma ideia.

– Preciso pedir que não se preocupe com essas coisas. Prefiro que você apenas relaxe e aproveite a estada. Espero que seus aposentos sejam adequados.

– Adoráveis. – Whitney descobriu que queria gritar agora muito mais do que quisera quando se virara e dera de cara com Barns. Os olhos mortos dele permaneceram firmes e abertos, como os de um peixe. Ou de um cadáver. Ela baixou as pálpebras. – Ainda não lhe agradeci o guarda-roupa, que, na verdade, me fazia uma falta desesperada.

– Não pense em nada disso. Talvez queira dar um passeio pelos jardins. – Ele levantou-se e aproximou-se para afastar a cadeira dela. – Depois, imagino que gostaria de uma *siesta*. O calor aqui no meio da tarde é opressivo.

– Você é muito atencioso.

Ela pôs a mão no braço dele, obrigando os dedos a não se enroscarem.

– Você é minha hóspede, minha cara. E muito bem-vinda.

– Hóspede. – Whitney deu-lhe de novo um sorriso frio. A voz, embora ela se surpreendesse por ter conseguido, saiu irônica. – Tem o hábito de trancar os hóspedes nos aposentos?

– Tenho o hábito – ele respondeu, levando os dedos dela aos lábios – de trancar um tesouro. Vamos passear?

Whitney jogou os cabelos para trás. Encontraria uma saída.

Sorrindo, prometeu a si mesma que encontraria. Se não encontrasse – ainda sentia na pele o frio roçar dos lábios dele –, morreria.

– Claro.

15

Por enquanto, tudo bem. Não era uma declaração muito positiva, mas a melhor que Whitney podia fazer. Passara o primeiro dia como "hóspede" de Dimitri sem problemas. E sem ideias brilhantes de como fechar a conta e sair – inteira.

Ele fora generoso e cortês. O mínimo capricho dela lhe era oferecido nas pontas dos dedos. Ela testara isso expressando um leve desejo por suflê de chocolate. Fora-lhe servido ao fim de uma longa e extraordinária refeição de sete pratos.

Embora houvesse quebrado a cabeça durante as três horas em que ficara trancada no quarto naquela tarde, não lhe ocorrera solução alguma. Não havia portas a arrombar, janelas de onde pular, e o telefone no quarto servia apenas para chamadas internas.

Poderia ter considerado uma fuga durante o passeio da tarde nos jardins. Mas, enquanto elaborava os detalhes, Dimitri arrancara um botão de rosa pink para ela e confidenciara que lhe fora muito penoso ter de providenciar guardas armados para ficarem postados ao redor do perímetro da casa. A segurança, explicou, era o ônus dos bem-sucedidos.

Ao chegarem à borda do jardim, como quem não quer nada, ele apontou um membro de seu pessoal. O homem de ombros largos, metido num terno escuro, ostentava um bigode garboso e empunhava uma metralhadora Uzi pequena e mortal.

Whitney decidira, então, que preferia um meio de fuga mais sutil a uma louca corrida pelo terreno escancarado.

Tentou pensar numa saída durante o confinamento vespertino.

Mais cedo ou mais tarde, o pai ficaria preocupado com sua ausência prolongada. Talvez se passasse, porém, mais um mês até isso acontecer.

Dimitri teria de partir da ilha em algum momento. Na certa, logo, pois já pusera as mãos no tesouro. Se ela ia ou não com ele – e se teria mais oportunidades de fugir – dependia do capricho dele. Whitney não gostava de ver seu destino na dependência do capricho de um homem que usava ruge e pagava outros para matarem por ele.

Então, andou de um lado para o outro na suíte durante a tarde toda, bolando e rejeitando planos tão básicos quanto amarrar lençóis e descer pela janela, e tão complicados quanto cavar um buraco na parede com uma faca de manteiga.

Por fim, acabou pondo o vestido de seda marfim que evidenciava sutilmente suas curvas e cintilava com minúsculas pérolas.

Durante quase duas horas ficou em frente a Dimitri, a uma mesa de mogno comprida e elegante, que tremeluzia tediosa sob a luz de duas dúzias de velas. Do escargot ao suflê de chocolate e ao champanhe Dom Pérignon, a refeição foi refinada em cada detalhe. A música de Chopin flutuava baixo ao fundo, enquanto conversavam sobre literatura e arte.

Não se podia negar que Dimitri era um conhecedor dessas coisas e se encaixaria no clube mais exclusivo sem problema. Antes do término do jantar, haviam dissecado uma peça de Tennessee Williams, conversado sobre as complexidades dos impressionistas franceses e debatido as sutilezas do micado, título do soberano do Japão.

Com o suflê derretendo-se na boca, Whitney viu-se com saudades do arroz grudento e da fruta que dividira com Doug uma noite na gruta.

Embora a conversa com Dimitri fluísse fácil, ela lembrava as discussões e os embates verbais que tivera com Doug. A seda colava-se fria em seus ombros. Ela trocaria, sem pestanejar, o vestido de 500 dólares pelo rígido saco de algodão que usara na estrada para a costa.

Naquelas circunstâncias, com a vida em risco, talvez fosse difícil dizer que se sentia entediada. Sentia-se infeliz.

– Você parece um pouco distante esta noite, minha cara.

– Oh? – Whitney trouxe a si mesma de volta. – A refeição está excelente, Sr. Dimitri.

– Mas o entretenimento talvez seja um pouco negligente. Uma mulher jovem, cheia de vida, exige algo mais excitante. – Com um sorriso benevolente, ele apertou um botão ao lado. Quase no mesmo instante entrou um oriental de terno branco. – A Srta. MacAllister e eu vamos tomar café na biblioteca. É muito extensa – acrescentou quando o oriental saiu da sala. – Alegra-me que partilhe minha afeição pela palavra escrita.

Ela talvez tivesse recusado, mas a ideia de ver mais um pouco da casa poderia levar a alguma rota de fuga. Não fazia mal ter uma vantagem, decidiu. Sorriu e acomodou a faca do jantar na bolsa de noite que deixara aberta perto do prato.

– É sempre um prazer jantar com um homem que aprecia coisas refinadas.

Whitney levantou-se e fechou a bolsa, aceitou o braço dele e disse a si mesma que iria, sem remorso, enfiar-lhe a faca no coração na primeira oportunidade.

— Quando um homem viaja como eu — ele começou — muitas vezes é necessário levar junto certas coisas importantes. O vinho certo, a música adequada, alguns volumes de literatura.

Atravessava a casa com elegância, cheirando de leve a água-de-colônia. O paletó branco, formal, assentava-se sem um vinco.

Ele sentia-se benevolente, tolerante. Muitas semanas haviam se passado desde que tivera uma mulher jovem e linda com quem jantar. Abriu as altas portas duplas da biblioteca e conduziu-a para dentro.

— Olhe à vontade, minha cara — disse, indicando os dois níveis de livros.

A sala tinha, do outro lado, portas que davam para um terraço. Se houvesse algum meio de sair do quarto durante a noite, esse podia ser o método de fuga. Ela só precisava passar pelos guardas. E pelas armas.

Um passo de cada vez, lembrou a si mesma, deslizando um dedo pelos volumes encadernados em couro.

— Meu pai tem uma biblioteca como esta — ela comentou. — Sempre achei um lugar confortável para passar a noite.

— Mais confortável com café e conhaque. — O próprio Dimitri serviu o conhaque, enquanto o oriental entrava com o serviço de prata. — Dê a sua faca a Chan, minha cara. Ele é muito meticuloso na lavagem da louça.

Ela se virou e viu-o encarando-a com um sorrisinho e olhos que lhe lembraram os de um réptil — fixos, frios e perigosamente pacientes.

Sem uma palavra, tirou a faca da bolsa e entregou-a ao empregado. Nem todos os xingamentos que lhe vieram à ponta da língua, o ataque de raiva que raras vezes reprimia, iriam ajudá-la a sair dessa.

— Conhaque? — ele perguntou, quando Chan saiu.

— Sim, obrigada.

Fria como ele, Whitney atravessou a sala e estendeu a mão.

— Pensou em me matar com a faca de jantar, minha cara?

Ela encolheu os ombros e emborcou o conhaque, que se revirou no estômago e depois se acomodou.

— Foi uma ideia.

Ele riu, um ruído demorado e estrondoso, indescritivelmente desagradável. Pensava mais uma vez nos louva-a-deus e na luta das mariposas.

– Admiro você, Whitney. Admiro de verdade. – Tocou o copo no dela, girou o conhaque e tomou. – Imagino que gostaria de dar uma boa olhada no tesouro de novo. Afinal, não teve muito tempo para isso hoje, teve?

– Não, Remo estava com muita pressa.

– Culpa minha, reconheço, culpa minha. – Ele tocou a mão de leve no ombro dela. – Eu estava impaciente para conhecer você. Como reparação, eu lhe darei todo o tempo que quiser agora mesmo.

Encaminhou-se até as prateleiras ao longo da parede esquerda e retirou uma seção de livros. Whitney viu o cofre sem surpresa. Era uma camuflagem bastante comum. Perguntou-se apenas por um instante como ele conseguira saber da existência do cofre pelos donos da casa. Então tomou mais um gole de conhaque. Sabia que não tinha nenhum aspecto da casa do qual não lhe haviam falado antes de... a entregarem.

Dimitri não fez a menor tentativa de esconder a combinação ao girar a maçaneta. Que maldita confiança em si mesmo, ela pensou, memorizando a sequência. Um cara tão seguro de si assim merecia um bom chute no rabo.

– Ah. – O som foi igual a um suspiro acima do cheiro de comida saborosa quando ele retirou a caixa. Já mandara limpá-la, de modo que a madeira brilhava. – Que peça de colecionador!

– É. – Whitney girou o conhaque. Era tão suave e quente como qualquer outro que já provara. Perguntou-se que bem faria lançá-lo na cara dele. – Pensei a mesma coisa.

Ele embalou-o nas mãos com todo cuidado, quase hesitante, como um pai embalando o filho recém-nascido.

– É difícil imaginar alguém com mãos tão delicadas cavando o chão, mesmo para isso.

Whitney sorriu, pensando no que haviam passado suas mãos delicadas durante a última semana.

– Não tenho muita aptidão para trabalho manual, mas foi necessário. – Virou a mão para cima, e examinou-a com um ar crítico. – De fato, admito que eu planejava ir a uma manicure antes de Remo entregar seu... convite. Esse pequeno empreendimento de risco acabou com minhas mãos.

— Providenciaremos uma amanhã. Enquanto isso – ele pôs o cofre na mesa da biblioteca –, aproveite.

Tomando-o ao pé da letra, Whitney foi até a caixa e ergueu a tampa. As pedras preciosas não eram nem um pouco menos impressionantes agora do que naquela manhã. Enfiando a mão, ela pegou o colar de diamantes e safiras que Doug admirara. Não, babara, lembrou com o esboço de um sorriso. Tomaria isso como exemplo.

— Fabuloso – suspirou. – Totalmente fabuloso. A gente se cansa de bonitos fiozinhos de pérolas.

— Você tem na mão cerca de um 250 mil dólares.

Ela sorriu.

— Uma ideia agradável.

O coração dele bateu um pouco mais rápido enquanto a observava segurando a joia, como teria feito a rainha não muito antes da sua humilhação e morte.

— O lugar dessas gemas é na pele de uma mulher.

— É. – Rindo, ela ergueu o colar e encostou-o na sua. As safiras cintilavam como olhos escuros brilhantes. Os diamantes faiscavam excitados. – É lindo e sem dúvida caro, mas este... – Largou o colar na caixa e escolheu o de várias voltas de diamantes. – Este é uma declaração de princípios. Como acha que Maria conseguiu tirá-lo da condessa?

— Então acredita que seja o infame colar do Caso do Diamante?

— Prefiro acreditar. – Whitney deixou o colar escorrer pelos dedos e captar a luz. Era, dissera Doug uma vez do Sydney, como calor e gelo ao mesmo tempo. – Gosto de acreditar que ela foi inteligente o bastante para virar a mesa contra as pessoas que haviam tentado usá-la. – Experimentou um bracelete de rubi para conferir o tamanho, analisando-o. – Gerald Lebrun viveu como pobre com o resgate de uma rainha debaixo do piso da casa. Estranho, não acha?

— A lealdade é estranha, a não ser quando aumentada pelo medo. – Ele tomou o colar da mão dela e examinou-o. Pela primeira vez, ela viu a ganância sem verniz. Os olhos do anfitrião brilhavam de forma muito semelhante aos de Barns quando apontara a arma para sua rótula. Ele pôs a língua para fora devagar e deslizou-a pelos lábios. Quando tornou a falar, a voz tinha a ressonância e o fervor de um evangelista. – A própria Revolução é um período fascinante de sublevação, morte e retaliação. Não sente isso quando segura essas joias nas mãos? Sangue, desespero, luxúria, poder. Camponeses e políticos derrubando uma monarquia de séculos. Como? – Ele sorriu-lhe com os diamantes brilhando na mão, e a febre ardendo nos olhos. – Medo. Existe nome mais apropriado que o Reino do Terror? Que despojos mais adequados que a vaidade de uma rainha morta?

O monstro deliciava-se, Whitney viu-o nos olhos dele. Não eram apenas as joias, mas o sangue sobre elas que ele cobiçava. E sentiu o medo desfazer-se sob ondas de repulsa. Doug tinha razão, percebeu. Era vencer que contava. Ela não perdera ainda.

– Um homem como Lord teria vendido tudo isso por uma fração do valor. Simplório. – Ela declarou e ergueu mais uma vez a taça. – Um homem como você teria planos diferentes.

– Perceptiva, além de linda. – Ele se casara com a segunda mulher porque ela tinha a pele pura como creme. Livrara-se dela porque o cérebro tinha quase a mesma consistência. Whitney tornava-se cada vez mais intrigante. Mais calmo, ele deslizou o colar pelas mãos. – Planejo desfrutar o tesouro. O valor em dinheiro significa pouco. Sou um homem muito rico.

Não disse isso com despreocupação, mas com deleite. Ser rico era tão importante quanto a virilidade, o intelecto. Mais, ele pensou, porque o dinheiro amortecia a falta das duas coisas.

– Colecionar... – ele passou o dedo pelo bracelete e continuou pelo pulso dela – se tornou um passatempo. Às vezes obsessivo.

Dimitri podia chamar isso de passatempo, ela pensou. Assassinara repetidas vezes pela caixa e seu conteúdo, porém não significava mais para ele do que um punhado de pedras de cor brilhante para um rapazinho. Whitney lutou para impedir que a repulsa se revelasse em seu rosto e a acusação na voz.

– Você me consideraria uma desmancha-prazeres se eu dissesse que não lido tão bem com esse passatempo específico? – Suspirando, ela passou a mão pelas joias cintilantes. – Passei a gostar mais da ideia de possuir tudo isso.

– Ao contrário, admiro sua honestidade. – Deixando-a ao lado da caixa, Dimitri afastou-se para servir o café. – E sei que se exauriu pelo tesouro de Maria.

– Sim, eu... – Whitney se interrompeu. – Estou curiosa, Sr. Dimitri, exatamente como ficou sabendo do tesouro?

– Negócios. Creme, minha cara?

– Não, obrigada. Puro.

Esforçando-se para conter a impaciência, Whitney atravessou a sala até o serviço de café.

– Lord lhe falou de Whitaker? – ele perguntou.

Whitney aceitou o café e obrigou-se a sentar-se.

– Só disse que ele adquiriu os papéis e depois decidiu pô-los no mercado.

– Era meio tolo, mas às vezes muito inteligente. Foi, numa época, sócio comercial de Harold R. Bennett. Reconhece o nome?

– Claro – respondeu sem dificuldade, enquanto a mente iniciava um trabalho frenético. Doug não falara uma vez de um general? Sim, um general que vinha negociando os documentos com Lady Smythe-Wright. – Bennett é um general de cinco estrelas reformado e um senhor empresário. Fez algumas transações com meu pai... profissionais e no campo de golfe, o que quase corresponde à mesma coisa.

– Sempre preferi o xadrez ao golfe – comentou Dimitri. Naquele vestido de seda marfim, ela brilhava tanto que poderia ter substituído a rainha de vidro, agora em cacos. Lembrou como a peça se encaixara em sua mão. – Então já conhece a reputação do general Bennett.

– É famoso como patrono das artes e colecionador de objetos antigos e únicos. Alguns anos atrás, Bennett chefiou uma expedição ao Caribe e descobriu um galeão espanhol. Recuperou cerca de 5 milhões em artefatos, moedas e joias. O que Whitaker pretendia fazer Bennett fez. E com muito sucesso.

– Você é bem-informada. Gosto disso. – Ele acrescentou creme e duas generosas colheres de chá de açúcar ao café que serviu para si. – Bennett gosta da caça, digamos. Egito, Nova Zelândia, Congo, ele procurou e encontrou o inestimável. Segundo Whitaker, estava nos primeiros estágios da elaboração de um contrato com Lady Smythe-Wright sobre os documentos que ela herdara. Whitaker tinha ligações e um razoável charme no que se refere às mulheres. Passou a mão no contrato debaixo do nariz de Bennett. Mas, infelizmente, era um amador.

Desconsolada, Whitney lembrou:

– Então, ficou sabendo por ele onde os papéis estavam guardados e contratou Douglas para roubá-los.

– Adquiri-los – corrigiu-a delicadamente Dimitri. – Whitaker recusou-se, mesmo sob pressão, a me revelar o conteúdo de todos os documentos, mas me informou que o interesse de Bennett se originou, acima de tudo, do valor cultural do tesouro, sua história. Claro, a ideia de adquirir um tesouro que pertenceu a Maria Antonieta, a quem eu admirava sobretudo pela opulência e ambição, foi irresistível.

– Claro. Se não pensa em vender o conteúdo da caixa, Sr. Dimitri, o que planeja fazer com ele?

– Ora, ficar com ele, Whitney. – Sorriu-lhe. – Apreciar, contemplar. Possuir.

Embora a atitude de Doug a houvesse frustrado, pelo menos ela entendia. Ele via o tesouro como um meio para um fim. Dimitri, como uma posse pessoal. Dezenas de argumentos saltaram-lhe na mente. Ela reprimiu-os.

– Com certeza, Maria Antonieta teria aprovado.

Pensando nisso, ele olhou para o teto. A realeza era outra de suas fascinações.

– Teria, sim. A cobiça é encarada como um dos sete pecados capitais, porém poucos entendem seu prazer básico. – Ele tocou de leve a boca com um guardanapo de linho e levantou-se. – Espero que me perdoe, minha cara, estou habituado a me recolher cedo. – Apertou um pequeno botão embutido de forma muito inteligente no consolo da lareira. – Não gostaria de escolher um livro antes de subir?

– Por favor, não pense que tem de me entreter, Sr. Dimitri. Ficarei muito feliz sozinha.

Com outro sorriso, ele deu um tapinha na mão dela.

– Talvez em outra ocasião, Whitney. Tenho certeza de que precisa descansar após as experiências das últimas semanas. – Ouviu-se uma leve batida à porta. – Remo a acompanhará até o quarto.

— Obrigada.

Ela largou o café e levantou-se, porém mal dera dois passos quando Dimitri fechou a mão em seu pulso.

— O bracelete, minha cara.

Ele apertou os dedos com suficiente força para roçar o osso. Whitney não se contraiu.

— Desculpe — disse, estendendo a mão.

O anfitrião desenganchou o bracelete de ouro e rubis do pulso dela.

— Vai se juntar a mim para o café da manhã, espero.

— Claro. — Ela dirigiu-se à porta, parou quando Dimitri a abriu, e ficou encurralada entre ele e Remo.

— Boa noite.

— Boa noite, Whitney.

Whitney manteve um frio silêncio até a porta da sala de estar da suíte fechar-se às suas costas.

— Filho da mãe.

Indignada, pegou os delicados chinelos italianos que haviam sido providenciados para ela e atirou-os na parede.

Encurralada, pensou. Tão bem-trancada quanto o tesouro no cofre — para ser contemplado, admirado. Possuído.

— Pérolas aos porcos — disse em voz alta.

Queria chorar, gemer e bater os punhos contra a porta trancada.

Em vez disso, arrancou o vestido de seda marfim, deixou-o amontoado no chão e saiu pisando forte para o quarto.

Encontraria uma saída, prometeu a si mesma. Encontraria uma saída, e, quando a encontrasse, Dimitri pagaria por cada minuto em que fora sua prisioneira.

Por um instante, apoiou a cabeça no armário, pois a vontade de chorar era quase forte demais para resistir. Após controlá-la, enfiou a mão e pegou um quimono azul-petróleo. Precisava pensar, só isso. Apenas pensar. O perfume das flores impregnava o quarto. Ar, ela decidiu, e foi até as portas que davam para a minúscula sacada.

Com os dentes cerrados, abriu-as com um empurrão. Ia chover, pensou. Ótimo, a chuva e o vento talvez a ajudassem a clarear a mente. Pondo as mãos no parapeito, curvou-se e olhou a baía.

Como se metera nessa confusão?, reclamou. A resposta era simples, duas palavras. Doug Lord.

Afinal, tratava da própria vida quando ele irrompera nela, envolvendo-a com caças ao tesouro, assassinos e ladrões. Agora, em vez de trancafiada como Rapunzel, estaria sentada em alguma boate da moda vendo pessoas exibindo roupas ou penteados novos. Coisas normais, pensou amargurada.

Mas estava ali, trancada numa casa em Madagascar com um assassino de meia-idade e seu séquito. Em Nova York, *ela* teria um séquito, e ninguém ousaria girar uma chave para trancá-la.

— Doug Lord — resmungou em voz alta, e olhou entorpecida uma mão, vinda de baixo, agarrar a sua no parapeito.

Inspirou para gritar quando, de repente, apareceu a cabeça.

— É, sou eu — disse Doug entre os dentes. — Agora me ajude a entrar, droga.

Ela esqueceu tudo que vinha pensando sobre ele e curvou-se para cobrir-lhe o rosto de beijos. Quem disse que não existia a Sétima Cavalaria?

— Escute, benzinho, agradeço a recepção, mas estou perdendo o apoio. Me dê uma mão.

— Como me encontrou? — ela quis saber, estendendo as mãos para ajudá-lo a transpor o parapeito. — Achei que nunca viria. Há guardas lá fora com medonhas metralhadoras. Minhas portas estão todas trancadas por fora e...

— Nossa, se eu me lembrasse de que você falava tanto, não teria me dado o trabalho.

Ele pousou de leve, em pé, na sacada.

— Douglas. — Ela sentiu de novo vontade de chorar, mas refreou as lágrimas. — É tão bom ver você.

— É? — Ele entrou no opulento quarto. — Bem, não sabia se você queria companhia... sobretudo depois daquele jantarzinho acompanhado de tanta conversa que teve com Dimitri.

— Você estava vendo?

— Estava perto — Virando-se, ele manuseou a rica seda da lapela do quimono dela — Foi ele quem deu isso a você?

Whitney estreitou os olhos diante do tom de voz e empinou o queixo.

– Exatamente o que está insinuando?

– Parece um belo ambiente. – Ele perambulou até a cômoda e tirou a tampa do vidro de cristal com perfume. – Todos os confortos de casa, certo?

– Detesto afirmar o óbvio, mas você é um jumento.

– E você é o quê? – Enfiou a tampa de novo no vidro com um tapa. – Andando por aí com vestidos de seda que ele comprou para você, tomando champanhe com ele, deixando o monstro pôr as mãos em você?

– As mãos em mim?

Ela disse as palavras devagar, deixando-as muito claras.

Doug lançou-lhe um olhar que a percorreu das pernas de fora à sedosa pele da garganta.

– Você com certeza sabe sorrir para um homem, não, benzinho? Qual é o seu preço?

Medindo cada passo, Whitney aproximou-se, recuou e deu-lhe um tapa na cara o mais forte que pôde. Por um longo momento, ouviram-se apenas a respiração dos dois e o vento que açoitava as janelas abertas.

– Vai se livrar disso apenas desta vez – disse Doug em voz baixa, passando as costas da mão pela face. – Não experimente de novo. Não sou um cavalheiro como o seu Dimitri.

– Saia daqui – sussurrou Whitney. – Dê o fora. Não preciso de você.

Havia nele uma dor que excedia o ardor na face.

– Não acha que vejo isso?

– Você não vê nada.

– Eu digo o que vi, benzinho. Vi a suíte de um hotel vazia. Vi que você e a caixa tinham sumido. E vi você aqui, esfregando o focinho naquele canalha, ao se servir do cordeiro.

– Você teria preferido me encontrar amarrada à perna da cama, com bambus enfiados sob as unhas. – Ela se afastou. – Lamento desapontá-lo.

— Ora, por que não me conta o que diabos está acontecendo aqui?

— Por que deveria? — Furiosa, ela afastou uma lágrima com as costas da mão. Maldição, detestava chorar. Pior, detestava chorar por um homem. — Você já se decidiu. Com essa sua mente limitada.

Doug correu a mão pelos cabelos e desejou uma bebida.

— Escute, estou pirando há horas. Levei quase a tarde toda para encontrar esta casa, depois tive de passar pelos guardas. — E um deles, não acrescentou, jazia no mato com a garganta cortada. — Quando chego aqui, vejo você vestida como uma princesa, sorrindo do outro lado da mesa para Dimitri, como se fossem os melhores amigos.

— Que diabos esperava que eu fizesse? Circulasse nua por aí, cuspisse no olho dele? Droga, minha vida está em risco. Se tiver de fazer o jogo até encontrar uma saída, farei. Pode me chamar de covarde se quiser. Mas não de prostituta. — Ela tornou a virar-se para ele, os olhos escuros, molhados e furiosos. — Não de prostituta, entendeu?

Ele se sentiu como se houvesse atingido uma coisa pequena, delicada e indefesa. Não sabia se iria encontrá-la viva, e então, quando a encontrara, parecera-lhe tão calma, tão linda. E pior, no controle da situação. Mas não devia conhecê-la a essa altura?

— Não tive a intenção de fazer isso. Sinto muito. — Nervoso, começou a andar de um lado para o outro. Pegou uma rosa num vaso e quebrou o talo ao meio. — Não sei metade do que digo. Fiquei pirado desde que entrei no hotel e vi que você tinha sumido. Imaginei todo tipo de coisas... e que ia chegar tarde demais para deter algum deles.

Olhou indiferente a gota de sangue no dedo, onde um espinho furara a pele. Teve de inspirar fundo e dizer em voz baixa:

— Porra, Whitney, eu gosto, eu gosto mesmo de você. Não sabia o que ia encontrar quando chegasse aqui.

Ela enxugou outra lágrima e fungou.

— Estava preocupado comigo?

— É. — Ele deu de ombros, e atirou a rosa destroçada no chão. Não tinha como explicar-lhe, nem a si mesmo, o medo nauseante, a culpa, a dor com que vivera durante aquelas horas intermináveis. — Eu não pretendia pular em cima de você assim.

— É um pedido de desculpas?

— É, droga. — De repente, ele se virou, o rosto uma imagem de frustração e fúria. — Quer que eu rasteje?

— Talvez. — Ela sorriu e encaminhou-se para ele. — Talvez depois.

— Meu Deus. — Ele não tinha as mãos firmes quando lhe tomou o rosto, mas a boca, sim, e um pouco desesperada. — Achei que nunca mais iria ver você de novo.

— Eu sei. — Ela colou-se nele, louca de alívio. — Só me abrace um instante.

— Depois que a gente sair daqui, eu abraço durante o tempo que você quiser. — Segurando-lhe os ombros, afastou-a. — Você tem de me contar o que aconteceu, e qual é o esquema aqui.

Ela assentiu com a cabeça e afundou na beira da cama. Por que seus joelhos enfraqueciam agora que havia esperança?

— Remo e aquela figura, Barns, chegaram.

Ele viu-a engolir em seco, rápido, e amaldiçoou-se mais uma vez.

— Machucaram você?

— Não. Você mal tinha saído. E eu apenas enchera a banheira.

— Por que não seguraram você até eu voltar?

Whitney ergueu um pé e examinou os dedos dos pés.

— Porque eu disse a eles que tinha matado você.

A expressão de Doug, por um breve instante, foi um retrato de incredulidade.

— Como?

— Bem, não foi difícil convencê-los de que eu era muito mais esperta que você, que enfiei uma bala na sua cabeça para ficar com o tesouro só para mim. Afinal, teriam feito a mesma coisa um ao outro na primeira oportunidade, e eu fui convincente.

— Mais esperta que eu?

— Não se ofenda, querido.

— Eles engoliram? — Não muito satisfeito, ele enfiou as mãos nos bolsos. — Acreditaram que uma magricela me liquidou com uma arma. Sou profissional.

— Detestei manchar sua reputação, mas me pareceu uma boa ideia na hora.

— Dimitri também engoliu isso?

– Parece que sim. Optei por encenar a mulher cruel, voltada apenas para o lado material e atenta à oportunidade. Acho que ele está encantado comigo.

– Com certeza.

– Me deu vontade de cuspir na cara dele – ela disse, com tanta ferocidade que Doug ergueu uma sobrancelha. – Ainda quero ter a chance de cuspir. Não acho nem que ele seja humano, apenas desliza de um lugar a outro, deixando um rastro viscoso e esguichando amor por coisas refinadas. Quer se apoderar do tesouro como um menino que junta barras de chocolate. Quer abrir a caixa, olhar, admirar e pensar nos gritos das pessoas quando a guilhotina caiu. Quer rever o medo, o sangue. Significa mais para ele assim. Todas as vidas que tirou para pegá-lo não significam nada para ele.

Doug aproximou-se e ajoelhou-se diante dela.

– Vamos cuspir na cara do monstro. – Pela primeira vez, ele fechou os dedos sobre os dela, segurando a concha no pescoço. – Prometo. Sabe onde está escondido?

– O tesouro? – Um sorriso frio espalhou-se pelo seu rosto. – Ah, sim, ele sentiu grande prazer em me mostrar. É tão seguro de si mesmo que me mantém trancafiada.

Doug levantou-a.

– Vamos pegá-lo, benzinho.

Ele levou pouco menos de dois minutos para abrir a fechadura. Abrindo apenas uma fresta, espiou pela porta para checar a presença de guardas no corredor.

– Tudo bem, agora vamos rápido e em silêncio.

Whitney deslizou a mão até encontrar a dele e pisou no corredor.

A casa estava silenciosa. Parecia que, quando Dimitri se retirava, todos faziam o mesmo. No escuro, desceram a escadaria até o primeiro piso. O cheiro do salão fúnebre, flores e cera, pairava intenso. Com um gesto, Whitney mostrou a Doug o caminho. Mantendo-se junto à parede, dirigiram-se devagar à biblioteca.

Dimitri não se dera ao trabalho de trancar a porta. Doug ficou um pouco decepcionado, e meio desconfiado de que fosse tão fácil. Eles entraram de mansinho. A chuva começou a tamborilar nas janelas. Whitney foi direto às prateleiras na parede à esquerda e retirou a seção de livros.

— Está aqui — sussurrou. — A combinação é 52 à direita, 36 à esquerda...

— Como é que você sabe?

— Eu o vi abrir o cofre.

Nervoso, Doug pôs a mão no segredo.

— Por que diabos ele não está se protegendo? — resmungou ao começar a girá-la. — Certo, qual o seguinte?

— Outro 5 à esquerda, depois 12 à direita.

Ela prendeu a respiração quando Doug baixou a alavanca. A porta do cofre abriu-se sem um ruído.

— Venha para o papai — ele murmurou, ao retirar o porta-joias.

Conferiu o peso e riu para ela. Sentiu vontade de abri-lo, apenas para dar mais uma olhada. Exultar com a desgraça alheia. Haveria outras oportunidades.

— Vamos dar o fora.

— Parece uma excelente ideia. — Enlaçando o braço no dele, ela dirigiu-se para as portas do terraço. — Usamos estas, para não incomodar nosso anfitrião?

— Parece o mais sensato a fazer.

Quando estendeu a mão para a maçaneta, as portas se abriram.

Diante deles, três homens com as armas molhadas da chuva cintilando. No centro, Remo riu.

— O Sr. Dimitri não quer que deixem a casa antes de oferecer um drinque a vocês.

As portas da biblioteca se abriram. Ainda com o paletó do jantar, Dimitri entrou.

— Não posso deixar meus hóspedes saírem na chuva. Voltem e se sentem. — Como um amável anfitrião, foi até o bar e serviu conhaque. — Minha cara, essa cor fica deslumbrante em você.

Doug sentiu o cano de Remo na base da espinha.

— Não gosto de ser inconveniente.

— Besteira, besteira. — Dimitri girou o conhaque ao virar-se. A um toque seu, a sala encheu-se de luz. Whitney teria jurado naquele momento que os olhos dele não tinham cor alguma. — Sentem-se.

A ordem tranquila tinha todo o encanto do sibilar de uma cobra.

Pressionado pelo cano de Remo, Doug adiantou-se, o cofre numa das mãos e a palma de Whitney na outra.

– Nada como um conhaque numa noite chuvosa.

– Exatamente. – Generoso, Dimitri passou-lhes duas taças. – Whitney... – O nome saiu num suspiro quando ele lhe indicou uma poltrona com a mão. – Você me decepcionou.

– Não dei muita opção a ela. – Doug lançou a Dimitri um olhar arrogante. – Uma mulher como ela se preocupa com a própria pele.

– Admiro o cavalheirismo, sobretudo de uma origem tão improvável. – Dimitri bateu a taça na de Doug antes de beber. – Receio que eu soubesse do desafortunado afeto de Whitney por você o tempo todo. Minha cara, achou mesmo que acreditei que você atirou em nosso Sr. Lord?

Ela encolheu os ombros e, embora com as mãos molhadas na taça, bebeu.

– Acho que preciso aprimorar meu talento como mentirosa.

– Na verdade, você tem olhos expressivos. "Mesmo no espelho desses olhos vejo que teu coração sangra" – citou Dimitri, de *Ricardo II*, a voz calma e poética. – Porém, gostei muito de nosso jantar juntos.

Whitney enxugou a mão na curta saia do quimono.

– Receio ter ficado meio entediada.

Dimitri curvou os lábios. Todos na sala sabiam que bastava apenas uma palavra dele, apenas uma palavra, e ela seria morta. Mas ele preferiu sorrir.

– As mulheres são criaturas tão instáveis, não concorda, Sr. Lord?

– Algumas têm um minucioso bom gosto.

– Surpreende-me que alguém com a classe inerente da Srta. MacAllister se afeiçoasse a uma pessoa da sua classe. Mas – encolheu os ombros – o romance sempre foi um mistério para mim. Remo, faça o favor de livrar o Sr. Lord da caixa. E das armas. Apenas ponha na mesa, por enquanto. – Enquanto as ordens eram cumpridas, Dimitri tomava o conhaque e parecia ponderar grandes pensamentos. – Corri o risco de você querer recuperar a Srta. MacAllister e o tesouro. Após todo esse tempo, após a partida muito intrigante de xadrez que temos jogado, devo dizer que estou decepcionado por tê-lo derrotado com tanta facilidade. Eu esperava um pouco mais de brilho no final.

— Se quiser mandar os rapazes para fora, você e eu na certa poderíamos encontrar uma forma de resolver a situação.

Dimitri riu mais uma vez, gelo tinindo em gelo.

— Receio que meus dias de combate físico tenham terminado, Sr. Lord. Prefiro modos mais sutis de resolver disputas.

— Uma faca nas costas?

Dimitri apenas ergueu uma sobrancelha à pergunta de Whitney.

— Sou forçado a admitir que, homem a homem, você me superaria de longe, Sr. Lord. Afinal, é jovem e fisicamente ágil. Receio ter de exigir a vantagem de minha equipe. Agora... — Ele levou o dedo aos lábios. — O que faremos sobre essa situação?

Oh, ele se deliciava, pensou Whitney, fechando a cara. Igual à aranha que tece alegre a teia para fisgar moscas e sugar-lhes o sangue. Ele queria vê-los suar.

Como não percebia saída, ela deslizou a mão para junto da de Doug e apertou-a. Não iriam humilhar-se. E, por Deus, não iriam suar.

— Em minha opinião, seu destino é de fato muito elementar. Em essência, é um homem morto há semanas. Trata-se apenas de uma questão de método.

Doug engoliu o conhaque e riu.

— Não se apresse por minha causa.

— Não, não, ando pensando muito no assunto. Muito.

— Infelizmente, não tenho as instalações aqui para pôr as coisas em prática no estilo que prefiro. Mas creio que Remo mostra um forte desejo de cuidar disso. Embora tenha se atrapalhado bastante nesse projeto, acho que o sucesso final merece uma recompensa. — Dimitri pegou um de seus fortes cigarros pretos. — Vou lhe dar o Sr. Lord, Remo. — Acendeu o cigarro e observou-o por trás da névoa de fumaça. — Mate-o bem devagar.

Doug sentiu o cano frio da arma abaixo da orelha esquerda.

— Posso tomar meu conhaque primeiro?

– Sem dúvida. – Com um elegante aceno da cabeça, Dimitri dirigiu a atenção a Whitney. – Quanto a você, minha cara, eu talvez preferisse mais alguns dias em sua companhia. Achei que talvez pudéssemos partilhar alguns prazeres mútuos. Porém... – bateu o cigarro num claro cinzeiro de cristal –, nas atuais circunstâncias, isso acrescentaria complicações. Um dos membros da minha equipe admirou você desde que mostrei sua foto. Um caso de amor à primeira vista. – Alisou para trás os ralos cabelos da testa. – Barns, leve-a com a minha bênção. Mas seja ordeiro desta vez.

– Não! – Doug levantou-se de um salto da poltrona. Num instante, tinha os braços presos às costas e uma arma alojada na garganta. Ouvindo a risadinha de Barns, lutou. – Ela vale muito mais – disse, desesperado. – O pai lhe daria um milhão, dois, para ter a filha de volta. Não seja idiota, Dimitri. Se der Whitney a esse vermezinho horripilante, ela não valerá nada para você.

– Nem todos nós pensamos em termos de dinheiro, Sr. Lord – respondeu Dimitri, calmo. – Há uma questão de princípio em jogo, entenda. Acredito com tanta força na recompensa quanto na disciplina. – Desviou o olhar para a mão mutilada. – Sim, com a mesma força. Leve-o, Remo, ele está criando uma grande confusão.

– Tire as mãos de mim.

Levantando-se de um salto, Whitney jogou o conteúdo da taça na cara de Barns. Arrebatada pela fúria, ergueu o punho fechado e bateu em cheio no nariz dele. O grito estridente e o esguicho de sangue do sujeito deram-lhe satisfação momentânea.

Aproveitando a deixa, Doug escorou-se no homem às suas costas, recuou e projetou o pé embaixo do queixo do capanga à frente. Teriam virado picadinho naquele instante se Dimitri não houvesse feito um sinal com a mão. Gostou de ver a luta condenada ao fracasso. Com toda a calma, retirou a pistola de cano curto e grosso calibre do bolso interno e atirou no teto abobadado.

– Já chega – disse aos dois, como se falasse com adolescentes indisciplinados. Viu, tolerante, Doug puxar Whitney para seu lado. Gostava em especial das tragédias de Shakespeare que tratavam de amantes malfadados, não apenas pela beleza, mas pela desesperança dos versos. – Sou um homem racional e romântico, no íntimo. Para dar a vocês um pouco mais de tempo juntos, a Srta. MacAllister pode ir junto enquanto Remo prossegue com a execução.

– Execução. – Whitney cuspiu na cara dele com todo o veneno que uma mulher desesperada consegue juntar. – O assassinato, Dimitri, não tem uma aura tão limpa e tranquila. Engana-se em acreditar que você é culto e cortês. Acha que um paletó elegante de seda esconde o que é, o que nunca será? Você não passa de um urubu, Dimitri, um urubu bicando carniça. Nem mesmo mata com as próprias mãos.

– Em geral, não. – A voz dele congelara-se. Seus homens, que já tinham ouvido o tom antes, se retesaram. – Neste caso, contudo, eu talvez faça uma exceção.

Apontou a pistola.

As portas do terraço abriram-se de repente, vidros estilhaçaram-se.

– Larguem as armas.

A ordem foi autoritária, proferida em inglês com um elegante sotaque francês. Doug não esperou o desfecho, mas empurrou Whitney para trás de uma poltrona. Viu Barns tentar pegar a arma. O sorriso desaparecera do rosto dele.

– A casa está cercada. – Dez homens uniformizados entraram juntos na biblioteca, fuzis engatilhados. – Franco Dimitri, você está preso por assassinato, conspiração para cometer assassinato, sequestro...

– Minha nossa – murmurou Whitney ao ouvir a lista estender-se. – É realmente a cavalaria.

– É. – Doug deu um suspiro de alívio, segurando-a entusiasmado a seu lado. Também era a polícia, refletiu. Viu, com uma sensação de inevitabilidade e aversão, o homem de panamá cruzar as portas. – Devia ter farejado o policial – resmungou.

Outro homem com uma juba de cabelos brancos entrou na sala com um ar de impaciência.

– Muito bem, onde está essa menina?

Doug viu Whitney arregalar os olhos até parecerem cobrir-lhe todo o rosto. Então, com uma risada gorgolejante, saiu de um salto de trás da poltrona.

– Papai!

16

A polícia de Madagascar não levou muito tempo para esvaziar a sala. Whitney viu as algemas fecharem-se no pulso de Dimitri, sob uma gorda esmeralda na abotoadura.

— Whitney, Sr. Lord. — A voz dele permaneceu baixa, educada e calma. Um homem na sua posição entendia reveses temporários. Mas os olhos, quando os deslizou por eles, eram sem expressão como os de um bode. — Tenho certeza, sim, muita certeza de que tornaremos a nos ver.

— Vamos acompanhá-lo pelo noticiário — disse Doug.

— Devo essa a você — reconheceu Dimitri com um assentimento da cabeça. — Sempre pago minhas dívidas.

O olhar de Whitney encontrou o dele brevemente, e ela sorriu.

Mais uma vez, deslizou os dedos até a concha no pescoço.

— Por Jacques — disse, baixinho —, espero que encontrem um buraco bem escuro para você. — Então, enterrou o rosto no paletó com cheiro de limpo do pai. — Que alegria ver você!

— Explicações. — Mas MacAllister abraçou-a com toda intensidade por um instante. — Que tal algumas, Whitney?

Ela se desprendeu do abraço, rindo com os olhos.

— Explicar o quê?

Ele lutou com um sorriso e acabou bufando de raiva.

— Nada muda.

— Como vai mamãe? Espero que não tenha contado a ela que vinha me perseguindo.

— Ótima. Acha que estou em Roma a trabalho. Se eu contasse que vinha caçando nossa única filha por toda Madagascar, ela não ia conseguir jogar bridge durante dias.

— Você é muito inteligente. — Ela o beijou com vontade. — Como ficou sabendo que deveria me caçar por toda Madagascar?

— Creio que você conheceu o general Bennett.

Whitney virou-se e viu um homem alto, magro, de olhos severos, sisudos.

— Claro. — Ofereceu-lhe a mão, como se estivessem num coquetel refinado. — Na casa dos Stevenson, ano retrasado. Como vai, general?

Ah, creio que não conhece Douglas. Doug... – Whitney chamou-o com a mão em direção ao outro lado da sala, onde ele resmungava uma declaração enrolada a um dos policiais de Madagascar. Grato pela trégua, ele foi até ela. – Papai, general Bennett, este é Douglas Lord. Foi quem roubou os documentos, general.

O sorriso ficou meio nauseado no rosto de Doug.

– Prazer em conhecê-lo.

– O senhor deve muito a Douglas – ela disse ao general, e apalpou o paletó do pai à procura de um cigarro.

– Devo? – o general rugiu. – Este ladrão...

– Protegeu os documentos, mantendo-os fora das mãos de Dimitri. Pondo em risco a própria vida – acrescentou Whitney, erguendo o cigarro em busca de um isqueiro. Doug fez-lhe o favor, decidindo que deixaria a explicação para ela, que afinal lhe enviou uma piscadela ao soprar a fumaça. – Entenda, tudo começou quando Dimitri contratou Doug para roubar os papéis. Claro, Doug logo soube que eram inestimáveis e tinham de ficar longe das mãos erradas. – Tragou e brandiu o cigarro expressivamente. – Ele quase perdeu a vida para protegê-los. Eu não poderia dizer quantas vezes me afirmou que o tesouro, quando o encontrássemos, seria uma contribuição inestimável para a sociedade. Não é, Doug?

– Bem, eu...

– Ele é muito modesto. Você precisa mesmo receber o crédito quando é devido, querido. Afinal, proteger o tesouro para a fundação do general Bennett quase custou a sua vida.

– Não foi nada – resmungou Doug.

Via o arco-íris começar a desfazer-se.

– Nada? – Whitney abanou a cabeça. – General, como homem de ação, não agradeceria por tudo que Doug passou para impedir Dimitri de se apoderar do tesouro? Se apoderar – repetiu. – Queria guardar para si mesmo. Chafurdar nele – acrescentou, com um olhar enviesado a Doug. – Quando, como todos concordamos, pertence à sociedade.

– Sim, mas...

– Antes que expresse sua gratidão, general – ela interrompeu –, eu apreciaria que me explicasse como chegou aqui. Nós lhe devemos a vida.

Lisonjeado e confuso, o general começou uma explicação.

O sobrinho de Whitaker, horrorizado com o destino do tio, procurara-o, confessando tudo o que sabia, o que era considerável. Tão logo fora alertado, o general não hesitara. As autoridades já vinham perseguindo Dimitri antes de Whitney e Doug desembarcarem do avião em Antananarivo.

A pista de Dimitri levou a Doug, e a de Doug, devido às fugas dos dois em Nova York e Washington, a Whitney. Ela devia ser grata aos paparazzi, sempre ávidos, por várias fotos granuladas nos tabloides que a secretária do pai distribuiu.

Após um breve encontro com tio Max, em Washington, o general e MacAllister contrataram um detetive particular. O homem de chapéu-panamá descobrira a pista dos dois, caçando-os exatamente como Dimitri. Quando saltaram do trem que ia para Tamatave, o general e MacAllister embarcavam num avião para Madagascar. As autoridades locais haviam sentido enorme prazer em cooperar na captura de um criminoso internacional.

– Fascinante – disse Whitney, quando teve a impressão de que o monólogo do general poderia estender-se até o amanhecer. – Simplesmente fascinante. Vejo por que mereceu essas cinco estrelas. – Enganchando o braço no dele, ela sorriu. – O senhor salvou minha vida, general. Espero que me dê o prazer de lhe mostrar o tesouro.

Virando-se com um sorriso presunçoso, levou-o embora. MacAllister pegou um cigarro na cigarreira e ofereceu-a, aberta, a Doug.

– Ninguém bajula com tanta perfeição como Whitney – declarou, sem titubear. – Não creio que tenha conhecido Brickman. – Apontou o homem de chapéu-panamá. – Ele trabalhou para mim antes, é um dos melhores. Disse o mesmo de você.

Doug olhou com atenção o homem de chapéu-panamá. Cada um reconheceu o outro pelo que era.

– Você estava no canal, logo atrás de Remo.

Brickman lembrou-se dos crocodilos e sorriu.

– É um prazer.

– Muito bem. – MacAllister desviou o olhar de um para o outro. Não tivera êxito nos negócios sem saber o que passava na mente de homens. – Que tal pegar um drinque e me contar de fato o que aconteceu?

Doug acendeu o isqueiro e examinou o rosto do pai de Whitney. Bronzeado e liso, um claro sinal de riqueza. A voz transmitia um tom de autoridade. Os olhos que lhe retribuíam o olhar eram escuros como uísque e divertidos como os da filha. Ele sorriu.

– Dimitri é um porco, mas tem um bom estoque no bar. Uísque?

JÁ QUASE AMANHECIA quando Doug olhou para Whitney, enroscada e nua sob o fino lençol. Um leve sorriso tocava-lhe os lábios, como se ela sonhasse com a pressa de fazer amor que haviam partilhado após retornarem ao hotel. Mas a respiração era lenta e nivelada enquanto dormia o sono dos exaustos.

Sentiu vontade de abraçá-la, mas não o fez. Pensara em deixar-lhe um bilhete, mas não o fizera.

Ele era o que era. Um ladrão, um nômade, um solitário.

Pela segunda vez na vida, tivera o mundo nas mãos, e pela segunda vez o mundo desaparecera. Seria possível, passado algum tempo, convencer-se de que encontraria mais uma vez a grande oportunidade. O fim do arco-íris. Assim como seria possível, após um longo tempo, convencer-se de que haviam tido apenas uma aventura amorosa passageira. Diversão, jogos, nada sério. Convencera a si mesmo, porque esses malditos laços vinham se estreitando à sua volta. Era rompê-los agora ou nunca.

Ainda tinha a passagem para Paris, e um cheque de 5 mil dólares que o general preenchera depois de Whitney deixar o soldado reformado radiante de gratidão.

Mas também notara a expressão nos olhos dos policiais, do detetive particular que reconhecia um vigarista e um ladrão quando o via. Merecera uma trégua, mas o beco escuro seguinte estava bem perto.

Doug olhou a mochila e pensou na agenda dela. Sabia que sua conta chegava a mais do que os 5 mil dólares à disposição. Aproximando-se, remexeu na mochila até encontrar o bloco e o lápis.

Após o total final, que o fez erguer uma sobrancelha, escreveu um breve bilhete.

Fico te devendo, benzinho.

Guardando os dois de volta na mochila, deu-lhe uma última olhada enquanto ela dormia. Saiu de mansinho do quarto como o ladrão que era, rápido e silencioso.

Assim que acordou, Whitney soube que Doug se fora. Não era uma questão do lugar vazio na cama ao seu lado. Outra mulher talvez imaginasse que ele saíra para um café ou uma caminhada. Outra mulher poderia chamá-lo pelo nome numa voz rouca e sonolenta.

Ela sabia que ele se fora.

Era da sua natureza enfrentar tudo diretamente quando não tinha opção. Whitney levantou-se, abriu as persianas e começou a arrumar a mala. Com o silêncio insuportável, ligou o rádio sem se preocupar em sintonizar algo específico.

Notou as caixas derrubadas no chão. Decidida a manter-se ocupada, começou a abri-las.

Roçou os dedos nas delicadas roupas de baixo que Doug escolhera para ela. Deu um sorriso torto e rápido diante do recibo do seu cartão de crédito. Como decidira que o cinismo seria a melhor defesa, enfiou-se na camisola azul-clara. Afinal, pagara por ela.

Jogando a caixa de lado, abriu a tampa da seguinte. O vestido era azul profundo, muito profundo, da mesma cor, lembrou, das borboletas que vira e admirara. O cinismo e todas as outras defesas ameaçavam desmoronar. Engolindo as lágrimas, ela colocou o vestido de volta na caixa. Não era prático para viagem, disse a si mesma, e arrancou uma calça amassada da mochila.

Em poucas horas, estaria de volta a Nova York, em seu próprio meio, rodeada pelos amigos. Doug Lord seria uma lembrança vaga e cara. Só isso. Vestida, com a mala pronta e inteiramente calma, foi fechar a conta e encontrar-se com o pai.

Impaciente, MacAllister já andava de um lado para o outro no saguão. Elaboravam-se acordos. A competição no ramo de sorvetes era acirrada.

— Cadê seu namorado? — ele quis saber.

— Pai, por favor. — Whitney assinou a conta com um floreio e a mão bem firme. — As mulheres não têm namorados. Têm amantes.

Sorriu para o mensageiro e seguiu o pai até a rua e o carro à espera.

MacAllister bufou de raiva, nada satisfeito com a terminologia dela.

— Então, cadê ele?

— Doug? — Whitney virou-se e lançou-lhe um olhar despreocupado ao sentar-se no banco de trás da limusine. — Ora, não tenho a mínima ideia. Paris, talvez... ele tinha uma passagem.

De cara fechada, o pai recostou-se no banco.

— Que diabos está acontecendo, Whitney?

— Acho que gostaria de passar uns dias em Long Island quando voltarmos. Quer saber? Toda essa viagem foi exaustiva.

— Whitney. — MacAllister apertou a mão contra a dela, usando o tom que empregara desde que a filha tinha 2 anos, sem nunca ter muito sucesso. — Por que ele partiu?

Ela enfiou a mão no bolso dele, pegou a cigarreira de ouro e escolheu um cigarro.

— Porque é o estilo dele. Sair de mansinho no meio da noite, sem um ruído, uma palavra. É um ladrão, você sabe.

— Ele me contou ontem à noite, enquanto você estava ocupada engabelando Bennett. Droga, Whitney, quando terminou, eu fiquei de cabelo em pé. Foi pior do que ler o relatório do detetive. Vocês dois quase foram mortos meia dúzia de vezes.

— Isso também nos preocupou um pouco na hora — ela murmurou.

— Teria feito muitíssimo bem à minha úlcera se você tivesse se casado com aquele Carlyse cabeça oca e de queixo mole.

— Lamento, mas então seria eu com úlcera.

Ele examinou o cigarro que ela ainda não acendera.

– Tive a impressão de que você... gostava desse jovem ladrão que conheceu.

– Gostar. – Balançou o cigarro entre os dedos. – Não, foram estritamente negócios. – Lágrimas brotaram-lhe dos olhos e escorreram, mas ela continuou a falar calma. – Eu estava entediada e ele me proporcionou diversão.

– Diversão?

– Diversão cara – ela acrescentou. – O patife se mandou me devendo 12.358,40 dólares.

MacAllister pegou o lenço e secou as faces da filha.

– Nada como perder alguns milhares para que as lágrimas venham à tona – murmurou. – Isso acontece muitas vezes comigo.

– Ele nem se despediu – ela sussurrou.

Enroscando-se no pai, chorou, porque não parecia haver mais nada a fazer.

NOVA YORK EM AGOSTO, no verão, às vezes é cruel. O calor paira, brilha, fulge e rola. Quando uma greve dos garis coincidiu com uma onda de calor, os maus humores se tornaram tão pesados quanto o ar. Mesmo os mais afortunados, que podiam chamar uma limusine com ar-condicionado num estalar de dedos, tendiam a ficar malhumorados após duas semanas de uma temperatura de quase 35 graus centígrados. Era um período durante o qual todos os que tinham condições fugiam da cidade para as ilhas, o campo ou a Europa.

Whitney já tivera seu quinhão de viagens.

Ficou em Manhattan quando a maioria dos amigos e conhecidos embarcou em navios. Recusou ofertas de um cruzeiro no Egeu, uma semana na Riviera italiana e uma lua de mel de um mês num país de sua escolha.

Trabalhava, por ser uma forma interessante de ignorar o calor. Jogava, porque era mais produtivo que enxugar o suor. Pensou em fazer uma viagem ao Oriente, mas – só por teimosia – em setembro, quando todos estivessem voltando para Nova York.

Ao retornar de Madagascar, regalara-se com uma descontrolada e indulgente farra de compras. Metade do que comprara ainda pendia dos cabides, sem uso, no armário já abarrotado. Fizera a ronda das boates todas as noites durante duas semanas, saltando de uma para outra e desabando na cama depois do amanhecer.

Quando perdera o interesse pela badalação, lançara-se no trabalho com tanto vigor que os amigos começaram a queixar-se.

Uma coisa era exaurir-se em rodadas de festa, outra muito diferente, nas horas de trabalho. Whitney dedicou-se ao que fazia melhor. Ignorava-os por completo.

– Tad, não se faça de ridículo de novo. Eu simplesmente não aguento.

Embora a voz fosse indiferente, era mais solidária que cruel. Nas duas últimas duas semanas, ele quase a convencera de que gostava tanto dela quanto da sua coleção de gravatas de seda.

– Whitney... – Louro, com terno feito sob medida e meio embriagado, Tad ficou parado na porta do apartamento dela, tentando encontrar a melhor maneira de entrar. – Daríamos um ótimo par. Não importa que minha mãe ache você excêntrica.

Excêntrica. Whitney revirou os olhos ao som da palavra.

– Escute sua mãe, Tad. Eu daria uma esposa terrível. Agora, desça que seu motorista vai levá-lo para casa. Sabe que não pode tomar mais de dois martínis sem perder o controle.

– Whitney. – Ele agarrou-a e beijou-a com paixão, embora não com classe. – Me deixe mandar Charles embora, e eu passo a noite aqui.

– Sua mãe iria chamar a Guarda Nacional – ela lembrou-lhe, desprendendo-se dos braços dele. – Agora vá para casa e se livre desse terceiro martíni durante o sono. Vai se sentir mais você mesmo amanhã.

– Você não *me* leva a sério.

– Eu não *me* levo a sério – ela corrigiu e deu um tapinha na face dele. – Agora corra e escute sua mãe. – Fechou-lhe a porta na cara. – Velha megera dominadora.

Soltando um longo suspiro, atravessou a sala até o bar. Após uma noite com Tad, merecia uma bebida antes de dormir. Se não estivesse tão inquieta, tão... fosse lá o que fosse, não o teria deixado convencê-la de que precisava de uma noite de ópera e companhia agradável. A ópera não se incluía entre os primeiros itens de sua lista de diversões, e Tad jamais fora a companhia mais agradável.

Serviu uma saudável dose de conhaque numa taça.

– Sirva duas, sim, benzinho?

Ela cerrou os dedos na taça, com o coração na garganta. Mas não se acovardou, nem se virou. Calma, desemborcou outra taça e encheu-a.

– Continua deslizando por fechaduras, Douglas?

Usava o vestido que ele comprara em Diego-Suarez. Doug imaginara-a nele uma centena de vezes. Não sabia que era a primeira vez que ela o pusera, e fizera-o por desafio. Nem sabia que por isso tinha pensado nele a noite toda.

– Ficou fora até tarde, não é?

Ela disse a si mesma que era forte o suficiente para enfrentar a situação. Afinal, tivera semanas para superá-lo. Com uma sobrancelha erguida, virou-se.

Vestido de preto, a cor combinava com ele, camiseta simples e calça jeans justa pretas. O traje do ofício, ela imaginou, entregando-lhe a taça. Achou que o rosto parecia mais magro e os olhos mais intensos, depois tentou não pensar em nada.

– Como estava Paris?

– Muito bem. – Doug pegou o copo e refreou o desejo de tocar a mão dela. – Como tem passado?

– Como pareço?

Era um desafio direto. Olhe para mim, ela exigia. Dê uma boa olhada. Ele o fez.

Os cabelos dela fluíam lisos por um dos ombros, presos no outro lado por uma presilha de diamantes em forma de crescente. O rosto, como ele lembrava: claro, fresco e elegante. Os olhos escuros e arrogantes quando o olhou por cima da borda da taça.

– Está maravilhosa – ele murmurou.

– Obrigada. Então, a que devo esse inesperado prazer?

Ele treinara o que ia dizer, como ia dizê-lo, dezenas de vezes na última semana. Já chegara a Nova York desde então, vacilando entre procurá-la e não se aproximar.

– Só pensei em ver como você estava – murmurou dentro da taça.
– Que amor!
– Escute, sei que deve achar que fugi de você...
– Da quantia de 12.358,49 dólares.

Ele emitiu um ruído que poderia ser uma risada.

– Nada muda.
– Veio pra acertar o "fico te devendo" que me deixou?
– Vim porque tive de vir, droga.
– É? – Irredutível, ela entornou a bebida de um gole. Também refreou o ímpeto de jogar a taça na parede. – Tem algum outro empreendimento de risco que requer algum capital?
– Quer me agredir, vá em frente.

Com uma pancada, ele largou a taça.

Ela encarou-o por um instante e balançou a cabeça. Afastando-se, também largou a taça e apoiou as palmas da mão na mesa. Pela primeira vez desde que a conhecera, Doug viu-a arriar os ombros e notou a voz esgotada.

– Não quero agressões, Doug. Ando meio cansada. Já viu que estou bem. Agora, por que não sai da mesma maneira que entrou?
– Whitney.
– Não me toque – ela murmurou, antes que ele se adiantasse dois passos.

A voz baixa, nivelada, não ocultou bem o filete de desespero que havia por trás.

Ele ergueu as mãos, palmas para fora, e depois deixou-as caírem.

– Tudo bem. – Circulou pela sala um instante, tentando retornar ao plano de ataque original. – Sabe, tive muita sorte em Paris. Limpei cinco quartos no Hotel de Crillon.
– Parabéns.
– Eu estava com a corda toda, na certa poderia passar os próximos seis meses despojando turistas.

Ele enfiou os polegares nos bolsos.

– Então por que não fez isso?
– Simplesmente deixou de ser divertido. A gente fica em apuros quando a diversão desaparece do trabalho, você sabe.

Ela se virou, dizendo para si mesma que era covardia não enfrentá-lo.

— Suponho que sim. Então voltou aos Estados Unidos para uma mudança de cenário?

— Voltei porque não podia mais ficar longe de você.

A expressão de Whitney não se alterou, mas ele viu-a entrelaçar os dedos na primeira demonstração externa de nervosismo que já observara nela.

— É? – disse apenas. – Parece uma coisa estranha de dizer. Eu não chutei você do quarto de hotel em Diego-Suarez.

— Não. – Ele deslizou devagar o olhar pelo rosto dela, como se precisasse encontrar alguma coisa. – Não me chutou.

— Então por que foi embora?

— Porque, se eu ficasse, teria feito então o que acho que vou fazer agora.

— Roubar minha bolsa? – ela perguntou, com uma petulante jogada de cabeça.

— Pedir que se case comigo.

Era a primeira vez, talvez a única, que ele a via abrir a boca e continuar boquiaberta. Parecia alguém cujos pés haviam acabado de ser pisados. Doug esperava uma reação mais emotiva.

— Imagino que meu encanto tenha desarmado você. – Servindo-se sem permissão, ele levou a taça de volta ao bar. – Que ideia estranha, um cara como eu propor casamento a uma mulher como você. Não sei, talvez fosse o ar, ou coisa assim, mas comecei a ter umas ideias estranhas em Paris sobre montar casa, me estabelecer. Filhos.

Whitney conseguiu fechar a boca.

— É mesmo? – Como Doug, decidiu que outro drinque era a pedida. – Fala de casamento como até que a morte nos separe e impostos de renda conjuntos?

— É. Concluí que sou tradicional. Até nisso.

Quando partia para alguma coisa, partia inteiro para ela. O método de ação nem sempre funcionava, mas era o seu método. Enfiou a mão no bolso e retirou um anel.

O brilho do diamante captou a luz e explodiu com ela. Whitney fez um esforço consciente para impedir que a boca mais uma vez se escancarasse.

– Onde você...

– Não roubei – ele rebateu, irritado. Sentindo-se tolo, atirou-o para cima e prendeu-o na palma da mão. – Exatamente – corrigiu e conseguiu dar um sorriso enviesado. – O diamante veio do tesouro de Maria. Embolsei-o por... acho que se poderia chamar reflexo. Pensei em penhorar, mas... – Abrindo a mão, fitou-o. – Mandei incrustar em Paris.

– Entendo.

– Escute, sei que você queria que o tesouro fosse para os museus, e quase tudo foi. – Ainda doía. – Havia uma enormidade de reportagens elogiosas nos jornais de Paris. "A Fundação Bennett recupera butim da trágica rainha", "Colar de diamantes desencadeia novas teorias", e assim por diante. – Ele encolheu os ombros, tentando não pensar em todas aquelas pedras brilhantes. – Decidi me contentar com uma única pedra. Embora com apenas dois braceletes pudesse me estabelecer para o resto da vida. – Encolhendo de novo os ombros, ergueu o anel pelo fino aro de ouro. – Se incomoda sua consciência, arranco a porra da pedra e mando entregar a Bennett.

– Não seja ofensivo. – Num destro movimento, ela tirou-a da mão dele. – Meu anel de noivado não vai para museu algum. Além disso... – E sorriu-lhe com vontade. – Também acredito que alguns pedaços de história devem pertencer ao indivíduo. Um tipo de participação interativa. – Lançou-lhe um olhar frio, de sobrancelhas erguidas. – Você é tradicional o bastante para ficar de joelhos?

– Nem sequer para você, benzinho. – Tomou-lhe o pulso esquerdo e, tirando o anel dela, deslizou-o no dedo anular. O olhar que lhe deu foi demorado e firme. – Fechado?

– Fechado – ela concordou e, rindo, atirou-se nos braços dele. – Droga, Douglas, fiquei infeliz durante dois meses.

– Ah, é? – Ele descobriu que gostava da ideia, quase tanto quanto de beijá-la. – Vejo que gostou do vestido que comprei para você.

– Você tem excelente gosto. – Por trás das costas dele, ela girou a mão para ver a luz refletir-se no anel. – Casada – repetiu, experimentando a palavra. – Você falou em se estabelecer. Quer dizer que planeja se aposentar?

– Tenho pensado um pouco nisso. Você sabe... – Ele esfregou o nariz no pescoço dela para sentir o perfume que o obcecara em Paris. – Nunca vi o seu quarto.

– Verdade? Terei de oferecer a você o grande tour. É meio jovem para se aposentar – ela acrescentou, soltando-se dele – O que planeja fazer com o tempo livre?

– Bem, quando não estiver fazendo amor com você, pensei em dirigir um negócio.

– Uma loja de penhor.

Ele mordiscou-lhe o lábio.

– Um restaurante – corrigiu. – Sabichona.

– Claro. – Ela assentiu com a cabeça, gostando da ideia. – Aqui em Nova York?

– Um bom lugar para começar. – Liberou-a para pegar sua taça. Talvez o fim do arco-íris estivesse mais perto do que ele imaginara o tempo todo. – Começar com um aqui, depois talvez em Chicago, São Francisco. O negócio é que vou precisar de um financiador.

Ela correu a língua pelos dentes.

– Claro. Alguma ideia?

Ele disparou-lhe aquele sorriso encantador, indigno de confiança.

– Gostaria de manter tudo em família.

– Tio Jack.

– Vamos lá, Whitney, você sabe que sou capaz. Quarenta mil, não, façamos por 50, e abrirei o restaurante mais refinado de West Side de Manhattan.

– Cinquenta mil – ela repetiu, dirigindo-se à mesa de trabalho.

– É um bom investimento. Eu mesmo vou redigir o cardápio, supervisionar a cozinha. E... O que está fazendo?

– Isso somaria 62.358,49 dólares, tudo incluído. – Com um ágil assentimento, ela sublinhou duas vezes o total. – A uma taxa de juros de 12,5 por cento.

Ele fechou a cara para os números.

– Juros? Doze e meio por cento?

– Taxa mais que razoável, eu sei, mas sou boazinha.
– Escute, vamos nos casar, certo?
– Com toda certeza.
– Uma esposa não cobra juros do marido, pelo amor de Deus!
– Esta cobra – ela murmurou, continuando a anotar números. – Calculo os pagamentos mensais em apenas um minuto. Vejamos, pelo período de 15 anos, que tal?

Ele olhou as elegantes mãos dela escrevendo números. O diamante piscava.

– Claro, que inferno!
– Agora, e as garantias?

Doug reprimiu um xingamento e deu uma risada.

– Que tal nosso primeiro filho?
– Interessante. – Ela bateu o bloco na palma da mão. – Sim, talvez concorde com isso... mas ainda não temos filhos.

Ele se aproximou e arrancou-lhe o bloco da mão. Após jogá-lo para trás, agarrou-a.

– Então vamos cuidar disso, benzinho. Preciso do empréstimo.

Whitney notou com satisfação que o bloco caíra virado para cima.

– Tudo pela livre-iniciativa.

fim

— Gostaria que tivéssemos sido mais rápidos. — Ele tomou a máo estendida e apertou-a. — Você passou por momentos difíceis, Grace. Tess me pediu para lhe dizer que se precisar conversar, conte com ela.

— Eu sei. Diga a ela que me alegro por devolver seu marido durante as noites.

Ben pôs a mão no ombro de Ed.

— Até amanhã.

— É. — Depois que Ben saiu, Ed entregou mais uma vez o copo a Grace. — Tente mais um pouco.

— Eu tomaria a garrafa. — Ela ouviu os passos e as vozes na escada e soube o que significavam. Dessa vez não se levantou para olhar. — Ed, se importa? Não quero ficar aqui, quero ir para casa.

Ele tocou-lhe o rosto antes de levantar-se. Era impossível ficar perto dela enquanto a perdia.

— Lamento, Grace, seria impossível você voltar para Nova York esta noite. Só daqui a dois dias, depois que encerrarmos o trabalho burocrático.

— Nova York? — Grace largou o conhaque ao lado. Não precisava disso, afinal. — Eu disse que queria ir para casa, Ed. É a casa ao lado. — Quando ele se virou para encará-la, ela tentou esboçar um sorriso. — Isto é, se a oferta ainda estiver de pé.

— Está. — Ele abraçou-a. — Ainda não é bem um lar, Grace. Precisa de muito trabalho.

— Tenho as noites livres. — Contente, ela se aninhou nele. — Eu nunca lhe contei que quando cheguei aqui pela primeira vez escolhi a sua casa como aquela na qual eu mais gostaria de morar. Vamos para casa, Ed.

— Claro.

Ele ajudou-a a levantar-se.

— Só uma coisa. — Grace deslizou as bases das mãos pelo rosto até ter certeza de que estava seco. — Eu não vou passar suas camisas.

fim

da vida. Quisera justiça, mas naquele momento não sabia ao certo o que isso significava.

– Eu voltarei – disse a ela. – Vou esperar. Lembre-se. – Seus lábios se curvaram antes de morrer.

– Vamos lá para baixo, Grace.

Ed puxou-a para fora do quarto.

– Acha que chegaremos a saber por quê? Realmente por quê?

– A gente aprende a ficar satisfeito com quaisquer respostas que encontra. Sente-se, vou pegar um conhaque para você.

– Não vou dissuadi-lo dessa ideia. – Ela sentou-se, os cotovelos nos joelhos e o rosto nas mãos. – Eu disse a ele que não queria machucá-lo. E, graças a Deus, falei sério. Assim que o vi, vi como era, não o odiei tanto.

– Tome, beba.

– Obrigada. – Ela conseguiu tomar um gole, trêmula, e depois um segundo, mais forte. – Então... – Após uma fungada, esfregou as costas das mãos sob o nariz. – Como foi seu dia?

Ele examinou-a por um instante. A cor retornava a seu rosto e as mãos se estabilizavam. Mulher forte, pensou. Era uma mulher forte. Agachou-se diante dela e tirou-lhe o copo das mãos. Grace abriu os braços e ele acolheu-a junto de si.

– Ah, Ed, nunca mais quero ficar tão apavorada assim.

– Nem eu.

Grace virou a cabeça para colar os lábios no rosto dele.

– Você está tremendo – disse ela.

– É você quem está.

Com uma espécie de risada, ela o abraçou mais apertado.

– Não importa.

Ben hesitou no vão da porta.

– Se manda, Paris.

– Num minuto – ele prometeu. – Escute, pegamos a declaração de Renockie, por isso não há a menor pressa para a sua, Grace. Vamos mandar o pessoal entrar e sair daqui o mais rápido possível e deixar vocês em paz.

– Obrigada. – Grace desprendeu-se de Ed o suficiente para estender-lhe a mão. – Você é um grande amigo, Ben.

Seu coração parou. Sentiu-o tremular quando disparou a toda escadaria acima. Ouviu o nome de Grace gritado, urrado, mas sem se dar conta de que saíra dele. Transpondo Renockie de um salto, plantou-se pronto e mais que disposto a matar.

Grace deslizara até o chão, de modo que tinha as costas apoiadas na cama, e continuava com a arma na mão. Embora com o rosto lívido, os olhos escuros e enevoados, ela respirava. Ed esmagou os cravos sob os pés quando correu para a amada.

– Grace? – Tocou-a nos ombros, no rosto, nos cabelos. – Grace, quero que me diga se ele a machucou. Olhe para mim, Gracie. Fale comigo.

Enquanto falava, tirou-lhe a arma da mão.

– Era tão jovem. Não pude acreditar como era jovem. – Focou os olhos nos de Ed quando ele se deslocou entre ela e o corpo estendido a poucos metros de distância. – Ele disse que me amava. – Quando a viu começar a arquejar, ele tentou envolvê-la nos braços, mas ela o repeliu: – Não, estou bem. Estou bem.

Maggie pegou o telefone atrás de si.

– Segundo Renockie, você salvou a vida dele. Portou-se como uma profissional.

– É. – Grace apoiou a cabeça na mão um instante. – Ed, eu estou bem, é sério. Mas acho que não consigo me levantar sem alguma ajuda.

– Apoie-se em mim – ele murmurou. – Só um pouco.

Com a cabeça encostada no ombro dele, ela concordou:

– Está bem.

– Você não vai conseguir sair vivo dessa, garoto. – Ben curvou-se sobre Jerald. Já examinara o ferimento e, embora Maggie estivesse chamando uma ambulância, de nada adiantaria. – Se quiser dizer alguma coisa, o momento é este.

– Não tenho medo de morrer. – Ele não sentia dor alguma, o que tornava tudo ainda mais doce. – É a experiência última. Désirée sabe. Ela já sabe.

– Você liquidou Désirée e Roxanne, Jerald?

– Dei o melhor a elas. – Erguendo os olhos, ele viu o rosto de Désirée flutuando acima do seu. – Désirée.

Embora Ed tentasse afastá-la, Grace ficou onde estava e encarou Jerald. Ela quisera uma imagem, e agora a levaria consigo para o resto

— Désirée, você sabia que eu ia voltar.

— Não sou Désirée.

Ele também tinha uma arma. O coração de Grace quase parou de bater quando notou a arma e a mancha de sangue no pulso do louco. Na outra mão, trazia flores. Um buquê de cravos vermelhos.

— Não tem importância como chama a si mesma. Você voltou e me ligou de volta.

— Não. — Ela ergueu a arma quando ele avançou um passo em sua direção. — Não se aproxime de mim. Não quero machucá-lo.

— Não pode. — Jerald riu deliciado com ela. Jamais quisera tanto algo. Jamais quisera nada mais do que satisfazê-la. — Nós dois sabemos que você não pode me ferir. Estamos além disso agora, você e eu. Lembra como foi? Lembra, Désirée? Sua vida fluiu das minhas mãos, enquanto a minha fluía dentro de você.

— Você matou minha irmã. Eu sei. A polícia sabe. Estão chegando.

— Eu amo você. — Ele se aproximou mais ao falar, quase hipnotizando-a com aqueles olhos. — Sempre foi apenas você. Juntos, podemos fazer qualquer coisa, qualquer coisa. Você continuará voltando para mim. E eu continuarei ouvindo e esperando. Será igual a antes. Uma vez após outra.

Ele estendeu-lhe as flores.

Os dois ouviram o ruído ao mesmo tempo. Grace viu Renockie, o sangue escorrendo pelo rosto, onde Jerald o golpeara com a coronha. Apoiado na porta, o policial lutava para firmar-se.

Jerald virou-se, os lábios arreganhados para trás num rosnado. Quando ele ergueu a arma, Grace disparou.

— Que diabos está acontecendo?

Ben e Ed atravessaram correndo a calçada no momento em que Maggie conseguiu abrir com um chute a porta da frente.

— Fui levar umas roscas para Billings e dizer a ele que encerrasse tudo. Quando voltei, encontrei a porta trancada.

Armas empunhadas, os três entraram e separaram-se. Ed viu o sangue. Acompanhou com o olhar o rastro que conduzia ao andar superior. Já se precipitava à frente quando ouviram o tiro.

— Ah, é mesmo? Escreve romances policiais?

— Apenas contos. — O rosto largo e agradável do tira enrubesceu com a admissão. — Na minha função, a gente passa muito tempo no carro apenas sentado e à espera. O que dá muito tempo para pensar.

— Talvez devesse me mostrar alguma coisa que escreveu.

— Não ia querer incomodar...

— Eu gostaria de ver – insistiu ela. – Por que não...

A voz esgotou-se quando ela notou que a expressão no rosto do policial mudara. Também ela ouvira um arrastar de pés, a abertura de uma porta.

— Por que não vai lá para cima? Tranque a porta. — Ele sacou a arma ao tomar-lhe o braço. – Só por medida de segurança.

Ela subiu rapidamente e sem discussão. Renockie segurou a arma apontada e avançou.

No quarto, Grace encostou-se na porta, à espera, os ouvidos atentos. Era provável que não fosse nada. Como poderia ser alguma coisa? Ed já o teria detido a essa altura. O telefone tocaria a qualquer minuto e ele lhe diria que tudo terminara.

Então ouviu uma tábua estalar e saltou. O suor escorria-lhe pela testa e entrava nos olhos. Chamando-se de tola, Grace enxugou-o. Era apenas o aspirante a escritor chegando para dizer-lhe que estava tudo limpo.

— Désirée?

O sussurro secou toda gota de suor no corpo dela. Sentiu um gosto de medo. Embora lhe enchesse a boca, não conseguiu engoli-lo. Vigiando a porta, viu a maçaneta girar à esquerda e depois à direita.

— Désirée.

Encurralada. Encurralada. A palavra atravessou-lhe a mente repetidas vezes. Sozinha, de algum modo a sós com o homem que viera matá-la. Tapou o grito com as mãos antes que irrompesse de repente. Sabia que ele viria. Sabia, embora estivesse encurralada. Mas não indefesa. Correu à gaveta em que guardava a arma e tateou até encontrá-la, no momento em que a porta foi forçada e abriu-se.

Era uma criança, ela pensou ao encará-lo. Como era possível aquele menino de camisa Lacoste e várias marcas de espinhas no queixo ter assassinado sua irmã? Então olhou dentro dos olhos dele, e eles contaram a história.

escritório do reitor. Manteve-se ereto, como faria um homem corajoso ao enfrentar um pelotão de fuzilamento, e bateu à porta do filho.

– Com licença, senador. – Ben estendeu a mão e abriu a porta. A luz ardia, o rádio tocava baixo. E o quarto estava vazio.

– Deve estar no andar de baixo. – O suor frio traçou uma linha pelas costas de Hayden.

– Eu o acompanho.

Com um aceno quase imperceptível da cabeça a Ben, Ed entrou no quarto de Jerald.

Foram necessários menos de dez minutos para determinar que o jovem Hayden não se encontrava em casa. Quando Ben retornou ao quarto, o senador e a mulher o acompanharam.

– Ele tem um esconderijo e tanto. – Ed indicou a gaveta da escrivaninha aberta. – Por favor, não toquem em nada – avisou a Hayden, quando o senador se adiantou. – Vamos mandar alguém vir aqui para registrar isso. Parecem uns 40 gramas de cocaína, talvez uns 130 gramas de maconha. – Tocou a tampa de um frasco com a ponta de um lápis. – Talvez um pouco de cocaína em flocos misturada com algum alucinógeno.

– É um engano. – A histeria começou a borbulhar na voz de Claire. – Jerald não usa drogas. É um aluno brilhante.

– Sinto muito. – Ben olhou para o computador que ocupava quase toda a mesa, e depois para Ed. Como dissera Billings, o equipamento era do mais alto nível. – Ele não está na casa.

ENQUANTO A MÃE SOLUÇAVA no quarto do filho, Jerald transpunha a cerca entre a propriedade de Ed e a casa de Kathleen Breezewood. Jamais se sentira tão bem. O sangue bombeava, o coração palpitava. Désirée esperava-o, para levá-lo à eternidade.

Renockie tomava café na sala, enquanto Grace brincava com o dela e vigiava o relógio. Onde estava Ed? Por que não telefonava?

– Acho que poderia dizer que sou um grande fã seu, Srta. McCabe.

– Obrigada, detetive.

– Esperei até Maggie ir lá fora falar com Billings para lhe dizer que também sou escritor amador.

Quem não tinha a pretensão de ser?, pensou Grace, e depois se forçou a dar um sorriso. Não era do feitio dela ser indelicada.

CLAIRE OUVIU A CAMPAINHA da porta e quase praguejou de irritação. Se não saíssem em cinco minutos, chegariam atrasados. Após fazer a governanta retroceder com um aceno da mão, ajeitou os cabelos e foi ela mesma atender.

– Detetives Jackson e Paris. – Os distintivos que Claire viu dispararam dentro dela um alarme sombrio e demorado. – Gostaríamos de falar com Jerald Hayden.

– Jerald? – Anos de treinamento fizeram automaticamente os lábios de Claire se curvarem. – De que se trata?

O garoto Lithgow, pensou. Os pais apresentaram queixa à polícia.

– Temos uma intimação judicial, senhora. – Ben entregou-lhe o documento. – Jerald Hayden é procurado para interrogatório relacionado aos assassinatos de Kathleen Breezewood e Mary Grice, além da tentativa de estupro de Mary Beth Morrison.

– Não. – Ela era uma mulher forte. Jamais desfalecera na vida. Agora, enterrava as unhas na palma da mão até clarear a visão. – É um engano.

– Algum atraso, Claire? Já chegamos ao limite de tempo. – Hayden encaminhou-se até a porta. A amistosa impaciência no rosto mudou apenas de leve quando ele viu a identificação. – Policiais, algum problema?

– É Jerald. – Dessa vez ela enterrou os dedos no braço do marido. – Eles querem Jerald. Oh, meu Deus, Charlton. Falam em assassinato.

– Que absurdo!

– Sua esposa tem os papéis, senador. – A habitual compaixão de Ed esgotara-se no trajeto de carro. – Fomos autorizados a deter seu filho para interrogatório.

– Chame Stuart, Claire. – Era uma ocasião para advogados, pensou. Embora ainda não acreditasse, não podia acreditar, Hayden viu desintegrarem-se os anos da construção de uma plataforma cuidadosa e forte. – Tenho certeza de que podemos esclarecer isso rápido. Vou buscar Jerald.

– Preferiríamos ir junto – disse Ed.

– Muito bem.

Virando-se, Hayden dirigiu-se à escada. A cada degrau, sentia sua vida, suas ambições e crenças escapulirem. Via com clareza, dolorosa clareza, a expressão nos olhos de Jerald quando os dois se reuniram no

– Estamos à espera de um mandado. Você parece um pouco pálida, Grace. Quer um conhaque?

– Não. Obrigada.

– Era Tess ao telefone. – Ben pegou um cigarro, acendeu-o e entregou-o à escritora. – Washington é uma cidade pequena. Ela conversou com a mãe de Jerald Hayden hoje. Ela acha que o filho precisa de um psiquiatra.

– Que estranho! – Grace soprou uma baforada de fumaça, enquanto absorvia as informações. – Achei que quando isso acontecesse seria um tipo de clímax. Em vez disso, bastaram um telefonema e um pedaço de papel.

– Grande parte do trabalho policial é papelada – disse Ed.

– É. – Ela tentou sorrir. – Tenho o mesmo problema com meu trabalho. Eu quero vê-lo. – Deu outra tragada. – Ainda quero vê-lo, Ed.

– Que tal esperar até amarrarmos as pontas soltas? – Ele tocou-lhe a face para fazê-la virar a cabeça e olhá-lo. – Você fez o que precisava ser feito, Grace. Tem de se livrar de Kathleen agora.

– Assim que isso terminar, eu ligar para meus pais e... para Jonathan, acho que consigo.

MAGGIE LOWENSTEIN LEVOU menos de quarenta minutos para entregar o mandado. Entregou-o na mão de Ben.

– O tipo sanguíneo de Hayden estava arquivado no hospital de Georgetown. Bate com o das impressões. Prendam o delinquente. Cobriremos a casa até vocês darem entrada na delegacia.

– Fique.

Ed pôs as mãos nos ombros de Grace.

– Não vou a lugar algum. Escute, sei que o mundo precisa de heróis, mas imagino que eu preciso mais de você. Portanto, seja um bom policial, Jackson, e tome cuidado. – Pegando-lhe a frente da camisa, ela puxou-o para um beijo. – Até logo.

– Cuide dessa moça, Renockie – disse Ben, quando transpuseram a porta. – Detestaria ver Ed dar um chute em você.

Grace deu um longo suspiro e virou-se para as suas novas escoltas.

– Alguém quer um pouco de café detestável?

O parceiro encarou-o por vários segundos.
– Vou subir para pegar Grace.
Ben mal assentiu com a cabeça quando o telefone tocou de novo.
– Paris.
– Ben, lamento interromper.
– Escute, doutora, não posso ocupar este telefone.
– Serei rápida. Acho que talvez seja importante.
Com uma conferida no relógio, Ben calculou que Maggie ainda tinha 58 minutos para chegar.
– Desembuche.
– Estou quase transpondo o limite de sigilo do paciente. – E isso a afligira durante todo o exame de consciência. – Conversei com uma mulher hoje, uma mulher que conheço. Ela está preocupada com o filho. Parece que ele se meteu numa briga séria na escola ontem. Quase estrangulou outro aluno. Ben, grande parte do que ela me disse reflete o perfil do assassino em série.
– Ele quebrou o brinquedo de outra pessoa – murmurou Ben.
– Me dê um nome, doutora. – Quando só obteve silêncio, imaginou-a sentada à escrivaninha, em luta com o juramento e a consciência. – Vamos jogar assim: me diga se este nome parece familiar. Jerald Hayden.
– Oh, meu Deus!
– Tess, eu preciso de respaldo. Já pedimos um mandado. Um telefonema seu poderia acelerar tudo.
– Ben, eu concordei em aceitar esse menino como paciente.
De nada adiantava brigar com ela agora, ele pensou. Tess não conseguia evitar.
– Então deve saber que o melhor para ele agora é o pegarmos rápido. E vivo. Entre em contato com Harris, Tess. Diga a ele o que me disse.
– Tome cuidado. Ele está muito mais perigoso agora.
– Espere com o Júnior por mim. Sou louco por você.
Ben desligou o telefone quando Ed conduziu Grace para a sala.
– Ed disse que você sabe quem ele é.
– Sei. Pronta pra se aposentar como a senhorita do telefone?
– Mais que pronta. Quanto tempo falta para pegarem o delinquente?

– Então imagina que o cara estaria pronto para uma briga, a fim de descarregar a frustração em algum outro garoto?

– Imagino que iria atrás de alguém mais fraco, alguém que julgasse mais fraco, de qualquer modo. Ele se sentiria melhor se fosse alguém que conhecia.

– Então podemos checar os registros de detenção por ataque nos últimos dois dias.

– E os hospitais. Não creio que ele se contentaria com uma briguinha de empurra para lá e puxa para cá.

– Você está começando a pensar como Tess. – Ben sorriu. – É por isso que o amo. Na certa é ela agora – disse, quando tocou o telefone. – Pedi que me ligasse quando chegasse em casa.

– Diga a ela para reforçar o cálcio.

Ed pegou mais uma vez o arquivo. O tom da voz do parceiro o fez ignorá-lo.

– Quando? Tem um endereço? Você e Renockie cobrem a gente aqui, que vamos até lá. Escute, Maggie, estou cagando para quem... *Quem?* Meu Deus! – Ben passou a mão pelo rosto e tentou pensar. – Consiga o juiz Meiter, ele é republicano. Não, não é brincadeira. Quero o mandado na mão em uma hora ou vamos mesmo sem um. – Desligou. Se pudesse correr o risco, teria tomado uma bela dose pura de vodca. – Conseguimos uma identificação no retrato falado. Um garoto no hospital de Georgetown denunciou um colega de escola que tentou estrangulá-lo. É aluno do último ano da St. James. O capitão está mandando alguém lá para pegar uma declaração escrita.

– Temos um nome?

– O autor da chamada identificou nosso menino como Jerald Hayden, o endereço bate direto no meio do pequeno quadrado de Billings.

– Então vamos logo.

– Precisamos passar pelos canais competentes neste caso, parceiro.

– Fodam-se os canais!

Ben não se deu o trabalho de ressaltar que era Ed quem sempre invocava o sistema.

– O garoto é filho de Charlton P. Hayden, o candidato do povo.

– Tenho pensado no perfil psiquiátrico que Tess elaborou e me perguntado por que parece que não consigo pensar como ele.

– Talvez porque tenha todos os parafusos no lugar – respondeu Ben.

– Não é isso. Sabe como é quando a gente se aproxima de um deles. Por mais maluco, por mais doente que seja o pervertido, a gente começa a pensar como ele, a prever o que fará.

– E é o que está acontecendo. Por isso vamos pegar o cara.

– Não pensamos de igual para igual. – Ed massageou os olhos. Haviam começado a doer no meio da tarde. – E não pensamos de igual para igual porque ele é um adolescente. Quanto mais penso nisso, mais certeza tenho. Não apenas pela identificação do desenho com base na descrição de Mary Beth. Os adolescentes não pensam da mesma maneira que os adultos. Sempre imaginei que por isso mandam os garotos para a guerra, porque ainda não enfrentaram a própria mortalidade. A pessoa só se dá conta dela aos 20 e poucos anos.

Ben lembrou-se do irmão.

– Alguns adolescentes já são maduros quando chegam aos 16 anos.

– Não esse. Tudo que Tess escreveu aqui leva não apenas a um psicótico, mas a um imaturo.

– Então a gente pensa como um garoto.

– Ele na certa deve andar de cara feia desde que se frustrou com o serviço malfeito em Mary Beth Morrison. – Tentando continuar essa linha de pensamento, Ed se pôs a andar de um lado para outro. – É exatamente como ela disse: o cara chorava feito uma criança que quebrara o brinquedo preferido. O que faz um verdadeiro moleque arrogante quando destrói seu brinquedo?

– Quebra o de outra pessoa – respondeu Ben.

– Na mosca. – Ed virou-se para ele. – Você vai ser um ótimo pai.

– Obrigado. Veja, os estupros e as tentativas de estupro que deram entrada desde o caso Morrison não batem.

– Eu sei. – Ed não lera cada relatório, palavra por palavra, na esperança de uma ligação? – Talvez o cara não tenha atacado outra mulher, mas isso não significa que não tenha atacado alguém. Você sabe que quando um estuprador é impedido de ir até o fim, fica apenas mais frustrado e furioso. E ele é um garoto. Tem de pôr isso para fora em outra pessoa.

disposição nem ânimo para o noticiário das seis. Podia obter toda aquela bosta no resumo do final do dia quando retornasse à escola. Trocou mais uma vez e parou na reprise de uma série cômica. Já sabia o maldito diálogo de cor. Xingando, trocou de canal. Mais notícias. No momento em que ele ia desistir e ler um livro, surgiu na tela a imagem do desenho do atacante de Mary Beth Morrison.

Lithgow talvez o houvesse deixado passar, não fosse pelos olhos. Fizeram-lhe estreitar os seus. Eram os mesmos que vira quando perdia a consciência e Jerald esgotava seu ar espremendo-lhe a garganta com as mãos. Concentrou-se e esforçou-se para preenchê-lo com os detalhes que haviam escapado ao desenhista. Antes de ter certeza, absoluta certeza, a imagem foi substituída por um repórter. Excitado, não mais nervoso, Randolf passou para a rede de noticiários seguinte. Talvez tornasse a vê-lo.

Se visse, tinha uma ideia muito boa do que iria fazer.

— VAMOS VARRER AQUELA área a noite toda nas viaturas.

Ben fechou a pasta. Ed continuava de olhos fixos no mapa, como à espera de que alguma coisa saltasse.

— O delinquente sai de casa, as probabilidades são de que o pessoal o localize – comentou Ben.

— Não gosto das probabilidades. – Ed olhou em direção ao corredor. No andar de cima, Grace completava a terceira noite como isca. – Quantas vezes você calcula que repassamos esse quadrante, motorizados e a pé?

— Perdi a conta. Escute, ainda acho que a escola é uma boa tentativa. Wight talvez não tenha reconhecido o retrato falado, mas estava nervoso – insistiu Ben.

— As pessoas ficam nervosas quando tiras aparecem – disse Ed.

— É, mas tenho o pressentimento de que vai cair a ficha em alguém quando Maggie Lowenstein acabar de distribuir o retrato falado aos alunos.

— Talvez. Mas isso ainda dá ao criminoso esta noite e horas demais amanhã.

— Escute, Ed, somos dois aqui na casa. Billings está lá fora e as viaturas de ronda passam a cada 15 minutos. Ela está mais segura aqui do que se a tivéssemos posto num cárcere.

Tess sentiu um calafrio até a medula. Engoliu em seco com força e depois perguntou num tom neutro, cuidadosamente conseguido:

– O que Jerald disse sobre a briga?

– Nada, pelo menos não a mim. Sei que conversou com o pai, mas nenhum dos dois falou a respeito. Charlton está preocupado. – Ela disparou o olhar para Tess e desviou-o de volta para a toalha de mesa. – Charlton tem disfarçado que não está, mas eu vejo. Sei o estrago que isso faria se vazasse para a imprensa, e me apavora o que poderia causar à campanha. Ele continua insistindo em que Jerald só precisa de alguns dias para descansar a mente e se acalmar. Quisera eu poder acreditar nisso!

– Gostaria que eu conversasse com Jerald?

– Sim. – Claire estendeu o braço e tomou-lhe a mão. – Muito. Não sei mais o que fazer. Tenho sido melhor esposa, melhor companheira, que mãe. Jerald parece ter me escapulido das mãos. Estou realmente preocupada com ele. Parece distante, e de algum modo presunçoso, como se soubesse de alguma coisa que ninguém mais sabe. Minha esperança é que, se conversar com alguém fora da família, mas que, mesmo assim, é uma de nós, ele se abra.

– Farei o que puder, Claire.

– Sei que fará.

RANDOLF LITHGOW DETESTAVA o hospital. Detestava Jerald Hayden por mandá-lo para lá. Fora mais a humilhação que a dor. Como poderia voltar e enfrentar os colegas depois de ter quase virado polpa de tão espancado pelo maluco da turma?

O vermezinho se achava grande na escola porque o pai era candidato à presidência. Lithgow torcia para que Charlton P. Hayden perdesse a eleição sem vencer num único Estado. Esperava que sofresse uma derrota tão terrível que teria de sair rastejando de Washington na calada da noite, arrastando o filho junto.

Mudou de posição na cama e também desejou que chegasse a hora das visitas. Bebeu num canudo e conseguiu engolir direto pela garganta, que continuava ardendo como o inferno. Iria fazer aquele cara de pastelão pagar caro quando estivesse recuperado.

Entediado, nervoso e sentindo pena de si mesmo, Randolf começou a trocar os canais de televisão com o controle remoto. Não tinha

um menino tão tranquilo e agradável. Talvez não muito afetuoso, mas de bom temperamento.

– O filho ideal? – murmurou Tess.

Sabia como a perfeição às vezes era enganosa e escondia várias falhas irregulares.

– Isso mesmo. Ele simplesmente adora Charlton. Demais até, você entende. Em algumas ocasiões eu me sentia meio apreensiva em relação a isso, mas para um menino é bastante agradável venerar o pai. Em todo caso, nunca tivemos de nos preocupar com os problemas que tantos pais parecem enfrentar hoje. Drogas, promiscuidade, rebeldia. Então há pouco...

– Não se apresse, Claire.

– Obrigada. – Após pegar a taça, Claire tomou um gole para umedecer a garganta seca. – Nos últimos meses, Jerald tem passado cada vez mais tempo sozinho. Trancado no quarto a noite toda. Sei o afinco com que ele estuda e até tentei convencê-lo a diminuir um pouco a intensidade. Parece muito esgotado algumas manhãs. O humor parece oscilar. Sei que tenho ficado ocupada com a eleição e a campanha, por isso desculpei essas oscilações. Eu mesma ando um pouco instável.

– Já conversou com ele?

– Tentei. Talvez não com muito empenho. Não percebi como era difícil lidar com isso. Ele chegou em casa da biblioteca uma noite dessas e estava... Tess, um lixo. As roupas desalinhadas, o rosto todo arranhado. Era óbvio que se metera em algum tipo de briga, mas disse apenas que tinha caído da bicicleta. Deixei passar. Me arrependo agora. Cheguei até a deixar que o pai acreditasse nisso, embora soubesse que Jerald tinha levado o carro naquela noite. Disse a mim mesma que ele tinha direito à intimidade e, por ser um menino bem-criado, iria superar isso. Mas tem alguma coisa, alguma coisa nos olhos dele recentemente.

– Claire, desconfia que Jerald esteja experimentando drogas?

– Não sei. – Por um momento, ela se permitiu o luxo de cobrir o rosto com as mãos. – Não sei, mas sei que temos de fazer alguma coisa antes que piore. Ainda ontem, ele se meteu numa briga pavorosa na escola. Foi suspenso. Tess, afirmam que tentou matar outro menino... com as mãos. – Baixou os olhos para as suas, a aliança de casamento refletiu-se nela. – Ele nunca se meteu em confusão antes.

– Não. – A amiga tornou a erguer os olhos, mais que sombreados agora, notou a psiquiatra, frenéticos. – Não quero que ele saiba, pelo menos ainda não. Você precisa entender a enorme pressão sob a qual se encontra para ser, bem, ideal. No clima de hoje, ninguém quer imperfeição nos líderes. Assim que se desenterra uma falha, como a imprensa vive empenhada em fazer, ela é maximizada e distorcida até se tornar uma questão maior que a folha de serviço de um homem. Tess, você sabe o que as manchas na vida familiar de um candidato, os relacionamentos pessoais, podem fazer à campanha.

– Mas você não me chamou aqui para falar da campanha de Charlton.

– Não. – Claire hesitou. Tão logo o dissesse, não poderia retirá-lo. Vinte anos de sua vida, e mais cinco da do marido, talvez dependessem dessa única decisão. – É Jerald. Meu filho. Receio que, bem, não acho que ele tem sido o mesmo ultimamente.

– De que maneira?

– Sempre foi um menino calado, um solitário. Você na certa nem sequer se lembra dele, embora muitas vezes comparecesse a recepções e outros eventos conosco.

Tess teve uma lembrança de um menino magro que desaparecia nos cantos.

– Receio não me lembrar bem dele.

– As pessoas não lembram. – O sorriso de Claire surgiu e desfez-se. Com as mãos no colo, começou a fazer pregas na toalha da mesa. – Ele é muito reservado. Brilhante. Está entre os melhores da turma de formandos. Constou sempre da lista de honra durante toda a escola preparatória. Várias universidades particulares excelentes o aceitaram, embora ele vá seguir a tradição e cursar Princeton. – Ela se pôs a falar rápido, rápido demais, como se se achasse agora na descida de uma montanha-russa e com pavor de ficar sem fôlego. – Receio que passe mais tempo com o computador do que com as pessoas. Não consigo entender bem como funciona, mas Jerald é simplesmente um mago com as máquinas. Posso dizer com toda a franqueza que nunca tive nenhum problema com ele. Nunca foi rebelde nem mal-educado. Quando amigos meus me diziam que se sentiam frustrados com os filhos adolescentes, eu apenas me maravilhava por Jerald ser sempre

— Você conhece Charlton, ele faz tudo isso sem dificuldade. Quanto a mim, tento me preparar para ficar à altura da loucura desse verão. Sorrisos, discursos e palanques abrasadores. A imprensa já pôs a casa em estado de sítio. — Ela meneou os ombros como se para afastar a inconveniência. — Tudo faz parte da campanha. Você sabe, Charlton sempre diz que as questões são mais importantes que o candidato, mas às vezes duvido disso. Se ele bate uma porta, vinte repórteres estão de prontidão para publicar que se enfureceu.

— A vida pública nunca é fácil. Ser esposa do filho preferido do partido é uma tensão.

— Ah, não é isso. Aceitei viver assim. — Claire interrompeu-se quando as bebidas foram servidas. Só tomaria uma, por mais tentada que se sentisse a pedir a segunda. Não cairia bem alguém noticiar que a mulher do candidato entornara uma garrafa. — Admito que em algumas ocasiões eu gostaria que pudéssemos arrumar as malas e sair correndo para uma pequena fazenda em algum lugar. — Tomou um gole. — Claro que ia detestar pouco tempo depois. Adoro Washington. Adoro ser uma esposa de Washington. E não tenho a menor dúvida de que adoraria ser primeira-dama.

— Se a previsão de meu avô estiver certa, você logo descobrirá.

— Ah, Jonathan. — Claire tornou a sorrir, mas Tess viu a tensão que continuava a encobrir-lhe os olhos. — Como vai ele?

— Como sempre. Ficará satisfeito quando eu contar que saímos juntas.

— Receio que não seja um encontro social, nem uma coisa sobre a qual eu queira que converse com seu avô. Ou qualquer outra pessoa.

— Tudo bem, Claire. Por que não me diz o que a aflige?

— Tess, eu sempre respeitei suas credenciais profissionais, e sei que posso confiar na sua discrição.

— Se está me pedindo que considere qualquer coisa que me diga confidencial, entendo.

— Sim, eu sabia que entenderia. — Claire interrompeu-se mais uma vez, para tomar um gole, e depois correu o dedo pela haste da taça. — Como eu disse, talvez não seja nada. Charlton não ficaria satisfeito com a importância que estou dando a isso, mas não posso ignorar mais.

— Então ele não sabe que você está aqui.

Ele examinou as mãos juntas dos dois. As dela, pequenas, até delicadas, as unhas curtas e sem esmalte, com um anel de ouro e diamante no mindinho.

– Você já acampou alguma vez?

– Numa barraca? – Meio confusa, ela fez que não com a cabeça. – Não. Nunca entendi por que as pessoas desciam do carro para dormir no chão.

– Eu conheço um lugar. Há um rio, montes de pedra. Flores silvestres. Gostaria de levar você lá.

Ela sorriu. Essa era a oferta de paz.

– Numa barraca?

– É.

– Acho que isso exclui serviço de copa.

– Eu poderia levar uma xícara de chá até o seu saco de dormir.

– Tudo bem. Ed? – Ela estendeu a mão em oferenda. – Por que não beija meus dedos e os alivia?

15

– Tess, como você está esplêndida! – Claire Hayden roçou a face na da psiquiatra e instalou-se à mesa de canto no Mayflower. – Agradeço de coração se encontrar comigo assim, no fim de um de seus dias ocupados.

– É sempre um prazer ver você, Claire. – Tess sorria, embora seus pés doessem e ela sonhasse com um banho quente. – E, pelo tom de sua voz, me pareceu importante.

– Talvez eu esteja reagindo de forma exagerada. – Claire ajeitou o blazer do terninho rosa-claro. – Quero um vermute seco – disse ao garçom e tornou a olhar para a amiga. – Dois?

– Não, vou tomar apenas uma Perrier. – A médica a observou girar várias vezes a grossa aliança de casamento no dedo. – Como vai Charlton, Claire? Faz meses desde que vi qualquer um dos dois, a não ser no noticiário da noite. Deve ser uma época muito emocionante para todos vocês.

– Não – disse na mesma hora em que Ed se adiantou. – Eu me queimei, eu dou um jeito. – Lançou-lhe um olhar furioso e enfiou a mão sob a água fria da torneira. – Está vendo? Posso cuidar disso. Não preciso que você beije para melhorar.

Com uma violenta torção da mão, fechou a torneira e ficou olhando os dedos pingarem.

– Me perdoe. Ah, meu Deus, me perdoe. Detesto a mim mesma quando sou horrível.

– Vai me chutar se eu pedir que se sente?

Fazendo que não com a cabeça, ela foi até a mesa.

– Para começar, eu já estava uma pilha de nervos, e quando desci e ouvi você conversando com Ben, foi a gota-d'água. – Ela pegou um pano de prato e começou a torcê-lo. – Não sei como lidar com os seus sentimentos e com os meus ao mesmo tempo. Pelo que sei, ninguém nunca me amou como você me ama.

– Que bom!

Isso provocou uma risada desanimada de Grace e facilitou-lhe olhar para ele.

– É apenas correto avançar mais um passo e dizer que nunca senti por ninguém o que sinto por você.

Ele esperou um instante.

– Mas?

– Se fosse eu quem estivesse tramando o enredo dessa história, saberia como trabalhar e resolver. O negócio é que quero lhe dizer como me sinto, mas receio que isso só vá dificultar tudo para nós dois.

– Faça uma tentativa.

– Estou assustada. – Ela fechou os olhos, mas não se opôs quando ele lhe estendeu a mão. – Muito assustada. Lá em cima, enquanto falava naquele maldito telefone, me deu vontade de desligar e dizer foda-se. Mas não pude. Nem sei mais se o que faço é o certo, mas preciso continuar. É pior, muito pior, porque você fica me pressionando e não quero magoá-lo.

– Você quer meu apoio, quer que eu lhe diga que o que faz é certo. Não sei se posso.

– Então apenas não me diga que é errado, porque, se disser muitas vezes, eu vou acreditar.

— Quero que se retire, quero que se afaste. Quero que pare de me vigiar como se eu fosse cair de cara no chão toda vez que dou um passo.

— Seria fácil se você soubesse onde pisa.

— Sei o que faço e não preciso de você nem de ninguém em volta à espera para me amparar. Sou uma mulher capaz e de razoável inteligência.

— Talvez seja, quando não usa antolhos. Você só olha para a frente, Grace, mas não sabe que diabos acontece em cada lado ou atrás de você. Ninguém vai se retirar, muito menos eu, até essa história acabar.

— Então pare de me deixar sentindo culpada por fazer a única coisa que posso.

— O que quer que eu faça? Quer que eu pare de me preocupar e ligar para o que acontece com você? Acha que posso fechar e abrir os sentimentos como uma torneira?

— Você é um policial – ela rebateu. – Devia ser objetivo. Devia querer o criminoso a qualquer preço.

— Eu quero – afirmou Ed.

Ela tornou a ver a expressão fria. Foi aquele olhar que a fez perceber até onde ele iria quando pressionado.

— Então sabe que o que estou fazendo talvez o jogue no seu colo. Pense nisso um minuto, Ed. Talvez alguma mulher esteja viva esta noite porque ele se sintonizou comigo.

Ed acreditava nisso, mas o problema era que não conseguia esquivar-se dela.

— Seria muito mais fácil para mim se não a amasse.

— Então me ame o bastante para entender.

Ele queria ser razoável. Queria recuar e ser o homem razoável, de temperamento moderado, que sabia ser. Mas não era mais. Se aquilo não terminasse logo, talvez jamais tornasse a ser esse homem de novo. De repente cansado, apertou os olhos com os dedos. Seis quadras e um esboço vago. Tinha de bastar. Ele acabaria com aquilo. Encontraria um meio de terminar ou na noite seguinte encontraria um jeito de pôr Grace num avião para Nova York.

— Você deixou o café ferver.

Reprimindo um palavrão, ela virou-se e apagou a chama. Estendeu a mão para a asa do bule, errou e queimou as pontas de três dedos.

– Não, mas ela está neste caso. – Ben passou a mão pelos cabelos. – Deus do céu, eu sei pelo que você está passando, e detesto. Não só por você, mas por mim, porque me traz tudo de volta. Mas o fato que não para de nos estapear a cara é que ela vai atrair o cara para uma cilada. Por mais que você preferisse que fosse de outro modo, é Grace quem vai pegar o delinquente.

– É com isso que estou contando – disse Grace, do vão da porta. Os dois se viraram em sua direção, mas ela só olhou para Ed. – Lamento; quando percebi que era uma conversa particular, já tinha ouvido demais. Gostaria de acrescentar minha contribuição. Eu termino o que começo. Sempre.

Ben pegou o paletó quando a escritora se afastou.

– Escute, Ed, vou lá fora e encerro as atividades com Billings por esta noite.

– Valeu. Obrigado.

– Pego você de manhã. – Dirigiu-se à porta e depois parou. – Eu ia dizer para se acalmar, mas não direi. Se tivesse de fazer tudo de novo, eu faria.

Grace ouviu a porta fechar-se. Minutos depois, escutou os passos de Ed em direção à cozinha. Logo começou a fingir remexer no bule de café para o qual apenas olhava fixamente.

– Não sei por que cargas d'água Kathleen não comprou um forno de micro-ondas. Toda vez que vou cozinhar alguma coisa me sinto no meio do deserto. Pensava em pizza congelada. Está com fome?

– Não.

– O café na certa tem gosto de lama a essa altura. – Ela fez tinir xícaras no armário. – É provável que tenha algum suco ou qualquer coisa na geladeira.

– Estou bem. Por que não se senta e deixa que eu faça isso?

– Chega! – Ela rodopiou numa meia-volta, quebrando a xícara na pia. – Droga! Pare de tentar me proteger e afagar. Não sou criança! Tenho cuidado de mim há anos e feito um bom trabalho! Não quero que prepare o café nem qualquer outra coisa para mim.

– Tudo bem. – Ela queria uma briga. Ótimo. Ele próprio estava mais que disposto a uma. – Exatamente que diabos você quer?

— Mais difícil será vê-la partir — concluiu Ben. — Talvez ela não vá mais embora, Ed.

Um amigo não abandonava o parceiro.

— Eu a amo tanto que seria mais fácil saber que estava lá, segura, do que aqui comigo.

Ben sentou-se no braço do sofá e pegou um cigarro. O 18º do dia. Ao diabo com Ed por fazê-lo adquirir o hábito de contar.

— Sabe, uma coisa que sempre admirei em você, além do talento em queda de braço, é o fato de ser um julgador de caráter danado de bom, Ed. Em geral, põe o dedo numa pessoa e, dez minutos depois, descobre quem ela é. Por isso imagino que já saiba que Grace não vai arredar o pé daqui.

— Talvez não tenha sido empurrada o bastante.

Ed enfiou as mãos imensas nos bolsos.

— Alguns meses atrás, eu pensei seriamente em algemar Tess e mandá-la para longe. Qualquer lugar, desde que fosse longe daqui. — Ben examinou a ponta do cigarro. — Quando me lembro daquela época, vejo com um pouco mais de clareza. Não teria dado certo. Fazer o que faz é o que a torna a pessoa que é. Isso me deixava louco de medo, e eu descontava quase tudo nela.

— Talvez se tivesse pressionado com mais força, não a tivesse quase perdido — Ed deixou escapar, e depois logo se detestou. — Foi mal. Desculpe.

Se isso fosse dito por outra pessoa, Ben teria perdido as estribeiras do jeito que lhe parecesse mais conveniente. Como se tratava do parceiro, conteve-se.

— Não é nada que não tenha me perguntado uma centena de vezes. Não esqueço o que foi quando eu soube que ele estava com ela. Jamais esquecerei. — Após esmagar o cigarro, ele levantou-se para andar mais uma vez de um lado para outro. — Você quer manter Grace completa e totalmente fora dessa parte de sua vida. Você a quer intocada por toda a merda pela qual você se arrasta dia após dia. Os ataques de quadrilhas, as explosões domésticas, as prostitutas e os cafetões. Pois eu lhe digo uma coisa: isso nunca vai funcionar, porque, por mais que tente, você vai sempre levar partes disso para casa.

— O que levo para casa não tem de colocá-la na linha de tiro.

– Bairro luxuoso.
– É. O avô de Tess mora aí. – Ben bateu com o indicador no mapa pouco além do quadrante. – E o endereço em Washington do senador Morgan é aqui.

Deslizou o dedo para dentro das linhas vermelhas.

– Talvez não fosse apenas coincidência o cartão de crédito de Morgan ter sido usado para as flores – murmurou o parceiro. – Talvez nosso delinquente o conheça, ou os filhos dele.

– O filho de Morgan é da mesma idade.

Ben pegou um copo de Pepsi aguada.

– O álibi dele é sólido, e a descrição foi publicada.

– É, mas eu gostaria de saber o que ele teria a dizer se o fizéssemos dar uma boa olhada no retrato falado.

– Aquela escola que o filho de Morgan frequenta. St. James, certo?

– Colégio de ensino médio que prepara os alunos para a universidade. Os graúdos e conservadores.

Ed lembrou o corte de cabelo no desenho. Pegou o bloco de notas ao levantar-se.

– Vou ligar.

Ben encaminhou-se para a janela. Por ela, via o furgão. Dentro, Billings mordia amendoins e talvez, apenas talvez, reduzisse as possibilidades. Não havia muito tempo. Ele pressentia. Alguma coisa parecia prestes a explodir, e logo. Se nada desse certo, Grace seria espremida dos dois lados.

Olhou para trás e viu Ed falando ao telefone. Sabia como o parceiro se sentia, como era frustrante o puro e simples pavor de ter a mulher amada no meio de algo que não podia controlar. O cara tentava ser um policial, dos bons, mas agarrar-se à própria objetividade era como tentar agarrar-se a uma corda molhada. Não parava de perder o ponto de apoio.

– A mãe de Morgan morreu esta manhã – disse Ed ao desligar. – A família vai ficar fora da cidade por dois dias. – Nos olhos de Ben, viu o que ele próprio sentia nas entranhas. Não tinham dois dias. – Quero tirá-la disso.

– Eu sei.

– Que inferno, ela não tem de se expor dessa forma. Nem é daqui. Devia ter voltado para sua cobertura em Nova York. Quanto mais ficar...

Eufórico, tornou a pôr os fones de ouvido e sintonizar. Aquela voz. A voz de Désirée. Só ouvi-la já o deixava indócil, suado e desesperado. Era a única que podia fazer isso. Levá-lo ao limite extremo. Existia poder nela, como nele. Deixou-se levar ao limite e transpô-lo. Voltara. Voltara porque ele era o melhor.

Meu Deus, tudo se integrava. Agira certo ao tirar a máscara e mostrar àqueles babacas da escola do que era capaz. Désirée estava de volta. Queria-o, queria-o dentro dela, queria que lhe proporcionasse aquela emoção última.

Jerald quase conseguia senti-la embaixo de si, contorcendo-se e gritando, implorando-lhe que consumasse. Voltara para mostrar-lhe que ele não apenas tinha o poder sobre a vida, mas sobre a morte também. Trouxera-a de volta. Quando fosse ao seu encontro dessa vez, seria até melhor. O melhor.

As outras haviam sido apenas um teste. Ele entendia agora. As outras só haviam acontecido para mostrar-lhe o quanto ele e Désirée pertenciam um ao outro. Agora lhe falava, prometendo ser sua, para sempre.

Teria de ir ao encontro dela, mas não aquela noite. Precisava preparar-se primeiro.

– ELE SE DESCONECTOU. – Billings praguejou e socou os botões. – O safadinho se desconectou. Volte, volte, eu quase o peguei.

– Me dê o que você pegou, Billings.

Ainda praguejando, o técnico abriu um mapa. Mantendo os fones instalados, desenhou quatro linhas, ligando-as a um retângulo sobre seis quadras.

– Ele está aqui. Até eu pegá-lo de novo, é o melhor que posso fazer. Santo Deus, não admira que tenha se desconectado, esse outro cara está chorando como um bebê.

– Apenas continue aí. – Ben enfiou o mapa no bolso e saltou do furgão. Não bastava, mas era mais do que tinham uma hora antes. Bateu à porta da frente da casa e entrou quando Ed abriu. – Reduzimos a localização a um espaço de seis quadras.

Após olhar para o andar de cima, foi à sala e abriu o mapa na mesa de centro.

Sentando-se na ponta do sofá, Ed curvou-se.

— Por que não faz isso? Eu adoraria ver Ed lhe arrancar os braços e enfiá-los no seu nariz. — Fora exatamente para evitar isso que ele saíra para fazer a inspeção. — Está fazendo alguma coisa aqui com o dinheiro dos contribuintes além de se masturbar?

— Não se exalte, Paris. Lembre-se de que foi você quem me procurou. — Ele engoliu o amendoim. — Ah, é, ela conseguiu mesmo fazer esse aí galopar. O cara está prestes a... — Interrompeu-se. — Espere. — Com uma das mãos apertada no fone de ouvido, começou a ocupar-se com mostradores no equipamento à sua frente. — Parece que alguém quer um passeio grátis.

Ben avançou até se curvar sobre o ombro de Billings.

— Pegou o cara?

— Talvez, apenas talvez. Um estalinho, uma pequena oscilação da voltagem. Veja a agulha. Sim, ele está aí. — O técnico moveu interruptores e gargalhou. — Conseguiu um *ménage à trois*.

— Pode localizar?

— O papa usa solidéu? Merda, ele é inteligente. Um filho da mãe esperto. Instalou um misturador de frequências; com isso, assegura um fluxo contínuo de transmissão para qualquer sequência e evita uma sequência de dígitos idênticos. Porra.

— Como?

— Ela desligou. Acho que o cara gozou em três minutos.

— Você o localizou, Billings?

— Preciso de mais que trinta segundos, pelo amor de Deus. Vamos esperar e ver se ele volta. Sabe, Paris, se esse cara está fazendo o que você acha que está, não é idiota. Não, ele é muito astuto. É provável que tenha se munido de algum equipamento do mais alto nível e saiba usar. Vai encobrir a pista.

— Quer me dizer que não vai conseguir identificar o cara?

— Não, quero dizer que ele é bom. Muito bom. Mas eu sou melhor. E tem o telefone.

JERALD NÃO PÔDE ACREDITAR. As palmas das mãos suavam. Era um milagre e ele o fizera acontecer. Jamais parara de pensar nela, desejá-la. Agora ela voltara, só para ele. Désirée estava de volta. E à espera dele.

nervosismo do editor. Mas o telefone tocou e trouxe-a de volta à realidade. E a realidade tinha tudo a ver com Kathleen.

Grace atendeu e anotou o número. Após pegar um cigarro, ligou.

— Chamada a cobrar de Désirée. — Esperou até a ligação ser aceita e a telefonista desligar. — Olá, Mike, o que posso fazer por você?

Que jeito horrível de passar a noite, pensou minutos depois. Ed jogava buraco com Ben no andar de baixo e ela fazia de conta que era uma camponesa para o cavaleiro negro Sir Michael.

Inofensivos. A maioria dos homens que ligavam não passava disso. Solitários à procura de companhia. Cautelosos, buscavam sexo eletrônico, seguro. Tensos, pressionados pela família e pela profissão, haviam decidido que um telefonema saía mais barato que pagar uma prostituta ou um psiquiatra.

Mas Grace sabia, melhor do que a maioria, que não era tão simples assim.

A reprodução no jornal do retrato do desenhista da polícia continuava na mesinha de cabeceira. Quantas vezes ela o examinara? Quantas vezes olhara e tentara ver... alguma coisa? Os assassinos, estupradores, deviam parecer diferentes dos demais homens na sociedade. No entanto, pareciam os mesmos... normais, sem identificação. Era muito assustador. Podia-se passar por eles na rua, ficar com eles num elevador, apertar-lhes a mão num coquetel e jamais saber.

Saberia ela quando o ouvisse? Teria ele uma voz tão normal e inofensiva quanto a de Sir Michael? De algum modo, porém, achava que saberia. Segurou o desenho na mão e examinou-o. A voz combinaria e ela a encaixaria no esboço do rosto dele.

No lado de fora, Ben atravessou a rua até um furgão sem identificação. Ed já ganhara dele por 1.250 pontos no buraco, e ele achou que era hora de checar com Billings. Abriu a porta lateral. O técnico ergueu os olhos e cumprimentou-o.

— Material impressionante — cacarejou consigo mesmo. — Impressionante com I maiúsculo. Quer ouvir?

— Você é um homem doente, Billings.

O outro apenas riu e mordeu um amendoim.

— A senhorita é ótima no telefone, amigo velho. Preciso lhe agradecer por me deixar conhecê-la. Estou tentado a ligar para ela.

guichasse do nariz e escorresse por toda aquela cara bonita. E não parei de esmurrar. – Continuou a sorrir, ao ver o rosto do pai empalidecer. – Não o culpo por ter inveja, mas ele não devia ter rido de mim. O senhor ficaria orgulhoso da forma como o castiguei por rir.

– Jerald...

– Eu podia ter matado todos eles – continuou o filho. – Podia, mas não matei. Não teria valido a pena, teria?

Por um rápido momento o senador achou que se encontrava numa sala com um estranho. Mas era seu filho, o filho bem-criado, bem-educado.

– Jerald, eu não o desculpo por perder o controle, mas isso acontece com todos nós. Também entendo que, quando nos provocam, dizemos e fazemos coisas atípicas.

Jerald curvou os lábios quase com ternura. Adorava a poderosa voz de orador do pai.

– Sim, senhor.

– Wight disse que você tentou estrangular o outro garoto.

– Tentei? – O adolescente ficou com os olhos sem expressão por um instante e depois os clareou com um encolher de ombros. – Bem, esta é a melhor maneira.

Hayden descobriu que suava; as axilas pingavam. Sentia medo? Que ridículo, era o pai do garoto. Não havia motivo para ter medo. Sentiu o suor escorrer numa linha irregular pelas costas.

– Vou levar você para casa.

Apenas um pequeno colapso nervoso, disse a si mesmo ao conduzir o filho para fora da sala. Ele vinha estudando demais. Precisava apenas descansar.

GRACE SUSPIROU QUANDO o telefone tocou. Conseguira trabalhar pela primeira vez naquele dia. Trabalho de verdade. Durante horas envolvera-se na própria imaginação e produzira um enredo que a agradara.

Sentira um medo profundo, secreto, de não conseguir mais escrever. Pelo menos não sobre assassinos e vítimas. Mas a coisa retornara, difícil a princípio e depois no antigo fluxo. A história, o ato de escrever, o mundo que criara, nada tinham a ver com Kathleen. Mais uma hora, talvez duas, e teria o suficiente para enviar a Nova York e tranquilizar o

O tom do adolescente foi tão educado, o sorriso tão genuíno, que o pai se viu mais uma vez de olhos fixos.

– O reitor Wight é o diretor desta instituição e, enquanto você estiver matriculado na St. James, ele merece seu respeito.

Enquanto estivesse matriculado. Mais um mês. Se o pai queria esperar algumas semanas para se encarregar do traseiro de Wight, Jerald seria paciente.

– Sim, senhor.

Aliviado, Hayden balançou a cabeça. Era óbvio que o filho ficara muito perturbado, talvez até estivesse um pouco em choque. Embora detestasse pressioná-lo, precisava de respostas:

– Fale de sua briga com Lithgow.

– Ele estava me perturbando.

– É o que parece. – Hayden sentia-se em terreno mais firme agora. Os adolescentes tinham excesso de energia e muitas vezes descarregavam uns nos outros. – Foi ele quem iniciou o incidente?

– Não parava de me irritar. É um idiota. – Impaciente, Jerald começou a contorcer-se e depois se conteve. Controle. O pai exigia controle. – Avisei para ele largar do meu pé. – Sorriu para o pai. Por um motivo que não soube explicar, o senador sentiu o sangue gelar-se. – Ele disse que se eu não tivesse um par para o Baile de Formatura, ele tinha uma prima com o pé torto. Me deu vontade de matar o cara na mesma hora; esmagar aquela cara bonita.

Hayden quis acreditar que se tratava da raiva de um adolescente, das palavras de um adolescente, mas não conseguiu. Pelo menos não muito.

– Jerald, erguer os punhos nem sempre é a resposta. Temos um sistema, precisamos agir dentro dele.

– Nós dirigimos o sistema! – O adolescente lançou a cabeça para cima. Os olhos. Até o pai viu que tinha os olhos enlouquecidos, furiosos. Hayden se convenceu, teve de convencer-se, de que imaginara aquilo. – Eu disse a ele, disse a ele que não queria ir a nenhum baile de escola metida a besta para tomar ponche e dar alguns amassos. Ele riu. Não devia ter rido de mim. Disse que talvez eu não gostasse de meninas. – Com um risinho baixo, enxugou a saliva dos lábios. – E eu soube que ia matar ele. Respondi que não gostava de meninas. Gostava de mulheres. Mulheres de verdade. Então bati nele para que o sangue es-

– Talvez. – Wight tossiu mais uma vez. – Embora não se possa perdoar a gravidade do ataque, estamos dispostos a ouvir o lado da história de Jerald antes de tomarmos uma medida disciplinar. Garanto-lhe, senador, que não suspendemos alunos assim, sem mais nem menos.

– Bem, e então?

– Jerald se recusou a explicar.

Hayden reprimiu um suspiro. Pagava vários milhares de dólares por ano pela educação adequada do filho, e aquele homem não tinha capacidade de arrancar explicações de um aluno do último ano da escola.

– Reitor Wight, poderia nos dar um momento a sós?

– Claro.

O reitor levantou-se, satisfeito demais por afastar-se do rebento calado e do olhar frio do senador.

– Reitor... – A voz autoritária de Hayden o deteve na porta. – Sei que posso contar com sua discrição nesse assunto.

Wight tinha pleno conhecimento das generosas contribuições feitas pelo senador à escola St. James durante os últimos quatro anos. Também sabia com que facilidade a vida pessoal de um candidato podia destruir sua carreira política.

– Os problemas escolares permanecem na escola, senador.

Hayden levantou-se assim que o reitor deixou a sala. Era um gesto automático, até enraizado. A postura em pé apenas enfatizava sua autoridade.

– Muito bem, Jerald. Estou pronto para ouvir sua explicação.

O garoto, as mãos apoiadas de leve nas coxas, como lhe haviam ensinado, ergueu os olhos para o pai. Viu mais que um homem alto e de vigorosa beleza. Viu um rei, com sangue na espada e justiça nos ombros.

– Por que não o mandou se foder? – perguntou Jerald, sem alterar a voz.

Hayden encarou-o com olhos fixos. Se o filho se houvesse levantado e lhe dado um tapa na cara, não o teria chocado tanto.

– O que foi que disse?

– Não é da conta dele o que fazemos – continuou Jerald no mesmo tom inalterado. – Não passa de um rolha de poço que fica sentado atrás de uma mesa e finge ser importante. Não sabe de porra nenhuma de como as coisas são de fato. É um insignificante.

— Sei que sua agenda deve ser frenética, senador Hayden. Não teria requisitado esse encontro se não o julgasse absolutamente necessário.

— Estou ciente de que conhece seu trabalho, reitor Wight. Do contrário, Jerald não estudaria aqui. Sou obrigado, porém, a dizer que todo esse cenário extrapolou a proporção. É claro que não perdoarei meu filho por participar de uma briga de socos. — Ele disse isso olhando acima da cabeça de Jerald. — E garanto-lhe que esse assunto será tratado em casa.

O reitor ajustou os óculos. Um gesto que tanto Hayden quanto Jerald reconheceram como resultado de nervosismo. O senador ficou sentado, paciente, enquanto o filho exibia um ar maligno.

— Aprecio isso, senador. Mas, como reitor, sou responsável pela St. James e pelo corpo estudantil. Não tenho opção além de suspender Jerald.

Hayden enrijeceu a boca. Jerald viu-o pelo canto dos olhos. Agora aquele reitor de cara gorda ia ver o que o esperava, pensou.

— Considero isso um tanto extremo. Eu mesmo frequentei uma escola preparatória. As briguinhas eram reprovadas, com certeza, mas não resultavam em suspensão.

— Dificilmente foi uma briguinha, senador. — Ele vira a expressão nos olhos de Jerald quando pusera as mãos na garganta do jovem Lithgow. Assustara-o, assustara-o muito. Mesmo agora, ao examinar o rosto cabisbaixo do rapaz, sentia-se aflito. Randolf Lithgow sofrera vários ferimentos faciais. Quando o Sr. Burns tentara apartar a luta, Jerald atacara-o com uma ferocidade que o derrubara no chão. Depois tentara estrangular o quase inconsciente Lithgow até vários membros do corpo estudantil conseguirem contê-lo.

Wight tossiu. Sabia o poder e a fortuna do homem com quem falava. Com toda certeza, Hayden seria o novo presidente americano. O filho de um presidente diplomado na St. James seria um tremendo êxito. Foi isso, e apenas isso, que o impediu de expulsar Jerald.

— Nos quatro anos que Jerald esteve conosco, jamais tivemos qualquer tipo de problema em sua conduta ou nos estudos.

Claro que Hayden não esperara menos.

— Nesse caso, minha impressão é que ele deve ter sido extremamente provocado.

– O que houve?

– Acabei de receber um telefonema da escola. Ele se meteu numa briga.

– Uma briga? Jerald? – Com um riso forçado, Hayden retomou a calma: – Não seja ridícula.

– Charlton, o próprio reitor Wight me ligou. Jerald entrou numa briga de socos com outro aluno.

– Claire, não apenas é difícil acreditar, em vista do temperamento de Jerald, mas é muito importuno ser chamado só porque ele e outro garoto tiveram algum tipo de briguinha. A gente conversa sobre isso quando eu chegar em casa.

– Charlton. – Foi o fio cortante na voz dela que o impediu de desligar. – Segundo Wight, não se tratou de uma briguinha qualquer. O outro garoto... ele foi levado para o hospital.

– Ridículo. – Mas o senador deixara de olhar o discurso. – Parece-me que estão exagerando a importância de alguns cortes e contusões.

– Charlton. – Ela sentiu o estômago embrulhar-se. – Disseram que Jerald tentou estrangulá-lo.

Vinte minutos depois Hayden sentava-se, duro como um pau, no gabinete do reitor. Cabisbaixo e com a cara amarrada, Jerald ocupava a cadeira ao lado. Tinha a camisa de linho branca amassada e manchada, mas teve tempo de endireitar a gravata. Aos arranhões no rosto juntavam-se contusões escurecidas. Os nós dos dedos das mãos estavam inchados.

Uma olhada nele confirmara a opinião de Hayden, de que o incidente não passara de uma luta. Jerald seria repreendido, sem dúvida. Uma lição de moral, uma redução de privilégios por algum tempo. Apesar disso, o pai já elaborava a posição a tomar caso a questão vazasse para a imprensa.

– Espero que possamos resolver logo essa questão.

Wight quase deu um suspiro. Estava a dois anos da aposentadoria e da pensão. Nos vinte anos dedicados à St. James, ensinara, dera lições de moral e disciplinara os filhos dos ricos e privilegiados. Muitos dos ex-alunos tornaram-se figuras públicas por mérito próprio. Se ele entendia um fato concreto sobre os que lhe mandavam os rebentos, era que não gostavam de críticas.

— Se ele tiver miolos e um bom PC, o mundo é dele. Me dê o número do seu telefone, Paris. — Billings virou-se na cadeira, ficou defronte à estação de trabalho e inseriu o número dado por Ben. A máquina estalou e zumbiu, enquanto o especialista a programava.

— Não consta da lista telefônica — murmurou. — Só o torna mais um desafio.

Ben acendeu um cigarro. Antes de ter sido fumado até a metade, o endereço dele surgiu na tela.

— Parece familiar? — perguntou-lhe Billings.

— Alguém pode fazer isso? — indagou Ben.

— Qualquer hacker decente. Deixe-me dizer uma coisa, com este bebê e um pouco de imaginação, encontro o que quiser. Me dê mais um minuto. — Usando o nome e o endereço de Ben, começou a trabalhar de novo. — Verificar o saldo da conta é meio baixo, Paris. Eu não apostaria nada acima de 55 dólares. — Afastou-se mais uma vez do monitor. — Um bisbilhoteiro realmente bom precisa de talento e paciência, além do equipamento certo. Duas horas nesta coisa e eu poderia dizer o tamanho do sapato da sua mãe.

Ben apagou o cigarro.

— Se fizéssemos uma ligação de escuta conectando você com a isca, poderia me conseguir uma localização do xereta?

Billings riu. Sabia que precisava de astúcia para ser expansivo.

— Para um velho amigo, e a um preço razoável, eu lhe diria o que ele comeu no café da manhã.

— Lamento muitíssimo incomodá-lo, senador, mas a Sra. Hayden está ao telefone. Disse que é importante.

Hayden continuou a ler o discurso revisado que faria aquela tarde no almoço da Liga das Eleitoras.

— Qual linha, Susan?

— Três.

Hayden apertou o botão, mantendo o telefone apoiado no ombro.

— Sim, Claire. Não tenho muito tempo.

— Charlton, é Jerald.

Após vinte anos de casamento, o senador conhecia bem a mulher para reconhecer o verdadeiro alarme.

treitas. – Nesta cidade, alguém sempre se dispõe a pagar para levar vantagem sobre outra pessoa.

– Negócio sujo, Billings.

Ele apenas riu para Ben. Acabara de gastar 2 mil dólares na colocação de uma ponte dentária e os dentes marchavam retos como uma banda da Marinha.

– Pois é. Então, que fazem os dois melhores tiras do departamento aqui? Querem que eu descubra quem anda brincando com o chefe de polícia quando a mulher se ausenta da cidade?

– Talvez outra hora – respondeu Ed.

– Desconto profissional para você, Jackson.

– Não vou esquecer. Enquanto isso, gostaria de lhe contar uma historinha.

– Desembuche.

– Digamos que temos um bisbilhoteiro, inteligente, mas não bate bem da bola. Gosta de ouvir mulheres. Você está a par disso.

– Claro.

Billings recostou-se na cadeira feita sob medida.

– Gosta de ouvir mulheres – continuou Ben. – Gosta de ouvi-las falar de sexo, mas não participa da conversa. Muito bem, ele pode ficar apenas sentado lá e escutar, escolher a voz que o deixa excitado e escutar durante horas, enquanto ela fala com outros homens. É possível fazer isso, Billings, sem o outro cara ou a mulher saberem?

– Se tiver o equipamento certo, é possível fazer qualquer ligação e escuta clandestina. Tenho algum material estocado que pode ligar você daqui à Costa Oeste, mas custa muito. – Billings ficou interessado. Tudo relacionado à interceptação clandestina o interessava. Teria entrado na espionagem se algum governo confiasse nele. – Em que vocês estão trabalhando?

– Vamos apenas adiantar um pouco mais a história. – Ben pegou uma pirâmide de cristal da mesa de Billings e examinou as facetas. – Se esse xereta quisesse encontrar uma das mulheres... sem saber o nome dela, nem onde mora, nem como é, mas quisesse um encontro cara a cara, e só com a voz e a ligação clandestina... pode chegar a ela?

– O cara tem miolos?

– Me diga você.

— Já sei — começou e tapou o bocal do telefone com a mão. — Seu despertador não tocou. Um pneu esvaziou. O cachorro comeu seu distintivo.

— Passei no consultório de Tess — respondeu Ed.

O tom, mais ainda que a declaração, fez Ben empertigar-se à mesa.

— Ligo de volta para você — disse à pessoa com quem falava ao telefone e desligou. — Por quê?

— Uma coisa que Grace disse esta manhã. — Após uma rápida olhada nas mensagens e pastas na sua mesa, Ed decidiu que podiam esperar. — Eu queria conversar com Tess sobre a ideia, ver se ela achava que se encaixava no perfil psiquiátrico.

— E?

— Na mosca. Lembra-se de Billings? Trabalhava no Departamento de Roubos.

— Claro, um pé no saco. Tornou-se detetive particular há dois anos. Especialista em vigilância.

— Vamos fazer uma visitinha a ele.

— Parece que instalação de grampos dá dinheiro — comentou Ben ao olhar em volta o escritório de Billings.

As paredes eram revestidas de seda marfim, e o tapete azul-acinzentado subia até a altura dos tornozelos. Ele achou que Tess iria gostar de dois quadros em uma das paredes. Diante das grandes janelas, uma visão clássica do rio Potomac.

— O setor privado, meu amigo. — Billings apertou um botão na mesa e fez um painel deslizar e revelar uma série de monitores de televisão. — O mundo é minha ostra. Quando quiserem largar o serviço público, liguem para mim.

Como dissera Ben, ele sempre fora um pé no saco. Indiferente ao fato, Ed instalou-se no canto da mesa.

— Belo ambiente.

A única coisa de que o ex-colega gostava mais do que a alta tecnologia era vangloriar-se.

— Isto não é nem a metade. Tenho cinco escritórios neste andar e já estou pensando em abrir outra filial. Políticos, amigos e vizinhos. — O especialista em vigilância gesticulou com as mãos compridas e es-

– Sim, está. – Ela afagou-lhe a mão. – Obrigada. Fique tranquilo, se algum deles me deixar excitada, eu corro atrás de você.

– Isso não é brincadeira.

– Santo Deus, Ed, tem de ser. Porque eu enlouqueceria de outra forma. Não sei se consigo fazer você entender, mas foi esquisito escutar aqueles sujeitos, sabendo que outra pessoa também escutava. Fiquei lá sentada me concentrando em cada voz que surgia ao telefone e me perguntando o que os outros, os que escutavam, juntando as provas, estavam achando. – Ela exalou um suspiro e disse com franqueza: – Acho que me perguntava o que você teria pensado se também estivesse ouvindo. Por isso me concentrei com mais força. – Deliberadamente, ela tornou a virar o jornal e olhou o retrato falado. – Preciso olhar para o lado absurdo disso, e ao mesmo tempo lembrar por quê. Entenda, saberei se ouvir o assassino. Prometo.

Mas Ed apenas a olhava. Alguma coisa que ela dissera desencadeara uma nova sequência de ideias. Fazia sentido. Talvez o melhor sentido. Sentiu-se ansioso por ir embora, quando ouviu uma batida à porta da frente.

– Deve ser o meu revezamento. Você vai ficar bem?

– Claro. Vou tentar trabalhar. Imagino que me sairei melhor se retomar a rotina.

– Pode me ligar se precisar. Se eu não estiver na delegacia, a recepção sabe onde me encontrar.

– Vou ficar bem, verdade.

Ele ergueu-lhe o queixo.

– Me ligue de qualquer modo.

– Combinado. Saia logo daqui antes que os bandidos se mandem.

14

Ben estava envolvido com telefonemas e trabalho burocrático quando Ed chegou à delegacia. Ao ver o parceiro, engoliu um grande pedaço de uma rosca coberta de açúcar.

examiná-la. Recortaria a maldita figura e colaria na parede do quarto. Quando terminasse, conheceria aquele rosto tão bem quanto o seu.

– Uma coisa eu posso lhe dizer: não falei com adolescentes ontem à noite. Prestei atenção a cada voz ao telefone, cada nuança, cada tom. Teria reconhecido alguém tão jovem assim.

– A voz muda quando um garoto chega aos 12 ou 13 anos – comentou Ed.

Quando Grace pegou um cigarro, ele quase se encolheu. Ela não podia continuar vivendo à base de tabaco e café.

– Não é apenas a profundidade da voz, é o ritmo, o fraseado. O diálogo é uma das minhas especialidades. – Esforçando-se para acalmar-se, passou as mãos pelo rosto. – Eu teria reconhecido um adolescente.

– Talvez. Talvez tivesse. Você pega os detalhes e os anota. Já percebi.

– Instrumentos do ofício – ela resmungou. Esqueceu o cigarro ao examinar a foto. Se olhasse com muita atenção, muita atenção, conseguiria materializá-lo em carne e osso, do mesmo modo como fazia com uma personagem que concebia com a própria mente. – O cara tem cabelos curtos, estilo conservador, militar. Não parece um moleque de rua.

Ele pensara a mesma coisa, mas um corte de cabelo não reduziria o campo.

– Distancie-se um pouco, Grace.

– Estou envolvida.

– Isso não significa que possa ser objetiva sobre o caso. – Ele virou o jornal pelo avesso. – Nem que eu possa. Droga, esse é o meu trabalho e você não para de brincar com ele.

– Como?

– Como? – Ed apertou o nariz entre o polegar e o indicador e quase riu. – Talvez tenha algo a ver com o fato de eu ser louco por você. Enquanto continuo falando enormes besteiras, é melhor dizer logo tudo. Não gosto de pensar em você falando com esses homens.

Ela correu a língua pelos dentes.

– Entendo.

– A verdade é que detesto. Posso entender por que está fazendo isso e, do ponto de vista de um policial, vejo a vantagem. Mas...

– Está com ciúme.

– O diabo que estou.

Ela estreitou os olhos ao fechar a cara para ele.

– Com certeza é a primeira coisa realmente idiota que já ouvi você dizer. Talvez eu ainda não saiba o que é certo para nós dois, mas, quando souber, o lugar não significará droga nenhuma. Agora, por que não fecha a matraca? Não para de falar pelos cotovelos e ainda por cima só diz besteiras.

Após jogar a correspondência para o lado, ela pegou o jornal. A primeira coisa que viu ao desdobrá-lo foi o desenho do retrato falado do assassino de Kathleen.

– Seu pessoal trabalha rápido – disse, em voz baixa.

– Queríamos divulgar logo. Vão exibi-lo na tevê hoje a pequenos intervalos. Isso nos dá algo concreto para levar à coletiva de imprensa.

– Poderia ser quase qualquer um.

– A Sra. Morrison não conseguiu contribuir com muitos detalhes. – Ed não gostou do jeito de Grace examinar o desenho, como se memorizasse cada linha e curva. – Ela acha que conseguiu a forma do rosto e dos olhos.

– É apenas um garoto. Se vocês passassem um pente-fino nas escolas de ensino médio da área, encontrariam duzentos adolescentes próximos dessa descrição. – Como sentia o estômago revirar-se, Grace levantou-se para tomar água. Mas ele tinha razão. Ela memorizara o rosto. Com ou sem o esboço, não o esqueceria. – Um pirralho – repetiu. – Não dá para acreditar que um adolescente fez aquilo com Kathleen.

– Nem todos os adolescentes vão a bailes de formatura e a pizzarias, Grace.

– Não sou nenhuma idiota. – De repente furiosa, virou-se e pôs-se na frente dele. – Sei o que existe lá fora, porra. Talvez não goste de levar a vida inspecionando becos escuros e cantos imundos, mas sei. Ponho isso no papel todo dia, e se sou ingênua, é por opção. Primeiro tenho de aceitar o fato de que minha irmã foi assassinada, agora aceitar que ela foi estuprada, espancada *e* assassinada... por um delinquente juvenil.

– Psicótico – corrigiu Ed, a voz baixa. – A insanidade não é seletiva quanto a grupos de idade.

Adotando um ar de determinação, ela voltou ao jornal. Dissera precisar de uma foto; agora que tinha uma, por mais vaga que fosse, iria

– Eu não faço dieta.
– Por isso mesmo.

Grace viu-o despejar colheradas de mingau na tigela que pusera diante dela.

– Você é bom demais para mim.
– Eu sei.

Rindo, ele passou para a própria tigela. Ao começar a retirar mingau da panela, pousou o olhar no cheque que ela largara ao lado. O mingau caiu com um estalo na mesa.

– Errou – ela disse, despreocupada, e provou.
– Você, hum, recebe muitos desses?
– Desses o quê? Ah, cheques de direitos autorais? Duas vezes por ano. Deus abençoe cada um deles. – Estava mais faminta do que imaginara e comeu uma colherada cheia. Se não se vigiasse, talvez passasse a gostar daquela gororoba. – Mais os adiantamentos, claro. Sabe de uma coisa, isto não seria tão ruim com um pouco de açúcar. – Ia pegar o açucareiro quando notou a expressão dele. – Algum problema?
– Como? Não. – Após largar a panela de lado, ele pegou um pano para limpar o mingau derramado. – Acho que não me dei conta de quanto dinheiro você consegue ganhar com livros.
– É um tiro no escuro. Às vezes a gente tem sorte. – Embora estivesse na primeira xícara de café, notou que ele se concentrava com muita atenção na limpeza de um punhado pequeno de mingau. – Isso é problema?

Ed pensou na casa ao lado, pela qual fizera tantas economias. Ela poderia tê-la comprado com o dinheiro do bolso.

– Não sei. Acho que não devia ser.

Grace não esperava essa reação. Pelo menos não dele. A verdade era que ela era descuidada com dinheiro; não negligente como são os ricos de verdade, mas descuidada, despreocupada. Fora a mesma quando pobre.

– Não, não devia. Nos últimos anos, escrever me enriqueceu. Não foi por isso que comecei a escrever, nem é por isso que continuo a escrever. Detestaria achar que seria o motivo de você mudar de ideia a meu respeito.
– É que me sinto um idiota achando que você seria feliz aqui, num lugar como este, comigo.

pelo corpo dele. Ed encontrou o ponto de apoio e enterrou-se. No fim, sentiram mais que apenas liberação. Sentiram entrega.

Grace continuava ofegante quando ele baixou o corpo ao encontro do seu. Ed aninhou a cabeça entre os seios da amante, que emaranhou os cabelos dele com as mãos.

– Acho que encontrei o substituto do café – ela conseguiu dizer, e desatou a rir.

– Não tem nada de engraçado na cafeína – ele resmungou.

– Não, eu só estava pensando que se isso continuar assim poderia escrever meu próprio manual de treinamento. – Esticando os braços sobre a cabeça, ela bocejou. – Gostaria de saber se meu agente conseguiria comercializá-lo.

– Dedique-se apenas aos romances policiais. – Ele ia dizer mais alguma coisa quando o rádio ao lado da cama irrompeu com um estrondo de rock. – Nossa, como pode acordar ouvindo isso?

– Ninguém agita o sangue como Tina Turner.

Ed ergueu-a, girou-a e deitou-a de costas nos travesseiros.

– Por que não dorme mais um pouco? Tenho de me aprontar para o trabalho.

Ela manteve os braços em volta do pescoço dele. Era tão bonitinho quando tentava paparicá-la.

– Eu gostaria de tomar uma ducha com você.

Ed desligou Tina Turner e levou Grace no colo para o banheiro.

MEIA HORA DEPOIS ela se sentava à mesa da cozinha examinando a correspondência da véspera, enquanto Ed fazia mingau de aveia.

– Tem certeza de que não posso convencê-lo a comer um bolo dinamarquês mofado?

– Nem pensar! Já joguei fora.

Grace ergueu os olhos.

– Só tinha uma coisa verde num canto. – Com um encolher de ombros, ela retornou à correspondência. – Ah, parecem os direitos autorais. É esta época do ano de novo. – Cortou o envelope, pôs o cheque de lado e examinou os formulários. – Graças a Deus, a Grã-Bretanha está se recuperando. Que tal uns biscoitos?

– Grace, um dia desses vamos ter uma conversa séria sobre sua dieta.

— Mas é a única que eu quero. — Ele tocou os lábios nos dela, daquele jeito suave, delicado, que fazia o pulso agitar-se. — Entenda, você ferrou meus planos. Tenho de agradecer.

Ela o abraçou e acomodou-se.

GRACE ACORDOU NOS braços de Ed ao amanhecer. Os lençóis cobriam-na até o nariz e ela aninhava a cabeça no peito dele. Isso a fez sorrir. A luz deslizava pelas janelas, suavizada pelos primeiros pios de pássaros da manhã. Com as pernas entrelaçadas nas dele, o calor e a segurança alcançavam-na até os dedos dos pés.

Virando a cabeça, beijou-lhe o peito. Imaginava se existia uma única mulher no mundo que não gostaria de acordar assim, contente e segura nos braços do amante.

Ele agitou-se e puxou-a um pouco mais para perto. Tinha o corpo bem retesado, a força bem controlada. Quando ela encostou a pele na dele, sentiu-a quente, úmida e sensível. Antes que as últimas névoas de sono se dissipassem, ficou excitada.

Com um suspiro, deslizou as mãos por ele todo, explorando, testando, regozijando-se. Ainda preguiçosa, deixou os lábios deslizarem por aquele corpo. Quando sentiu o batimento do coração dele se acelerar, gemeu, satisfeita. Dando um esboço de sorriso, virou a cabeça para olhá-lo.

Notou os olhos intensos e escuros, e então tudo se obscureceu quando ele a puxou para cobrir-lhe a boca com a sua. Sem nenhuma gentileza dessa vez, apenas exigência e desespero. Grace foi arrebatada por uma onda de excitação e grande pânico.

O controle com o qual sempre contara desaparecera. Era um homem que se movia com todo cuidado, cônscio demais de seu próprio tamanho e força. Mas agora, não. Rolaram na cama como agrilhoados um no outro, e ele tomou exatamente o que queria.

Embora tremesse, não fraquejara. A cada segundo a paixão mútua intensificava-se. Ed mostrara-lhe ternura e arraigado respeito pelos quais ela só podia maravilhar-se. Agora lhe mostrava o sombrio e perigoso lado de seu amor.

Com os braços apoiados em cada lado da cabeça da amante, ele mergulhou dentro dela, que deslizou os dedos escorregadios de suor

— Ainda está chateado comigo?

— Estou preocupado com você.

— Não quero que fique. — Então ela sorriu e estendeu a mão. — Sim, quero que fique. — Quando ele enlaçou os dedos nos dela, Grace levou-os aos lábios. — Tenho o pressentimento de que você foi a melhor coisa que já me aconteceu. Lamento não poder facilitar as coisas.

— Você ferrou meus planos, Grace.

Ela inclinou a cabeça com um meio sorriso.

— Ferrei?

— Chegue para cá.

Obsequiosa, ela contorceu-se no sofá até aninhar-se nele.

— Quando comprei a casa ao lado, planejei como tudo ia ser. Reforma de cima a baixo, tudo certo, do jeito como sempre imaginei que devia ser uma casa. Quando ficasse pronta, ia encontrar a mulher certa. Não sabia como seria, mas isso não era tão importante. Seria meiga, paciente e precisaria que eu cuidasse dela. Jamais teria de trabalhar, como fez minha mãe. Ficaria em casa e cuidaria do lar, do jardim, dos filhos. Gostaria de cozinhar e de passar minhas camisas.

Grace franziu o nariz.

— Ela precisaria gostar de fazer isso?

— Adoraria fazer.

— Parece que teria de encontrar uma boa camponesa de Nebraska que se manteve longe do mundo durante os últimos dez anos.

— É a minha fantasia, lembra?

Ela tornou a sorrir.

— Desculpe. Continue.

— Toda noite, quando chegasse em casa, eu a encontraria à minha espera. A gente se sentaria, ergueria os pés e conversaria. Não sobre meu trabalho. Não gostaria que isso a afetasse. Ela seria frágil demais. Quando chegasse a hora de me aposentar, ficaríamos apenas vagabundeando pela casa juntos. — Ed deslizou a mão pelos cabelos dela e depois lhe pegou o queixo. Durante alguns segundos, simplesmente a examinou, os ossos fortes, os olhos grandes e os cabelos esvoaçantes. — Você não é essa mulher, Grace.

Ela sentiu uma forte pontada de remorso.

— Não, não sou.

– Macacos me mordam. Parece que a doutora acertou na mosca mais uma vez. Você já pediu?

– É, pedi.

– E?

– Ela precisa de um tempo.

Ben apenas balançou a cabeça. Entendia perfeitamente. Ela precisava de tempo. Ed, não.

– Quer um conselho?

– Por que não?

– Não deixe que ela pense demais. Talvez descubra o babaca que você é. – Como Ed riu, ele levantou-se e pegou o paletó. – Não faria mal dar uma olhada naquele manual também. A página 6 é infalível.

– Vai embora? – Grace retornou com uma bandeja de biscoitos e três cervejas.

– Jackson tem condições de cuidar do turno da noite. – Ben pegou um biscoito e mordeu. – São horríveis.

– Eu sei. – Ela riu quando ele pegou outro. – Tem tempo para uma cerveja?

– Levo comigo. – Ben enfiou-a no bolso. – Você se saiu bem, docinho. – Como ela parecia precisar, ele curvou-se sobre a bandeja e deu-lhe um beijo. – Até logo.

– Obrigada.

Ela esperou até ouvir a porta da frente se fechar para largar a bandeja.

– É um cara e tanto.

– O melhor.

E enquanto ele estivera ali, os dois não precisaram conversar demais um com o outro. Sentando-se na ponta do sofá, Grace começou a mordiscar um biscoito.

– Imagino que o conheça há muito tempo.

– Bastante. Ben tem os melhores instintos do departamento.

– Os seus não parecem gastos demais.

Ed observou-a ao pegar a cerveja.

– Os meus me mandam pôr você num ônibus expresso de volta a Nova York.

Ela ergueu uma sobrancelha. Parecia que haviam entrado num círculo vicioso.

com vontade. – Sabe quantas formas existem para dizer... – Interrompeu-se quando olhou para Ed. Levou apenas um instante para ver que ele não iria gostar de uma lista detalhada. – Bem, é útil. Mas vou lhe dizer uma coisa, é muito mais fácil fazer sexo do que falar a respeito. Alguém quer biscoitos velhos com lascas de chocolate?

Ed fez que não com a cabeça, mas tudo que ela obteve de Ben foi um grunhido, enquanto ele folheava o manual.

– Vai nascer pelo nas suas palmas – disse Ed, indulgente, quando Grace saiu da sala.

– Talvez valha a pena. – Com um sorriso, Ben ergueu os olhos. – Você não ia acreditar em algumas coisas aqui. Como é possível não estarmos trabalhando no departamento de atentado ao pudor, prostituição e imoralidade sexual?

– Sua mulher é psiquiatra – lembrou-lhe o parceiro. – Nada do que você sugerir que tenha aí vai surpreendê-la.

– É. Tem razão. – Ben largou o manual. – Me parece que Grace se saiu muito bem.

– Parece.

– Deixe a moça em paz, Ed. Ela precisa fazer isso. E poderia ajudar a desvendar tudo.

– Quando desvendado, talvez caia tudo em cima dela.

– Estamos aqui para não deixar que isso aconteça. – Ben interrompeu-se um instante. – Lembra como me senti quando Tess se envolveu naquele caso do último inverno?

– Lembro.

– Estou do seu lado, amigo. Sempre estou.

Ed parou de andar de um lado para outro na sala. Era engraçada a rapidez com que se tornara a sala de Grace. Kathleen se fora; talvez ela ainda não houvesse se dado conta, mas substituíra a arrumação da irmã por revistas abertas e sapatos largados no chão. Flores murchas num jarro antigo e poeira nos móveis. Em poucos dias, sem sequer pretendê-lo, criara um lar.

– Quero que ela se case comigo.

Ben arregalou os olhos para o parceiro um instante e depois tornou a recostar-se devagar.

— É diferente. Vocês já ficaram excitados ao ouvirem uma mulher espirrar? Deixa para lá.

Ed observava-a enquanto ela falava. Teria jurado que parecia encabulada.

— Alguém fez você se sentir aflita, desconfiada?

— Não. Quase o tempo todo eram homens à procura de um pouco de companhia, um pouco de solidariedade e, imagino, num estranho sentido, uma forma de ser fiéis às esposas. Falar ao telefone é muito mais seguro e menos drástico do que pagar uma prostituta. — Mas tampouco era a mesma coisa que subir numa plataforma para oradores, lembrou a si mesma. — Vocês estão gravando tudo em fita, de qualquer maneira, certo?

— Certo. — Ed ergueu uma sobrancelha. — É isso o que a deixa incomodada?

— Talvez. — Ela brincou com a bainha da manga. — É esquisito saber que a rapaziada na delegacia vai ficar escutando a gravação do que eu disse. — Sempre se recuperando rápido, livrou-se do mal-estar. — Eu mesma não consigo acreditar no que disse. Teve um cara que faz bonsai, vocês conhecem, aquelas arvorezinhas japonesas? Passou quase a ligação toda me dizendo como as adorava.

— Tem gente de todo tipo. — Ben passou-lhe um cigarro. — Algum deles pediu para se encontrar com você?

— Ouvi algumas insinuações, mas nada barra-pesada. De qualquer modo, na sessão de orientação esta tarde peguei algumas dicas sobre como lidar com isso e um monte de outras coisas. — Sentia-se mais uma vez relaxada, até divertida. — Passei a tarde com Jezebel. Ela já faz isso há cinco anos. Após ouvi-la receber telefonemas durante algumas horas, eu compreendi. E também tem isto. — Ela pegou um caderno azul na mesa de centro. — Meu manual de treinamento.

— Tá brincando!

Maravilhado, Ben tomou-o dela.

— Relaciona as predileções, as normais e algumas de que eu nunca ouvi falar.

— Nem eu — murmurou Ben, virando uma página.

— Também nos dá diferentes formas de dizer as mesmas coisas. Como um dicionário de sinônimos. — Ela soprou fumaça e depois riu

Qualquer vestígio de fumaça, tabaco ou outra coisa poluiria a pureza do ar dos Hayden. Jerald tornou a rir, enquanto pegava um excelente bagulho de maconha misturada com cocaína Pó de anjo. Sorriu ao correr os dedos pela droga. Uns poucos tapas naquilo e você se sentia como um anjo. Ou o próprio satanás.

Os pais ficariam fora durante horas. Os criados haviam se retirado para o anexo junto da casa. Ele precisava de um estímulo. Precisava, não, corrigiu-se. Necessidades eram para pessoas comuns. Queria um estímulo. Queria voar nas alturas quando escutasse a próxima. Porque a próxima iria sofrer. Jerald pegou o revólver do pai, com o qual o capitão Charlton P. Hayden liquidara tantos imbecis no velho e bom Vietnã. O pai ganhara medalhas por disparar em estranhos. Isso tinha algo de glorioso.

Jerald não queria medalhas, só queria um barato. O grande barato. O adolescente nele abriu a janela antes de acender o baseado. O louco ligou o computador para procurar.

GRACE PASSOU A PRIMEIRA noite de plantão dividida entre a diversão e o espanto. Alegrava-lhe o fato de ainda poder espantar-se. Trabalhar nas artes e morar em Nova York não significava que vira e ouvira tudo. Nem de longe. Recebeu telefonemas de chorões, de sonhadores, de bizarros e de mundanos. Para uma mulher que se considerava sofisticada e sexualmente experiente, pegou-se tropeçando mais de uma vez. Um cara que ligou do interior da Virgínia Ocidental reconheceu-a como novata.

– Não se preocupe, benzinho – disse. – Eu falo com você até o fim.

Ela trabalhou três horas, uma carga leve, e teve de reprimir risadas, puro choque e o prolongado mal-estar por saber que Ed a esperava no andar de baixo.

Às 23h recebeu a última ligação. Guardou as anotações – nunca se sabia quando poderia usá-las. Desceu as escadas. Viu primeiro Ed e depois o parceiro.

– Olá, Ben. Eu não sabia que você estava aqui.

– Tem a equipe completa. – Ao conferir as horas no relógio, ele notou que já havia passado muito da hora em que o assassino costumava atacar. Mesmo assim, daria mais meia hora. – Então, como foi?

Grace acomodou-se no braço de uma poltrona. Disparou um olhar a Ed e depois encolheu os ombros.

Jerald esperou até ouvi-los sair. Ficara um pouco receoso de que o pai entrasse e insistisse em que ele se juntasse aos dois naquela noite. Algum jantar idiota de galinha borrachuda e aspargos. Todo mundo falaria de política e apregoaria as causas preferidas, observando ao mesmo tempo pelo canto dos olhos a que aba de paletó agarrar-se.

A maioria agarrava-se à do pai. As pessoas puxavam o saco dele, o que enojava Jerald. A maioria comparecia simplesmente para ver o que podia obter. Como os repórteres que ele vira diante da casa. À procura de jogar lama sobre Charlton P. Hayden. Não iam encontrar nada porque o pai era perfeito. O pai era o melhor. E quando ele fosse eleito em novembro, a merda cairia no ventilador. O pai não precisava de ninguém. Iria chutar todos aqueles babacas da maciota dos empregos e administrar o governo da forma correta. E Jerald ficaria ali bem ao lado dele, absorvendo o poder. Rindo. Rindo até não poder mais de todos os idiotas.

As mulheres iriam chegar pedindo, implorando, ao filho do presidente dos Estados Unidos para que ele lhes desse atenção. Mary Beth ia lamentar-se, lamentar-se muito, por tê-lo rejeitado. Quase amoroso, passou os dedos pelos arranhões no rosto. Ela cairia de joelhos a seus pés e lhe imploraria que a perdoasse. Mas não perdoaria. O verdadeiro poder não perdoava. Puniria Mary Beth e todas as outras vagabundas que haviam feito promessas sem pretender cumprir.

E nenhuma poderia tocá-lo, porque ele ultrapassara o lamentável alcance do entendimento delas. Ainda sentia dor. Mesmo agora, os cortes profundos na perna latejavam. Logo não haveria nem mais isso. Sabia o segredo, e tinha todo o segredo na mente. Nascera para a grandeza. Como sempre lhe dissera o pai. Por isso, nenhum dos bobocas de horizontes tacanhos com quem frequentava a escola jamais chegou próximo de ser seu amigo. Os verdadeiramente grandes, os verdadeiramente poderosos, jamais eram compreendidos. Mas admirados. Reverenciados. Chegaria o dia em que teria o mundo nas palmas das mãos, como o pai. Teria o poder para remodelá-lo. Ou esmagá-lo.

Deu uma risadinha rápida e escavou seu estoque. Jerald nunca fumava em casa. Sabia que o cheiro adocicado da maconha era facilmente detectado e seria informado aos pais. Quando sentia o desejo irresistível de um baseado, levava-o para fora. Evitava cigarros. Tanto o pai quanto a mãe eram muito ativos nos direitos dos não fumantes.

– Preocupado com a eleição, só isso. Quer que você ganhe, Charlton. Para Jerald, você já é o presidente. Coloque isso para mim, querido. Estou toda atrapalhada.

Prestativo, ele atravessou o quarto para prender o fecho do colar.

– Nervosa?

– Não posso negar que ficarei alegre quando a eleição terminar. Sei sob quanta pressão você se encontra, todos nos encontramos, Charlton... – Ela levou o braço ao ombro para pegar a mão dele. Precisava ser dito. Talvez fosse melhor dizê-lo agora e avaliar a reação do marido. – Acha, bem, já chegou a pensar, que Jerald poderia estar... fazendo experiências?

– Com o quê?

– Drogas.

Não era com muita frequência que ele era pego de surpresa. Por dez segundos Hayden só conseguiu ficar de olhos arregalados.

– Isso é absurdo. Ora, Jerald foi um dos primeiros a se juntar à campanha antidroga na escola. Chegou a escrever um trabalho sobre os perigos e efeitos em longo prazo.

– Eu sei, eu sei. Estou sendo ridícula. – Mas ela não conseguia tirar a sensação da mente. – É só que ele tem parecido tão instável ultimamente, sobretudo nas últimas semanas. Tranca-se no quarto ou passa a noite na biblioteca. Charlton, o menino não tem amigos. Ninguém liga à procura dele. Nunca recebeu uma visita. Ainda na semana passada deu uma bronca em Amanda por tirar a roupa suja do quarto dele.

– Você sabe como Jerald se sente em relação à sua intimidade. Sempre respeitamos isso.

– Eu me pergunto se não respeitamos demais.

– Gostaria que eu conversasse com ele?

– Não. – Fechando os olhos, ela balançou a cabeça. – Estou sendo tola. É a pressão, só isso. Você sabe como Jerald se fecha quando o repreende.

– Pelo amor de Deus, Claire, eu não sou um monstro.

– Não. – Ela tomou-lhe as mãos e apertou-as. – Muito pelo contrário, querido. Às vezes é difícil o resto de nós ser tão forte ou tão bom quanto você. Vamos deixá-lo em paz por algum tempo. Tudo vai ficar melhor quando ele se formar.

mal, dizia com frequência a si mesmo. Jerald sempre fora um menino magro, sem graça, que tendia a andar desengonçadamente se não o lembrassem de endireitar o corpo. Fazia parte da lista de honra da escola, sempre educado e atento nas festas. Raras vezes deu ao pai uma preocupação. Até bem pouco tempo atrás.

– O menino anda amuado, Claire.

– Ora, Charlton. – Claire ergueu as gotas de pérola e os botões de diamante para ver qual dos dois ficava melhor com o vestido requintado. – Ele tem direito a um pouco de mau humor.

– E essa história de estar com dor de cabeça e não comparecer ao jantar desta noite?

Charlton atrapalhou-se com os punhos bordados com monogramas. A lavanderia engomara demais a camisa de novo. Precisava falar com a secretária.

Vendo o marido de olhos fixos em outro lugar, Claire lançou-lhe um olhar rápido, preocupado.

– Acho que ele tem estudado demais. Faz isso para agradar você. – Ela decidiu-se pelas pérolas. – Sabe o quanto Jerald o venera.

– É um menino brilhante. – Hayden relaxou um pouco, examinando o paletó à procura de vincos. – Não há a menor necessidade de adoecer por causa de estudo.

– É só uma dor de cabeça – ela murmurou. O jantar daquela noite era importante. Todos eram, com a aproximação das eleições. Quaisquer preocupações com o filho, ela não queria suscitá-las agora. O marido era um homem bom, um homem honesto, mas tinha pouca tolerância com fraquezas. – Não o pressione neste momento. Acho que ele está passando por algum tipo de fase.

– Estou pensando naqueles arranhões no rosto dele. – Satisfeito com o paletó, Hayden conferiu o brilho nos sapatos. Imagem. Imagem era muito importante. – Acredita mesmo que ele bateu com a bicicleta em pés de roseira?

– Por que não? – Ela se atrapalhou com o fecho do colar. Era ridículo, mas tinha as mãos úmidas. – Jerald não mente.

– Eu também nunca soube que era destrambelhado. Claire, para falar a verdade, ele não é o mesmo desde que voltamos do norte. Parece nervoso, irascível.

homem com um único objetivo: governar, e governar bem. Alguns sofreriam, alguns se sacrificariam, alguns chorariam. Hayden acreditava firmemente que as necessidades da maioria pesavam mais que as da minoria. Mesmo que a minoria fosse a própria família.

Amava a esposa. A verdade é que jamais poderia ter-se apaixonado por alguém inadequado. Sua ambição era parte demasiado grande do que o fizera. Claire convinha-lhe – a aparência, a família e os modos. Era uma Merriville e, como os Vanderbilt e os Kennedy, fora criada no confortável ambiente de riqueza e posição social herdado e conquistado pelo suor dos antepassados. Uma mulher brilhante, que entendia que em seu círculo o planejamento de um cardápio às vezes importava tanto quanto a aprovação de uma lei.

Casara-se com Hayden sabendo que a maior parte da energia dele sempre seria destinada ao trabalho. Ele era um homem dedicado, vigoroso e considerado ideal pela família dela. Se alguém o acusasse de negligenciá-la, ele ficaria mais entretido que aborrecido.

Hayden amava-os. Claro que esperava desempenhos superiores de todos os membros da família, mas isso era uma questão de orgulho, além de ambição. Agradava-lhe ver a mulher vestida à perfeição. Satisfazia-o que o filho se incluísse entre os melhores da turma. Não era o tipo de homem que elogiava pelo que esperava. Se as notas de Jerald baixassem, seria uma questão inteiramente diferente. Queria o melhor para o filho, e o melhor de si mesmo.

Cuidava para que Jerald tivesse a melhor educação, e orgulhava-se do que o filho vinha fazendo com isso. Já esboçava planos para a carreira política dele. Embora não tivesse a menor intenção de legar seu poder por algumas décadas ainda, quando o fizesse, seria muito melhor que o legasse aos seus.

Esperava que Jerald estivesse preparado e disposto.

O rapaz era bem-educado, brilhante, sensível. Embora passasse muito tempo sozinho, Hayden em geral atribuía isso à intensidade de adolescente. Tinha uma ligação quase emocional com o computador. As meninas ainda não haviam entrado no cenário, e o pai só podia sentir-se aliviado. Estudos e ambição sempre vinham em segundo lugar para um jovem dedicado às mulheres. Claro, o filho não era muito bem-apessoado. Uma pessoa que amadureceu mais tarde que o nor-

— Detesto promessas que se aplicam a tudo, mas tudo bem.
Ele levantou-a de cima do carro.
— Vamos conversar sobre isso.

13

Charlton P. Hayden fizera uma viagem muito bem-sucedida ao norte. Em Detroit, angariara um sólido apoio dos sindicatos. Operários de produção enfileiraram-se em apoio, atraídos pela campanha "América para os americanos". Fords e Chevys desfilaram decorados com adesivos de para-choque proclamando: AMÉRICA DE HAYDEN – SÓLIDA, SEGURA E BEM-SUCEDIDA. Falou em termos simples, termos de pessoas comuns, em discursos nos quais colaboraram dois redatores e que ele editou. A ida de carro para a Casa Branca vinha sendo preparada havia mais de uma década. Hayden talvez preferisse um Mercedes, mas fez questão de que os assessores alugassem um Lincoln.

O comparecimento ao estádio Tiger fora tão aclamado quanto os dois pontos conquistados. O retrato do candidato, com um boné de jogador que intercepta a bola com o braço em volta do arremessador vitorioso ganhara a primeira página do *Free Press*. As multidões em Michigan e em Ohio manifestaram-se com eloquência, acreditaram nas promessas dele e aplaudiram os seus discursos.

Já preparava uma viagem à região central dos Estados Unidos. Kansas, Nebraska, Iowa. Hayden queria os fazendeiros ao seu lado. Como um inevitável curso de eventos, poderia recorrer ao bisavô que lavrara a terra. Isso o tornava filho do solo americano, o sal da terra, apesar de pertencer à terceira geração dos Hayden a diplomar-se em Princeton.

Quando ganhasse a eleição – jamais pensava em termos hipotéticos – realizaria seus planos de fortalecer a espinha dorsal do país. Acreditava nos Estados Unidos, de modo que os discursos vigorosos e as entusiásticas declarações passavam sinceridade. Os destinos, o dele e do país, eram crenças inatas, mas Hayden sabia que tanto os jogos quanto a guerra tinham de ser manejados com destreza para serem realizados. Era um

– Grace, há outras maneiras.

– Para mim, não. Desta vez, não. – Ela tomou-lhe a mão entre as suas. – Você não me conhece tão bem quanto pensa. Durante anos entreguei todo o trabalho sujo a outra pessoa. Se eu tinha alguma coisa desagradável com que lidar, jogava para o meu agente, ou meu gerente de negócios, ou meu advogado. Assim, podia apenas seguir em frente sem demasiadas distrações e escrever. Se fosse alguma coisa com que eu tinha de lidar em pessoa, tomava o caminho mais fácil ou ignorava totalmente. Não me peça, por favor, não me peça para entregar esse problema a você e não fazer nada. Porque talvez eu entregue.

Ele passou a mão pelos cabelos.

– Que diabos quer que eu faça?

– Quero que entenda – ela murmurou. – É importante para mim que entenda. Preciso fazer isso mesmo que você não compreenda, mas ficaria mais feliz se pudesse compreender. Sinto muito.

– Não é que eu não entenda, é que considero um erro. Chame de instinto, se quiser.

– Se for um erro, é um erro que preciso cometer. Não posso retomar minha vida, retomar de verdade, enquanto não fizer isso.

Ele poderia apresentar uma dezena de argumentos válidos e sensatos. Mas apenas um tinha importância.

– Eu não aguentaria se alguma coisa acontecesse a você.

Ela conseguiu sorrir.

– Nem eu. Escute, não sou nada idiota. Juro que não farei nada idiota, como faz a heroína de um filme de segunda. Sabe, o tipo que sabe que tem um maníaco homicida à solta e ouve um ruído?

– Em vez de trancar a porta, sai para ver o que é.

– É. – Agora ela ria. – Isso me deixa louca. Detesto truques artificiais numa trama policial.

– Não pode esquecer que não se trata de uma trama. Você não tem um roteiro, Grace.

– Pretendo ser muito cuidadosa. E conto com os melhores do departamento.

– Se concordarmos, você fará exatamente o que lhe mandarem?

– Farei.

– Mesmo que não goste.

carro. Agora que a gritaria cessara, um pombo instalou-se de volta no asfalto para bicar, esperançoso, um invólucro de chocolate descartado.

– Não é fácil dizer tudo isso em voz alta. Eu lhe disse que Kathy e eu não éramos íntimas. Na verdade, a essência da questão é que ela jamais foi a pessoa que eu queria que fosse. Eu fingia, e a protegia quando podia. A verdade é que ela se ressentia de mim, até me detestava de vez em quando. Não queria, mas não conseguia evitar.

– Grace, não traga tudo isso à tona.

– Eu preciso. Se não fizer isso, jamais conseguirei enterrá-la. Eu detestava Jonathan. Dói muito menos pôr toda a culpa nele. Não gosto de problemas, você sabe. – Num gesto que usava apenas quando estava muito cansada ou tensa, ela começou a massagear a testa. – Evito ou ignoro. Decidi atribuir a ele a culpa pelo fato de Kathleen não se dar o trabalho de responder às minhas cartas e de não se entusiasmar sempre que a convencia a me deixar visitá-la. Dizia a mim mesma que ele a transformara numa esnobe, que, se ela vivia ocupada galgando a escada social, era por ele. Quando se divorciaram, pus toda a culpa nele. Não sou boa com meio-termo.

Parou aí, porque o resto era mais difícil. Após juntar as mãos no colo, continuou:

– Culpei Jonathan pelo problema da droga, até pela morte dela. Ed, eu não sei como lhe dizer o quanto eu queria acreditar que foi Jonathan quem a assassinou. – Ao tornar a olhá-lo, Grace tinha os olhos secos, mas vulneráveis, dolorosamente vulneráveis. – Na cerimônia do enterro, ele me contou tudo. Disse coisas sobre Kathleen que eu já sabia no íntimo, mas jamais consegui aceitar. Detestei-o por isso. Detestei-o por destruir a ilusão que me permiti. Nas últimas semanas tive de aceitar quem Kathleen era, o que era, e até por quê.

Ele tocou-lhe a face.

– Você não poderia ter sido outra pessoa, Grace.

Então ele entendia, e com que facilidade. Se já não houvesse acontecido, ela teria se apaixonado por ele então.

– Não, não poderia. Não posso. A culpa aliviou consideravelmente. Mas, entenda, ela continuava sendo minha irmã. Eu ainda a amo. E sei que, se puder fazer essa última coisa, vou superar. Se tomasse o caminho fácil agora, acho que não aguentaria viver com isso.

– Tudo bem. Você é um louco. Por que não conta até dez e me escuta?

– Nada do que me disser vai me convencer de que você não enlouqueceu. Se lhe resta algum bom-senso, se o que eu sinto por você significa alguma coisa, entre nesse carro, vá para casa e espere.

– Acha isso justo? Acha certo pôr a coisa nesse nível? – Ela alteara a voz. Ergueu o punho fechado e desferiu um golpe no peito dele. – Sei que as pessoas me acham excêntrica, sei que acham que não tenho todos os parafusos bem atarraxados, mas não esperava essa atitude de você. Sim, eu me importo com o que você sente. Sou louca por você. Droga, estou apaixonada por você. Agora me deixe em paz.

Em vez disso, Ed tomou-lhe o rosto nas mãos. Os lábios dela não pareciam tão delicados agora, tampouco tão pacientes. Como se pressentisse que ela teria se soltado, ele estreitou o domínio até os dois relaxarem.

– Vá para casa, Gracie – murmurou.

Ela fechou os olhos um instante, depois se virou até julgar-se forte o bastante para recusar.

– Tudo bem. Então tenho de lhe pedir uma coisa. – Quando tornou a virar-se, tinha os olhos escuros e determinados. – Quero que volte lá dentro, entregue seu distintivo e sua arma ao capitão. E entre na construtora de seu tio.

– Que diabos tem isso a ver com tudo?

– É uma coisa que eu quero que você faça, uma coisa que preciso que faça. Não quero me preocupar mais com você. – Grace observou a expressão, a luta e a resposta no rosto dele. – Faria isso, não? – ela perguntou, em voz baixa. – Porque eu disse que precisava. Faria isso por mim e se sentiria infeliz. Faria, mas nunca me perdoaria completamente por eu ter pedido. Mais cedo ou mais tarde, me odiaria por fazer você abandonar uma coisa tão importante. Se eu fizesse isso por você, me perguntaria a vida toda se poderia ter feito essa última coisa pela minha irmã.

– Grace, não se trata de uma coisa que você tenha de provar.

– Quero explicar uma coisa a você. Talvez ajude. – Ela passou as mãos pelos cabelos e impeliu-se para se sentar em cima do capô do

— Eu confio na opinião da Dra. Court — interveio Harris, erguendo a mão para bloquear o protesto de Ed. — Também acredito, após três ataques, que é hora de tentarmos algo mais agressivo.

— A força-tarefa — começou Ed.

— Vai entrar em operação mesmo assim. — O capitão bateu na pasta de cima numa pilha. — A coletiva de imprensa na manhã de segunda-feira será realizada como programado. O ponto principal é que não queremos outra vítima. Estou disposto a fazer uma tentativa com a ideia proposta. — Virou-se para Grace. — Se vamos pôr essa teoria em prática, precisaremos de sua cooperação em cada passo, Srta. McCabe. Designaremos uma policial para receber os telefonemas de sua casa. A senhorita até pode ser posta num hotel, se funcionar.

— É a minha voz — ela respondeu sem rodeios. E sua irmã. Não estava a fim de esquecer que fora sua irmã. — Pode instalar todas as policiais que quiser, mas já tomei as providências. Vou trabalhar para a Fantasia e começo esta noite.

— O diabo que vai.

Ed levantou-se, agarrou-lhe o braço e puxou-a da sala.

— Espere um minuto. — Grace protestou.

— Calada.

Maggie, a caminho da máquina de café, recuou e deixou Ed passar.

— Achei que você tinha uma cabeça no meio dos ombros, então aparece com uma coisa dessas.

— Eu tenho uma cabeça, mas deixarei de ter um braço se você continuar me segurando assim.

Ele cruzou a porta e saiu no estacionamento com Grace lutando e ofegando atrás. Ela começou a perguntar-se se era hora de parar de fumar.

— Entre no seu carro e vá para casa. Direi a Eileen Cawfield que você mudou de ideia.

— Já lhe falei sobre ordens antes, Ed. — Não foi fácil recuperar o fôlego e conter a explosão de raiva, mas ela se esforçou ao máximo: — Lamento que esteja preocupado.

— Preocupado? — Ele tomou-a pelos antebraços. Chegou bem perto de erguê-la e atirá-la em cheio dentro do carro. — É assim que você classifica?

— E cada uma das mulheres que trabalha para a Fantasia é uma vítima em potencial. Concorda?

— Em tese — respondeu o capitão.

— E, em tese, é possível dar escoltas a todas elas? — ela perguntou, e respondeu antes que o capitão pudesse: — Não. É impraticável. Mas podem dar escolta a uma pessoa. Uma pessoa que entende o que está acontecendo, alguém disposto a correr o risco, e mais, que já tem uma ligação com o assassino.

— Você enlouqueceu? — disse Ed, baixo, demasiadamente baixo.

Mais que qualquer outra coisa, isso a avisou de que ele estava prestes a explodir.

— Faz sentido. — Para acalmar-se, ela enfiou a mão na bolsa e pegou um cigarro. — Foi a voz de Kathleen que primeiro o atraiu. Quando éramos jovens, sempre nos confundiam uma com a outra pelo telefone. Se eu for Désirée, o assassino vai querer me encontrar de novo. Sabemos que pode.

— É uma ideia frouxa demais, arriscada demais, além de simples e pura estupidez.

— Também não gosto da ideia — declarou Ben, embora visse o mérito do plano da escritora. — Trabalho policial sólido é sempre melhor que a grande encenação. Você não tem nenhuma garantia de que ele caia nessa, e menos ainda de que possa prever as ações dele se cair. De qualquer modo, a Sra. Morrison está vindo trabalhar com o desenhista da polícia. Com alguma sorte, teremos um retrato falado até o fim do dia.

— Ótimo. Então talvez o peguem antes que isso seja necessário. — Grace ergueu as mãos, palmas viradas para cima, e tornou a baixá-las. — Não vou confiar muito num retrato falado quando se trata de uma mulher apavorada, míope, numa cozinha escura. — Soltou uma baforada de fumaça e preparou-se para lançar a bomba seguinte: — Falei com Tess esta manhã e perguntei o que ela achava das chances de esse homem ser atraído pela mesma voz, o mesmo nome, até o mesmo endereço. — Ela olhou para Ben, porque era mais fácil que olhar para Ed. — Ela me disse que ele acharia quase impossível resistir. Foi Désirée quem o iniciou. Vai ser Désirée quem o liquidará.

— Agradeço-lhe por me ceder seu tempo. — Grace sorriu ao capitão e quase conseguiu encantá-lo. — Não pretendo desperdiçar nem um instante, por isso vou direto ao assunto. Sabemos que a Fantasia é a ligação entre os três ataques que já ocorreram. E tenho certeza de que sabemos que haverá outros...

— A investigação segue de vento em popa, Srta. McCabe — interrompeu Harris. — Posso lhe garantir que temos nossos melhores investigadores nela.

— Não precisa me garantir. — Ela lançou um último olhar a Ed, esperando que ele entendesse. — Pensei muito nisso, primeiro por causa da minha irmã, e segundo porque os assassinatos sempre me interessaram. Se eu estivesse escrevendo esse enredo, só haveria uma medida lógica a tomar. Acho que é a certa.

— Agradecemos o interesse, Srta. McCabe. — Quando ela lhe sorriu de novo, Harris sentiu-se quase paternal. Mas, mesmo assim, a moça não sabia nada sobre o trabalho real da polícia. — Porém, meu pessoal tem muito mais experiência com a realidade da investigação.

— Entendo isso. Interessaria saber que acho que encontrei uma forma de encurralar esse homem? Já tomei as medidas, capitão, quero apenas informá-los, então poderão fazer o que julgarem necessário.

— Grace, não se trata de um livro nem de um programa de televisão.

Ed interrompeu-a porque já tinha um pressentimento, um pressentimento muito ruim, de que sabia o que ela pretendia fazer.

O olhar que ela lhe deu foi de desculpa e isso o preocupou ainda mais.

— Eu sei. Você não imagina o quanto eu gostaria que fosse. — Ela inspirou fundo e encarou mais uma vez Harris. — Procurei Eileen Cawfield.

— Srta. McCabe...

— Por favor, me ouça até o fim. — Ela ergueu a mão um instante, não tanto num pedido quanto num gesto de determinação.

— Sei que cada pista que vocês tinham levou a um beco sem saída. A não ser a Fantasia. Conseguiram fechar a empresa?

Harry amarrou a cara e remexeu em papéis.

— Esse tipo de coisa leva tempo. Sem cooperação, muito tempo.

Ben olhou e riu para Grace.
– Me dê a torta. Verei se posso fazer uma permuta.
– Pare com isso, Paris. É a nova favorita de Ed?
– Se quer fofoca, terá de pagar por ela. – Quando Maggie o encarou, ele cedeu: – É ela. Grace McCabe. Escreve livros policiais de primeira linha.
– É mesmo? – Maggie projetou o lábio inferior enquanto pensava. – Parece mais uma estrela do rock. Não lembro a última vez que me sentei com um livro. Não lembro quando tive tempo de ler uma caixa de cereais. – Ela estreitou os olhos ao absorver os tênis da moda e muito caros. Moda e caro. As duas palavras pareciam combinar com a mulher, mas Maggie se perguntava como Ed combinaria com ela. – Ela não vai partir o coração de Ed, vai?
– Quisera eu saber. Ele é doido por ela.
– Seriamente doido?
– Seriamente doido demais.
Antecipando-se a Ben, ela pôs a mão em cima da caixa.
– Aí vem ele. Nossa, dá quase para ouvir os violinos.
– Ficando cínica, Maggie?
– Eu atirei arroz no seu casamento, não atirei? – E a verdade era que tinha um fraco por romances. – Imagino que se conseguiu convencer uma mulher excelente e elegante a se casar com você, Ed pode conquistar o coração de uma garota de Greenwich Village. – Apontou em direção a Ed. – Parece que você está sendo convocado.
– É. Maggie, 5 dólares pela torta.
– Não me insulte.
– Dez.
– É sua.
A policial estendeu a palma da mão e contou as notas que ele lhe entregou. Já planejando comer a metade como almoço, ele enfiou a caixa na gaveta de baixo da mesa e seguiu Ed até o escritório de Harris.
– O que houve?
– A Srta. McCabe requisitou uma reunião – começou Harris. Já passara meia hora do seu horário e ele estava ansioso para ir embora.

– Prefiro explicar tudo que tenho a dizer apenas uma vez. Ele pode me atender?

Pensativo, Ed examinou-a. A essa altura, conhecia-a bem o bastante para entender que não diria nada.

– Não sei se ele ainda está aqui. Sente-se que vou verificar.

– Obrigada. – Grace segurou-lhe a mão um pouco mais. Ao redor, telefones tocavam sem parar e datilógrafos faziam um grande barulho. – Ed, quando eu disser o que preciso dizer, seja um policial. Por favor.

Ele não gostou do jeito como ela o olhou ao pedir. Alguma coisa revirou-se em seu estômago e ali se instalou, mas assentiu.

– Vou ver se encontro Harris.

Grace sentou-se quando ele se levantou. Na máquina de escrever dele encontrava-se o relatório sobre Mary Beth Morrison. Ela tentou lê-lo com o mesmo distanciamento dele ao escrever.

– Por favor, Maggie, me deixe dar uma olhada.

Ao som da voz de Ben, Grace virou-se e viu-o entrar na sala atrás de uma morena esguia.

– Vá procurar o que fazer, Ben – sugeriu Maggie Lowenstein. Levava uma caixa de papelão amarrada com uma fita. – Só tenho 15 minutos pra sair daqui e fazer meu lanche.

– Maggie, seja camarada. Sabe qual foi a última vez que comi uma torta feita em casa? – Ele se curvou mais para perto da caixa até ela espetar-lhe o indicador na barriga. – É de cereja, não é? Só me deixe dar uma olhada.

– Você só vai sofrer mais.

Ela largou a caixa sobre a mesa e protegeu-a com o corpo.

– É linda. Uma obra de arte.

– Tem aquela massa decorativa trançada? – Como Maggie apenas sorriu, ele olhou por cima do ombro dela. Ela podia ser solidária. Não se sentira enjoado nessa manhã? Se ia sentir o enjoo matinal de Tess, tinha pelo menos direito aos desejos dela. – Por favor, só uma olhada.

– Eu mando uma foto Polaroid. – Ela pôs a mão no peito dele, e então viu Grace do outro lado da sala. – Quem é a moça bonita sentada à mesa de Ed? Eu mataria por uma jaqueta daquelas.

um casamento de primavera; essas eram as coisas importantes. Se a morte de Kathleen lhe trouxera pesar, também trouxera a crença em que só o cotidiano de fato importava. Assim que obtivesse justiça, poderia aceitar mais uma vez o comum.

Belos subúrbios residenciais deram lugar a concreto e tráfego irascível. Grace desviava-se de outros carros com uma competitividade natural. Não fazia diferença o fato de que raras vezes se visse atrás do volante. Assim que se instalava ali, dirigia com aquela jovial negligência que fazia outros motoristas rangerem os dentes e xingarem. Deu duas voltas erradas porque tinha a cabeça em outro lugar, depois chegou ao estacionamento ao lado da delegacia.

Com alguma sorte favorecendo-a, Ed não estaria lá. Então poderia explicar-se ao capitão Harris, homem de rosto severo.

Viu Ed assim que entrou no Departamento de Homicídios. A leve palpitação no estômago não era ansiedade, descobriu, mas prazer. Por um momento, apenas o observou. Sentado de costas atrás de uma mesa, batia à máquina com firmeza.

Mãos enormes. Então lembrou a delicadeza e a devastação com que as usara na noite anterior. Era o homem que a amava, pensou. O homem disposto a fazer-lhe promessas. E um homem que as cumpriria. Como a vontade de correr ao encontro dele e abraçá-lo foi tão forte, atravessou a sala e fez isso mesmo.

Ed parou de datilografar e fechou a mão sobre a dela em seu ombro. Assim que ela o tocou, ele soube. Reconheceu o perfume e o tato. Vários policiais deram um sorriso malicioso na direção do colega, quando ela se curvou sobre seu ombro para beijá-lo. Se tivesse percebido, talvez ficasse encabulado. Mas só notou Grace.

— Oi. — Manteve sua mão na dela ao girá-la para a frente. — Não esperava vê-la aqui hoje.

— E estou interrompendo. Detesto que as pessoas me interrompam quando estou trabalhando.

— Já estou com o trabalho quase acabado.

— Ed, preciso ver seu capitão.

Ele captou o tom de desculpa na voz dela.

— Por quê?

o instalador contou-lhe da jogada fenomenal do filho no último jogo. Quando ele a procurasse, estaria preparada. Não seria pega de surpresa como Kathleen e as outras.

Sabia exatamente o que iria fazer. Não passara quase a vida toda estruturando tramas para uma história? Essa era a mais vital que já manipulara. Não cometeria um único erro.

Ela e o instalador já se tratavam pelo primeiro nome quando o acompanhou ao andar de baixo e transpôs a porta. Desejou-lhe sorte no jogo do filho naquela tarde e disse que esperava ver Júnior nas ligas principais em alguns anos. A sós, pensou no brilhante telefone novo instalado na pequena mesa no canto do quarto. Em questão de horas, iria tocar pela primeira vez. Tinha muito a fazer antes disso.

Dar o telefonema a Tess ajudou. Talvez a aprovação dela não houvesse ocorrido sem reservas, mas Grace tinha mais munição agora. Satisfeita, pegou as chaves da irmã e segurou-as apertadas na mão. Era certo; sentia-se segura de que sim. Só precisava convencer todos os demais.

Não tremia quando pegou o carro e dirigiu-se à delegacia. Recuperou a força e, com ela, a determinação de concluir o que começara. Por hábito ligou o rádio alto e deixou o último sucesso de Madonna tomar conta do ambiente. Era gostoso. Sentia-se bem. Pela primeira vez em semanas pôde apreciar de fato a primavera em completo desabrochar que irrompera em Washington.

As azaleias alcançavam a sua glória. Os jardins reuniam violetas e arbustos corais e escarlate. Narcisos começavam a desbotar à medida que as tulipas os substituíam. Gramados verdejantes recebiam o remate de sábado. Ela viu meninos de camisetas e idosos de bonés de beisebol empurrando cortadores de grama. Cravos-de-amor e cornisos acrescentavam um frágil tom branco.

A vida renovava-se. Na verdade, não se tratava de sentimentalismo brega. Ela precisava desesperadamente agarrar-se a essa sensação. A vida tinha mais a fazer que apenas continuar, tinha de melhorar. Se armas vinham sendo testadas em algum lugar no deserto, ali os pássaros cantavam e as pessoas podiam preocupar-se com as coisas importantes: um jogo da liga infantil de beisebol, um churrasco de família,

Ed queria trabalhar no quebra-cabeça à sua maneira, mas ela iria direto ao centro e faria as peças se encaixarem.

Não lhe agradou comprar a arma. Em Manhattan, jamais sentira necessidade de ter uma. Sabia que a cidade era perigosa, mas para outros, para aqueles que não sabiam onde e quando andar. De algum modo, sempre se sentira segura lá, na multidão, nas ruas tão conhecidas. Mas agora, morando naquele tranquilo bairro suburbano, sentia essa necessidade.

Uma pistola .32, pequena e de cano curto. Parecia feita para profissionais. Manejara armas antes. Pesquisara. Chegara a passar algum tempo num campo de tiro, para entender como era quando se apertava o gatilho. Disseram-lhe que tinha uma excelente pontaria. Mesmo assim, ao comprá-la, Grace teve sérias dúvidas sobre se conseguiria atirar uma daquelas perfeitas balinhas numa coisa viva.

Enfiou-a na gaveta da mesinha de cabeceira e tentou esquecê-la. A manhã passou enquanto ela servia café ao empregado da companhia telefônica e mantinha um olho na janela. Não queria que Ed voltasse antes que tudo estivesse terminado. Ele não poderia fazer nada para impedi-la, claro. Ajudou repetir a afirmação algumas vezes. Mesmo assim, vigiava a janela enquanto tomava café e ouvia o instalador falar das proezas na liga infantil e juvenil de beisebol.

Como dissera a Ed, as pessoas sempre se abriam com ela. Em geral, após minutos de conhecimento, contavam-lhe coisas reservadas à família ou aos amigos mais íntimos. Era algo que sempre aceitara com tranquilidade, mas agora, naquele exato momento, achou que seria mais sensato analisar.

Seria por causa do seu tipo de rosto? Distraída, passou a mão pela face. Talvez em parte, pensou, mas na certa tinha mais a ver com o fato de ser uma boa ouvinte, como sugerira Ed. Muitas vezes, escutava com meio ouvido, enquanto criava uma complicação ou caracterização de enredo. Mas, como prestava bastante atenção, meio ouvido parecia bastar.

As pessoas confiavam nela. E exploraria isso agora. Iria endurecer-se e fazer o assassino de Kathleen confiar nela. Quando confiasse o bastante, viria ao seu encontro. Umedeceu os lábios e sorriu quando

— Oh, Ed. — Ela tomou-lhe as mãos. — Eu não sei o que dizer.

Não ia dizer o que ele queria ouvir. Ed já se via às voltas com essa possibilidade.

— Diga como se sente.

— Eu não sei. Não pensei nisso a fundo. Esta noite... posso lhe dizer que nunca me senti mais próxima de ninguém. Jamais senti nada mais forte por ninguém. Mas casamento, Ed, eu nunca pensei em casamento, muito menos com uma pessoa específica. Não sei como ser esposa.

Ele levou a mão dela aos lábios.

— Está me dizendo não?

Ela abriu a boca e tornou a fechá-la.

— Parece que não posso dizer não. Tampouco posso dizer sim. É uma posição infernal em que me vejo.

— Por que não me diz apenas que vai pensar a respeito?

— Vou pensar a respeito — ela se apressou a responder. — Nossa, você fez minha cabeça rodopiar.

— Já é um começo. — Ele puxou-a mais uma vez. — Que tal terminar o serviço?

— Ed. — Grace levou a mão ao rosto dele antes de permitir-lhe que a beijasse. — Obrigada por me pedir.

— Não há de quê.

— Ed. — Ela reteve-o mais um instante, porém agora sorria com os olhos. — Tem certeza de que não quer apenas o meu corpo?

— Talvez. Que tal eu conferir de novo, para ter certeza?

TERIA SIDO AGRADÁVEL passar o sábado à toa, curtindo uma preguiça ou ajudando Ed a dar uma segunda demão na parede de gesso. Apesar disso, Grace sentiu-se agradecida pelo fato de ele passar quase o dia todo na delegacia. Havia muito no que pensar, e fazia-o melhor sozinha. Dava-lhe ainda a oportunidade de conectar a linha telefônica extra sem necessidade de explicar-se. Isso teria de ser feito sem tardar.

Armaria uma cilada atuando como isca, o que significava trabalhar para a Fantasia. Pelo tempo que fosse necessário, ou até pegarem o assassino da irmã de alguma outra forma, Grace passaria as noites falando com estranhos. Um deles, mais cedo ou mais tarde, iria se apresentar pessoalmente.

– Foi ela que afinal o convenceu?
– Não, mas mal não fez. Sempre fui doido por pernas.
– Ah, sim. – Sorrindo, ela esfregou a dela na dele. – E por que mais?
– Você. Desde o início. – Ele tomou-lhe os cabelos nas mãos para poder olhá-la. Chegava de momento certo, cautela e planos bem fundamentados. – Grace, quero que você se case comigo.

Ela não pôde impedir-se de ficar boquiaberta, surpresa e assustada ao mesmo tempo. Tentou falar, mas a mente, para variar, ficou completamente vazia. Conseguiu apenas encará-lo, olhos arregalados, e ao fazê-lo viu que ele não dissera aquelas palavras por impulso; pensara com muito cuidado.

– Uau!
– Eu amo você, Grace. – Ele viu os olhos dela mudarem, suavizarem-se. Mas continuavam sombreados por alguma coisa semelhante a medo. – Você é tudo que eu sempre quis. Quero passar a vida toda com você, cuidar de você. Sei que não é fácil ser casada com um policial, mas prometo fazer tudo o que puder para dar certo.

Ela se afastou devagar.
– Vou lhe dizer uma coisa: assim que você começa, avança muito depressa.
– Eu não sabia o que vinha esperando, mas sabia que reconheceria. Reconheci em você, Grace.
– Meu Deus! – Ela apertou a mão sobre o coração. Se não tomasse cuidado, iria ficar com a respiração acelerada. – Não é com muita frequência que me pegam totalmente de surpresa, Ed. A gente se conhece há apenas 15 dias e... – Interrompeu-se, pois ele continuava encarando-a. – Você fala sério.
– Nunca pedi a ninguém que se casasse comigo antes, porque não queria cometer um erro. Agora não se trata de um erro.
– Você... você não me conhece de verdade. Não sou de fato uma pessoa muito legal. Fico mal-humorada quando as coisas não saem como eu quero. E, Deus é testemunha, sou temperamental. Tenho um gênio do qual mesmo meus melhores amigos morrem de medo e... ainda não assimilei bem isso com muita clareza.
– Eu amo você.

Ed teria esperado ou tentado esperar. Teria puxado as cordas da paixão até retesá-las. Mas ela deslizava embaixo dele, tomando-o dentro de si, enchendo-se com ele, que só pôde agarrar-lhe os quadris e deixá-la cavalgar.

Grace jogou a cabeça para trás e atingiu o clímax tão rápido que quase tombou para a frente. Então, os dois se deram as mãos com força e enlaçaram os dedos. O desejo aumentou mais uma vez, com incrível intensidade, até ela cavalgá-lo com fúria.

Ouviu-o soltar um gemido longo e demorado. Então arqueou o próprio corpo quando o prazer a varou como uma flecha.

Ed PUXARA A COLCHA sobre os dois, mas não apagara a luz. Aninhada junto a ele, Grace parecia cochilar. Ed achou que jamais iria precisar dormir de novo. Gostava do jeito que ela jogara uma das pernas em cima da dele, do jeito que se enroscara nele como se quisesse ficar. Afagava-lhe os cabelos porque não conseguia parar de tocá-la.

— Sabe de uma coisa?

A voz dela saiu gutural quando se aninhou um pouco mais perto.

— O quê?

— Eu me sinto como se tivesse acabado de escalar uma montanha. Alguma coisa da altura do Everest. Depois saltado de paraquedas através de todo aquele ar frio e rarefeito. Nada jamais foi tão bom. — Ela virou a cabeça para sorrir-lhe. — E você tinha razão. Uma vez só nunca bastaria. — Sorria ainda, e aninhou o rosto no pescoço dele. — Você cheira tão gostoso. Sabe, quando pus a sua camisa mais cedo, acabei ficando apaixonada. Ed Jackson, tira durão, ex-jogador da defesa no futebol americano.

— Defesa da retaguarda — ele corrigiu.

— Como quiser. Detetive Jackson usa talco de bebê. Johnson & Johnson. Acertei?

— Funciona.

— Eu que o diga. — Como um filhote de cachorro, ela fungou-lhe o pescoço e os ombros. — O único problema é que toda vez que cheiro um bebê tenho a sensação de que vou me excitar sexualmente.

— Estou pensando em mandar recobrir essa camisa de bronze.

Ela mordiscou-lhe a orelha.

Ele deu beijos pelo rosto dela. Jamais queria esquecer a visão de Grace naquele momento, com os olhos enfumaçados e a pele corada de paixão.

– Temos tempo. Temos muito tempo. – Com os olhos nos dela, desabotoou-lhe a camisa e abriu-a para poder olhá-la. – Você é tão bonita.

A sensação de urgência diminuiu um pouco e ela sorriu.

– Você também.

Erguendo a mão, Grace deslizou a camisa pelos ombros largos do futuro amante. A visão daquele corpo de compleição física tão poderosa era quase feroz, mas não a fez sentir nada parecido com medo. Ergueu mais uma vez a mão e puxou-o até embaixo.

O tempo prolongava-se. Ed tocava. Grace acariciava. Ele testava. Ela saboreava. A intimidade se intensificava gradativamente. A escritora achara que conhecia tudo. Até então, não tivera plena compreensão da intensidade a que isso podia chegar. Estremeceu quando a barba dele roçou-lhe os seios. Uma sensação primitiva, como o calor repentino de uma árvore atingida por um raio. Quando levou as mãos às costas do amante para testar os músculos que se enfeixavam e movimentavam, sentiu ao mesmo tempo a força e o controle.

Ed deslizava os lábios quentes pelo corpo dela. Não como raio agora, mas um fogo baixo, incandescente. Ela arqueou-se sob aquele corpo, confiança absoluta, desejo esmagador. Quando a levou ao primeiro êxtase, ele gemeu junto com ela.

Grace lutava para encher os pulmões de ar. Queria dizer o nome dele, dizer-lhe qualquer coisa. Mas apenas estremeceu e abraçou-o.

O pulso dela galopava e o nó que se instalara no peito de Ed se espalhava. Ela puxava-lhe agora o restante das roupas, de repente com desesperada força e determinação. Rolou para cima dele, cobrindo-lhe o corpo com beijos frenéticos, e depois rindo de prazer quando conseguiu afinal arrancar-lhe todas as roupas.

Ele tinha um corpo de guerreiro – e guerreiro era. A força, a disciplina e as cicatrizes confirmavam. Então existiam verdadeiros heróis, pensou a escritora ao tocá-lo. Eram de carne e osso e muito, muito raros.

— Você fez isso no dia em que a vi da janela. — Com a mão na face dela, inclinou-se para beijá-la leve e delicadamente. Provou um gosto que desejava lembrar. Era mais saboroso, mais doce do que podia imaginar. Sentiu-a enlaçar os braços em seu pescoço. Sentiu-a ceder. Generosidade. Não era isso na verdade que um homem queria de uma mulher? Grace jamais seria mesquinha com as emoções, e agora, nesse momento, ele precisava de tudo que ela pudesse dar. Com cuidado, deitou-a de costas no colchão.

A luz era forte e o quarto cheirava a poeira. Ed imaginara muito diferente. Velas, música, o brilho do vinho nas taças. Queria dar-lhe todas essas sutilezas bonitas e românticas. Mas ela era exatamente o que imaginara. Exatamente o que queria.

O murmúrio dela junto à sua boca fez o coração dele disparar. Enquanto lhe desabotoava a camisa, ele sentia o frio roçar dos dedos dela no seu peito. Grace curvou os lábios junto aos seus e depois os separou, com um suspiro que lhe encheu a boca de calor.

Não queria apressá-la. Quase temia tocá-la, pois sabia que, tão logo o fizesse, podia perder o controle. Mas ela se mexeu sob seu corpo e ele se perdeu.

Grace jamais conhecera um homem tão delicado, tão carinhoso e tão interessado. Isso em si já era excitante. Ninguém jamais a tratara como se fosse frágil. Talvez porque não fosse. Mas agora, com ele tomando tanto cuidado, mostrando tanta ternura, sentia-se frágil.

A pele dela parecia mais macia. O coração batia mais rápido. As mãos, ao corrê-las por ele, tremiam ligeiramente. Sabia que queria isso, queria-o, mas não sabia que seria tão importante.

Não era apenas o estágio seguinte, percebeu, mas uma coisa totalmente diferente de tudo que já sentira. Por um momento, achou que entendia o que ele quisera dizer com morrer de medo.

Ela ergueu a boca para a do parceiro mais uma vez e sentiu o desejo emaranhar-se nos nervos, depois os nervos enlaçarem-se com uma dor. Tinha os dedos tremendo quando levou a mão ao fecho da calça jeans dele. Mais uma vez, ele cobriu-lhe a mão com a sua.

— Eu quero você — ela murmurou. — Não sabia quanto.

Grace apoiou o queixo no ombro do detetive; forte, largo. Sentia-se à vontade ali.

— Desde que Kathleen foi morta, tenho sentido pena de mim mesma. Não parava de pensar que não era justo. O que fiz para merecer isso? Era difícil superar a perda de minha irmã e enxergar a imagem completa da situação. — Fechou os olhos um instante. Ele cheirava gostoso. Caseiro, seguro, como uma lareira silenciosa à noite. — Nos últimos dois dias, tenho tentado fazer isso. Quando consigo passar para o outro lado da imagem, percebo o quanto você me ajudou. Não sei como teria aguentado essas duas semanas sem você. Você é um bom amigo, Ed.

— Que bom que pude ajudar.

— Andei me perguntando se chegou a pensar em ser mais que um amigo. Tive a impressão, me corrija se estiver errada, de que antes de sermos interrompidos esta noite íamos avançar para o estágio seguinte.

Ele tomou-lhe a mão. Se ela continuasse a tocá-lo, não conseguiria dar-lhe aquele tempo e espaço que sabia que lhe eram necessários.

— Por que não me deixa acompanhar você até sua casa?

Ela não era mulher de desistir facilmente. Nem de ficar batendo a cabeça numa parede de pedra. Com um longo suspiro, tornou a sentar-se nos calcanhares.

— Sabe de uma coisa, Jackson, se eu não o conhecesse melhor, juraria que tem medo de mim.

— Morro de medo de você.

Primeiro veio a surpresa. Depois, um sorriso tranquilo, vagaroso.

— Sério? Eu lhe digo uma coisa... — Ela começou a desabotoar-lhe a camisa. — Serei delicada.

— Grace.

Ainda cauteloso, ele cobriu-lhe as mãos com as suas.

— Uma vez só não vai bastar.

Ela enroscou os dedos nos dele. Não fazia promessas com facilidade, mas, quando fazia, era para valer.

— Tudo bem. Por que não me deixa terminar de seduzir você?

Dessa vez ele sorriu. Soltou-lhe as mãos para deslizar as suas pelos braços dela.

– Quer a resposta oficial ou a minha?

– A sua.

– Era o mesmo homem. Ele se ferrou agora, Grace. – Ed esfregou as mãos no rosto e sentou-se na beira da cama. – Tess acha que isso só vai torná-lo mais inconstante, mais imprevisível. Foi ameaçado dessa vez, e seu padrão, destruído. Ela acha que ele vai lamber as feridas e, quando estiver pronto, sairá de novo à caça.

Grace assentiu com a cabeça. Não chegara o momento de contar-lhe o risco que ela própria corria.

– A mulher... ela o viu?

– Estava escuro. Parece que ela não enxerga dois palmos diante do nariz. Ela ficou com algumas impressões. Veremos o que podemos fazer.

Ele girou os ombros, mas a tensão continuou.

– Vamos fazer uma investigação cruzada dos clientes na lista da Fantasia, conversar com vizinhos. Às vezes a sorte ajuda.

– Você está muito tenso por causa disso – ela murmurou. Como ele parecia necessitado, ela mudou de posição e massageou-lhe os ombros. – Não tinha percebido isso antes. Acho que pensei que você aceitava tudo como se apresentava. Rotina.

Ele olhou para trás. Tinha os olhos mais frios do que ela já vira antes, e mais duros.

– Jamais é rotina.

É, não seria; com um homem como aquele, não. Ed se preocupava demais. Apesar do esforço para evitá-lo, desviou o olhar e pousou-o na arma. Ele não mudava quando a tirava. Era uma coisa de que teria de lembrar-se.

– Como conseguem superar tudo isso? Como conseguem ver o que veem e aguentar chegar ao fim do dia?

– Alguns bebem. Muitos de nós bebemos. – Ele deu uma meia risada. A tensão dos ombros aliviava-se e deslocava-se para outro lugar. Grace tinha mãos maravilhosas. Queria dizer-lhe o quanto queria se entregar a elas. – É fuga. Todo mundo procura a sua.

– Qual é a sua?

– Trabalho com as mãos, leio livros. – Ele encolheu os ombros. – Bebo.

manobrá-la com sucesso para o lugar exato onde queria que ela ficasse. Com ele.

Deixou suco suficiente para o desjejum e subiu as escadas. No último patamar, começou a tirar o paletó. Pretendera deixá-lo junto com a arma no armário do andar de baixo, mas estava cansado demais para tornar a descer. Massageando a tensão na nuca, empurrou a porta do quarto com o pé e acendeu a luz.

— Ai, meu Deus, já é de manhã?

Levou a mão à coronha instantaneamente e ficou com os dedos dormentes em silêncio. Viu Grace deitada na cama. Virando-se, ela protegeu os olhos com uma das mãos e bocejou. Foi-lhe necessário um instante para perceber que a mulher que amava usava uma de suas camisas e nada mais.

— Oi. — Ela piscou e conseguiu dar um sorriso ao espremer os olhos para ele. — Que horas são?

— Tarde.

— É. — Após se impulsionar para sentar-se, Grace espreguiçou-se. — Eu só ia me deitar um instante. Este corpo não está acostumado ao trabalho braçal. Tomei uma ducha. Espero que não se incomode.

— Claro que não.

Ele pensou que talvez ajudasse olhar o rosto dela, apenas o rosto. Mas não. Ficou mais uma vez com a boca totalmente seca.

— Fechei a lata daquela coisa viscosa e repelente que você passou nas paredes e limpei as ferramentas. Depois fiquei sem ter nada para fazer. — Desperta agora, ajustara os olhos e, inclinando a cabeça, examinou-o. Ele parecia alguém que acabara de levar uma marretada no peito. — Está tudo bem com você?

— Está. Eu não sabia que você continuava aqui.

— Não podia ir embora antes de você voltar. Quer me contar o que aconteceu?

Depois de desprender o coldre do ombro, ele pendurou-o numa cadeira bamba que pretendia reformar.

— A vítima teve sorte. Lutou para expulsar o cara, depois o cachorro o mordeu.

— Espero que o cachorro não tenha tomado as vacinas. Era o mesmo homem, Ed? Preciso saber.

Conduziu-a para fora da sala. Frustrado, impotente, o marido olhou-a por trás.

— Se eu tivesse ficado em casa...

— Ele teria esperado — interrompeu Ed. — Estamos lidando com um homem muito perigoso, muito determinado, Sr. Morrison.

— Mary Beth jamais fez mal a ninguém na vida. É a mulher mais generosa que conheci. Ele não tinha o direito de fazer isso com ela, deixar seu rosto desse jeito. — Harry pegou o conhaque da mulher e tomou-o em dois goles. — Talvez seja um homem perigoso, mas se eu o encontrar primeiro, ele vai ser um eunuco.

12

Ela deixara uma luz acesa para ele. Ed ficou satisfeito ao ver que Grace fora dormir em casa, porque faria perguntas. E ele teria de responder. Mesmo assim, comoveu-o, tolamente, o fato de que deixara a lâmpada acesa.

Estava cansado, morto de cansaço, mas agitado demais para dormir. Na cozinha, pegou o suco e bebeu direto do jarro. Grace guardara o vinho e lavara as taças. Quando um homem passa tantos anos fazendo isso sozinho, coisas pequenas assim são impressionantes.

Ele já se apaixonara por ela. As primeiras fantasias românticas que se permitira se haviam cimentado. O problema era que não sabia bem o que fazer. Já se apaixonara antes, e jamais tivera problema em levar esses sentimentos à conclusão lógica. Mas o amor era outro jogo.

Sempre fora um homem tradicional. As mulheres deviam ser valorizadas, apreciadas e protegidas. A amada tinha de ser tratada com delicadeza, respeitada e, acima de tudo, admirada. Queria pô-la num pedestal, mas já sabia que Grace iria contorcer-se até tombar.

Ed também sabia ser paciente. Isso constituía uma das melhores qualidades num policial, com a qual tivera grande sorte de nascer. Portanto, o passo lógico seria dar-lhe tempo e espaço até conseguir

meio muito conveniente de começar a juntar fundos para a universidade, mas não sei se as outras mães gostariam da líder da tropa de brownies envolvida nessa atividade.

– Faremos o que for possível – prometeu Ed. – Se eu pudesse lhe dar um conselho, diria para pedir logo demissão da Fantasia.

– Já foi feito – respondeu Harry.

– Também seria melhor que não ficasse sozinha nos próximos dias.

Mary Beth empalideceu de novo. Dessa vez, a tez pareceu translúcida. Toda coragem que conseguira acumular tremia no limite.

– Acha que ele vai voltar?

– Não há como saber. – Ed detestou assustá-la, mas precisava salvar-lhe a vida. – Trata-se de um homem muito perigoso, Sra. Morrison. Não queremos que corra riscos desnecessários. Vamos providenciar proteção. Enquanto isso, gostaríamos que fosse até a delegacia, examinasse fotografias de rosto e trabalhasse com o desenhista da polícia.

– Farei tudo que puder. Quero que o agarrem logo. O mais rápido possível.

– Talvez tenha acabado de nos ajudar a fazer isso. – Ben levantou-se. – Agradecemos sua cooperação.

– Eu... eu não lhes ofereci café. – Mary Beth viu-se de repente receosa por deixá-los irem embora. Queria ficar cercada e segura. Eram policiais, e a polícia sabia o que fazer. – Não sei onde eu estava com a cabeça.

– Não tem importância. – Tess apertou-lhe a mão para se levantarem juntas. – Deve descansar agora. Deixe seu marido levá-la para o quarto. Quando for à delegacia amanhã, eles darão os telefones das organizações que podem ajudá-la a lidar com isso. Ou pode apenas ligar e conversar comigo.

– Eu não costumo ter medo. – Nos olhos de Tess, ela via compaixão, compaixão feminina. E precisava disso, descobriu, mais do que precisava da polícia. – Em minha própria cozinha. Tenho medo de ir à minha própria cozinha.

– Por que não me deixa levá-la até o andar de cima? – murmurou Tess, passando o braço pela cintura de Mary Beth. – Você pode se deitar.

real. Nunca ouvi aquela voz antes. Não a teria esquecido. – Mesmo agora, com o braço do marido à sua volta, ela ouvia-a. – E disse... – Sem pensar, tomou a mão de Tess. – Oh, meu Deus, lembro que ele disse que ia ser diferente dessa vez. Não ia se apressar. Continuou falando de alguém chamada Désirée e do quanto a amava. Falou nela algumas vezes. Disse alguma coisa sobre uma tal de Roxanne e que ela era uma vagabunda. Isso faz sentido?

– Sim, senhora.

Ed anotou tudo. Mais uma peça, pensou. Mais uma peça do quebra-cabeça.

– Sra. Morrison. – Tess tocou-lhe mais uma vez a mão. – Ele pareceu confundi-la com Désirée?

– Não – concluiu Mary Beth após um minuto. – Não, era mais uma comparação. Sempre que dizia esse nome, era quase com uma espécie de reverência. Isso parece idiotice.

– Não. – Tess virou-se até encontrar o olhar de Ben. – Não, não parece.

– Ele dava uma impressão, bem, quase amistosa, de uma forma horrível. Não sei como explicar. Era como se esperasse que eu ficasse satisfeita por vê-lo. Só se enfureceu quando resisti... como uma criança quando lhe tiram alguma coisa. A voz de quem estava chorando. Ele me chamou de vagabunda... não, disse que éramos todas vagabundas, todas putas mentirosas, e que da próxima vez ia me fazer sofrer.

O cocker spaniel gordo entrou saracoteando e farejou Tess.

– Este é Binky – disse Mary Beth entre lágrimas. – Se não fosse por ele...

– Vai comer filé pelo resto da vida. – Harry levou a mão da mulher aos lábios, quando ela conseguiu dar uma risada chorosa.

– Eu tinha arrastado o coitado do cachorro para fora, achando que ele estava latindo para a gata, e o tempo todo... – Ela tornou a interromper-se e sacudiu a cabeça. – Sei que isso vai chegar aos jornais, mas eu agradeceria se pudessem minimizar a coisa. As crianças. – Olhou mais uma vez para Tess, sentindo que uma mulher entenderia. – Não quero que elas tenham de enfrentar tudo isso. E o negócio sobre a Fantasia, bem, não é que eu me envergonhe, na verdade. Parecia um

— Vai se surpreender com o quanto viu quando começar a juntar as partes. — Ed pegou o bloco. Queria tratá-la com toda a delicadeza. Naquela casinha aconchegante e com aquele rosto bonito, fazia-o lembrar-se de sua irmã. — Sra. Morrison, disse que ele a chamou pelo nome.

— Sim, ele me chamou de Mary Beth várias vezes. Foi tão estranho ouvir meu nome dito por aquele estranho. Ele disse alguma coisa sobre eu ter prometido coisas a ele. Que ele queria... — Mesmo com a visão turva, ela não conseguiu encarar Ed. Engoliu em seco e baixou os olhos para Tess. — Disse que queria que eu fizesse nele coisas gostosas, delicadas. Lembro porque estava muito apavorada e me pareceu bastante louco ouvir isso.

Ben esperou-a terminar de tomar o gole de conhaque.

— Sra. Morrison, sabe alguma coisa sobre uma empresa chamada Fantasia?

Quando ela enrubesceu, o hematoma no rosto destacou-se. Ela não gostava de mentir.

— Sei.

— Isso não é da sua conta — protestou Harry.

— As duas outras vítimas eram funcionárias da Fantasia — declarou Ed, sem rodeios.

— Oh, meu Deus! — Mary Beth fechou os olhos com força. Sem mais lágrimas, agora, apenas um medo seco, estupefato. — Oh, meu Deus!

— Eu nunca devia ter deixado você fazer isso. — Harry esfregou a mão no rosto. — Só podia estar louco.

— A voz dele, Sra. Morrison — interferiu Ed. — Não a reconheceu? Já falou com ele antes?

— Não, não, tenho certeza. Não passava de uma criança. Não recebemos telefonemas de menores.

— Por que diz que era uma criança? — apressou-se a perguntar Ed, enquanto tinham a vantagem emocional.

— Porque era. Tinha uns 18 anos no máximo. Sim. — O rubor esvaiu-se em palidez quando ela lembrou. — Não tenho certeza de como sei, mas sei que era jovem. Não alto, apenas uns poucos centímetros mais que eu. Tenho 1,65m. E ainda não era, bem, todo desenvolvido. Eu não parei de pensar que ele era um garoto e aquilo não podia ser

tem lugares especiais aonde você pode ir e conversar com pessoas que passaram pela mesma provação. Elas sabem o que está sentindo, o que seu marido está sentindo agora.

— Foi na minha casa. — Mary Beth desatou a chorar pela primeira vez. As lágrimas espremidas dos olhos escorriam finas e quentes pelo rosto. — Pareceu muito pior por ter sido na minha casa. Eu não parava de pensar no que ia fazer se meus filhos entrassem. O que ele ia fazer com os meus queridos? E então... — Tess tomou-lhe o copo quando viu as mãos começarem a tremer. — Comecei a rezar para que tudo não passasse de um pesadelo; aquilo não estava acontecendo de verdade. Ele disse que me conhecia e me chamava pelo nome. Mas eu não sabia quem ele era nem por que ia me estuprar. Ele... ele me tocou. Harry.

Ela virou a cabeça para o ombro do marido e soluçou.

— Oh, querida, esse louco não vai mais machucar você. — Embora ele afagasse os cabelos da mulher com carinho, tinha uma expressão de ódio nos olhos. — Você está segura. Ninguém vai machucá-la. Ao diabo com vocês; não veem o que estão fazendo com ela?

— Sr. Morrison. — Ed não sabia bem como começar. A raiva se justificava. Também sentia parte dela, mas tinha consciência de que, como policial, nunca poderia deixá-la impedi-lo de continuar. Apesar disso, decidiu ser direto: — Temos motivos para crer que sua esposa teve muita sorte esta noite. Este homem atacou duas vezes antes, e as outras mulheres não tiveram tanta sorte.

— Ele fez isso antes? — As lágrimas continuavam a correr, mas Mary Beth virou-se para o policial. — Tem certeza?

— Teremos depois que responder a algumas perguntas. — Embora ela respirasse muito rápido, Ed viu que lutava para estabilizar-se.

— Tudo bem, mas eu já contei o que aconteceu aos outros policiais. Não quero reviver mais uma vez tudo isso.

— Não vai ser necessário — tranquilizou-a Ben. — Trabalharia com um desenhista da polícia num retrato falado?

— Eu não o vi muito bem. — Agradecida, ela aceitou de volta o copo das mãos de Tess. — Estava escuro na cozinha e eu tinha tirado minhas lentes de contato. Minha visão é muito ruim. Ele não era muito mais que um borrão.

Haviam mandado as crianças para a casa de uma vizinha tão logo Harry entendera o que acontecera. Agora se sentava ao lado da mulher, o braço ao redor da cintura dela, e acariciava-a com a mão livre até onde alcançava. Sempre soubera que a amava, mas até essa noite não se dera conta de que Mary Beth constituía o começo e o fim de seu mundo.

– Já falamos com a polícia – ele disse quando Ed exibiu a identificação. – Quantas vezes ela terá de responder às mesmas perguntas? Já não passou por sofrimento suficiente?

– Lamento, Sr. Morrison. Faremos todo o possível para facilitar tudo.

– A única coisa que têm de fazer é pegar o canalha. Para isso é que servem os tiras. Para isso vocês são pagos.

– Harry, por favor.

– Desculpe, querida. – Mudou de tom no mesmo instante em que se virou para a mulher. Parecia-lhe mais difícil olhar a equimose no rosto dela que pensar no que poderia ter acontecido. O hematoma era visível e lembrava-lhe que aquilo não fora um pesadelo. – Você não precisa falar mais se não quiser.

– Temos apenas algumas perguntas. – Ben instalou-se numa cadeira, na esperança de que, sentado, fosse menos intimidante. – Acredite, Sr. Morrison, queremos agarrar esse homem. Precisamos de sua ajuda.

– Como diabos se sentiria se fosse a sua mulher? – exigiu saber Harry. – Se soubesse por onde começar, eu mesmo iria atrás dele.

– Esta é minha mulher – Ben falou baixo, indicando Tess com a mão. – E sei exatamente como se sente.

– Sra. Morrison. – Em vez de sentar-se, Tess agachou-se ao lado do sofá. – Talvez se sinta mais à vontade falando comigo. Sou médica.

– Não preciso de médica. – Mary Beth olhou o conhaque, meio surpresa por vê-lo na mão. – Ele ia... ele ia fazer, mas não fez.

– Não a estuprou – disse Tess delicadamente. – Mas isso não significa que não tenha sido violentada e intimidada. Contendo a raiva, o medo, a vergonha... – Viu a última palavra acertar em cheio e esperou apenas um momento. – Conter tudo isso apenas fará mais mal. Exis-

— Vou com vocês. — Antes que Ben pudesse protestar, Tess pôs a mão no braço dele. — Posso ajudar, não apenas a você, mas a vítima. Sei como cuidar disso, e é quase certo que ela se sentirá mais à vontade falando com uma mulher.

— Tess tem razão. — Ed foi até o armário no corredor pegar a arma. Era a primeira vez que Grace o via armado. Ela tentou comparar o homem que prendeu com tanta facilidade o coldre no ombro com o que a carregara no colo pela chuva. — Esta é a primeira mulher com quem ele fez contato e que sabemos que continua viva. Talvez ela se sinta mais à vontade falando com Tess. — Ele vestiu um paletó sobre o coldre no ombro. O demorado e especulativo olhar que Grace lançou para ele e para a arma não passou despercebido. — Sinto muito, Grace, não tenho a mínima ideia de quanto tempo ficaremos lá.

— Eu quero ir. Quero falar com ela.

— Isso não será possível — disse Ed, segurando-a pelos ombros quando ela ia passar por ele. — Não vai ajudar você, e só tornará tudo mais difícil para ela. Grace... — Ela empinou o queixo, obstinada. Ed segurou-o até fazê-la nivelar o olhar com o dele. — A mulher ficou terrivelmente assustada. Pense nisso. Não precisa de mais gente em volta, sobretudo uma pessoa que vai lhe lembrar o que poderia ter acontecido. Mesmo que eu drible as regras, ir lá não iria ajudar.

Ela sabia que ele tinha razão. Detestava saber que ele tinha razão.

— Só vou para casa depois que você voltar e me contar tudo. Quero saber como ele é. Quero uma imagem na minha cabeça.

Ed não gostou do jeito como Grace fez a última declaração. A vingança quase sempre atingia aquele que se agarrava a ela com mais força.

— Direi o que puder. Talvez leve algum tempo.

— Eu o esperarei aqui. — Ela cruzou os braços no peito.

Ed beijou-a e demorou-se um instante.

— Tranque a porta.

MARY BETH NÃO quis tranquilizantes. Sempre tivera medo de pílulas, o que a impedia de tomar qualquer coisa mais forte que aspirina. Agarrava-se, porém, a um copo do conhaque que ela e o marido guardavam para convidados especiais.

— Um macho típico. E isso o torna, nas circunstâncias, um preocupado crônico superprotetor. O que é bom. E amoroso. Também sei que Tess, sendo mulher e com formação psiquiátrica, conseguirá explorar satisfatoriamente isso nos próximos sete meses, uma semana e três dias.

Erguendo a garrafa de vinho, colocou mais um pouco na taça de Ben.

— Obrigado. Acho.

Grace sorriu para ele.

— Gosto de você, detetive Paris.

Ele riu e, curvando-se, tocou a taça na dela.

— Também gosto de você, Gracie. — Ergueu os olhos quando o telefone de Ed tocou. — Enquanto estiver no telefone, veja se tem alguma coisa para comer na cozinha que não seja verde.

— Amém — murmurou Grace dentro da taça. Após olhar para trás, tornou a falar: — Você não vai acreditar no que comi aqui na outra noite. Fundos de alcachofra.

— Por favor. — Ben encolheu-se. — Não enquanto eu respirar.

— Na verdade, não chegou a ser tão ruim quanto imaginei. Ele sempre foi assim? Só come raízes e coisas no gênero?

— Aquele cara não come hambúrguer há anos. É assustador.

— Mas é um amor — acrescentou Grace, e sorriu dentro da taça de um jeito que fez Tess especular.

— Lamento — começou Ed ao voltar. — Recebemos um chamado.

— Santo Deus, não se pode nem comemorar a vinda de um filho?

— É em Montgomery County.

— Além da divisa? O que é que eles querem de nós?

Ed deu uma olhada para Grace.

— Tentativa de estupro. Parece o nosso homem.

— Ai, meu Deus.

Grace levantou-se de um salto e derramou vinho nas mãos.

Tess levantou-se com o marido.

— Ed... e a vítima?

— Abalada, mas bem. Conseguiu pegar uma faca de açougueiro. Com isso e o cachorro da família, ela o rechaçou.

– Um brinde, então. – Grace ergueu a taça em saudação. – Aos novos começos e à continuidade.

Taças tilintaram.

– Então, quando é que você vai pôr alguns móveis aqui? Ben sentou-se na beira do caixote ao lado de Tess. – Não pode viver num canteiro de obra para sempre.

– É uma questão de prioridades. Vou terminar a divisória de gesso do quarto no fim de semana. – Ed tomou um gole do vinho e examinou o parceiro. – O que vai fazer amanhã?

– Ocupado – apressou-se a responder Ben. – Tenho de... ah, limpar a gaveta de legumes da geladeira. Não posso deixar Tess escravizada no trabalho doméstico no estado dela.

– Vou me lembrar disso. – Ela tomou outro gole hesitante do suco. – De qualquer modo, preciso dar uma passada na clínica por umas duas horas amanhã. Posso deixar você na delegacia.

Ben lançou-lhe um olhar irritado.

– Obrigado. Ed, não acha que Tess devia reduzir o ritmo, tirar algum tempo de folga? Pôr os pés para cima?

– Na verdade... – Ed recostou-se confortavelmente num cavalete de serrar madeira. – Mente e corpo ativos tendem a resultar em mãe e bebê mais saudáveis. Estudos iniciados por obstetras nos últimos dez anos indicam que...

– Merda – interrompeu Ben, – Eu fiz uma pergunta simples. E você, Grace? Como mulher, não acha que uma gestante deve ser paparicada?

Sem ligar para a serragem, Grace sentou-se no chão.

– Depende.

– Do quê?

– Depende. Se vai morrer de tédio... Eu morreria. Agora, se a gestante pensasse em participar da Maratona de Boston, isso talvez exigisse alguma discussão. Está pensando nisso, Tess?

– Eu pensava em começar com alguma coisa local primeiro.

– Sensata – concluiu Grace. – Taí uma mulher sensata. Você, por outro lado – disse a Ben – é típico.

– Típico como?

— Você mentiu. É uma mentirosa e vagabunda igual às outras. Por isso vou tratá-la como as outras.

Ele mesmo quase às lágrimas, deu-lhe um forte tapa no rosto com as costas da mão, cortando-lhe o lábio. Foi o gosto do próprio sangue que a reanimou.

Não iria morrer assim, na sua própria cozinha. Não iria deixar o marido e os filhos sozinhos. Gritando, ela enfiou as unhas no rosto daquele louco e, quando ele ganiu, conseguiu abrir a porta. Pretendia correr para salvar a vida, mas Binky decidiu ser um herói.

O cachorro pequeno tinha dentes afiados. Usou-os de forma cruel na batata da perna de Jerald. Uivando de raiva, ele conseguiu chutá-lo para o lado, só que, ao se virar, viu-se tendo de enfrentar a ponta afiada de uma faca de açougueiro.

— Saia da minha casa.

Mary Beth segurava o cabo com as duas mãos. Sentia-se atordoada demais para surpreender-se pelo fato de ter toda a intenção de usá-la se ele desse mais um passo em sua direção.

Binky conseguiu erguer-se. Tão logo sacudiu a cabeça para clareá-la, recomeçou a rosnar.

— Vagabunda — sibilou Jerald ao aproximar-se devagar da porta. Nenhuma delas o ferira antes. O rosto doía, e a perna... sentia o sangue úmido e quente molhar a calça jeans. Iria fazê-la pagar. Fizera todas pagarem. — Putas mentirosas, todas vocês. Eu só queria lhe dar o que você pediu. Seria bom para você. — O gemido que se desprendia de sua voz fez Mary Beth estremecer. Ele parecia um menino mau que quebrara o brinquedo preferido. — Eu ia dar o melhor a você. Da próxima vez, você vai apenas sofrer.

Quando Harry entrou com os filhos em casa, vinte minutos depois, encontrou a mulher sentada à mesa da cozinha, ainda com a faca de açougueiro na mão e vigiando a porta dos fundos.

— Vinho para todos, exceto para a futura mamãe. — Grace distribuía as taças, enquanto Ben as enchia. — Você toma algum tipo de suco. Deus sabe do quê, em se tratando de Ed nunca se sabe.

— Papaia — resmungou o anfitrião, quando Tess cheirou hesitante o copo.

— Você quer ser convencida. Tudo bem. — Embora falasse em voz baixa, a excitação intensificava-se, espalhava-se, cerrando-se apertada ao redor do coração e pressionando com força os pulmões. — Désirée também quis ser convencida. Não me importei. Eu a adorava. Era perfeita. Acho que você também é, mas preciso ter certeza. Vou tirar suas roupas, tocar você. — Quando ele transferiu a mão da garganta ao seio, Mary Beth aspirou fundo o ar para gritar. — Não faça isso. — A voz tornou a mudar, desprendendo agora um lamento muito mais assustador que quando ele dava ordens. — Não quero que grite. Não é o que desejo, e vou machucá-la se gritar. Gostei de ouvir Roxanne gritar, mas você, não. Ela era uma prostituta, entende?

— Sim. — Mary Beth teria dito qualquer coisa que ele quisesse ouvir. — Sim, entendo.

— Mas você não é prostituta. Você e Désirée são diferentes. Eu soube assim que ouvi sua voz. — Embora se acalmasse mais uma vez, estava com o membro enrijecido como uma pedra, queria livrar-se da calça jeans. — Agora, quero que converse comigo enquanto faço isso. Converse comigo como fazia antes.

— Não sei do que você está falando. — Mary Beth sentiu vontade de vomitar quando Jerald apertou o corpo no dela. Meu Deus, ele não podia estar fazendo aquilo. Não podia ser verdade. Ela queria Harry. Queria os filhos. Queria que tudo terminasse. — Eu não o conheço. Está cometendo um erro.

O louco enfiou-lhe a mão entre as pernas. Gostou do jeito como ela se sacudiu e choramingou. Tudo certo, estava pronta para ele, macia e pronta.

— Vai ser diferente desta vez. Quero que me mostre coisas, faça coisas, e depois, quando eu chegar ao fim, será ainda melhor do que com as outras. Me toque, Mary Beth. As outras não me tocaram.

Ela chorava agora e se detestava por isso. Era a sua casa, seu lar, e não devia ser violada daquela forma. Forçou-se a segurá-lo e esperou até ouvi-lo gemer. Levada pelo desespero, golpeou o cotovelo na barriga dele e correu. Ele agarrou-a pelos cabelos com um perverso salto quando ela fechou a mão sobre a maçaneta. Tão logo Jerald fez isso, Mary Beth soube que ele iria matá-la.

Cheirava a madressilva. Ele lembrou que ela falara em fazer amor longo e demorado num prado. Enquanto a olhava, quase via os trevos.

Queria abraçá-la, deixá-la proporcionar-lhe todas as coisas gostosas e delicadas que prometera. Depois queria retribuir-lhe com a melhor de todas. A derradeira.

– O que é que você quer?

Embora ela visse pouco mais que uma sombra, isso bastou para fazer-lhe o coração quase sair pela boca.

– Tudo que você prometeu, Mary Beth.
– Eu não o conheço.

Fique calma, ordenou a si mesma. Se ele viera roubar a casa, podia levar o que quisesse. Ela mesma entregaria os longos cálices de cristal da avó. Graças a Deus, as crianças não estavam em casa. Graças a Deus, estavam seguras. Os Feldspar haviam sido roubados no ano anterior, e levaram meses para resolver tudo com o seguro. Fazia quanto tempo que Harry saíra? Os pensamentos embolavam-se em sequência, enquanto ela tentava manter-se firme.

– Sim, conhece. Tem falado comigo, na verdade apenas comigo, todas essas noites. Agora podemos finalmente ficar juntos. – Ele se encaminhava para ela. – Vou lhe dar mais do que pode imaginar. Sei como.

– Meu marido já vai voltar.

Ele apenas continuou a sorrir, os olhos sem expressão e os lábios curvos.

– Quero que me dispa como prometeu. – Tomou-lhe os cabelos nas mãos. Não para machucá-la, apenas para ser firme. As mulheres gostavam que os homens fossem firmes, sobretudo as delicadas e de voz meiga. – Agora, Mary Beth. Tire as roupas, devagar. Depois quero que me toque em todo lugar. Faça todas aquelas coisas gostosas em mim, Mary Beth. Todas aquelas coisas gostosas e delicadas que prometeu.

Era apenas uma criança. Não era? Ela tentou concentrar-se naquele rosto, mas a cozinha estava escura e sua visão, pouco clara.

– Não posso. Você não quer fazer isso. Apenas vá embora, e eu...

As palavras foram interrompidas quando ele puxou os cabelos dela com força. Ela encolheu-se de medo quando o louco lhe cobriu a garganta com a mão livre.

pé sobre o precipício, era o que fazia na verdade a vida valer a pena. Devia ter compreendido antes. Era como ser um semideus, um dos mitos gregos com pai imortal e mãe mortal. Heroico, brutal e abençoado. Exatamente como se sentia. O pai tão poderoso, tão onividente, tão intocável. A mãe linda... e imperfeita. Por isso, como filho dos dois, conhecia o poder e sentia medo. Uma combinação incrível. E por tudo isso também sentia tanta pena e desdém pelos meros mortais. Atravessavam a vida às cegas, jamais percebiam a estreita proximidade com que caminhavam ao lado da morte, nem a facilidade com que ele podia apressar o ritmo dela.

Tornava-se a cada dia mais parecido com o pai, pensou. Mais onividente e mais onisciente. Logo não precisaria mais do computador para mostrar-lhe o caminho. Simplesmente saberia.

Umedecendo os lábios, espiou pela fresta da porta. Não contara com um cachorro. Via-o, recuado num canto da cozinha, rosnando. Teria de matá-lo, claro. Os dentes brilharam no escuro um instante tão logo ele pensou nisso. Achava uma pena não poder fazê-lo sem pressa, passar pela experiência completa. Abriu mais um pouco a porta e ia transpô-la quando a ouviu.

– Ai, em nome de Deus, Binky, já chega. Você vai fazer o Sr. Carlyse reclamar de novo. – Deslocando-se mais por memória que por visão, Mary Beth encaminhou-se para a porta dos fundos sem se dar o trabalho de acender as luzes. – Venha, já para fora.

De seu canto, Binky continuou a vigiar a porta da garagem e rosnou.

– Escute, não tenho tempo para isso. Quero terminar as contas. – Ela aproximou-se e pegou o cachorro pela coleira. – Fora, Binky. Não acredito que você fique tão exaltado por causa de uma gatinha tola. Vai se acostumar com ela.

Puxou o cachorro até a porta e deu-lhe um empurrão não muito delicado. A indulgente risada travou-lhe na garganta quando ela se virou.

Mary Beth era tudo que Jerald soubera que seria. Meiga, afetuosa e compreensiva. Estava esperando-o, claro. Chegara até a pôr o cachorro para fora, a fim de que não fossem incomodados. Como estava bonita com aqueles grandes olhos assustados e os altos seios redondos.

Passados dez minutos, a casa ficou vazia. Abraçando o silêncio para si por um instante, Mary Beth sentou-se mais uma vez à mesa. Havia programado uma faxina para o dia seguinte, mas no momento não ia nem olhar a bagunça que as crianças haviam deixado para trás.

Tinha tudo que queria: um marido amoroso, filhos que a faziam rir, uma casa de muita personalidade e, com grande esperança, um Chevy cujo motor não falhasse. Debruçando-se sobre o livro de contabilidade, recomeçou a trabalhar.

Meia hora depois, lembrou-se do conselho de Harry sobre as lentes de contato. Haviam sido sua única verdadeira satisfação pessoal. Detestava óculos, detestava-os desde que pusera o primeiro, aos 8 anos. Usara lentes de fundo de garrafa no ensino médio e, de vez em quando, passara vergonha andando às cegas pelos corredores porque se recusava a colocá-los. Como era o tipo de pessoa que sabia o que queria e como consegui-lo, arranjara um emprego de verão no penúltimo ano escolar e gastara tudo nas lentes de contato. Desde aquela época, habituara-se a colocá-las ao acordar e só tirá-las quando se deitava.

Como a leitura ou o trabalho de contabilidade faziam-lhe os olhos doerem após algumas horas, tirava-as muitas vezes, e depois, de nariz colado na página, terminava o trabalho. Com um pequeno grunhido de reclamação, levantou-se e foi ao andar de cima retirá-las por aquela noite.

Como em tudo, Mary Beth era conscienciosa. Limpou as lentes, mergulhou-as em nova solução e deixou-as de molho. Pelo fato de Pat gostar de fuçar nas gavetas de cosméticos à procura de batom, a mãe guardava o estojo na prateleira de cima do armário de remédios. Inclinando-se mais para perto do espelho do banheiro, pensou em retocar a maquiagem. Havia alguns dias, ela e Harry não encontravam tempo para fazer amor. Mas esta noite, se conseguissem enfiar todos os filhos na cama...

Com um sorriso, Mary Beth esticou o braço e pegou o batom. Quando o cachorro começou a latir, ela o ignorou. Se Binky precisava sair, teria de segurar a bexiga um instante.

Jerald empurrou a porta que conduzia da garagem à cozinha. Não vinha se sentindo bem nos últimos dias. Essa sensação nervosa, de um

– Só um pouco.

Ele deu uma olhada nos números.

– Eu podia dar uma mãozinha.

Mary Beth registrava os números sem erguer os olhos.

– Obrigada, mas na última vez que você me ajudou levei seis meses para nos colocar de novo nos trilhos.

– Pode ofender. – O marido despenteou-lhe os cabelos. – Eu só me importaria se não fosse verdade. – E voltou-se para o filho: – Jonas, você está abusando da sorte.

– Ele leva os jogos muito a sério – murmurou Mary Beth. – Igual ao pai.

– Os jogos são sérios. – Harry curvou-se de novo para sussurrar-lhe no ouvido: – Quer brincar?

Ela riu. Embora fosse um homem que conhecia há mais de vinte anos, ainda fazia seu coração bater mais forte.

– Nesse ritmo, só terei terminado por volta da meia-noite.

– Ajudaria se eu saísse com as crianças por algum tempo?

Ela ergueu a cabeça e sorriu.

– Você leu os meus pensamentos. Se eu tivesse uma hora de silêncio ininterrupto, talvez conseguisse calcular como espremer o dinheiro para aqueles pneus novos.

– Não precisa dizer mais nada. – Curvou-se e beijou-a. Sentado no chão, Jonas revirou os olhos. Os pais viviam aos beijos. – Faça a si mesma um favor e tire essas lentes de contato. Já está com elas desde cedo e de novo ficou com elas por tempo demais.

– Você tem razão. Obrigada, Harry, talvez esteja salvando minha sanidade.

– Gosto de você louquinha. – O marido tornou a beijá-la e ergueu as mãos. – Todos aí a fim de um passeio de carro e sundaes com calda derretida reunidos na garagem em dois minutos.

Começou a correria desabalada no mesmo instante. Peças de jogos espalhadas foram catadas e os sapatos, calçados. Binky irrompeu numa profusão de latidos até a gatinha rechaçá-lo para fora da sala. Mary Beth lembrou a Jonas que escovasse os dentes. Embora ele não o fizesse, era importante que insistisse.

Se Mary Beth não estivesse tentando descobrir como reduzir o orçamento mensal, poderia ter deixado que a discussão seguisse o curso normal.

— Talvez seja melhor vocês guardarem o jogo e irem para seus quartos.

O brando comentário teve o efeito desejado. As duas crianças acalmaram-se. A caçula da família, Pat Frescura, como as outras crianças gostavam de chamá-la, aproximou-se para pedir à mãe que lhe ajeitasse a fita nos cabelos. Aos 5 anos, Patricia era toda feminina. Mary Beth largou as contas para mexer no laço. O filho de 6 anos esforçava-se ao máximo para instigar outra batalha entre o irmão e a irmã mais velhos, enquanto disputavam a conquista do mundo. Após algum tempo, Jonas e Lori viraram-se contra ele. A tevê estava nas alturas e a gatinha que tinham acabado de adquirir ocupava-se em sibilar para Binky, o velho cocker spaniel da família. Em suma, uma típica noite de sexta-feira na casa dos Morrison.

— Acho que consertei o Chevy. Precisava de tempo, só isso. — Harry entrou na sala esfregando as mãos num pano de prato.

Mary Beth pensou um instante na frequência com que lhe pedia para não deixar panos da cozinha espalhados pela casa, e ergueu o rosto para o beijo do marido. O perfume da loção que lhe dera no aniversário perdurava nas faces recém-barbeadas.

— Meu herói. Detestei a ideia de enguiçar a caminho da venda beneficente de bolos e doces no domingo.

— Agora ele está só fazendo um barulhinho suave. Baixe o som, Jonas. — Enquanto falava, o pai ergueu Pat no colo para um abraço. — Por que não o levamos para fazer um teste?

Mary Beth afastou-se da mesa. Era tentadora a ideia de sair de casa por uma hora, talvez pudessem dar uma parada para um sorvete ou satisfazer os filhos numa rodada de golfe para crianças. Então tornou a olhar as contas.

— Preciso resolver isso para poder fazer um depósito no caixa automático amanhã de manhã.

— Você parece cansada.

Harry deu um beijo na bochecha de Pat e largou-a de novo no chão.

– Todo mundo diz que entende, mas não entende. – Quando Ben a abraçou, ela se manteve ali. – Só sabemos o que é perder uma parte de nós depois que acontece. Não há nada que nos prepare para isso, sabe? Nem depois, depois de cuidar de todos os detalhes. E o pior é não conseguir fazer nada. Quanto tempo... quanto tempo você levou para superar?

– Eu lhe digo quando isso acontecer.

Ela concordou e apoiou a cabeça no ombro dele por mais um instante.

– Só se pode seguir em frente?

– Isso mesmo. Depois de algum tempo, a gente deixa de pensar nisso todo dia. Então acontece uma coisa como Tess em minha vida. Você consegue seguir em frente. Não consegue esquecer, mas consegue seguir em frente.

Grace afastou-se para enxugar as lágrimas nas faces com as mãos.

– Obrigada.

– Você vai ficar bem?

– Mais cedo ou mais tarde. – Ela fungou uma vez e conseguiu dar um sorriso. – Mais cedo, espero. Vamos levar isso de volta. Esta noite temos de comemorar a vida.

11

Mary Beth Morrison debruçava-se sobre o orçamento mensal e prestava atenção aos dois filhos mais velhos que brigavam ao redor de um tabuleiro de jogo. Os meninos estavam agitados, pensou, e tentou descobrir se eles haviam se excedido nas guloseimas.

– Jonas, se vai ficar tão contrariado quando Lori se apropriar do seu território, não devia jogar.

– Ela trapaceia – queixou-se Jonas. – Sempre trapaceia.

– Não trapaceio.

– Trapaceia, sim.

Nunca pensei em ter uma família. Então, de repente, lá estava Tess. Tudo mudou.

Grace fitou a garrafa e começou a retirar a rolha.

– É engraçado como a família pode manter tudo coeso.

– É. – Após arrumar as taças, Ben pôs a mão no ombro dela. – Como você está?

– Melhor, na maior parte do tempo, melhor. O mais difícil é acreditar que ela se foi e não vou vê-la nunca mais.

– Eu sei como se sente. Sei mesmo – ele disse ao sentir o instantâneo retraimento dela. – Perdi meu irmão.

Após arrancar a rolha, Grace obrigou-se a olhá-lo. Também viu bondade em seus olhos. Embora ele fosse mais intenso que Ed, mais agitado e cheio de energia, a bondade estava presente.

– Como lidou com isso?

– Muito mal. Tudo na vida caía aos pés de meu irmão, e eu era louco por ele. Não vivíamos de acordo em relação a muitas coisas, mas éramos muito unidos. Ele embarcou direto para o Vietnã ao sair do ensino médio.

– Sinto muito. Deve ser horrível perder na guerra alguém que a gente ama.

– Ele não morreu no Vietnã, apenas as melhores partes desapareceram. – Ben pegou a garrafa e começou a servir o vinho. – Voltou uma pessoa diferente, retraído, ressentido, perdido. Recorreu às drogas para apagar tudo, obscurecer tudo na mente, mas não ajudou. – Percebeu que ela pensava na irmã e nos frascos de tranquilizantes estocados em toda a casa. – É difícil não culpá-los por escolherem um caminho fácil.

– É, sim. O que aconteceu com ele?

– No fim, não conseguiu suportar mais. Então optou por cair fora.

– Sinto muito. Sinto muito mesmo. – As lágrimas mais uma vez afloraram, as que ela conseguira reprimir durante dias. – Eu não quero essa saída.

– Não. – Ele também entendia. – Mas às vezes é melhor depois que se faz.

batidas à porta do andar de baixo fizeram-na cerrar os olhos de frustração. — Parece que temos companhia.

— É. Com sorte eu me livro de quem quer que seja em cinco minutos.

Grace arqueou as sobrancelhas. A aspereza na voz dele agradou-a e lisonjeou-a.

— Detetive, este poderia ser seu dia de sorte.

Ela tomou-lhe a mão para descerem juntos. Tão logo Ed abriu a porta, Ben empurrou Tess para dentro.

— Santo Deus, Ed, não sabe que as pessoas podem se afogar aqui fora? O que é que você... — Viu Grace. — Oh. Oi.

— Oi. Relaxe. Estávamos brincando com paredes de gesso. Olá, Tess. Que bom ver você. Não tive chance de lhe agradecer.

— Não há de quê. — Tess ergueu-se na ponta dos pés e puxou Ed para um beijo. — Desculpe, Ed. Eu disse a Ben que devíamos ligar antes.

— Não tem problema. Sente-se.

— Claro, pegue um engradado. — Ben acomodou a esposa numa caixa de mudança e ergueu uma garrafa de vinho. — Você tem taças, não?

Ed pegou a garrafa e ergueu as duas sobrancelhas.

— Qual é a ocasião? Você em geral traz uma cerveja e bebe tudo sozinho.

— Isso que é gratidão, parceiro, sobretudo agora que o tornamos padrinho. — Ben tomou a mão de Tess e ergueu-a nas dele. — Em sete meses, uma semana e três dias. Mais ou menos.

— Um bebê? Vocês vão ter um bebê? — Ed passou o braço em volta de Ben e apertou-o. — Belo início de partida, parceiro. — Pegou a mão livre de Tess quase como se fosse medir-lhe o pulso. — Você está bem?

— Ótima. Ben quase desmaiou, mas eu me sinto ótima.

— Não quase desmaiei. Talvez tenha balbuciado durante uns dois minutos, mas não desabei. Vou pegar as taças. Cuide para que ela fique sentada, sim? — ele pediu a Ed.

— Eu o ajudo. — Grace pegou o vinho de Ed e seguiu Ben até a cozinha. — Você deve estar se sentindo no topo do mundo.

— Acho que ainda não assimilei. Uma família. — Ben começou a inspecionar os armários, enquanto Grace achou um saca-rolha. —

– Então por que não está construindo apartamentos de condomínio com seu tio? Você gosta de construir.

– Isso me relaxa. – Assim como uma música de Mede Haggard que tocava no rádio agora o relaxava. – Se fizesse isso todo dia, ficaria entediado.

Ela prendeu a língua entre os dentes enquanto botava massa numa junção.

– Você está falando com alguém que sabe até que ponto pode ser tedioso o trabalho policial.

– É um quebra-cabeça. Já montou quebra-cabeças quando era garota? Os grandes, de 2.500 peças?

– Claro. Após duas horas, trapaceava. Deixava todos loucos quando descobriam que eu havia quebrado a ponta de uma peça para fazê-la se encaixar.

– Eu passava dias num e nunca perdia o interesse. Sempre trabalhava da borda para o centro. Quanto mais peças a gente encaixa, maiores os detalhes; quanto mais detalhes, mais próximo da imagem completa.

Ela parou um instante, porque entendeu.

– Nunca sentiu vontade de ir direto ao centro e mandar os detalhes às favas?

– Não. Se você faz isso, acaba sempre procurando as pontas soltas, aquela peça enganadora que une tudo e torna a coisa certa. – Após martelar o último prego, Ed recuou para ter certeza de que fizera o trabalho direito. – É uma tremenda satisfação quando a gente encaixa a última peça e vê a imagem completa. Esse cara que procuramos agora... apenas ainda não temos todas as peças. Mas teremos. Assim que tivermos, vamos misturar todas até tudo se encaixar.

– Sempre se encaixam?

Ele olhou-a então. Tinha um pouco da maldita mistura no rosto e uma expressão muito séria. Ele esfregou o polegar no rosto dela para tirar a mancha.

– Mais cedo ou mais tarde. – Largou a ferramenta e emoldurou aquele rosto nas mãos. – Confie em mim.

– Eu confio. – Olhos bondosos, mãos fortes. Ela curvou-se mais para perto. Queria mais que conforto, precisava de mais. – Ed... – As

Ela escutou por um momento. Não era o tipo de música que teria escolhido, mas tinha uma determinação que a agradava.

— Não fizeram um filme sobre ela? Claro que sim. Morreu num desastre de avião na década de 1960. — Prestou atenção de novo. A música soava tão cheia de vida, tão vital! Não sabia se lhe dava vontade de sorrir ou chorar. — Acho que esse é outro motivo que me fez querer escrever. Deixar alguma coisa. Uma história é como uma música. Sobrevive à gente. Acho que tenho pensado mais nisso ultimamente. Você já pensou alguma vez em deixar uma coisa que dure?

— Claro. — Também mais recentemente, pensou, embora por diferentes razões. — Bisnetos.

A resposta a fez rir. Sujou de massa o punho do suéter, mas não se preocupou em limpá-la.

— É bem legal. Acho que pensaria assim, vindo de uma família grande.

— Como sabe que tenho uma família grande?

— Sua mãe comentou. Dois irmãos e uma irmã. Os irmãos são casados, embora Tom e... — ela precisou pensar um instante — Scott sejam mais novos que você. Tem, deixe-me ver, acho que são três sobrinhos, o que me fez pensar nos trigêmeos do Pato Donald: Huguinho, Zezinho e Luizinho... sem querer ofender.

Ele só pôde balançar a cabeça.

— Você nunca esquece nada?

— Nunca. Sua mãe continua desejando uma neta, mas ninguém tem cooperado. Ainda tem a esperança de você abandonar as ruas e se juntar ao seu tio na construtora.

Pouco à vontade, ele pegou um arremate de quina e começou a martelá-lo.

— Parece que tiveram uma conversa e tanto.

— Ela quis fazer um teste comigo, lembra? — Ele enrubesceu, apenas um pouco, mas o suficiente para fazê-la querer abraçá-lo. — De qualquer modo, as pessoas vivem me contando detalhes íntimos de suas vidas. Eu nunca soube por quê.

— Porque você escuta.

Grace sorriu, considerando isso um dos maiores elogios.

uma lixada. O tempo extra que exigiu não o incomodou. Na certa, era uma tolice, mas só tê-la ali já o fazia trabalhar mais rápido.

– Vai ser um quarto e tanto. – Grace deu uma coçada no queixo com as costas da mão. – Gosto mesmo do jeito como modela isso em forma de um pequeno L. Todo quarto civilizado deve ter uma sala de estar.

Ele queria que ela gostasse. Na mente, já conseguia vê-lo concluído, até as cortinas na janela, de *voile* azul, com largas tiras pregueadas prendendo as laterais fofas.

– Estou pensando em pôr duas claraboias.

– É mesmo? – Grace foi até a cama, sentou-se e inclinou o pescoço. – Você pode se deitar aqui e olhar as estrelas. Numa noite como esta, a chuva. – Seria gostoso, pensou, ao erguer os olhos para o teto inacabado. Seria adorável dormir ou fazer amor, ou apenas devanear sob o vidro. – Se decidisse levar esse ofício para Nova York, ganharia uma fortuna reformando sótãos.

– Sente saudades?

Em vez de olhá-la, Ed ocupou-se com a medição de uma junta.

– De Nova York? Às vezes. – Menos do que esperara, ela percebeu. – Sabe o que ficaria bem aqui? Um banco sob a moldura da janela. – Empoleirada na cama, apontou uma à direita. – Quando eu era menina, sempre imaginei como seria maravilhoso ter um assento sob a janela, onde pudesse me enroscar e sonhar. – Levantou-se e abriu e fechou os braços. Era estranha a rapidez com que os músculos ociosos ficavam doloridos. – Passava quase o dia todo escondida no sótão e sonhava.

– Sempre quis escrever?

Grace mergulhou a mão mais uma vez no balde de massa.

– Eu gostava de mentir. – Riu e passou a mistura cor de lama sobre a cabeça de um prego. – Não grandes mentiras, mas inteligentes. Livrava-me das confusões inventando histórias, e os adultos em geral se divertiam o suficiente para atenuar o castigo pelas minhas traquinagens. – Calou-se por um instante. Não queria lembrar os tempos difíceis. – Quem está cantando?

– Patsy Cline.

– Nós vamos encontrá-lo, Grace.

Ela examinou-o quando o vapor começou a disparar pelo bico da chaleira.

– Eu sei. Acho que não aguentaria continuar a fazer as coisas comuns, pensar no que farei amanhã, se não soubesse. – Sorveu uma longa e firme tragada. Pensava em outra coisa que não podia ser evitada. – Ele não terminou ainda, terminou?

Afastando-se, Ed mediu o chá.

– É difícil saber.

– Não, não é. Seja franco comigo, Ed. Não gosto de ser protegida.

Ele queria proteger, não apenas por ser sua vocação, mas por ser Grace. E, por ser ela, não podia proteger.

– Não creio que tenha terminado.

A escritora assentiu com a cabeça e indicou com um gesto a chaleira.

– É melhor você preparar isso antes que a água seque. – Enquanto Ed pegava as canecas, Grace pensou no que fizera naquele dia. Devia contar-lhe. A pontada na consciência foi aguda e impaciente. Difícil de ignorar. Contaria, lembrou a si mesma. Tão logo fosse tarde demais para ele fazer alguma coisa a fim de impedi-la. Aproximou-se para bisbilhotar a geladeira. – Imagino que não tenha cachorro-quente.

Ele lançou-lhe um olhar de tão genuína preocupação que a fez morder o lábio.

– Você come mesmo isso?

– Não.

Ela fechou a porta e desejou que tivesse manteiga de amendoim.

Trabalhavam bem juntos. Grace eliminou a maioria das lascas ao fazer uma experiência com o martelo. Precisara primeiro discutir com Ed, cuja ideia de deixá-la ajudar fora sentá-la numa cadeira para ela poder olhar. Ele acabou cedendo, mas manteve um olho de lince nela. Não tanto por temer que estragasse, embora fosse em parte isso. Era mais por recear que se machucasse. Bastou-lhe apenas uma hora para perceber que, tão logo se obstinava num projeto, Grace trabalhava como uma profissional. Talvez tivesse sido meio negligente no acabamento da massa nas juntas, mas ele imaginou que ficaria nivelado com

Enquanto a chuva caía incessantemente, ele colou mais uma vez a boca na dela. Doce, e muito mais doce ao ouvir o suspiro murmurado. Grace tinha o rosto molhado em qualquer lugar que ele tocava com os lábios. Frio e molhado. Parecia não pesar nada, poderia segurá-la ali durante horas. Então ele a sentiu tremer de frio e puxou-a mais para perto.

– Estou ficando encharcado.

Ele lançou-se numa corrida até a porta dos fundos e, logo arrependido, largou-a ao lado para pegar as chaves. Grace entrou e sacudiu-se como o cachorro da família.

– Está quente. Gosto de chuva quente. – Passou as mãos pelos cabelos, que saltaram na indomável desordem que lhe caía tão bem. – Sei que vou estragar o clima, mas esperava que você tivesse mais alguma coisa a me dizer.

Não o estragou, porque era esperado.

– A investigação tem andado devagar, Grace. A única pista que tínhamos era um beco sem saída.

– Tem certeza de que o álibi do filho do senador se sustenta?

– Como uma pedra. – Ele pôs uma chaleira no fogo para o chá. – O garoto estava no meio da primeira fila no Kennedy Center na noite em que Kathleen foi assassinada. Tinha os canhotos do ingresso, a palavra da namorada e mais uma dezena de testemunhas que o viram lá.

– Podia ter escapulido sem ninguém ver.

– Não havia tempo suficiente. No intervalo, às 21h15, ele tomou um refrigerante no saguão. Sinto muito.

Ela balançou a cabeça. Recostando-se na bancada, pegou um cigarro.

– Sabe o que é terrível? Eu me pegar desejando que esse garoto que nunca vi seja culpado. Não paro de desejar que esse álibi vá desmoronar e que ele seja preso. E nem o conheço.

– É humano. Você só espera com ansiedade que chegue ao fim.

– Não sei mais o que espero. – Grace deixou escapar um suspiro. Não gostou do som frágil e queixoso. – Também quis que fosse Jonathan, *porque* o conhecia, porque... deixa para lá – decidiu, ao acender o isqueiro. – Não foi nenhum dos dois.

– Eu dou uma mãozinha.

Como ele parecia disposto, Grace tirou de bom grado a mão do cortador e cedeu.

– Conheci Ida hoje – ela começou, quando saíram com a máquina ruidosa até os fundos da casa.

– Segunda casa adiante?

– Acho que sim. Ela deve ter me visto aqui no quintal; apareceu, com cheiro de gato.

– Não me surpreende.

– De qualquer modo, queria me informar que tinha sentido muito boas vibrações em mim. – Grace pegou uma lona quando ele colocou o cortador no canto da casa. – Desejava saber se eu já tinha estado em Shiloh... a batalha.

– E o que você respondeu?

– Não quis decepcionar a velhinha. – Após estender a lona sobre o cortador, Grace flexionou os ombros. – Disse que fui atingida por uma bala ianque na perna. E que até hoje, de vez em quando, manco ao andar. Ela ficou satisfeita. Você tem planos para esta noite?

Ele aprendia a entrelaçar as ideias com as dela.

– Paredes de gesso cartonado.

– Paredes de gesso? Ah, aquela coisa medonha cinzenta, certo? Posso dar uma mãozinha?

– Se quiser.

– Tem alguma comida de verdade lá?

– É provável que eu possa desenterrar algo.

Lembrando-se do aspargo, Grace o deteve literalmente:

– Espere um instante. – Saiu correndo até a cozinha, assim que começaram a pingar as primeiras gotas de chuva. Tornou a voltar correndo, com um saco de batata frita. – Rações de emergência. Corra. – Antes que ele pudesse concordar, ela disparou numa corrida contra a morte, divertindo-o pela agilidade com que transpôs a cerca com um salto. Ed alcançou-a a 3 metros da porta dos fundos e surpreendeu os dois arrebatando-a nos braços. Rindo, ela beijou-o com força e rapidez. – Você tem os pés rápidos, Jackson.

– Eu me exercito perseguindo bandidos.

alheia à presença dele. Permitia-lhe ficar ali parado e imaginar como seria voltar para casa todo dia e encontrá-la à sua espera.

O nó apertado de raiva que vinha trazendo consigo se afrouxou. Encaminhou-se em direção à amada.

Com o clássico Chuck Berry tocando estrondoso nos ouvidos, Grace deu um salto quando Ed lhe tocou o ombro. Segurou o cortador de grama com apenas uma das mãos, levou a outra ao coração, ergueu a cabeça e sorriu. Viu a boca do detetive mover-se junto com a música "Maybelline", que dançava na cabeça dela. O sorriso transformou-se numa expressão radiante. Agradava-a tanto olhá-lo, aqueles olhos meigos, até delicados, no rosto forte. Ed daria um perfeito Homem da Montanha, concluiu, morando sozinho, subsistindo da terra. E os índios confiariam nele, porque seus olhos não mentiam.

Talvez devesse fazer uma experiência na composição de um faroeste – alguma coisa com um grupo de civis e um xerife de barba ruiva, bom de montaria e tiro certeiro para manter a ordem na cidade.

Após um momento, Ed abaixou os fones de ouvido e deixou o aro pendurado no pescoço dela. Grace ergueu o braço para tocar-lhe a barba.

– Oi. Não ouvi uma palavra sequer do que você disse.

– Eu notei. Sabe, não devia tocar essa coisa tão alto assim. Faz mal aos ouvidos.

– Rock só é bom alto. – Ela baixou a mão até o quadril e desligou o aparelho. – Chegou mais cedo hoje?

– Não. – Como os dois gritavam acima do barulho do cortador de grama, ele apertou o interruptor para desativá-lo. – Você não vai conseguir terminar isso antes da chuva.

– Chuva? – Surpresa, ela ergueu os olhos para o céu. – Quando isso aconteceu?

Ele riu e esqueceu as desgastantes horas passadas no tribunal.

– Você sempre fica alheia ao que acontece a seu redor?

– Com a maior frequência possível. – Grace conferiu mais uma vez o céu. – Bem, posso terminar o resto amanhã.

– Eu cuido disso para você. Vou tirar o dia de folga amanhã.

– Obrigada, mas você já tem muito que fazer. É melhor eu guardar essa coisa de volta lá nos fundos.

duvidara da culpa do réu. Havia as provas, o motivo e a oportunidade para confirmar. Ele e Ben haviam reunido tudo e entregado ao promotor público.

Embora a imprensa houvesse feito o maior estardalhaço sobre o crime, fora uma investigação muito simples. O homem matara a esposa, mais velha e rica, depois bagunçara tudo para fazer parecer um assalto. O primeiro júri deliberara em menos de seis horas e retornara com o veredicto de culpado. A lei dizia que o réu tinha direito a uma apelação, e que a justiça seria protelada. Agora, dois anos depois, consideravam o homem que tirara de propósito a vida da mulher a quem prometera amar, honrar e cuidar uma vítima das circunstâncias.

Ed sabia que o assassino tinha uma boa chance de ficar impune. Em dias assim, perguntava-se por que se dava o trabalho de pegar o distintivo toda manhã. Enfrentava as montanhas de papelada sem se queixar de quase nada. Punha a vida em risco para proteger a sociedade. Passava horas em vigilâncias policiais no pior do inverno ou no auge do verão. Tudo isso fazia parte do trabalho policial. Mas começava a tornar-se cada vez mais difícil aceitar as distorções que encontrava nos tribunais da lei.

Passaria a noite erguendo paredes de gesso cartonado, medindo, cortando e martelando até esquecer que, por mais afinco com que trabalhasse, perderia o mesmo número de vezes que ganharia.

Nuvens formavam-se no oeste, prometendo uma noite chuvosa. As plantas precisavam disso, ali e na pequena horta que ele cultivava num jardim comunitário a uns 4 quilômetros de distância. Esperava ter tempo durante o fim de semana para checar as abobrinhas. Ao descer do carro, ouviu o constante zumbido de um cortador de grama. Espiou e viu Grace abrindo uma trilha de um lado a outro no gramado do pequeno jardim defronte à casa da irmã.

Estava tão bonita! Toda vez que a via, ele sentia-se contente apenas em olhar. A leve brisa que ajudava a acumular as nuvens soprava os cabelos dela e os faziam dançar de forma desordenada ao redor do rosto. Usava fones de ouvido presos a um walkman que enganchara na cintura da calça jeans.

Ed pretendera cuidar do gramado para ela, mas agora se alegrava por não ter tido a oportunidade. Dava-lhe a chance de vê-la trabalhar,

seu negócio. Kathleen me explicou, portanto não há a menor necessidade de entrar de novo em todos os pormenores. Quero que me diga uma coisa: algum dos homens que usam o serviço já veio aqui?

– Não. – Eileen massageou a área um pouco acima dos olhos devido a uma dor de cabeça. Não conseguia livrar-se completamente dela desde que lera sobre a morte de Mary Grice nos jornais. – Não damos nosso endereço aos clientes. Claro, seria possível alguém muito determinado conseguir nos encontrar, mas não há motivo algum para isso. Fazemos uma triagem de todas as funcionárias em potencial antes de darmos o endereço para a entrevista pessoal. Somos muito cuidadosos, Srta. McCabe. Quero que entenda isso.

– Alguém ligou fazendo perguntas sobre Kathy... sobre Désirée?

– Não. E se tivesse ligado, não teria obtido nenhuma resposta. Com licença – ela se apressou a dizer quando o telefone tocou.

Grace tomou um gole do café e prestou atenção com meio ouvido. Por que fora ali? Sabia que iria obter poucas informações, ou nenhuma, que a polícia já não tivesse. Alguns detalhes que faltavam, alguns fragmentos; ela procurava no escuro. Mas o lugar era aquele. Aquele escritório minúsculo, despretensioso, representava a chave. Bastava descobrir a forma de girá-la.

– Lamento, Sr. Peterson, Jezebel não está trabalhando hoje. Gostaria de conversar com outra pessoa? – Enquanto falava, Eileen apertou algumas teclas e depois leu a tela do monitor. – Se o senhor tinha alguma coisa específica em mente... Entendo. Acho que gostará de falar com Magda. Sim, está. Tenho certeza de que ficará satisfeita em ajudá-lo. Tomarei as providências. – Quando desligou, lançou a Grace um olhar nervoso. – Desculpe, isso vai levar alguns minutos.

– Tudo bem. Esperarei até você terminar.

Grace ergueu a caneca de novo. Teve uma nova ideia que pretendia pôr logo em prática. Sorriu para Eileen quando ela desligou o telefone.

– Diga-me, o que devo fazer para conseguir um trabalho aqui?

ED NÃO ESTAVA NO melhor dos humores quando parou na sua garagem. Passara quase o dia todo esperando impaciente a hora de depor na apelação de um caso no qual trabalhara dois anos antes. Nunca

— Boa tarde. Posso ajudá-la?

— Sou Grace McCabe.

Eileen levou um instante para situar o nome. De suéter largo vermelho, calça preta colante e botas de pele de cobra, não parecia mais a irmã enlutada na foto do jornal.

— Sim, Srta. McCabe. Todos nós sentimos muito por Kathleen.

— Obrigada. — Grace viu, pela tensão nos dedos da empresária, que ela se preparava para um ataque. Talvez fosse melhor deixar a mulher nervosa e vigilante. Não teve o menor escrúpulo quanto a intensificar a culpa: — Ao que tudo indica, sua empresa foi o catalisador da morte de minha irmã.

— Srta. McCabe. — Eileen pegou o cigarro e sorveu uma baforada rápida, agitada. — Eu me sinto mal, muito mal, pelo que aconteceu a Kathleen. Mas não me sinto responsável.

— Não? — A escritora sorriu e sentou-se. — Então suponho que também não se sinta por Mary Grice. Tem café?

— Sim, sim, claro.

Eileen levantou-se e foi à despensa do tamanho de um armário de vassouras atrás da mesa. Não se sentia nada bem, e desejava agora ter embarcado com o marido para aquelas rápidas férias nas Bermudas.

— Tenho certeza de que sabe que estamos cooperando com a polícia de todas as formas possíveis. Todos querem ver esse cara preso.

— Sim, mas entenda, eu também quero que ele pague pelo que fez. Sem creme — acrescentou e esperou a outra trazer uma enorme caneca de cerâmica. — Entenda que me sinto um pouco mais próxima de tudo isso do que você, ou a polícia. Preciso encontrar respostas para algumas perguntas.

— Não sei o que posso lhe dizer. — Eileen tornou a sentar-se atrás da mesa. Assim que se instalou, pegou o cigarro. — Eu já disse à polícia absolutamente tudo que podia. Não conhecia bem a sua irmã, você sabe. Só a encontrei quando ela veio pela primeira vez aqui para a entrevista. Tudo o mais era feito pelo telefone.

Não, não conhecera bem Kathleen, pensou Grace. Talvez ninguém tivesse conhecido.

— O telefone — repetiu a escritora, recostando-se na cadeira. — Imagino que o telefone seja a essência de tudo isso. Sei como funciona

ciada ao nome, que ela mantivera, porque se sentia confortável demais com ele para participar de brincadeiras. Qualquer homem acreditaria no que uma mulher como aquela lhe dissesse. As promessas que fazia seriam cumpridas.

Ela era de um estilo inteiramente diferente.

Jerald acreditava nela e queria conhecê-la. Desejava mostrar-lhe o quanto se sentia agradecido.

No início da noite, e também à tarde, ele escutava. E planejava.

GRACE FARTARA-SE DE APENAS topar com becos sem saída e ser paciente. Mais de uma semana se passara desde o segundo assassinato e, se havia algum progresso na investigação, Ed não lhe contava. Ela achava que o entendia. Era um homem generoso e compassivo. Mas também um policial que vivia segundo as regras do departamento, e as dele próprio. Embora respeitasse a disciplina, sentia-se frustrada com essa excessiva discrição. O tempo que passava com ele acalmava-a de certa forma, enquanto o que passava sozinha a deixava sem nada a fazer além de pensar. Então também começou a planejar.

Marcou encontros. As breves reuniões com o advogado de Kathleen e o detetive que a irmã contratara não esclareceram nada. Não lhe disseram coisa alguma que já não soubesse. De algum modo, esperava conseguir escavar informações que apontassem Jonathan. No íntimo, ainda desejava que ele fosse culpado, embora, em suas próprias palavras, soubesse que não fazia sentido. Mas era difícil abrir mão dessa crença. No fim, teve de aceitar que, por mais que ele houvesse sido responsável pelo estado de espírito da irmã nos últimos dias de vida, não o fora por acabar com a vida dela.

Mas Kathleen continuava morta e ainda restavam outras possibilidades a ser exploradas.

A mais direta e de fácil análise levou-a à Fantasia.

Grace encontrou Eileen na posição habitual atrás de sua mesa. Quando entrou, a empresária fechou o talão de cheques em que acertava o saldo e sorriu. Um cigarro queimava no cinzeiro junto ao seu cotovelo. Nos últimos dias, abandonara o faz de conta de que deixara de fumar.

Ela e Harry haviam concordado em dar um ano à Fantasia. Nesse tempo, a meta de Mary Beth era ganhar 10 mil dólares. O pé-de-meia suficiente para uma faculdade pequena e talvez, se o casal tivesse sorte, os honorários do obstetra.

Entrava no quarto mês como garota da Fantasia e já chegara à metade da meta projetada. Era uma moça muito popular.

Não a incomodava falar de sexo. Afinal, como explicara ao marido, era difícil ser puritana após 12 anos de casamento e quatro filhos. Harry mudara de opinião a ponto de se divertir com o novo trabalho da mulher. De vez em quando, ele próprio telefonava, na linha pessoal, para dar-lhe a chance de treinar. Dava-se o nome de Stud Brewster e fazia-a rir.

Talvez devido ao instinto maternal dela ou à genuína compreensão dos homens e de seus problemas, a maioria dos telefonemas que recebia tratava menos de sexo que de compaixão. Os clientes que ligavam assiduamente para ela descobriam que podiam falar das frustrações no emprego ou do desgaste da vida familiar e receber um conselho reconfortante. Mary Beth nunca parecia entediada, como muitas vezes as esposas e amantes pareciam ficar, nunca criticava e, quando a ocasião exigia, sabia transmitir o tipo de conselho sensato que poderiam receber se escrevessem a um Correio Sentimental – com o bônus de um prazer sexual.

Era irmã, mãe ou amante, qualquer coisa que o cliente solicitasse. Os clientes ficavam satisfeitos, e Mary Beth começou a pensar a sério em jogar fora a cartela de pílulas anticoncepcionais e partir logo para a última tentativa de engravidar.

Mulher de vontade forte, sem complicações, acreditava que a maioria dos problemas se resolvia com tempo, boas intenções e um prato de brownies com lascas de chocolate derretido. Mas jamais encontrara ninguém como Jerald.

E ele escutava. Noite após noite, esperava para ouvir aquela voz delicada e calmante. A ponto de apaixonar-se, já estava quase tão obcecado por ela quanto por Désirée. Roxanne fora esquecida, pois significara pouco mais que um rato de laboratório. Mas uma divindade se desprendia da voz de Mary Beth, uma solidez fora de moda asso-

bem-arrumada, com a pele sem rugas e suaves olhos castanhos. Mary Beth entendia e solidarizava-se com as mulheres que se sentiam aprisionadas no papel de dona de casa. Também se sentiria da mesma maneira trancada num escritório. Quando encontrava tempo, trabalhava na Associação de Pais e Mestres e na Sociedade Protetora dos Animais. Além da família, nutria uma paixão pelos animais. Também eles precisavam de cuidado.

Era uma mãezona e vinha pensando na possibilidade de ter mais um filho antes de dar por encerrada a prole.

O marido a valorizava. Embora ela deixasse a maioria das decisões nas mãos dele, ou assim parecia, Mary Beth não era ingênua. Haviam tido seu quinhão de discussões durante o casamento e, se a questão fosse muito importante, aferrava-se a ela e brigava até conseguir o que queria. A questão da Fantasia era muito importante.

Embora Harry fosse um bom provedor, houvera ocasiões em que Mary Beth assumira empregos de meio período para complementar ou aumentar a renda do marido. Inscrevera-se e recebera licença para cuidar de crianças em creche. Com o dinheiro extra que ganhara, a família tivera condições de fazer uma viagem de férias de dez dias para a Flórida e a Disney World. As fotos dessa excursão encontravam-se guardadas com todo capricho num álbum azul com a etiqueta FÉRIAS DE NOSSA FAMÍLIA.

E, uma vez, vendera revistas pelo telefone. Embora sua voz a ajudasse a aumentar a renda da família, o trabalho não a satisfizera. Como mulher que amadurecera sabendo fazer a relação entre tempo e dinheiro, achara as recompensas financeiras muito aquém do tempo envolvido.

Queria outro filho, e queria prover um fundo para a universidade dos quatro com que já fora abençoada. O salário do marido no cargo de contramestre numa construtora dava para os gastos, mas não permitia muitos extras. Ela encontrou a Fantasia na contracapa de uma das revistas dele. A ideia de ser paga só para falar fascinou-a.

Foram-lhe necessárias três semanas, mas por meio de conversa transformara a ferrenha oposição de Harry em ceticismo. Mais uma semana, mudara o ceticismo para rancorosa aceitação. Mary Beth tinha jeito com as palavras. Agora convertia esse talento em dólares.

aparelho de chá. Aos 10 anos, saía-se melhor que a mãe na atividade de assar bolos.

Sua maior e verdadeira ambição era ter um lar e uma família formada por ela própria da qual pudesse cuidar. Nos sonhos de Mary Beth não surgia visão alguma de salas de reunião de diretoria nem de pastas de executiva. Ela queria uma cerca de treliça branca e um carrinho de bebê.

Mary Beth era uma crente convicta de que uma pessoa, homem ou mulher, devia exercer o que fazia melhor. A irmã entrara na Ordem dos Advogados e ingressara numa firma jurídica da alta sociedade em Chicago. Mary Beth orgulhava-se dela. Embora admirasse o guarda-roupa da irmã, sua direta defesa da lei e os homens que entravam e saíam aos montes da vida dela, não tinha um único fio de cabelo de inveja no corpo. Recortava cupons e assava brownies para a atividade de levantamento de fundos da Associação de Pais e Mestres e era uma ativista do movimento de igualdade salarial e profissional para homens e mulheres, embora jamais houvesse sido membro de nenhuma sociedade por cuja mão de obra lutava.

Aos 19 anos, casara-se com o namorado de infância, um menino que escolhera quando os dois frequentavam a mesma escola de ensino fundamental. Ele nunca correra qualquer risco. Mary Beth fora atenciosa, paciente, compreensiva e apoiadora. Não por meio de malícia, mas com sinceridade. Apaixonara-se por Harry Morrison no dia em que dois brigões o derrubaram no pátio de recreio e deixaram seu dente da frente mole. Após 25 anos de amizade, 12 de casamento e quatro filhos, ela ainda o adorava.

Seu mundo girava em torno do lar e da família, a ponto de até os interesses externos circularem de volta a eles. Muitos, incluindo a irmã, consideravam esse mundo bastante limitado. Mary Beth apenas sorria e assava outro bolo. Era feliz e boa, até excelente, no que fazia. Tinha o que para ela representava a maior recompensa: o amor do marido e dos filhos. Não precisava da aprovação da irmã nem da de qualquer outra pessoa.

Mantinha-se em forma para o prazer do marido e o seu próprio. Ao aproximar-se do 32º aniversário, continuava uma mulher linda,

Margaret ficou mais do que feliz ao acompanhá-los até a porta.

Quando a porta se fechou atrás deles com uma inequívoca pancada, Ben enfiou as mãos nos bolsos.

– Minha intuição me diz que ele está sendo sincero.

– Concordo.

Dirigiram-se ao carro. Apesar da resistência de Ben, Ed ocupou o lugar do motorista.

– Sabe, uma coisa que Tess disse está me aporrinhando.

– O quê?

– Que se pode pegar o telefone e pedir qualquer coisa. Eu mesmo faço isso o tempo todo.

– Pizza ou pornografia? – perguntou Ben.

– Gesso de parede. Fiz uma encomenda no mês passado e tive de dar ao cara o número do meu cartão antes mesmo da entrega. Quantas vezes a gente dá o número do cartão de crédito pelo telefone? Bastam o número e o nome, nada físico, identidade nem assinatura.

– É. – Com um belo suspiro, Ben sentou-se. – Acho que isso reduz o campo a duzentas mil pessoas.

Ed afastou-se da residência de Morgan.

– Ainda nos resta a esperança de que a filha do senador tenha ficado acordada até tarde.

10

Mary Beth Morrison nascera para ser mãe. Quando tinha 6 anos, possuía uma coleção de bonecas que exigiam constante alimentação, troca de roupas e paparico. Algumas andavam, outras falavam, mas o coração da menina também se enternecia por uma boneca de pano com um braço rasgado.

Ao contrário de outras crianças, nunca se esquivara dos afazeres domésticos que os pais lhe atribuíam. Adorava lavar roupas e encerar o chão. Tinha uma tábua de passar e um minifogão, além do próprio

— Margaret, claro. E minha mulher, embora ela tenha o seu próprio.
— Filhos?

Morgan enrijeceu-se com a pergunta, mas respondeu:

— Meus filhos não têm a menor necessidade de cartões de crédito. Minha filha tem apenas 15 anos. Meu filho cursa a última série da Academia Preparatória St. James. Os dois recebem uma mesada e as compras grandes precisam ser aprovadas antes. É óbvio que a atendente na floricultura cometeu um erro ao anotar o número.

— É possível — murmurou Ben. Mas duvidava que a vendedora houvesse entendido mal o número. — Ajudaria se pudesse nos dizer onde estava seu filho na noite do dia 10.

— Isso me ofende.

Gripe à parte, Morgan sentou-se ereto.

— Senador, temos dois assassinatos. — Ben fechou a agenda. — Não estamos em posição de pisar em ovos.

— Você sabe, claro, que não tenho de responder a nada. Para encerrar o assunto, porém, vou cooperar.

— Somos gratos — disse Ben, delicado. — Sobre o seu filho?

— Ele teve um encontro. — Morgan pegou o suco e serviu-se de um copo alto cheio. — Está namorando a filha do senador Fielding, Julia. Creio que foram ao Kennedy Center naquela noite. Michael chegou em casa às 23 horas. Dia de semana.

— E na noite de ontem? — perguntou Ben.

— Ontem, ele ficou em casa a noite toda. Jogamos xadrez até um pouco depois das 22 horas.

Ed anotou os dois álibis.

— Outra pessoa entre seus empregados teria acesso ao número do seu cartão de crédito?

— Não. — Tanto a paciência quanto a necessidade de cooperar do senador chegavam ao fim. — Muito simples, alguém cometeu um erro. Agora, se me derem licença, não tenho mais nada a dizer.

— Agradecemos seu tempo. — Ed levantou-se e guardou o caderno. Já decidira tomar uma dose extra de vitamina C quando chegasse à delegacia. — Se pensar em algum outro motivo para as flores terem sido debitadas de seu cartão de crédito, nos informe.

– Margaret, eu conheço alguma Kathleen Breezewood?

– Refere-se à mulher que foi assassinada alguns dias atrás?

O rubor que a tosse trouxera ao rosto de Morgan desapareceu. Ele virou-se para Ed.

– Eu mandei?

– Sim, senhor.

– Mandamos flores, Margaret?

– Por que mandaríamos? – Ela se ocupou com a manta sobre o colo dele. – O senhor não a conhecia.

– As flores enviadas à casa funerária foram encomendadas à floricultura Bloom Town com o número do seu cartão de crédito.

Ed tornou a olhar o caderno e ditou o número.

– É o meu? – perguntou Morgan à secretária.

– É, mas não encomendei flores. Temos uma conta com a Lorimar Florists, de qualquer modo. Não uso a Bloom Town. Não encomendo flores há duas semanas. As últimas foram para a esposa de Parson, quando ela teve o bebê. – Lançou um olhar obstinado a Ben. – Está anotado na agenda.

– Pegue a agenda, por favor, Margaret. – Morgan esperou que ela saísse. – Senhores, vejo que esse assunto é mais sério do que eu desconfiava, mas receio estar por fora.

– Kathleen Breezewood foi assassinada na noite de 10 de abril. – Ed esperou o parlamentar acabar de espirrar em outro lenço. – Pode nos dizer onde estava entre as 20 e 23 horas?

– Dez de abril. – Morgan esfregou os dedos nos olhos. – Foi a noite do levantamento de fundos na Shoreham. Ano de eleição, vocês sabem. Eu acabava de cair com esta gripe desgraçada e lembro que fiz corpo mole na hora de sair. Minha mulher se irritou comigo. Creio que ficamos lá das 19 horas até, bem, pouco depois das 22 horas. Voltamos direto para casa. Eu tinha uma reunião na manhã seguinte.

– Nada na agenda sobre flores desde o bebê de Parson. – Convencida, Margaret retornou e entregou a imensa agenda a Ben. – É minha obrigação saber para onde e quando enviar flores.

– Senador Morgan – começou Ed –, quem mais tem acesso ao seu cartão de crédito?

– Sempre faço questão de cooperar com a polícia. Estamos no mesmo lado, afinal.

Morgan espirrou num lenço de papel.

– Saúde – desejou Ed.

– Obrigado. Então, o que posso fazer por vocês?

– Tem conhecimento de uma empresa chamada Fantasia? – perguntou Ben, como quem não queria nada, e cruzou as pernas, mas sem despregar os olhos do rosto de Morgan.

– Fantasia? Não – respondeu o senador, após pensar um instante. – Não me soa nada conhecido. – Fez a afirmação com aparente inocência, ajeitando o travesseiro. – Devia?

– Telessexo – disse Ed, e pensou um instante nos germes que se moviam rápidos pelo ar.

Ser policial incluía todo tipo de riscos.

– Ah! – Morgan fez uma leve careta e recostou-se. – Sem a menor dúvida, um tema para debate. Mesmo assim, trata-se de mais uma questão para a Comissão Federal de Comunicações e os tribunais do que para um parlamentar. Pelo menos no momento.

– Conheceu uma mulher chamada Kathleen Breezewood, senador Morgan?

– Breezewood, Breezewood. – Morgan espichou os lábios enquanto examinava Ben. – O nome não é familiar.

– Désirée?

– Não. – Tornou a sorrir. – Não é um nome que a gente esqueça.

Ed pegou o caderno e abriu-o, como a checar algum fato.

– Se não conhecia a Sra. Breezewood, por que mandou flores para a cerimônia fúnebre dela?

– Mandei? – Morgan exibiu um leve embaraço. – Bem, com certeza não era alguém de relacionamento íntimo, mas se enviam flores por inúmeras razões. Sobretudo políticas. Minha secretária cuida desse tipo de coisa. Margaret!

Berrou o nome e caiu num rápido acesso de tosse.

– Excedendo-se – ela resmungou ao chegar correndo à sala. – Tome o chá e pare de gritar.

Ele fez exatamente o que a secretária mandou, dócil, pensou Ed.

Para impedi-la de fechar-lhes a porta na cara, Ed apenas pôs o ombro na abertura.

– Receio que precise insistir. Podemos conversar com ele aqui ou lá na delegacia de polícia.

Ele captou a expressão nos olhos dela e teve certeza de que, apesar de seu tamanho, a mulher pretendia afastá-lo no muque.

– Margaret, que diabos está acontecendo aí?

À pergunta, seguiu-se uma série de espirros, antes que o senador Morgan surgisse no vão da porta. Um homem de pequena estatura, cabelos escuros, que beirava os 50 anos. Envolto num roupão, pálido e com os olhos injetados.

– Esses homens insistem em ver o senhor, e eu disse a eles que...

– Tudo bem, Margaret. – Apesar dos olhos avermelhados, Morgan conseguiu dar um largo sorriso político. – Sinto muito, senhores, como podem ver, estou meio derrubado pelo tempo.

– Nossas desculpas, senador. – Ben exibiu o distintivo. – Mas é importante.

– Entendo. Bem, entrem. Mas aviso que mantenham distância. Na certa, continuo contagioso.

Conduziu-os pelo corredor até uma sala de estar decorada em tons de azul e cinza, realçada com esboços emoldurados da cidade.

– Margaret, pare de fazer cara feia para os agentes de polícia e vá tratar desses arquivos.

– Recaída – ela diagnosticou, mas desapareceu, obediente.

– As secretárias são piores que as esposas. Sentem-se, senhores. Queiram me desculpar por me deitar aqui. – Morgan instalou-se no sofá com uma manta de angorá jogada sobre os joelhos. – Gripe – explicou, pegando um lenço de papel. – Estive saudável como um cavalo o inverno todo, e aí, assim que as flores começam a se abrir, sou atingido por ela.

Cauteloso, Ed sentou-se numa cadeira a um bom metro de distância.

– As pessoas cuidam melhor de si mesmas no inverno – comentou. Notou o bule de chá e o jarro de suco. Pelo menos o homem vinha tomando líquidos. – Tentaremos não tomar muito do seu tempo.

crédito. – Ao aceno de Harris com a cabeça, ela entregou as páginas impressas a Ed. – Nenhuma bate.

– Nenhuma?

Ben levantou-se para olhar por cima do ombro do parceiro.

– Zero. Procuramos correspondências nos números, nomes, endereços, possíveis pseudônimos ou fraudes. Nada.

– Estilos diferentes – murmurou Ed, começando a pensar nisso a fundo.

– Então, voltamos à estaca zero.

Ben pegou as folhas que o parceiro lhe passou.

– Talvez não. Localizamos a origem das flores. Um pedido por telefone feito por um cara chamado Patrick R. Morgan. Aqui está o endereço.

– Ele apareceu em alguma dessas? – perguntou Ed, ainda examinando os papéis impressos.

– Não. Continuamos checando as outras listas.

– Vamos fazer uma visita a ele. – Ben conferiu as horas no relógio. – Você tem o endereço do trabalho?

– Tenho, Capitão Hill. Morgan é senador.

O PARLAMENTAR ENCONTRAVA-SE em sua residência naquele dia, na sua casa restaurada em Georgetown. A mulher que atendeu à porta parecia azeda, impaciente, e carregava uma montanha de pastas de arquivo.

– Sim? – Foi só o que disse.

– Gostaríamos de ver o senador Morgan.

Ed já olhava além dela e mirava o revestimento de mogno no corredor. Coisa autêntica.

– Lamento, o senador não está em condições de recebê-los. Se quiserem marcar uma hora, liguem para o escritório dele.

Ben retirou o distintivo.

– Assunto de polícia, madame.

– Não dou a mínima, nem que fosse o próprio Deus – ela respondeu, mal dispensando um olhar à identidade do detetive. – Ele não pode atender. Tente o escritório na semana que vem.

garota só pensando em si mesmo. Iniciou, insistiu e depois persistiu porque achou que era isso que ela esperava dele. Tinha se convencido de que a namorada queria que ele assumisse a responsabilidade e, se recuasse, ela o teria julgado fraco. Não viril. Ao forçá-la, ele não apenas obteve liberação sexual, mas a sensação de poder. Foi quem assumiu o comando. Em minha opinião, o homem que vocês procuram curte essa mesma sensação de poder. Mata as mulheres porque o assassinato é o máximo poder. É provável que ele venha de uma família em que não lhe foi permitido exercer poder, em que as figuras autoritárias em sua vida eram, ou são, muito fortes. Foi sexualmente reprimido, agora faz experiências.

Ela abriu mais uma vez as pastas.

— As vítimas eram tipos diferentes de mulheres, não apenas na personalidade do *alter ego,* mas também no físico. Isso pode ter sido coincidência, claro, porém é mais provável que tenha sido deliberado. As únicas coisas que essas mulheres tinham em comum eram o sexo e o telefone. Ele usou as duas coisas contra elas da maneira mais violenta possível. A próxima escolha será na certa alguém com um estilo em tudo diferente.

— Eu preferiria que não tivéssemos oportunidade de pôr essa teoria à prova. — Harris cortou outro canto do pãozinho de passas. — Ele poderia parar? De repente parar?

— Acho que não. — Tess tornou a fechar as pastas e largou-as na mesa do capitão. — Não se nota remorso nem angústia. A mensagem do cartão da florista não foi "Sinto muito" nem "Perdoe-me", mas "Não esquecerei". Os movimentos dele são planejados com todo cuidado. Ele não agarra uma mulher na rua e a arrasta para um beco ou um carro. Mais uma vez, vocês precisam entender que ele as conhece, ou acha que as conhece, e tira o que julga merecer. É em muitos aspectos um produto da sociedade atual, em que basta pegar o telefone e pedir qualquer coisa. De pizza a pornografia, só é preciso apertar um botão que a coisa se torna da pessoa, um objeto ao qual se tem direito. A gente tem aqui uma mistura da conveniência de tecnologia e tendências sociopáticas. Tudo é muito lógico para ele.

— Com licença. — Maggie Lowenstein enfiou a cabeça pela fresta da porta. — Acabamos de fazer as checagens cruzadas dos cartões de

Os estupradores muitas vezes racionalizam dessa forma. Ele amarrou as mãos de Mary Grice, mas não as de Kathleen. Acho que isso é importante. Segundo os relatórios, Kathleen Breezewood oferecia uma fantasia sexual mais conservadora, mais direta que Mary Grice. Servidão e sadismo eram muitas vezes incluídos nas conversas de Mary Grice. O assassino deu-lhe o que julgava que ela preferia. E a matou, com toda probabilidade, porque tinha descoberto um prazer sombrio e psicótico desde o primeiro vínculo entre sexo e morte. É possível que ele acredite que as vítimas sintam o mesmo prazer. Kathleen foi um impulso; Mary, reconstituição. – Ela se virou para Ben, então. Talvez ele não aprovasse, mas prestava atenção. – O que acha da hora dos assassinatos?

– O que devo achar?

Ela sorriu. Era ele quem sempre a acusava de responder a uma pergunta com outra.

– Os dois ocorreram igualmente no início da noite, uma espécie de padrão. Isso me faz imaginar que talvez ele seja casado, ou more com alguém que espera que esteja em casa numa determinada hora.

Ben examinou a ponta do cigarro.

– Talvez apenas goste de se deitar cedo.

– Talvez.

– Tess. – Ed mergulhou um saquinho de chá num copo de água quente. – Se aceitarmos que em geral um voyeur não vai além de ver ou ouvir, o que torna esse cara diferente?

– Não é um voyeur. Ele participa. Essas mulheres falaram com ele. Não há a mesma distância, real ou emocional, como há com alguém que usa binóculos para espionar um apartamento do outro lado da rua ou espiar por uma janela. Não existe o mesmo tipo de anonimato que num telefonema aleatório. Ele conhece essas mulheres. Não Kathleen e Mary, mas Désirée e Roxanne. Certa vez tive um paciente envolvido no estupro de uma namorada.

– Infelizmente, o ponto de vista da vítima não se aplica ao caso, Dra. Court – interferiu Harris.

– Eu tratei o estuprador, não a vítima. – Tess tirou os óculos e correu a haste por entre os dedos. – Ele não forçou o sexo com essa

Ela pôs mais uma vez os óculos.

– A violência em ambos os casos limitou-se a um quarto, onde se encontrava a vítima. O criminoso usou a mesma arma, o fio do telefone. Provavelmente, o telefone é o elo com cada mulher. Através dele, elas prometiam alguma coisa. Ele foi buscá-la não pela porta da frente, mas arrombando. Para surpreendê-la, talvez intensificar o tesão. Tendo a acreditar que o primeiro assassinato tinha sido um impulso, um reflexo. Kathleen Breezewood o repeliu, o machucou física e mentalmente. Talvez não fosse a mulher que ele tinha imaginado. Nem em sua mente a mulher que havia prometido ser. Mantinha um relacionamento com ela. Enviou flores à cerimônia fúnebre dela, ou de Désirée. Jamais a viu, nem sequer na morte, como a pessoa que ela era, mas como a imagem que ele havia criado.

– Então, como diabos a encontrou? – quis saber Ben, não tanto de Tess quanto de si mesmo. – Como pegou uma voz pelo telefone e delimitou uma casa, uma mulher? A mulher certa?

– Quisera eu poder ajudar. – Ela não lhe tomou a mão como teria feito se os dois estivessem a sós. Ali, sabia, sempre haveria um limite de distância entre eles. – Só posso dizer que, em minha opinião, esse homem é muito inteligente. À sua maneira, lógico. Segue um padrão, passo a passo.

– E o primeiro passo é escolher uma voz – murmurou Ed. – E então cria a mulher.

– Eu diria que isso chega próximo ao alvo. Ele tem uma capacidade muito forte de fantasiar. O que imagina, acredita. Deixou impressões digitais nos dois locais de assassinato, mas não porque seja descuidado, mas porque se considera muito inteligente, invulnerável à realidade, pois vive num mundo de sua própria criação. Vive as fantasias e, é muito provável, as fantasias que acredita que as vítimas tenham.

– Estou ouvindo que ele estupra e mata mulheres porque acha que elas gostam?

Ben pegou um cigarro. Tess viu-o acendê-lo e reconheceu a rispidez na voz.

– Em termos simples, sim. Segundo a lembrança de Markowitz do que ouviu, o homem disse: "Você sabe que quer que eu a machuque."

Com toda a paciência, leu toda a declaração de Eileen Cawfield e as notas da entrevista com Markowitz. Examinou o relatório oficial de Ed sobre as ocorrências na noite da morte de Kathleen Breezewood.

Ben não gostava de vê-la assim, manuseando e examinando os fragmentos do lado mais arenoso de seu mundo. Fora bastante difícil aceitar o trabalho que a esposa fazia num consultório na área residencial. Em termos lógicos, ele sabia que não poderia protegê-la, mas o deixava nervoso apenas recebê-la no departamento.

Tess deslizou o dedo pelo relatório do médico-legista.

— É interessante que os dois assassinatos tenham ocorrido na mesma hora da noite.

Harris esfregou a mão no estômago. Parecia mais vazio a cada dia.

— Podemos concordar com a possibilidade de que faça parte do padrão dele. — Partiu uma minúscula ponta de um pãozinho de passas que logo ficara passado. Conseguira convencer-se de que se ingerisse calorias em pequenas doses na verdade não contavam. — Não tive a oportunidade de lhe dizer que o departamento agradece sua ajuda, Dra. Court.

— Tenho certeza de que o departamento agradecerá mais se eu conseguir ajudar. — Ela tirou os óculos de leitura um instante para esfregar os olhos. — Acho que nesse ponto da investigação podemos concordar que lidamos com alguém com uma capacidade para violência explosiva, e que essa violência é, sem a menor dúvida, direcionada ao sexo.

— O estupro em geral é — opinou Ben.

— O estupro não é um crime sexual, mas um ato de violência. O fato de as vítimas serem assassinadas após o ataque não é incomum. O estuprador ataca por inúmeros motivos: frustração, baixa auto-estima, opinião depreciativa sobre as mulheres, raiva. A raiva é quase sempre um fator. Nos casos em que o estuprador conhece a vítima, também há a necessidade de dominar, expressar superioridade e força masculinas, ter o que julga merecer, o que acha que lhe foi oferecido. Muitas vezes o estuprador sente que a vítima resiste ou recusa apenas para intensificar a excitação, e que na verdade quer ser possuída de uma maneira violenta.

– Bom dia, Ed.

– Tess! Em geral não a vemos aqui duas vezes na mesma semana.

– É provável que vá ver bem mais que isso – Ben disse, abrindo a porta. – A doutora vai entrar nesse caso com a gente.

– É mesmo? – Não era difícil sentir a discórdia. Ed conhecia muito bem os dois. – Bem-vinda a bordo.

– É sempre um prazer dar uma mãozinha a dois funcionários públicos. – Ela deslizou o braço pelo de Ed ao saírem andando. – Como Grace tem se sentido?

– Está se aguentando. Decidiu ficar na cidade até isso ser resolvido.

– Entendo. Que bom!

– É?

– Grace me parece o tipo que não se sai bem quando as coisas acontecem à sua volta. Acho que se sai melhor quando mete a mão na massa. Uma das piores consequências do luto é a impotência. Se ela conseguir superar os obstáculos e chegar ao final, vai ficar bem. – Tess esperou até ele abrir a porta. – Além disso, se voltasse para Nova York, como é que você faria para seduzi-la?

Ben seguia atrás da esposa.

– A doutora já sacou seu número, Jackson. Moça de bela aparência – disse, ao fazer tilintar as moedas no bolso. – Cérebro, beleza e dinheiro. – Passou o braço pelo ombro de Tess. – Fico feliz em vê-lo seguir meu exemplo.

– Tess só se enrabichou por você porque tem um fraco por mentes perturbadas.

Ed entrou na Divisão de Homicídios, agradecido porque a próxima questão mudaria o rumo da conversa.

Instalaram-se na sala de conferência. Tess abriu as pastas das duas vítimas diante de si. As fotos, as autópsias e os relatórios preparados pelo marido. Houvera mais violência ali do que no outro caso em que trabalhara com o departamento – se é que se podiam julgar assassinatos por grau de violência. O denominador comum lhe parecia tão claro quanto para os agentes que os investigavam, mas ela viu mais alguma coisa, uma coisa mais sombria.

141

– E eu quase a perdi antes.

– Não é a mesma coisa, não estou envolvida da mesma forma, Ben. – Ela tomou-lhe a mão antes que ele pudesse afastá-la. – Você acha que ele vai matar de novo?

– Sim. As probabilidades são a favor.

– Salvar vidas. Ainda não é disso que se trata? Para nós dois?

Ele fitou os tijolos da delegacia. Via-se tradição ali. A sua tradição. Não devia ter nada a ver com ela.

– Eu prefiro quando você faz isso naquele seu pequeno consultório aconchegante, na área residencial da cidade.

– E eu gosto mais quando você fica sentado atrás de uma mesa, resmungando sobre o trabalho administrativo e a papelada. Mas não pode ser assim toda vez. Nem para você, nem para mim. E ajudei uma vez antes. Tenho uma sensação muito forte de que posso ajudar agora também. Ele não é um homem comum. Mesmo pelo pouco que você me contou, tenho certeza. É muito doente.

Os pelos no pescoço do policial eriçaram-se no mesmo instante.

– Não comece a ter pena desse também.

– O que vou fazer é ajudar vocês a encontrarem o assassino. Depois disso, veremos.

– Não posso impedir você. – Mas continuou a prender a mão dela na sua, e soube que podia. – Não quero impedi-la – corrigiu –, mas quero que pense nos seus próprios casos em andamento, na clínica, nos pacientes particulares.

– Conheço minha capacidade.

– É. – Para ele, parecia infindável. – Se começar a relaxar e se atrasar, eu contarei tudo ao seu avô.

– Considero-me desde já avisada. – Ela puxou-o mais uma vez para junto de si. – Eu amo você, Ben.

– É? Que tal uma demonstração?

Ela aproximou os lábios dos dele, depois recuou suavemente. Ed enfiou a cabeça pela janela aberta.

– Vocês não conhecem nenhuma das ruas mais escondidas por aqui?

– Vá plantar batatas, Jackson. – Tess aninhou a face na de Ben.

— Sei que está aborrecido com isso. Tente entender. não se trata de uma coisa que vou fazer por impulso.

Irritado, ele girou o dial do rádio para outra estação.

— Eu não tive nenhum poder de decisão sobre seu envolvimento no outro caso. Parece que não tenho muita influência desta vez também.

— Sabe que isso não é verdade. O que você sente significa muito.

— Então me largue lá e vá para o seu consultório. Deixe esse caso em paz.

Ela ficou calada por trinta segundos completos.

— Tudo bem.

— Tudo bem? — Ele parou quando ia empurrar o isqueiro do carro. — Assim, sem mais nem menos?

— É.

Ela apertou uma presilha solta nos cabelos com um gesto casual e depois virou para a delegacia.

— Sem briga?

— Brigamos ontem à noite. Não há necessidade de fazer isso de novo. — Tess entrou no estacionamento e parou. — Eu vejo você à noite.

Curvando-se, beijou-o.

Ele tomou-lhe o queixo na mão ant.s que ela se afastasse.

— Está usando aquela merda de psicologia invertida em mim, não está?

Ela sorriu-lhe com aqueles olhos violeta.

— De jeito nenhum.

— Detesto quando você faz isso. — Ben recostou-se de novo no banco para esfregar as mãos no rosto. — Sabe como me sinto quando a vejo se envolver nessa parte da minha vida.

— E você sabe como me sinto ao ser excluída de qualquer parte da sua vida, Ben.

Tess ergueu a mão para afagar-lhe os cabelos. Um ano antes, nem o conhecia. Agora ele era o ponto focal de sua vida. O marido, o pai do filho que ela mal começava a desconfiar que trazia em si. Mas continuava sendo médica. Fizera um juramento. E não conseguia esquecer como os dedos de Grace tremeram ao segurar uma xícara de café.

— Talvez eu possa ajudar, permitir que vocês entendam a mente dele. Fiz isso antes.

Grace sentiu um sopro rápido e forte das pontas dos dedos às solas dos pés.

— Posso ter me enganado. — Pigarreou, depois esfregou a ponta do dedo sobre os lábios, que ainda vibravam por causa dos dele. — Continuo em pé?

— Parece.

— Que bom. Tudo bem. Depois que abrirmos uma janela e nos livrarmos de um pouco do calor aqui, o que você vai me dar para comer?

Ed sorriu e tocou-lhe os cabelos.

— Fundos de alcachofra recheados à Bordelaise.

— Hum — ela disse, após uma longa pausa. — Não está inventando isso, está?

— Só leva cerca de meia hora.

— Mal posso esperar. — Quando ele começou a juntar os ingredientes, ela pegou uma cadeira. — Ed?

— Sim?

— Está planejando começar um relacionamento duradouro?

Ele olhou para trás, enquanto lavava os legumes sob um jato frio.

— Tenho pensado um pouco nisso.

— Bem, se der certo, eu gostaria de fazer um trato. Na noite que tivermos alcachofras no jantar, na seguinte comeremos pizza.

— Massa de trigo integral.

Ela levantou-se para procurar um saca-rolha.

— Conversaremos sobre isso.

BEN MUDOU DE posição no banco do carona e prestou atenção ao sinal. Ao lado, Tess tamborilava com os dedos no volante. Ela achava que tinha razão, mas o problema era que não tinha mais apenas os próprios sentimentos para levar em conta.

— Eu podia ter dirigido sozinha até a delegacia — começou. — Você não vai ter carro para voltar.

— Ed me deixa em casa.

O sinal mudou para verde. Tess avançou devagar, junto com o moroso tráfego matinal.

Grace abriu devagar os olhos quando os lábios dos dois se separaram. Deu um longo suspiro e sorriu.

– Sabe, você causa uma grande impressão sempre que faz isso. Talvez pudesse tornar um hábito. – Colando-se nele, avançou dando-lhe mordidelas até a boca. Quando sentiu aquelas mãos enormes deslizarem para seus quadris e depois se retesarem, ela suspirou. Fazia um longo tempo, longo demais, desde que se vira tentada a entregar-se. Enlaçou os braços no pescoço dele e sentiu, com grande satisfação, o coração bater junto ao seu. – Vai me levar para a cama ou não?

Ele enterrou os lábios no pescoço dela, querendo mais. Seria fácil, tão fácil, tomá-la nos braços, levá-la para a cama e apenas deixar acontecer. Como acontecera antes. Alguma coisa dizia-lhe que com ela não seria tão fácil assim. Com ela não devia ser uma desabada nos lençóis sem um pensamento no amanhã. Ed colou os lábios na testa dela e soltou-a.

– Vou alimentar você.

– Oh! – Ela recuou um passo. Não se oferecia com frequência a um homem. Era necessário mais que um impulso sexual; eram necessários afeto e a sensação de confiança. E em quase todas as lembranças que conseguia reunir, jamais fora rejeitada. – Tem certeza?

– Sim.

– Ótimo. – Dando meia-volta, ela pegou a couve-flor. Talvez lhe proporcionasse momentânea satisfação atirá-la nele, mas decidiu não fazê-lo. – Se não se sente atraído, então...

Pela segunda vez, aquele policial a fazia ficar furiosa. Desta vez, ela descobriu que colidir com o peito dele era igual a bater num muro de pedra. Talvez devesse tê-lo xingado, se ele já não lhe ocupasse a boca.

Dessa vez, não foi com gentileza. Não a surpreendeu sentir as lambidas da paixão ou os nós de tensão. Deixou-a feliz. Então, em segundos, sentiu apenas a boca, as mãos dele e sua própria reação explosiva.

Ed a queria tanto que teria achado excitante possuí-la ali mesmo, na cozinha. Porém, queria mais que excitação. Mais que o arroubo do momento. E precisava de tempo simplesmente para resolver o que queria.

– Acha que não me sinto atraído por você?

— Ainda preciso cuidar dos advogados e do seguro. — O que poderia fazer com a mesma facilidade em Nova York. E ele sabia disso. Grace percebeu pela expressão do seu vizinho que ele sabia de sua intenção. Fora tola ao tentar enrolá-lo. Em todo caso, não achou fácil ser desonesta com ele. A tentativa lhe pareceu estranha. Jamais se dera o trabalho de ocultar a verdade. — Tudo bem, não é isso. Não posso ir embora sem saber de tudo. Kathy e eu não éramos íntimas. Para mim, nunca foi fácil admitir, mas é a verdade. Ficar aqui e tentar descobrir quem fez isso a ela é algo que preciso fazer por nós duas. Não vou me livrar disso, Ed, pelo menos não totalmente, até ter todas as respostas.

Ele desejava, pelo bem dos dois, não ter entendido.

— Encontrar o assassino de sua irmã não é trabalho seu, mas meu.

— Seu trabalho, sim. Para mim é uma necessidade. Consegue entender isso?

— Não se trata do que eu entendo, mas do que sei.

Ela amassou o saco vazio das compras antes que ele pudesse tirar dela e dobrar para guardar.

— O que é?

— Os civis não podem se envolver em investigações, Grace. Estragam tudo. E se machucam.

Tocando com a língua o lábio superior, ela avançou para ele.

— Qual das duas coisas o chateia mais?

Aquela escritora tinha olhos incríveis. Desses que davam vontade de ficar olhando durante horas. Fitavam os seus agora, à espera, questionadores. Meio fascinado, meio cauteloso, Ed deslizou o polegar pela maçã do rosto dela.

— Não sei.

Então, como viu os lábios dela se curvarem apenas um pouco, tocou-os com a boca.

O gosto de Grace era exatamente o que ele queria que fosse.

Sentiu a textura do rosto dela quando o tocou, era exatamente como desejava. Ele sabia que era uma tolice. Romancista de Nova York, luzes brilhantes e festas constantes. Policial de cidade pequena, não sabia quando teria mais uma vez sangue nas mãos. Mas ela parecia perfeita.

– Santo Deus! – Foi só o que ele conseguiu dizer.

– E a pressão da sua mãe está alta. Quer que eu prepare uma bebida para você?

– Quero, faça isso.

Ela cantarolava quando entrou na cozinha. Ed era mesmo adorável. Retirou uma garrafa de vinho branco do saco. Também tinha bom gosto, concluiu ao ler o rótulo. Então pegou o que pareciam aspargos. Cheirou e franziu o nariz. Gosto, sim, mas não teve certeza absoluta de que tipo.

Encontrou couve-flor, cebolinha e ervilha. A única coisa que conseguiu fazê-la sentir-se aliviada foi um saco de uvas sem caroço. Não hesitou em atacá-lo.

– Ficou ótimo.

Ela engoliu uma uva, virou-se e viu-o no vão da porta.

– O banheiro. Ficou ótimo.

– Sou muito jeitosa. – Grace ergueu os aspargos. – O que você faz com isso?

– Cozinho.

Ela tornou a largá-lo.

– Receei que sim. Não perguntei o que você queria beber.

– Eu pego. Você descansou?

– Estou me sentindo ótima. – Ela o viu tirar uma garrafa de suco de maçã da geladeira, o que a fez franzir os lábios. – Pensei um bocado enquanto colava o papel de parede no banheiro e conversava com sua mãe.

– Que tipo de pensamento?

Ed serviu-se de um copo de suco de maçã, depois abriu um armário e pegou uma garrafa de vodca. Despejou duas doses no suco.

– Que forma mais estranha de tomar vitamina A.

– Quer um?

– Eu passo. De qualquer modo, estive pensando que devia assumir o aluguel de Kathy por algum tempo. Ficar por aqui.

Ele largou o copo. Queria que ela ficasse, assim como o policial nele sabia que era melhor que ela fosse embora.

– Por quê?

– Revestindo seu banheiro com papel de parede. – Grace aproximou-se dele e pegou o saco. – Ficou maravilhoso. Você tem bom olho para cor.

– Você revestiu meu banheiro com papel de parede?

– Não fique chocado. Não estraguei nada. O papel de parede, quer dizer. O banheiro ficou uma bagunça. Imaginei que fosse justo você limpar. – Deu-lhe um sorriso tranquilizador. – Sobrou metade de um rolo.

– É. Ah, Grace, fico grato, mas revestir paredes com papel exige certa destreza.

Ele sabia, lera sobre isso durante uma semana.

– A gente sapeca uma linha, mede, besunta de cola e manda ver. Encontrei dois livros tipo "faça-você-mesmo" dando sopa. – Ela remexeu dentro da sacola, mas não viu nada empolgante. – Vá lá em cima e dê uma olhada. Aliás, eu comi o resto dos morangos.

– Tudo bem.

Ed estava muito ocupado com o cálculo exato de quanto haviam custado o papel de parede e a cola.

– Ah, e a água mineral é muito boa, mas não faria mal alguns refrigerantes.

Ele começou a subir a escadaria, meio com medo de olhar.

– Não tomo refrigerante.

– Eu tomo, mas prefiro uma cerveja. Ah, quase esqueci, sua mãe ligou.

Ed parou na metade da subida.

– Ligou?

– Uma senhora muito simpática. E ficou simplesmente maravilhada quando atendi. Espero que você não se incomode, eu não quis decepcioná-la, então disse que éramos namorados e andávamos pensando em oficializar a coisa antes da chegada do bebê.

Como ela sorria de um jeito que o deixava sem saber se estava brincando, ele apenas balançou a cabeça.

– Obrigado, Grace. De coração.

– Disponha sempre. Sua irmã arranjou um namorado novo. É advogado. Advogado empresarial. Tem casa própria e um apartamento num condomínio, num lugar chamado Ocean City. Parece promissor.

O melhor a fazer ainda parecia ser conversar pessoalmente com a gerente da Fantasia. Entrevistar era algo que sabia fazer. Com um pouco de incitamento, um pouco de insistência, talvez conseguisse pôr as mãos numa lista de clientes. Em seguida a esmiuçaria, nome por nome. Se o assassino da irmã estivesse na lista, iria encontrá-lo.

E depois?

Depois agiria de acordo com a situação. Era assim que escrevia. Era dessa forma que ganhava seu sustento. As duas coisas haviam sido bem-sucedidas até então.

A vingança fazia parte da motivação. Embora jamais tivesse sentido essa emoção antes, considerava-a satisfatória. Fortalecedora. Empreender toda a ação até o fim significava permanecer em Washington. Poderia trabalhar tão bem ali quanto em qualquer outro lugar. E Nova York continuaria lá quando ela terminasse.

Se fosse embora agora, seria como deixar um livro inacabado e entregá-lo ao editor. Ninguém além de Grace McCabe iria escrever o último capítulo.

Não podia ser tão difícil assim. Como escritora, sempre soubera que o trabalho policial exigia boa noção de tempo, tenacidade, minúcia e esmero. E uma pitada de sorte. Era o que também exigia a composição de um livro. Qualquer pessoa que houvesse criado enredos e tramas e solucionado tantos assassinatos quanto ela devia ser capaz de encurralar um assassino.

Precisava da lista de clientes, dos relatórios policiais e de tempo para pensar. E precisava apenas contornar a estrutura muito forte do detetive Ed Jackson.

Enquanto trabalhava na estratégia, ouviu a porta da frente se abrir. Não seria fácil enganá-lo, pensou ao verificar o rosto no espelho do banheiro. E mais difícil ainda porque gostava dele. Retirando uma mancha do nariz, começou a descer as escadas.

— Então chegou em casa. — Parou no pé da escada e sorriu para ele. — Como foi seu dia?

— Tudo bem. — Ele transferiu um saco de supermercado para o outro braço. Ela usava a mesma calça jeans colada e o suéter largo daquela manhã, mas agora riscados de branco. — Que diabos andou fazendo?

Era apenas alguém para quem eu telefonava três vezes por semana para esquecer o trabalho. – Esse distanciamento até lhe relaxou a mente. Era um homem comum, lembrou a si mesmo, um homem honesto. Até certo ponto. Ninguém queria que os contadores tratassem a honestidade como uma religião. – Imagino que ela na certa tinha um namorado ciumento. É isso o que acho.

– Ela usou um nome? – perguntou Ben.

– Não. Só o meu. Só chamou em voz alta o meu. Por favor, não posso dizer mais nada a vocês. Já disse tudo que sabia. Eu não precisava ter telefonado, vocês sabem – acrescentou, o tom da voz alterado com o início do falso moralismo. – Não tinha de ser envolvido.

– Agradecemos sua cooperação. – Ben levantou-se da cadeira. – Vai precisar ir à delegacia e assinar uma declaração.

– Detetive, se eu sair desta cadeira antes da meia-noite de amanhã, poderei ser responsável por uma dúzia de multas.

– Registre antes – aconselhou o papagaio. – Proteja o rabo.

– Venha na manhã do dia 16. Mande me chamar ou o detetive Paris. Faremos o melhor possível para deixar seu nome fora disso.

– Obrigado. Podem usar essa porta.

Ele indicou a porta lateral e puxou a calculadora para a frente. No que lhe dizia respeito, cumprira seu dever.

– É tarde demais para requerer uma prorrogação? – perguntou Ben quando ia saindo.

– Nunca é tarde demais.

Markowitz começou a apertar botões.

9

Grace não sabia por que acatara o conselho de Ed e esperava na casa dele. Talvez por ser mais fácil pensar ali, sem as coisas da irmã ao redor. Precisava manter-se ocupada. A mente sempre funcionava melhor quando ela trabalhava com as mãos. Então ficou à vontade, enquanto refletia a fundo sobre todas as suas opções.

entender, sou um homem muito simples mesmo. Mantenho as excitações e complicações em minha vida num mínimo. Além disso, sou hipoglicêmico.

Ed lançou-lhe um olhar solidário.

– Basta contar o que ouviu.

– Ouvi uns barulhos terríveis. Arquejos e pancadas. Ela não gritava mais, só emitia ruídos sem fôlego, gorgolejantes. Eu desliguei. Não sabia o que fazer, então desliguei. – Baixou mais uma vez o lenço, seu rosto estava cinzento. – Achei que talvez fosse uma encenação. Tentei dizer a mim mesmo que era, mas não parei de ouvir os barulhos. Continuei ouvindo Roxanne gritar e implorar que ele não a machucasse. E ouvi a outra voz dizer que ela queria que ele a machucasse, que ela jamais ia passar de novo por uma experiência como aquela. Acho que ele disse que a tinha ouvido dizer que queria ser machucada. Não sei ao certo. Tudo era tão distorcido. Com licença.

Ele levantou-se para ir ao bebedouro. Encheu um copo e o ar borbulhou no recipiente acima. Após tomá-lo, tornou a encher o copo.

– Eu não sabia o que fazer, fiquei apenas ali sentado, pensando. Tentei retornar ao trabalho, esquecer tudo. Como disse antes, continuei achando que não passava de uma brincadeira. Mas não soava como brincadeira. – Esvaziou o segundo copo d'água. – Quanto mais ficava sentado, mais difícil era acreditar que não passava de uma brincadeira. Então acabei ligando para a Empresa Fantasia. Disse à moça que Roxanne estava em apuros. Achei que talvez alguém a estivesse matando. Desliguei e... voltei ao trabalho. O que mais poderia fazer? – Disparava o olhar de um lado para outro entre Ed e Ben, sem pousá-lo em nenhum dos dois. – Continuei achando que Roxanne ligaria de volta e me diria que estava tudo bem. Que tinha sido apenas uma brincadeira. Mas não ligou.

– Alguma coisa na voz, na outra voz que ouviu, a tornava diferente? – Ao escrever, Ed ergueu os olhos e viu Markowitz suar. – Um sotaque, um tom, uma maneira de se expressar?

– Não, era apenas uma voz. Eu mal a ouvia acima da de Roxanne. Escute, nem sei como ela era. Não quero saber. Sejamos francos quanto a isso, para mim ela não passava de, bem, uma caixa de supermercado.

— É a pressão. — Markowitz tirou os óculos e esfregou os olhos. Parecia cego e indefeso sem eles. — Durante meses minha vida gira em torno de formulários de declarações de imposto de renda de empregados e autônomos. Não podem imaginar o que é. Ninguém quer pagar, vocês sabem. Dificilmente posso culpá-los. A maioria dos meus clientes tem rendas de seis números. Não querem dar 35 por cento ou mais ao governo. Querem que eu encontre uma saída para eles.

— É difícil — disse Ben, e decidiu experimentar uma das espreguiçadeiras de couro. — Não nos interessam seus motivos para usar os serviços da Fantasia, Sr. Markowitz. Gostaríamos que nos dissesse exatamente o que aconteceu ontem à noite quando conversava com Mary.

— Roxanne — corrigiu Markowitz. — Sinto-me melhor pensando nela como Roxanne. Tinha uma voz maravilhosa, e era tão... bem, aventureira. Não tenho muito tempo para mulheres desde o divórcio. Mas isso são águas passadas. De qualquer modo, estabeleci uma ligação excitante com Roxanne. Três vezes por semana. Falava com ela e voltava para enfrentar as tabelas de cálculo.

— Ontem à noite, Sr. Markowitz — insistiu Ed.

— Sim, ontem à noite. Bem, ainda não tínhamos conversado muito. Eu mal tinha entrado no clima. Vocês sabem, relaxava. — Ele pegou um lenço e enxugou o rosto. — De repente, lá estava ela falando com outra pessoa. Como se houvesse alguém no quarto. Disse algo como "Quem é você?" ou "O que faz aqui?". A princípio achei que falava comigo, por isso respondi alguma coisa, uma brincadeira ou algo assim. Então ela gritou. Quase larguei o telefone. Ela pediu: "Lawrence, Lawrence, me ajude. Chame a polícia, chame alguém." — Começou a tossir, como se a repetição das palavras lhe houvesse irritado a garganta. — Voltei a falar com ela. Foi tão inesperado. Acho que pedi que se acalmasse. Então ouvi outra voz.

— A voz de um homem? — Ed continuava a escrever no caderno.

— É, acho que sim. Outra voz, em todo caso. Ele disse, acho que disse: "Você vai gostar disso." Chamou-a pelo nome.

— Roxanne? — perguntou Ben.

— É, isso mesmo. Eu o ouvi dizer Roxanne e ouvi... — Agora ele cobria o rosto com o lenço e esperava um instante. — Vocês precisam

– Sim, senhor – começou Ben, e então se deu conta. – Quatorze de abril?

– Entreguei mês passado – disse Ed, muito tranquilo.

– Você, é claro.

– Lamento, senhores, mas essas novas leis de imposto de renda deixam todo mundo alvoroçado. Se eu trabalhar as próximas 24 horas seguidas, talvez consiga terminar antes do prazo final.

Os dedos de Markowitz pairavam nervosos acima da calculadora.

– Foda-se a Receita Federal – chilreou o papagaio da gaiola.

– É. – Ben correu os dedos pelos cabelos e tentou não se aprofundar no assunto. – Sr. Markowitz, não viemos aqui por causa de impostos. De qualquer modo, quanto o senhor cobra?

– Viemos aqui por causa de Mary Grice – interveio Ed. – O senhor a conhecia como Roxanne.

Markowitz apertou o botão de apagar num reflexo e pegou um lápis.

– Receio não saber do que vocês estão falando.

– Sr. Markowitz, Mary Grice foi assassinada ontem à noite. – Ed esperou um instante, mas viu que o contador encontrara tempo para ler o jornal matutino. – Temos motivos para acreditar que o senhor falava com ela na hora do ataque.

– Eu não conheço ninguém com esse nome.

– Conhecia Roxanne – acrescentou Ben.

A pele já pálida de Markowitz adquiriu um matiz esverdeado.

– Não entendo o que Roxanne tem a ver com Mary Grice.

– Eram a mesma mulher – disse Ben, e viu-o engolir em seco com força.

Ele soubera. De algum modo, soubera tão logo lera as manchetes da manhã. Mas isso não tornara o caso real. Dois policiais no escritório no meio do dia tornavam tudo muito real. E muito pessoal.

– Tenho algumas das maiores contas na área metropolitana. Vários dos meus clientes estão na Câmara, no Senado. Não posso permitir-me nenhuma confusão.

– Podemos intimá-lo – disse Ed. – Se o senhor cooperar, talvez possamos manter tudo em sigilo.

— Srta. Bass, esse senhores vieram ver o Sr. Markowitz.

— Vocês têm hora marcada? — A mulher atrás da mesa parecia atormentada demais. Cabelos espetados para todos os lados, como se os houvesse desarrumado, puxado e empurrado com os dedos. Agora enfiava um lápis atrás da orelha e remexia os papéis na mesa à procura da agenda. O telefone ao lado dela tocava sem parar. — Lamento, mas o Sr. Markowitz está muito ocupado. Não é possível receber novos clientes.

Ben tirou de novo o distintivo e segurou-o sob o nariz dela.

— Oh. — Ela pigarreou e desentocou o telefone interno. — Verei se ele pode atender. Sr. Markowitz. — Ben e Ed ouviram a estranha estática que se seguiu à interrupção. — Sinto muito, Sr. Markowitz. Sim, senhor, mas tem dois homens aqui. Não, senhor, ainda não fiz a conta de Berlim. Sr. Markowitz... Sr. Markowitz, são policiais. — Disse a última palavra num tom baixo, como se fosse um segredo. — Sim, senhor, tenho certeza. Não, senhor. Tudo bem. — Soprou a franja para tirá-la dos olhos. — O Sr. Markowitz vai recebê-los agora. Direto por aquela porta. — Dever cumprido, pegou o telefone. — Lawrence Markowitz e Associados.

Se ele tinha associados, não estavam visíveis em lugar algum.

Markowitz estava sozinho no escritório, um homem careca, esquelético, de dentes grandes e óculos grossos. A escrivaninha era preta, como a da secretária, e quase tão grande quanto a dela. Pastas empilhavam-se em cima, junto com dois telefones, pelo menos uma dúzia de lápis apontados e duas calculadoras. Uma fita se desenrolava até o chão. Num canto, via-se um filtro de água. Pendurada diante da janela, uma gaiola com um grande papagaio verde.

— Sr. Markowitz.

Os dois detetives mostraram a identificação.

— Sim, o que posso fazer por vocês? — Ele deslizou a palma da mão pelo que restava dos cabelos e lambeu os lábios. Não mentira a Roxanne sobre a oclusão defeituosa que fazia os seus dentes incisivos e caninos superiores se projetarem sobre os inferiores. — Receio estar atolado no momento. Sabem que dia é hoje, não? Quatorze de abril. Todo mundo espera até o último minuto, depois quer um milagre. Só peço um pouco de consideração, um pouco de organização. Não posso pedir prorrogação do prazo de entrega da declaração de todos. Coelhos, querem que a gente tire coelhos da cartola.

– Mais personalidade? – Ben bufou, enfiando de volta a cabeça dentro do carro. – Os impostos sobre uma casa dessas são mais altos que o financiamento que você paga pela compra da sua.

– O valor monetário de uma casa não a torna um lar.

– É, você deve se destacar como amostragem. Olhe aquela. Deve ter uns 4 mil metros quadrados.

Ed olhou, mas não se impressionou com o tamanho; arquitetura moderna demais para seu gosto.

– Eu não sabia que você se interessava por bens imobiliários.

– Não me interesso. Ok, não me interessava. – Ben passou por uma cerca viva de azaleias em tom rosa-claro. – Imagino que a doutora e eu vamos querer uma casa mais cedo ou mais tarde. Ela saberia cuidar disso – murmurou. – Eu, não. Eles na certa têm uma ordem municipal sobre a coordenação de cores das latas de lixo. Médicos, advogados e contadores.

E netas de senadores, concluiu, pensando na elegância discreta de sua mulher.

– E nada de erva daninha.

– Eu gosto de erva daninha. Chegamos. – Ele parou o carro diante de uma casa em forma de H, de dois andares. – Saber diminuir o imposto de renda é um grande negócio.

– Os contadores são como os policiais – disse Ed, e guardou o saco de sementes. – Sempre vamos precisar deles.

Ben parou na entrada de carros inclinada e puxou o freio de mão. Teria preferido enfiar duas pedras sob os pneus de trás, mas não as encontrou. Eram três portas a escolher. Decidiram-se pela da frente. Foi aberta por uma mulher de meia-idade de vestido cinza e avental branco.

– Gostaríamos de ver o Sr. Markowitz, por favor. – Ed ergueu o distintivo. – Assunto de polícia.

– O Sr. Markowitz está no escritório. Eu mostrarei o caminho.

O hall dava para uma enorme sala decorada em branco e preto. Ed não gostou do ambiente, por ser rígido demais, mas achou as claraboias interessantes. Precisava mandar orçar algumas. Viraram à direita, numa das barras do H. Ali viram abajures em forma de globos, poltronas reclináveis de couro e uma mulher sentada a uma mesa cor de ébano.

– Havia um cliente ao telefone com Mary quando... quando ela foi atacada. Ele a ouviu gritar, e o que pareceram ruídos de uma luta. De qualquer modo, tornou a ligar para cá. Minha cunhada não soube o que fazer, por isso me ligou. Assim que ela me explicou tudo, eu liguei para a delegacia. – O telefone tocou ao lado, mas ela ignorou. – Entendam, o cliente não podia dar parte à polícia. Não saberia dizer aonde a polícia devia ir, nem o nome de quem estava em apuros. Isso faz parte da proteção.

– Precisamos do nome do cliente, Sra. Cawfield – disse Ed.

Ela assentiu e apagou impecavelmente o cigarro.

– Preciso pedir que sejam o mais discretos possível. Não é só uma questão de perder minha empresa, o que com certeza vai acontecer. É mais porque me sinto traindo o sigilo do cliente.

Ben olhou o telefone dela quando começou a tocar de novo.

– Essas coisas vão para o espaço quando tem assassinato envolvido.

Sem uma palavra, Eileen virou-se para o computador.

– É de primeira qualidade. Eu quis o melhor equipamento. – Pegou o telefone e cuidou da ligação seguinte. Ao desligar, girou na cadeira e pegou a folha impressa. Entregou-a a Ed. – O senhor que falava com Mary ontem à noite é Lawrence Markowitz. Não tenho o endereço, claro, apenas um número de telefone e o do cartão de crédito.

– Cuidaremos disso – respondeu Ed.

– Espero que sim. Espero que cuidem o mais breve possível.

Quando eles saíram, o telefone tornou a tocar.

NÃO LEVARAM MUITO tempo para localizar Lawrence K. Markowitz.

Era um contador público de 37 anos, divorciado, autônomo. Trabalhava em casa, em Potomac, Maryland.

– Minha nossa, veja essas casas. – Ben reduziu a velocidade e colocou a cabeça para fora da janela. – Sabe quanto valem essas casas aqui? Quatrocentos, quinhentos mil dólares. Essa gente tem jardineiros que ganham mais do que nós.

Ed mordeu uma semente de girassol.

– Eu gosto mais da minha casa. Tem mais personalidade.

Quando os dois cruzaram a porta do apertado escritório da Fantasia, Eileen falava ao telefone. Ergueu os olhos, sem surpresa, e terminou de dar as instruções telefônicas. Mesmo quando Ben jogou um mandado sobre a mesa, a empresária não perdeu o ritmo.

– Este parece estar em ordem.
– A senhora perdeu outra funcionária ontem, Sra. Cawfield.
A mulher encarou-o e tornou a olhar o mandado.
– Eu sei.
– Então também sabe que vocês são o elo. Sua empresa é a única ligação entre Mary e Kathleen.

– Eu sei que é o que parece. – Ela pegou mais uma vez o mandado e deu mais uma olhada. – Mas não posso acreditar que seja verdade. Escute, eu disse antes a vocês, não se trata de uma operação disque-pornô. Eu dirijo uma empresa limpa e organizada. – Um lampejo de pânico se desprendeu dos olhos dela quando tornou a erguê-los, notou Ed, embora a voz permanecesse calma. – Eu me formei em administração de empresas na Smith. Meu marido é advogado. Não somos marginais que fazem negócios furtivos em ruas escondidas ou becos, onde é improvável atrair atenção. Fornecemos um serviço. Conversa. Se eu me julgasse responsável, de algum modo responsável, pela morte de duas mulheres...

– Sra. Cawfield, só existe uma pessoa responsável: o homem que as assassinou. – Ela lançou a Ed um olhar de gratidão, e ele aproveitou a oportunidade. – Uma mulher ligou para a polícia e comunicou um distúrbio no apartamento de Mary Grice ontem à noite. Não foi uma vizinha, Sra. Cawfield.

– Não. Pode dar um desses? – ela pediu quando Ben pegou um cigarro. – Parei há dois anos. – Sorriu um pouco quando ele acendeu o cigarro. – Ou meu marido acha que parei. Ele é todo ligado em saúde, sabe? Prolongando a vida, melhorando o estilo de vida. Vocês não imaginam como eu passei a detestar brotos de alfafa.

– O telefonema, Eileen – insistiu Ben.

Ela tragou o cigarro e expeliu a fumaça numa baforada rápida, nervosa.

A voz dela oscilou e tornou a estabilizar-se. Ele teve absoluta certeza de que, se oferecesse conforto, ela afastaria a sua mão com um tapa.

– Existem regras, Grace. Você não tem de gostar delas, mas existem.

– Fodam-se as regras.

– Ótimo, então talvez hoje a gente encontre outra mulher morta, e amanhã mais uma. – Como ele viu que um ponto a afetou, insistiu: – Você escreve excelentes romances policiais, mas isso é real. Ben e eu vamos fazer nosso trabalho, e você vai para casa. Eu posso conseguir uma ordem judicial de afastamento para você. – Interrompeu-se quando ela o desafiou com os olhos, meio divertidos, meio furiosos.

– Patife.

A palavra isolada talvez fosse furiosa, mas Ed viu que conseguira o que queria.

– Vá para casa, durma um pouco. Melhor ainda, vá para minha casa. – Ele enfiou a mão no bolso e retirou as chaves. – Se não se cuidar, vai desmaiar de novo. Isso não vai ser bom para ninguém.

– Não vou ficar sentada sem fazer nada.

– Não, você vai comer, vai dormir e vai me esperar voltar. Se eu puder dizer alguma coisa a você, direi.

Por reflexo, ela agarrou as chaves que ele lhe atirou.

– E se ele matar outra pessoa?

Era uma pergunta que ele vinha fazendo a si mesmo desde a madrugada.

– Vamos pegá-lo, Grace.

Ela fez que sim com a cabeça, porque sempre acreditara que o bem vencia o mal.

– Quando fizerem isso, eu quero vê-lo, cara a cara.

– Falaremos sobre isso. Quer que alguém a leve de carro para casa?

– Ainda sou capaz de dirigir um carro. – Ela abriu a bolsa e largou as chaves dentro. – Vou esperar, Jackson, mas não sou uma mulher paciente.

Quando ela passou por ele, Ed tomou-lhe o queixo na mão. Voltara-lhe a cor ao rosto, a primeira cor verdadeira que ele via em dias. De algum modo, isso não o tranquilizou.

– Durma um pouco – murmurou, enquanto abria a porta para ela.

O jovem policial enfiou a cabeça na porta.

– Temos algumas informações da Receita Federal sobre Mary Grice. – Olhou para a escritora antes de entregar o papel impresso a Harris. – A relação dos patrões dela no último ano.

O capitão examinou o relatório e fixou-se num nome. Grace pegou outro cigarro. As engrenagens voltaram mesmo a girar.

– A vítima trabalhava na Fantasia também, não trabalhava? Está aí a ligação. – Ela acendeu o isqueiro e sentiu-se mais forte do que se sentira em dias. – É a única coisa que faz sentido.

Harris estreitou os olhos ao examiná-la.

– Esta investigação é confidencial, Srta. McCabe.

– Acha que vou procurar a imprensa? – Ela soltou uma baforada de fumaça e levantou-se. – Não podia estar mais errado, capitão. A única coisa que me interessa é ver o assassino da minha irmã pagar.

Ed alcançou-a quando ela chegou ao corredor.

– Aonde vai?

– Falar com o dono ou quem dirige a Fantasia.

– Não, não vai, não.

Ela parou tempo suficiente apenas para disparar-lhe um olhar duro.

– Não me diga o que eu posso fazer. – Afastou-se, e então ficou mais do que surpresa ao ser rodopiada e empurrada para um escritório vazio.

– Sente-se, Grace.

Ela não o fez, mas esmagou o cigarro numa xícara vazia.

– Sabe uma coisa que notei? Só agora comecei a me dar conta disso, embora já venha acontecendo há algum tempo. Você dá ordens, Jackson. Eu não recebo. – Estava calma, quase calma demais, mas a sensação era agradável. – Muito bem, você é maior que eu, mas, juro por Deus, se não sair da minha frente, eu mato você.

Ele não duvidava, mas não era hora de colocar isso à prova.

– Isso é assunto de polícia.

– É assunto meu. Minha irmã. E finalmente descobri alguma coisa que posso fazer, além de olhar para o teto e me perguntar por quê.

feito para impedir Kathy de obter a custódia de Kevin, e ele me disse que faria tudo que fosse necessário.

— Grace. — Ed passou-lhe chá em uma xícara de isopor. — Breezewood estava na Califórnia na noite em que sua irmã foi assassinada.

— Homens como Jonathan não matam. Contratam outras pessoas para fazer o serviço. Ele a odiava. Tinha um motivo.

— Já conversamos com ele. — Ed pegou o cigarro que se consumira entre os dedos dela e esmagou-o. — Foi muito cooperativo.

— Disso tenho certeza.

— Admitiu que tinha contratado uma agência para controlar sua irmã. — Ed viu os olhos dela se escurecerem e continuou: — Para vigiá-la, Grace. Sabia dos planos dela para um processo de custódia.

— Então por que o deixaram voltar para a Califórnia?

— Não tínhamos nenhuma razão para detê-lo.

— Minha irmã está morta. Droga, minha irmã está morta.

— Não temos nenhuma prova de que seu ex-cunhado tenha participado do assassinato da Sra. Breezewood — disse Harris, as mãos fechadas uma na outra, e curvou-se sobre a mesa. — E não há nada que o ligue ao segundo assassinato.

— Segundo assassinato? — Forçando-se a inspirar devagar, ela se virou para Ed. — Houve outro?

— Ontem à noite.

Grace não ia deixar a fraqueza dominá-la de novo. Tomou com determinação um gole do chá que Ed lhe dera. Era importante manter a voz calma, até moderada. Passara o tempo de histeria.

— Igual? Igual ao de Kathy?

— É. Precisamos de uma ligação, Grace. Você conhecia alguma Mary Grice?

Ela pensou. Tinha excelente memória.

— Não. Acham que Kathy a conhecia?

— O nome dela não estava no caderno de endereços de sua irmã — informou Ben.

— Então é improvável. Kathy era muito organizada com essas coisas. Com tudo.

– Está pronta para entrar?
Ela assentiu com a cabeça e levantou-se.
– Estou pronta.
Com muita rapidez, viu-se sentada no escritório do capitão Harris. Muito devagar, e com uma coerência que acabara de reencontrar, relatou a história do envolvimento de Kathleen com a Fantasia:

– Receei a princípio que ela falasse com algum pervertido que pudesse lhe causar problemas. Mas ela explicou o sistema, que ninguém além do escritório principal tinha o número dela. E que nem usava o próprio nome. Désirée foi o nome que me disse que usava nos telefonemas. Só me lembrei disso quando vi o cartão. Ninguém, além das pessoas para quem ela trabalhava e as pessoas com quem falava, a conhecia por esse nome.

Ben pegou o isqueiro e passou-o de uma mão à outra. Não gostara do jeito como Tess o olhara antes de voltar para o consultório.

– É possível que sua irmã tenha contado a alguém sobre esse trabalho extra, sobre o nome?

– Creio que não. – Ela aceitou o cigarro que o detetive lhe passou. – Kathy era muito fechada. Se tivesse uma amiga íntima, talvez. Mas não tinha.

Tragou fundo e exalou a fumaça.

– Contou a você – lembrou-lhe Ed.

– Sim, contou. – Grace fez uma pausa. Precisava manter a mente clara. – Quando penso nisso, acho que o único motivo de ela ter me contado foi porque precisava desabafar com alguém. Na certa foi um impulso, do qual sei que se arrependeu. Insisti com ela duas vezes para saber de detalhes e ela não me disse uma só palavra. Dizia respeito apenas a ela e a mais ninguém. Kathy era muito firme no que achava que só a ela interessava. – As engrenagens começavam a girar de novo em sua mente. Grace fechou os olhos e concentrou-se. – Jonathan. Ele pode ter sabido.

– O ex-marido? – perguntou Harris.

– É, quando conversei com ele no funeral, ele admitiu saber que Kathy tinha contratado um advogado e um detetive. Se teve conhecimento disso, é provável que soubesse do restante. Perguntei o que teria

– Grace.

– Eu preciso lhe mostrar uma coisa.

Ben deslizou a mão sobre a de Tess e entrou.

– Não, por favor, esperem um minuto. – Grace deu um longo suspiro e abriu a bolsa. – Encontrei isto quando examinava os cartões de pêsames e de floristas esta manhã.

Pegou o envelope branco simples no qual enfiara o cartão e entregou-o a Ed.

Ele o retirou e o virou, para Ben ler junto.

– Isso quer dizer alguma coisa para você, Grace?

– Sim. – Ela fechou a bolsa, perguntando-se por que se sentia nauseada. Não comera. – Esse era o nome que Kathy usava na Fantasia. Kathleen era Désirée. Era o disfarce dela, para que ninguém soubesse quem era ou onde estava. Mas alguém descobriu. E a matou.

– Venha para dentro, Grace – disse Ed.

– Preciso me sentar.

Tess cutucou Ed para o lado e fez Grace colocar a cabeça entre os joelhos.

– Eu a levo para dentro num minuto – disse, virando-se para trás.

– Venha. – Ben abriu a porta e pôs a mão no ombro de Ed. – É melhor levarmos isso para o capitão. Tess toma conta dela – acrescentou quando o parceiro não se mexeu.

– Inspire fundo várias vezes – murmurou Tess, massageando os ombros de Grace.

Com a mão livre, tomou o pulso dela.

– Droga, já estou farta disso.

– Então é melhor começar a comer, em vez de só tomar café. Do contrário, isso não vai parar de acontecer.

Grace manteve a cabeça abaixada, mas a virou até encontrar os olhos de Tess. Viu compaixão e compreensão misturadas com bom-senso. Era a exata combinação de que precisava.

– Tem razão. – Continuava pálida quando se endireitou, mas com o pulso mais forte. – O desgraçado matou minha irmã. Não importa quanto tempo leve, eu vou vê-lo pagar por isso. – Puxou os cabelos para trás e inspirou fundo. – Acho que as coisas acabaram de se encaixar.

— Não tem época em que Washington fique melhor do que na primavera. Vai ficar muito tempo?

— Não sei. — O sol brilhava forte, quase demais. Grace não notara quando fora dirigindo até ali. — Estou tendo muita dificuldade para tomar decisões.

— Isso é normal. Após uma perda, a maioria de nós flutua por algum tempo. Quando estiver pronta, as coisas voltam a se encaixar.

— É normal se sentir culpada?

— Em relação a quê?

— A não ter impedido?

Tess tomou um gole do café e viu um punhado de narcisos ondularem na brisa.

— Você poderia ter impedido?

— Não sei. — Grace pensou no cartão que trazia na bolsa. — Simplesmente não sei. — Com uma risada entrecortada, sentou-se no degrau da escada. — Isso parece uma sessão analítica. Só falta um divã.

— Às vezes ajuda falar com alguém que não esteja envolvido.

Grace virou a cabeça, protegendo os olhos com a mão.

— Bem disse Ed que você era linda.

Tess sorriu.

— Ed é um amor de homem.

— É mesmo, não é? — Grace tornou a virar-se para fechar a mão sobre a bolsa novamente. — Sabe, sempre fui capaz de aceitar as coisas como elas acontecem. Sou ainda melhor em fazê-las acontecer do jeito que eu quero. Odeio isso. Odeio ficar confusa, odeio não ser capaz de decidir se viro à esquerda ou à direita. Nem me sinto mais a mesma pessoa.

— As pessoas fortes muitas vezes têm mais dificuldade com a dor e a perda. — Tess reconheceu o barulho de freios e olhou em direção ao estacionamento, achando que devia ser Ed quem dirigia. — Se ficar na cidade por algum tempo e precisar conversar, me avise.

— Obrigada.

Grace jogou o copo fora e levantou-se devagar. Ao ver Ed aproximar-se, ficou com as palmas das mãos úmidas e esfregou-as na calça jeans.

– Alguns homens ficam com toda a sorte grande.

– Diga isso a ele também. – Tess ia sair, e então avistou Grace. Reconheceu-a das contracapas dos livros e fotos de jornal. Também reconheceu a expressão tensa e sofrida no rosto. Como médica, achou quase impossível afastar-se. Atravessando a sala, esperou a escritora erguer os olhos. – Srta. McCabe?

Uma fã, não, pensou Grace. Ali, não, naquele momento, não. Tess notou o distanciamento e estendeu a mão.

– Sou Tess. Tess Paris, mulher de Ben.

– Ah. Olá.

– Está esperando Ed?

– Sim.

– Parece que nós duas estamos com falta de sorte. Quer um café?

Grace hesitou, ia recusar. Então uma mulher aos prantos foi transportada para a sala.

– Meu filho é um bom menino. É um bom menino. Só estava se defendendo. Não podem mantê-lo aqui.

Grace viu quando uma policial ajudou-a a sentar-se numa cadeira, curvou-se sobre ela e falou com firmeza. Havia sangue da briga nas duas.

– Sim – apressou-se a dizer, então. – Gostaria de um café.

Tess levantou-se e dirigiu-se rapidamente ao corredor. Pegou moedas na carteira e enfiou-as numa máquina.

– Creme?

– Não, puro.

– Boa escolha. O creme, em geral, borrifa por todo o chão. – Ela passou o primeiro copinho a Grace. Pôr-se na posição de alguém que ouve os problemas dos outros fazia parte de sua profissão. E também parte da sua personalidade. Notou o leve tremor nos dedos da escritora e viu que não podia ir embora. – Quer ir lá para fora? O dia está ótimo.

– Tudo bem.

Tess seguiu na frente e depois se encostou no corrimão. Agradava-a lembrar que vira Ben pela primeira vez naquele mesmo lugar, na chuva.

– Ele não está. – O policial levou um minuto para reconhecê-la. Não era muito de ler, mas vira o retrato dela no jornal da manhã. – Srta. McCabe?

– Sim?

– Pode esperar se preferir, ou posso checar e ver se o capitão pode receber a senhorita.

Capitão? Ela não conhecia o capitão, nem o jovem policial com a covinha no queixo. Queria Ed.

– Eu prefiro esperar.

Como ele já equilibrava dois refrigerantes e uma pasta gorda, indicou-lhe com a cabeça uma cadeira no canto. Grace sentou-se, fechou as mãos sobre a bolsa e esperou.

Viu uma mulher entrar. Uma loura usando um belo conjunto de seda cor-de-rosa não parecia uma pessoa que tinha assuntos com a Divisão de Homicídios. Uma profissional liberal, ou a jovem esposa de um político, concluiu, embora não tivesse energia para aprofundar-se mais, como em geral fazia, e atribuir uma história imaginária ao rosto desconhecido.

– Ei, Tess – chamou o jovem policial da sua mesa. – Já era hora de termos alguma classe aqui.

A recém-chegada sorriu, aproximou-se e ficou ao lado dele.

– Ben não está?

– Fora, brincando de detetive.

– Eu tinha uma hora livre e achei que ele poderia me acompanhar num almoço cedo.

– Pode ser eu?

– Lamento. Meu marido é um policial ciumento que porta arma. Apenas diga que dei uma passada.

– Vai entrar nesse caso para nos dar um perfil psiquiátrico sobre nosso assassino?

Ela hesitou. Era uma coisa em que pensara, que chegara até a comentar casualmente com Ben. A negativa inflexível dele e seu próprio número de casos em tratamento facilitaram-lhe desistir.

– Acho que não. Diga a Ben que vou comprar comida chinesa e chegar em casa às seis. Seis e meia – ela corrigiu.

Ele precisava fazê-lo de novo. Outra experiência. Outra oportunidade de perfeição. O pai entenderia. O pai jamais se contentava com menos que a perfeição. E ele era, afinal, seu filho.

A dependência vinha-lhe fácil, e o assassinato era apenas mais um vício. Mas da próxima vez teria de conhecer a mulher um pouco melhor. Queria sentir aquela ligação com ela.

O Sr. Brenner falava sobre a loucura de Lady Macbeth. Jerald esfregou a mão no peito e perguntou-se como o machucara.

8

Grace fora a delegacias policiais antes. Sempre as achara fascinantes. De cidade pequena, cidade grande, do norte ou do sul, desprendiam uma certa sensação, um certo caos controlado.

Aquela não era nada diferente. O piso de linóleo fosco com várias ondulações e bolhas de ar. As paredes em tonalidade bege ou de um branco que se tornara bege. Cartazes pregados com tachas aqui e ali. NÃO AO CRIME, com um número de telefone logo abaixo da inscrição. Linhas telefônicas de emergência para drogas, suicídio, maus-tratos a mulheres e crianças. VOCÊ VIU ESTA CRIANÇA? As venezianas precisavam de uma limpeza para tirar a poeira, e a máquina de balas e chocolates, de uma plaqueta COM DEFEITO.

Na Divisão de Homicídios, policiais à paisana grudavam-se a telefones ou curvavam-se sobre máquinas de escrever. Alguém vasculhava uma geladeira velha. Ela sentiu cheiro de café e o do que julgou ser atum.

– Posso ajudá-la?

Quando Grace se sobressaltou ao ouvir o som da voz, percebeu o quanto tinha os nervos em frangalhos. O policial era jovem, 20 e poucos anos, cabelos escuros e uma covinha no meio do queixo. Ela forçou os dedos a relaxar no fecho da bolsa.

– Preciso ver o detetive Jackson.

IN MEMORIAM impressas ao lado de um buquê de rosas vermelhas. Escrita no centro, a mensagem:

Désirée, eu nunca a esquecerei.

Enquanto o fitava, o cartão escorregou-lhe dos dedos e caiu virado para cima no chão aos pés dela.

Désirée. O nome pareceu crescer até espalhar-se por todo o cartão. "Sou Désirée", dissera Kathleen, tão despreocupada, naquela primeira noite. *Sou Désirée.*

– Oh, meu Deus! – Grace começou a tremer ao fitar o cartão no chão. – Oh, amado Deus!

JERALD FICOU SENTADO durante toda a aula de literatura inglesa, enquanto o professor falava em tom monótono e sem parar sobre as sutilezas e o simbolismo de *Macbeth*. Ele sempre gostara da peça. Lera-a várias vezes e não precisava que o Sr. Brenner lhe explicasse. Era sobre assassinato e loucura. E, claro, poder.

Fora criado com o poder. O pai era o homem mais poderoso do mundo. E Jerald sabia tudo sobre assassinato e loucura.

O Sr. Brenner teria um ataque cardíaco se ele se levantasse e simplesmente explicasse a ele como era acabar com uma vida. Se explicasse os ruídos que a pessoa fazia, ou a aparência do rosto quando a vida se esvaía. Os olhos. Os olhos eram o mais incrível.

Concluíra que gostava de matar, de modo muito semelhante àquele como George Lowell, que se sentava ao seu lado, gostava de beisebol. Na verdade, Roxanne não significara tanto para ele quanto Désirée. Gostara daquele arroubo de um segundo em que o orgasmo e a morte se misturavam, mas a primeira significara muito mais.

Se ao menos pudesse ser daquele jeito de novo. Se ao menos pudesse tê-la de volta. Não seria justo se não experimentasse mais uma vez aquela maravilhosa sensação de amor e prazer.

Fora a expectativa, concluiu Jerald. Como Macbeth com Duncan, ele tivera a escalada, o terror e o destino. Roxanne fora mais como uma experiência. Da mesma forma que em química se tentava reconstituir para provar uma teoria.

Levou um bule para o andar de cima. Olhou quase saudosa para o computador. Fazia dias que não o ligava. Se ultrapassasse o prazo final para a entrega do livro, o que vinha se tornando cada vez mais provável, o editor seria solidário. Já recebera alguns de telefonemas de Nova York oferecendo ajuda e condolências. Quase compensava sua foto no jornal daquela manhã, no enterro de Kathleen.

ENTERRADA IRMÃ DE ESCRITORA PREMIADA
G. B. MCCABE COMPARECE AO FUNERAL DA IRMÃ
BRUTALMENTE ASSASSINADA

Não se dera o trabalho de ler o texto.

As manchetes não tinham importância, lembrou-se. Já as esperara. O sensacionalismo fazia parte do jogo. E fora um jogo para ela, até poucas noites antes.

Grace terminou de tomar uma xícara de café, serviu-se de outra e pegou um envelope pardo. Sentiu-se tentada a simplesmente despachá-los para a mãe. Em vez disso, sentou-se na cama e começou a examiná-los um por um. Alguns talvez exigissem um bilhete pessoal de resposta. Era melhor fazê-lo agora do que deixar a mãe enfrentar tudo depois.

Havia apenas um de todos os alunos da escola de Kathleen. Ao examiná-lo, Grace pensou em doar dinheiro para uma bolsa de estudos em nome da irmã. Separou-o até poder discutir a ideia com o advogado.

Reconheceu alguns nomes da Califórnia, famílias ricas e poderosas que a irmã conhecera. Que Jonathan cuidasse das respostas desses, decidiu, e arrumou-os numa pilha.

Um de uma antiga vizinha fez seus olhos encherem-se de lágrimas mais uma vez. Haviam morado na casa ao lado da Sra. Bracklemen durante 15 anos. Ela era idosa então, ou assim lhe parecera. Sempre havia biscoitos assando no forno ou pedaços de material que podiam ser transformados numa marionete. Grace também separou esse cartão.

Pegou o cartão seguinte. Fitou-o, esfregou os olhos, e tornou a fitá-lo. Não parecia certo. Era um cartão de florista com as palavras

– Não esqueça a tetraciclina.
– Eu tenho um estômago de ferro. Vamos, Renockie, anda logo.

Ben abriu uma pasta.

– Como acha que ela vai ficar de biquíni?
– Excelente. O que temos aí?
– O sangue no vidro quebrado era A positivo. E veja só isso. Impressões digitais na vidraça da janela. – Ben retirou o arquivo Breezewood. – O que você diria?
– Que as amostras batem uma com a outra.
– É, batem, sim. – Ben pôs as pastas lado a lado. – Agora só temos de encontrar o cara.

GRACE JOGOU A BOLSA no sofá e desabou. Não se lembrava de ter se sentido tão cansada antes, nem depois de uma maratona de 14 horas de trabalho, nem depois de uma festa que durasse a noite toda, nem depois de uma turnê de divulgação por 12 cidades.

Do momento em que telefonara aos pais em Phoenix até deixá-los no avião de volta para casa, usara cada fiapo de energia para eles continuarem em frente. Graças a Deus, tinham um ao outro, pois simplesmente não lhe restara nada.

Também queria voltar para casa, para Nova York, para o barulho e o ritmo frenético. Queria arrumar o baú, fechar a casa e pegar um voo. Mas isso seria fechar a porta para Kathleen. Ainda restava uma centena de detalhes a ser resolvida. O seguro, o proprietário, o banco, todos os itens pessoais que a irmã deixara.

Podia embalar a maioria deles e doá-los à igreja, mas com certeza eram coisas que devia mandar para Kevin ou para os pais. As coisas de Kathleen. Não, não se julgava pronta para mexer nas roupas e joias da irmã.

Assim, começaria com a papelada, a partir do enterro, e refaria o trabalho de trás para a frente. Todos aqueles cartões. A mãe na certa gostaria de tê-los, guardá-los em alguma caixinha. Talvez fosse o melhor lugar para começar. Desconhecia a maioria dos nomes. Assim que quebrasse o gelo, poderia enfrentar os assuntos mais pessoais da irmã.

Primeiro iria revigorar o organismo com café.

– Maggie Lowenstein e Renockie podem investigar os vizinhos. – Harris pegou duas pílulas cor de laranja, olhou-as de cara feia e engoliu-as com a água morna que estava sobre a mesa. – Até obtermos qualquer outra informação que prove o contrário, procuramos um homem. Vamos solucionar isso antes que saia do controle. Paris, sua mulher foi de grande ajuda ano passado. Ela tem alguma ideia sobre este caso?

– Não.

Ben soprou fumaça e deixou por isso mesmo.

Harris tomou o resto da água quando o estômago grunhiu. A imprensa já salivava e ele não tinha uma refeição decente fazia um mês.

– Quero relatórios atualizados às 16h.

– Fácil ele mandar – resmungou Ben, ao fechar a porta de Harris atrás de si. – Sabe, Harris já era um grande pé no saco antes de entrar nessa dieta.

– Apesar da crença popular, ser gordo não nos torna felizes. O excesso de peso é um esforço para o corpo, causa mal-estar e em geral reduz a disposição. Essas dietas populares acentuam o mal-estar. A nutrição correta, os exercícios e o sono deixam a pessoa feliz.

– Merda.

– Também ajuda.

– Bebidas por minha conta.

Maggie Lowenstein enfiou-se no meio deles e passou os braços em volta de suas cinturas.

– Você teve de esperar eu me casar para ficar amistosa.

– Meu marido recebeu um aumento, e, querido, vamos para o México assim que as crianças entrarem de férias.

– Que tal um empréstimo até chegar o dia do pagamento? – Ed perguntou.

– Nem pensar! Recebemos o relatório da perícia. Phil e eu vamos fazer o porta a porta. Talvez eu consiga espremer uma comprinha na hora do almoço. Não uso um biquíni há três anos.

– Por favor, assim você me deixa excitado.

Ben permitiu que ela pegasse a pasta na sua mesa.

– Morra de inveja, Paris. Daqui a um mês e meio vou para o sul da fronteira tomar *margaritas* e comer *fajitas*.

– Lembro. Assim que larguei o serviço, tomei um porre.

Ed não precisava perguntar. Já sabia que o primeiro corpo que o parceiro enfrentara fora o do próprio irmão.

Entraram no quarto, examinaram Mary e logo depois se entreolharam.

– Merda. – Foi só o que disse Ben.

– Parece que temos outro assassino em série nas mãos. O capitão vai ficar furioso.

ED TINHA razão.

Às 8 horas da manhã seguinte os dois detetives chegaram ao escritório do capitão Harris. O superior estava sentado à sua mesa, examinando os relatórios deles por trás dos novos e detestados óculos de leitura. A dieta a que se submetia tirara-lhe 2 quilos e azedara-lhe a disposição. Ele tamborilava monotonamente com os dedos de uma das mãos na mesa.

Ben encostou-se na parede, desejando ter tido tempo e energia para fazer amor com a mulher naquela manhã. Com as pernas esticadas, Ed mergulhava um saquinho de chá numa xícara de água quente.

– O relatório da perícia não chegou – acabou por dizer Harris. – Mas acho que não vamos encontrar surpresas. O cara se feriu ao entrar pela janela. – Ed tomou um gole do chá. – Acho que o sangue vai ser compatível com o encontrado no homicídio de Kathleen Breezewood.

– Omitimos o estupro e a arma do crime da imprensa – continuou Ben. – Para reduzir as chances de aparecer um macaco de imitação. Não houve muita luta dessa vez. Ou ele foi mais esperto ou ela ficou apavorada demais para resistir. Não era uma mulher pequena, mas o cara conseguiu amarrar as mãos dela sem sequer derrubar o copo na mesinha de cabeceira.

– Pelos documentos que encontramos, era uma corretora de fundos públicos. Vamos investigar isso agora de manhã e ver se conseguimos encontrar alguma ligação. – Ao tomar o chá, Ed notou que Ben acendia o terceiro cigarro da manhã. – Uma mulher informou o ocorrido à recepção. Não deixou o nome.

– Quem ligou para a delegacia?

– Dois policiais. Receberam um telefonema avisando que havia problema em um apartamento no primeiro andar, de uma mulher que morava sozinha. Investigaram, descobriram uma vidraça quebrada e uma janela aberta. Quando entraram, eles a encontraram. Não vai morar mais sozinha.

– Roubo?

– Não sei. Não me disseram mais nada. O policial que ligou para a delegacia era um novato. Escute, antes que eu esqueça. Tess mandou dizer que você a tem ignorado. Por que não aparece para um drinque ou coisa assim? Traga a escritora.

Ed lançou ao parceiro um olhar tranquilo.

– Tess quer ver a mim ou à escritora?

– A ambos. – Ben riu e engoliu o resto do chocolate. – Sabe como ela é louca por você. Se eu não fosse tão mais bonito, talvez você tivesse tido uma chance. É aqui. Ao que parece, esses caras querem garantir que todo mundo no bairro saiba do cadáver nas redondezas.

Parou junto ao meio-fio, atrás de duas viaturas. As luzes giravam e piscavam em cima dos capôs, enquanto os rádios emitiam explosões de ruído. Ben acenou com a cabeça para o primeiro policial ao saltar na calçada.

– Apartamento 101, senhor. Parece que o criminoso arrombou e entrou por uma janela da sala de estar. A vítima estava na cama. Os primeiros agentes que chegaram à cena do crime já entraram.

– E a perícia?

– A caminho, senhor.

Ben calculou que o policial devia ter no máximo 22 anos. Vinham ficando mais jovens a cada ano. Com Ed logo atrás, dirigiu-se ao prédio e entrou no apartamento 101. Dois policiais encontravam-se na sala, um estourava uma bola de chiclete, o outro suava.

– Detetives Jackson e Paris – disse Ed, indulgente. – Vão tomar um pouco de ar.

– Sim, senhor.

– Você se lembra do primeiro? – perguntou Ben a Ed quando se encaminharam até o quarto.

golpe. Roxanne gritava com ele agora, de verdadeiro terror. O coração, fraco demais para suportar o fardo do corpo, começou a falhar. O rosto estava vermelho quando ele a atingiu.

– Você vai gostar – repetiu o louco, quando ela caiu de costas sobre os travesseiros. Por reflexo, ergueu as mãos para proteger-se de outro golpe. – Você jamais vai sentir nada igual.

– Não me machuque.

Lágrimas escorriam dos olhos dela e desenhavam linhas na maquiagem. A respiração começou a agitar-se quando ele lhe empurrou as mãos por cima da colcha e amarrou-as com a corda.

– É assim que você gosta. Eu me lembro. Ouvi você dizer. – Ele mergulhou dentro dela, rindo como um maníaco. – Quero que você goste, Roxanne. Quero ser o melhor.

Ela chorava alto, soluços trêmulos e enormes que sacudiam seu corpo e proporcionavam a ele um estonteante tipo de prazer agitado. Ele sentiu-o intensificar-se, elevar-se e alçar voo. E soube que era a hora.

Sorrindo para Roxanne, os olhos semicerrados, enrolou o fio do telefone no pescoço dela e apertou-o.

ED TATEOU NO escuro à procura do telefone ao primeiro toque da campainha e despertou por completo quando tocou pela segunda vez. Do outro lado da sala, David Letterman entretinha o público na tevê. Ed dobrou o braço que ficara dormente, concentrou-se na tela da televisão e pigarreou.

– Sim. Jackson.

– Vista a calça, parceiro. Temos um corpo.

– Onde?

– Na avenida Wisconsin. Eu pego você aí. – Ben escutou um minuto. – Se tivesse uma mulher, não adormeceria vendo Letterman.

Ed desligou na cara dele e foi ao banheiro molhar a cabeça com água fria.

Quinze minutos depois, sentava-se no banco do carona do carro de Ben.

– Eu sabia que era bom demais para ser verdade. – Ben mordeu um pedaço de uma barra de chocolate. – Faz uma semana que não recebemos uma chamada no meio da noite.

Sorriu e contornou os fundos do prédio de apartamentos. Não se deu o trabalho de olhar ao redor, mas recortou com todo cuidado o vidro da janela da sala de visitas. Ninguém podia detê-lo agora. Era poderoso demais. E Roxanne esperava.

Machucou-se no vidro ao estender a mão para girar o trinco, mas apenas sugou o ferimento enquanto suspendia a vidraça. Estava escuro no interior e seu coração começava a bater um pouco rápido demais. Jerald içou-se e entrou. Não se preocupou em fechar a janela atrás de si.

Roxanne estaria à sua espera, à espera de que a machucasse, a fizesse suar e gritar. Desejosa de que a levasse ao clímax.

Ela não o ouviu. Já levara Lawrence ao ápice e também se achava à beira de um orgasmo.

Ele viu-a esparramada sobre travesseiros de cetim, a pele úmida e cintilante à luz de velas. Fechando os olhos, ouviu a voz. Quando tornou a abri-los, não era mais uma mulher igual a um barril com excesso de gordura, e sim uma ruiva de pernas compridas e bonitas. Sorrindo, encaminhou-se para o lado da cama.

– Está na hora, Roxanne.

Ela abriu os olhos de repente. Colhida nas névoas de sua própria fantasia, fitou-o. Os amplos seios ondulavam.

– Quem é você?

– Você me conhece.

Ele ainda sorria quando se sentou de pernas abertas em cima dela.

– O que você quer? O que faz aqui?

– Estou aqui para lhe dar tudo o que você tem pedido. E mais.

Erguendo as mãos, ele rasgou o fino material que cobria os seios de Roxanne.

Ela soltou um grito estridente e empurrou-o. O telefone caiu no colchão quando se arrastou para a beira da cama.

– Lawrence, Lawrence, tem um homem no meu quarto. Chame a polícia. Chame alguém.

– Você vai gostar, Roxanne.

Embora fosse três vezes maior que ele, era desajeitada. Ela golpeou-o de novo, machucando-lhe o peito, mas Jerald nem sentiu o

Tinha de ser ela. Esperava-o. Não era provocante, nem promissora como Désirée. Era de outro nível. Roxanne falava de coisas que ele nunca imaginara. Queria que ele a machucasse. Como resistir?

Mas precisava ser cuidadoso.

Aquele bairro não era tão tranquilo quanto o anterior. O tráfego corria impetuoso de um lado a outro da rua e os pedestres moviam-se sem parar ao longo da calçada. Talvez fosse melhor assim. Ele poderia ser visto, reconhecido. Isso acrescentava uma excitação maior.

O apartamento dela dava para a avenida Wisconsin. Jerald parara a dois quarteirões dali. Durante a caminhada, obrigara-se a deslocar-se devagar, não tanto por cautela, mas por desejo de absorver tudo na noite. Havia um vento leve no ar. Ficou com o rosto frio, embora dentro dos bolsos do blusão da escola as mãos estivessem quentes e molhadas. Ele fechou os dedos na corda que tirara da lavanderia. Roxanne ia apreciar o fato de que ele se lembrava do que ela gostava, e como gostava.

Devia estar na biblioteca fazendo pesquisa para um trabalho sobre a Segunda Guerra Mundial. Finalizara com uma semana de antecedência, mas a mãe não saberia a diferença. Voara a Michigan para promover a entusiástica campanha do pai.

Quando concluísse a escola, esperavam que se juntasse a eles nos quentes e frenéticos meses de política do verão. Jerald ainda não resolvera como iria evitar isso, mas não tinha a menor dúvida de que evitaria. Tinha um mês e meio pela frente antes da formatura.

A porra daquela presunçosa escola particular de ensino médio, pensou, sem muito ardor. Tão logo fosse para a faculdade, seria dono do próprio nariz. Não precisaria dar desculpas sobre bibliotecas, encontros no clube ou no cinema para sair durante duas horas à noite.

Quando o pai ganhasse as eleições, teria de lidar com o Serviço Secreto. Jerald não via a hora de superá-los em esperteza. Bando de robôs de terno e gravata.

Embrenhando-se no meio dos arbustos, pegou um tubo de cocaína. Inalou-a rápido e sentiu a mente cristalizar-se num ponto de pensamento preciso.

Roxanne.

De dia, vigiava o índice da Bolsa de Valores, vendia ações do Tesouro e comprava commodities no comércio a prazo. À noite, vestia uma lingerie da melhor marca do mercado e tornava-se Roxanne.

E ela amava isso.

Mary, ou Roxanne, era uma das poucas funcionárias da empresa Fantasia que recebia telefonemas sete noites por semana. Se uma das outras achasse um homem intenso demais, ou se suas predileções fossem muito estranhas, ela aceitava mais que de bom grado preencher a lacuna. O dinheiro que ganhava ia para a lingerie de seda vermelha, o incenso de baunilha e a comida. Sobretudo para a comida. Entre as ligações, às vezes devorava um pacote gigantesco de batata frita acompanhado de molho de creme de alho.

Conhecia muito bem a voz e as preferências de Lawrence. Embora ele não fosse um dos clientes mais excêntricos, gostava de ser surpreendido de vez em quando com imagens de chicote de couro e algemas. Fora honesto com ela quanto à aparência. Ninguém mentiria sobre uma oclusão defeituosa dos dentes incisivos e caninos superiores e astigmatismo. Ela conversava com ele três vezes por semana. Uma rapidinha de três minutos e duas normais de sete. Como Lawrence era contador, os dois, além de sexo, tinham uma ligação profissional.

Roxanne punha velas acesas em todo o quarto. Vermelhas. Gostava de criar uma atmosfera para si mesma quando se esparramava na cama queen-size com uma garrafa de dois litros de Coca-Cola. Gastava uma fortuna em travesseiros de cetim e apoiava-se neles. Ao falar, enrolava o fio do telefone entre os dedos.

– Sabe que eu adoro falar com você, Lawrence. Fico excitada só de pensar em ouvir sua voz. Pus uma camisola nova. É vermelha, transparente, você pode ver tudo através dela. – Roxanne riu e aconchegou-se nos travesseiros. – Você é tão perverso, Lawrence. Se é isso que quer que eu faça, já estou fazendo e fingindo que é você. Tudo bem, apenas escute. Escute, que vou lhe dizer tudo.

JERALD SABIA QUE estava apressando as coisas, mas, droga, tinha de ver se podia acontecer de novo. Roxanne parecia tão linda. Assim que ouvira a voz dela, soubera. A carne nos braços contraiu-se e a dor entre as pernas chegou intensa e rápida.

dos e lisos, presos atrás com um rabo de cavalo. Havia espelhos demais no salão de beleza. Na verdade, uma vez ou outra, ela mesma tingia os cabelos de vermelho brilhante, preto retinto e, numa ocasião, de louro berrante, ao estilo Jean Harlow.

Quando o médico a advertiu sobre pressão alta e o esforço do coração, ela ajeitou a balança para que pesasse menos 5 quilos. Gostou tanto dessa ilusão que logo ganhou mais 10, e considerou-se de volta ao normal.

Então inventou Roxanne.

Roxanne era provocante. Era, Deus a abençoasse, uma vagabunda, em dose quatro vezes maior. Transformava um iceberg numa massa de vapor, desde que o iceberg fosse um homem. Sem inibições, fingimentos ou moral; assim era Roxanne.

Gostava de sexo, a qualquer hora, em qualquer lugar, de qualquer maneira... se um homem queria falar de sexo, do tipo pesado, rápido e sujo, era a menina ideal.

Mary fora à Fantasia levada por um capricho. Não precisava do dinheiro extra. Especializara-se em economia e agora trabalhava numa das principais corretoras do país. Para a maioria dos clientes, não passava de uma voz ao telefone. E fora isso que despertara a ideia.

Talvez tivesse sido uma ironia da natureza dotá-la de uma bela voz. Era suave, o tom agradável e harmonioso. Tinha tendência a ficar rouca quando se excitava, de modo que projetava a imagem de mulher bem-educada, pequena e delicada. A ideia de usá-la para fazer mais que vender títulos isentos de impostos e ações de fundo mútuo fora demasiado tentadora para resistir.

Considerava-se uma prostituta ao telefone. Sabia que Eileen encarava aquilo como um serviço social, mas Mary gostava da ideia de ser prostituta. Cada frustração, cada desejo, cada sonho empapado de suor que tivesse podiam ser aliviados por sete minutos de papo.

Na mente, fora para a cama com todos os homens a quem atendera. Na realidade, jamais fizera sexo. As conversas com homens sem rosto constituíam as válvulas de escape da panela de pressão de seus próprios desejos. Realizava as fantasias dos clientes a 1 dólar por minuto, e recebia mais que o valor do dinheiro.

— A cola estava em liquidação.

— Minha mãe ia adorar você – ela disse, sorrindo. – É melhor eu entrar, não quero que eles se preocupem. Até logo.

— Amanhã vou fazer um jantar pra você.

— Combinado. – Ela atravessou de volta o gramado, parou e olhou para trás. – Suspenda o suco de cenoura.

ROXANNE NASCERA MARY. Sempre se ressentira de uma leve falta de imaginação dos pais. Se lhe tivessem dado um nome mais exótico, sofisticado, exuberante, se perguntava, teria sido uma pessoa diferente?

Mary Grice era solteira, tinha 28 anos e estava com uns 30 quilos de excesso de peso. Começara a ganhar peso na adolescência e culpava os pais por tudo isso. Genes gordurosos, a mãe se habituara a dizer, e com alguma verdade. A verdade completa, porém, era que os Grice, como família, haviam desfrutado um duradouro caso amoroso com a comida. Comer era uma experiência religiosa, e eles – a mãe, o pai e Mary – uma congregação devota.

Mary fora criada numa casa em que a despensa e a geladeira transbordavam de frituras, enlatados e potes de calda de chocolate. Aprendera a construir enormes sanduíches, para depois engolir tudo com a ajuda de um litro de leite achocolatado e ainda ter espaço para uma caixa de pirulitos.

Sua pele revoltara-se na adolescência e parecia uma das pizzas borbulhantes de que ela tanto gostava, de modo que agora, beirando os 30 anos, ainda exibia os buracos e as marcas. Mary adquirira o hábito de cobri-la com pesada base de maquiagem, e no tempo quente, quando as glândulas sudoríparas se abriam, a maquiagem rachava-se e escorria, fazendo com que seu rosto se parecesse com o de uma boneca de borracha derretida.

Cursara todo o ensino médio e a faculdade sem um único namorado. Não tinha uma amiga. A comida mais uma vez veio socorrê-la. Sempre que seus sentimentos eram feridos ou o instinto sexual entrava em ruidosa atividade, Mary enfiava um cheeseburguer duplo e um pacote de cookies com lascas de chocolate na boca.

Perdera a visão do seu pescoço aos 20 anos. Simplesmente desaparecera numa rebelião de dobras flácidas. Usava os cabelos compri-

— Já esteve em Nova York?

— Ainda não. Você está ficando com frio — ele murmurou, roçando os nós dos dedos na pele dela. — Não devia ter saído sem um casaco.

Ela sorriu ao soltar a mão, que se demorou mais alguns segundos em sua face. Grace sempre agira por instinto; aceitava os arranhões junto com os prazeres. Antes que Ed pudesse desprender a mão, ela o abraçou.

— Você se importa? Preciso de alguma coisa para me mostrar que continuo viva.

Ela ergueu o rosto e colou a boca calmamente na dele.

Sólido. Foi o primeiro pensamento que atravessou a mente de Grace. Algo sólido, tangível. A boca colada na dela era quente e disposta. Ele não forçou, nem tateou, nem tentou impressioná-la com habilidosa técnica. A camada de barba trouxe conforto a ela. O repentino aperto dos dedos em sua pele trouxe-lhe excitação. Que maravilha era descobrir que ainda podia precisar e apreciar as duas coisas. Estava viva, tudo bem. E era maravilhoso.

Ela o pegara de surpresa, mas ele encontrou o ponto de apoio com muita rapidez. Queria abraçá-la assim, deixar as mãos vagarem por aqueles cabelos. O crepúsculo caía ao redor dos dois, por isso Ed puxou-a para mais perto e aqueceu-a. Sentiu o ritmo do seu pulso acelerar-se quando o corpo dela amoleceu contra o dele.

Grace afastou-se devagar, um tanto estonteada pela sua própria reação. Ele a soltou, embora a imagem loucamente romântica de arrastá-la nos braços e levá-la para a casa dele não tivesse desaparecido.

— Obrigada — ela conseguiu dizer.

— Disponha.

Ela sorriu, surpresa ao ver que ficara nervosa, maravilhada por ter se emocionado.

— É melhor eu deixar você ir embora. Sei que trabalha à noite.

— Estou montando o banheiro. Estou quase terminando com o papel de parede.

Ela olhou a mala aberta do carro e viu quatro baldes de cinco galões de cola.

— Deve ser um banheiro e tanto.

— As cerimônias fúnebres obrigam a gente a enfrentar o fato da morte. É esse o objetivo, não?

— Fiquei tentando entender o objetivo o dia todo. Acho que prefiro a forma como os vikings faziam. No mar aberto, num barco em chamas. Isso, sim, é uma despedida. Não gosto de pensar nela numa caixa. — Caindo em si, Grace virou-se de volta para ele. Era melhor, muito melhor, pensar nas crianças brincando no outro lado da rua e nas flores recém-abertas. — Desculpe. Saí de casa para parar de remoer isso. Disse aos meus pais que ia dar uma volta. Não fui muito longe.

— Quer andar?

Grace fez que não com a cabeça e tocou-lhe o braço. Decente. Ela acertara no alvo quando o rotulara com essa descrição de uma única palavra.

— Você é um homem bom. Quero me desculpar por despejar tudo em você ontem à noite.

— Está tudo bem. Você tinha razão.

— Não me desculpo pelo que disse, mas pela forma como disse. Passo muito tempo sem ter contato com as pessoas, então, quando tenho, sempre acabo sendo impositiva. — Ela se virou para olhar mais uma vez para as crianças. Lembrou-se que brincava daquele jeito, correndo rápido para vencer o pôr do sol. Junto com Kathleen, numa rua não muito diferente daquela. — Então, continuamos amigos?

— Claro.

Ele aceitou a mão oferecida e segurou-a.

Era exatamente disso que Grace precisava. Até o contato ser feito, não se dera conta.

— Quer dizer que podemos jantar ou qualquer coisa assim antes de eu voltar?

Ed não soltou a mão, mas enroscou os dedos nos dela.

— Quando vai embora?

— Não sei. Tem um monte de pontas soltas. Provavelmente semana que vem.

Sem pensar, apenas levada pela intensa vontade, ela levou as mãos deles juntas à face. A sensação do contato era gostosa. Sabia que precisava tanto disso quanto de longos períodos de tempo sozinha. No momento, não queria pensar em solidão.

viam sido compradas e instaladas. Janelas e portas seriam conferidas com cuidado extra. Então se passariam algumas semanas e, com o amortecimento do tempo, as pessoas esqueceriam. Afinal, não acontecera com elas.

Mas Grace não esqueceria. Esfregou os dedos sob os olhos. Não esqueceria.

Quando reconheceu o carro de Ed parando, inspirou fundo. Não percebera que estivera à espera dele, mas não teve a menor dificuldade de admitir isso agora. Levantou-se e atravessou o gramado a toda, chegando ao carro no momento em que ele saía.

– Fez longas horas extras, detetive.

– Tudo bem com você? – Ele fez tilintar as chaves e abriu a mala do carro. Só haviam restado da maquiagem dela algumas pinceladas de rímel.

– Até agora, sim. – Ela olhou para trás em direção à casa. A mãe acabara de acender a luz da cozinha. – Vou levar meus pais ao aeroporto de manhã. Não os ajuda, nem a mim, ficarem aqui, por isso os convenci a ir embora. Estão se amparando um no outro. – Deslizou as mãos pela calça, depois, não encontrando nada melhor a fazer com elas, enfiou-as nos bolsos. – Sabe, só percebi o quanto eles eram casados, como eram realmente casados, nos dois últimos dias.

– Em momentos como esse ter alguém ajuda.

– Acho que vai dar tudo certo com os dois. Eles... eles aceitaram.

– E você?

Grace ergueu os olhos para ele e tornou a afastá-los. A resposta revelou-se naquele olhar. A aceitação ainda se achava a uma longa distância.

– Eles vão para casa por alguns dias e depois embarcam num voo para visitar Kevin, o filho da minha irmã.

– Você vai com eles?

– Não. Pensei nisso, mas... agora não. Eu não sei, a cerimônia e o enterro pareceram estabilizá-los.

– E você?

– Detestei. A primeira coisa que vou fazer quando voltar a Nova York é pesquisar cremações. – Ela enfiou as mãos nos cabelos. – Minha nossa, que coisa mais doentia!

Ele fechou os olhos e esperou. De algum modo, sabia, tinha absoluta certeza de que encontraria logo a certa.

Quando encontrou, chamava-se Roxanne.

7

Jacintos. Grace sentou-se nos degraus diante da casa da irmã e fitou os jacintos cor-de-rosa e brancos que se haviam aberto, agradecida porque tinham um perfume leve demais para alcançá-la. Já se fartara da fragrância de flores naquele dia. Os jacintos também pareciam diferentes – vigorosos e esperançosos ao lado do concreto rachado. Não a faziam lembrar-se do caixão branco e do pranto.

Não aguentara ficar sentada com os pais nem mais um minuto. Embora se odiasse por isso, deixara-os aconchegados um no outro em torno de infindáveis xícaras de chá e escapara, precisando de ar, sol, solidão. Tinha de parar de chorar, mesmo que por apenas uma hora.

De vez em quando, um carro passava, ela olhava. Algumas crianças do bairro aproveitavam o tempo mais quente e os dias mais longos para passear de bicicleta ou de skate na calçada irregular. Os gritos de uns para os outros eram os chamados do verão já quase prestes a chegar. Um ou outro fitava a casa com os olhos redondos, ávidos, dos curiosos. A notícia espalhara-se, pensou Grace, e pais cautelosos haviam avisado aos filhos e filhas que se mantivessem distantes. Se a casa permanecesse vazia por muito tempo, aquelas crianças estariam desafiando-se a chegar à varanda para tocar o proibido. As muito valentes talvez corressem até a janela e espiassem.

A casa mal-assombrada. A casa do assassinato. E a turma ficaria com as palmas das mãos suadas, os corações a martelar, ao se afastar correndo de novo para contar suas bravuras aos amigos menos corajosos. Ela fizera exatamente o mesmo na infância.

Assassinato era algo tão fascinante, tão irresistível...

Sabia que o assassinato de Kathleen já teria sido comentado nas tranquilas casinhas de um lado a outro da rua. Novas fechaduras ha-

– Talvez Kathleen tenha violado as regras. – Ele pegou um cigarro. – Dado o endereço e o nome real dela. Talvez tenha se encontrado com um dos clientes, e ele a seguiu na volta, decidiu que queria mais do que papo.

– Talvez. – Mas era difícil para Ed imaginar a vizinha como uma mulher que violava as regras. – Gostaria de saber o que Tess diria sobre a possibilidade de um homem que usa o cartão de crédito para conversar sobre sexo cometer estupro e assassinato.

– Ela não está neste caso, Ed.

– Foi só uma ideia. – Como reconheceu o tom na voz do parceiro, ele não insistiu. Ben já tivera de lidar com a esposa envolvida numa investigação de homicídio. – Sabe, é mais provável que alguém tenha invadido a casa, dado de cara com ela e perdido o controle.

– Mas isso não parece certo.

– Não – concordou Ed, ao abrir a porta do carro. – Não parece.

– Vamos ter de conversar de novo com Grace.

– Eu sei.

ELE PRECISAVA OUVIR de novo. Fazia tempo demais. Assim que as aulas terminaram, voltou para casa e trancou-se no quarto. Quisera livrar-se da escola naquele dia, mas sabia que o pai seria envolvido se fosse informado. Assim, ficara sentado até o fim de todas as aulas, um garoto bem-comportado, tranquilo, brilhante, que se expressava em voz clara. A verdade era que se misturava tão bem na turma que nenhum dos professores o teria notado se não fosse filho de um presidente em potencial.

Jerald não gostava de ser intrometido. Não gostava que as pessoas o olhassem, pois se olhassem por muito tempo poderiam ver algum segredo.

Era raro ter a chance de acessar ilegalmente a linha da Fantasia durante o dia. Gostava mais do escuro; imaginava muito melhor no escuro. Mas, desde Désirée, ficara obcecado. Encaixou os fones de ouvido e conectou o terminal. Recostando-se, esperou a voz certa.

Conhecia a de Eileen. Não o interessava. Executiva demais. A outra, a que trabalhava à noite, também não servia. Jovem demais, recatada demais. Nenhuma das duas jamais fazia promessas.

— Não posso fazer isso. Minha lista de clientes é confidencial, por motivos óbvios, detetive Paris.

— Assassinato não é algo confidencial, Sra. Cawfield, por motivos óbvios.

— Eu entendo sua posição. Terá de entender a minha.

— Podemos conseguir um mandado de busca – lembrou-lhe Ed. – Só levará tempo.

— Vai precisar de um mandado, detetive Jackson. Até conseguir um, sou obrigada a proteger meus clientes. Vou repetir, nenhum deles poderia localizá-la, a não ser que tivesse acesso a esta máquina e violasse o código do programa.

— Teremos de falar com seu marido e sua cunhada.

— Claro. Fora quebrar o sigilo de clientes, queremos cooperar de toda maneira.

— Sra. Cawfield, sabe onde seu marido estava na noite de 10 de abril?

Ed lançou-lhe um olhar calmo ao segurar o lápis junto ao caderno. Ben viu-a logo enrijecer os dedos.

— Suponho que tenha de fazer essa pergunta, mas considero-a de mau gosto.

— É. – Ben cruzou as pernas. – Assassinato também não tem gosto agradável.

Eileen umedeceu os lábios.

— Allen joga softball. Teve um jogo na noite do dia 10. Lançou em todos os nove tempos da partida; eu estava lá. Acabou por volta das 21 horas, talvez um pouco antes. Depois, saímos para comer com vários outros casais. Chegamos em casa um pouco depois das 23 horas.

— Se constatarmos que precisamos de nomes, pode fornecê-los?

— Claro. Lamento, lamento muito por Kathleen, mas minha empresa não está envolvida no assassinato dela. Agora, se me derem licença, preciso atender essa ligação.

— Obrigado pelo seu tempo. – Ed abriu a porta e esperou Ben juntar-se a ele na calçada. – Se ela estiver jogando limpo, e acho que está, nenhum dos clientes teria obtido o endereço de Kathleen pelo escritório principal.

– Não. Sei que teriam de interrogar todos os conectados com Kathleen. Mas, entendam, os homens que ligam para cá só conhecem Désirée. Era uma voz, sem identidade ou, melhor dizendo, com qualquer rosto que escolhessem para ela. Somos muito cuidadosos aqui, por questões legais. As mulheres não têm sobrenomes, são proibidas de dar os números de telefone de casa a qualquer cliente e de se encontrar com eles. O anonimato faz parte da ilusão, além de ser parte da proteção. Nenhum dos clientes tem como entrar em contato com uma mulher, a não ser pelos números de telefone do escritório.

– Quem tem acesso a esses arquivos?

– Eu, meu marido e a irmã dele. Trata-se de um negócio de família – ela explicou quando o telefone começou a tocar de novo. – Para financiar os estudos universitários, minha cunhada cuida dos telefonemas à noite. Só um instante.

Ela atendeu o telefonema seguinte com a mesma rotina. Ed olhou o relógio: 12h15. Obviamente, o telessexo era uma atividade popular na hora do almoço. Então se perguntou se o enterro acabara e se Grace estaria em casa sozinha.

– Desculpe – ela tornou a dizer. – Antes que perguntem, nossos arquivos são confidenciais. Nenhum de nós discute sobre clientes ou funcionárias com estranhos. É uma atividade comercial, mas não do tipo sobre a qual conversamos em coquetéis. Tomamos todo cuidado para manter as coisas legítimas e bem dentro da lei. Nossas mulheres não são prostitutas. Não vendem o corpo, mas conversas. Selecionamos nossas funcionárias com todo o rigor, e se alguma viola qualquer uma das regras, é despedida. Sabemos que há empresas semelhantes à nossa, em que um adolescente pode telefonar e debitar a ligação na conta telefônica dos pais. Eu, aliás, acho isso irresponsável e triste. Servimos apenas a adultos, e nossos termos são explicados na íntegra logo de saída, antes que se faça qualquer cobrança.

– Somos do Departamento de Homicídios, não tratamos de atentados ao pudor e prostituição, Sra. Cawfield – disse Ben. – De qualquer modo, já investigamos sua empresa e está tudo em ordem. No momento, estamos interessados apenas em Kathleen Breezewood. Poderia nos ajudar se tivéssemos uma lista dos clientes dela.

isso. Temos uma ou duas que topam as fantasias mais... incomuns. Com licença – disse, quando o telefone tocou. – Empresa Fantasia. – Com a eficiência de uma recepcionista veterana, já tinha uma caneta na mão. – Sim, claro. É um prazer checar se Louisa está disponível. Preciso do número de um cartão de crédito. E a data de validade. Agora o número em que posso encontrar o senhor. Se Louisa não estiver disponível, tem outra preferência? Sim, cuidarei disso. Obrigada.

Após desligar o telefone, Eileen dirigiu a Ben e Ed um sorriso de pesar.

– Só mais um minuto. Ele é assíduo, por isso simplifica tudo. – Digitou alguma coisa e voltou a pegar o telefone. – Louisa? Sim, é Eileen. Vou bem, obrigada. O Sr. Dunnigan gostaria de falar com você. Sim, o número de sempre. Já tem? É esse. Não há de quê. Tchau, então. – Recolocou o telefone no gancho e juntou mais uma vez as mãos. – Desculpem a interrupção.

– Recebe muitos desses? – perguntou Ben. – Chamadas de volta, assíduos?

– Ah, sim. Há um monte de pessoas solitárias, pessoas sexualmente frustradas. Hoje em dia preferem cada vez mais a segurança e o anonimato de uma chamada telefônica aos riscos dos bares de solteiros. – Ela recostou-se e cruzou as pernas sob a mesa. – Todos sabemos da escalada das doenças sexualmente transmissíveis. Os estilos de vida das décadas de 60 e 70 tiveram de sofrer uma grande alteração na última metade da década de 80. Os telefonemas da Fantasia são apenas uma alternativa.

– É. – Ed imaginou que ela poderia expandir essa prática à cidade de Donahue com algum sucesso. Na verdade, não discordava, mas estava mais interessado em assassinato que em filosofia ou costumes. – Kathleen tinha muitos clientes assíduos?

– Como eu disse, era popular. Vários clientes ligaram à procura dela nos últimos dois dias. Ficaram muito decepcionados quando informei que ela não estava mais entre nós.

– Alguém que devia ter ligado não ligou?

Eileen parou para pensar bem, virou-se mais uma vez para o computador e acionou-o.

Atrás de um dos monitores, uma mulher parou de digitar quando eles entraram. Puxou a cascata de cabelos castanhos para trás do rosto bonito, redondo. O paletó do terninho colocado no encosto da cadeira. Sobre a blusa branca, ela usava três correntes douradas. Com um meio sorriso, levantou-se.

– Olá. Posso ajudar vocês?

– Gostaríamos de falar com o proprietário. – Ben exibiu o distintivo policial. – Assunto de polícia.

Ela estendeu a mão, pegou a identificação, examinou-a e devolveu-a.

– Eu sou a proprietária. O que posso fazer por vocês?

Ele enfiou de novo o distintivo no bolso. Não sabia o que esperava, mas não uma jovem toda arrumada que parecia ter acabado de planejar uma excursão escolar para escoteiros.

– Gostaríamos de conversar sobre uma de suas funcionárias, Srta...

– Sra. Cawfield. Eileen Cawfield. Trata-se de Kathleen Breezewood, não?

– Sim, senhora.

– Sente-se, por favor, detetive Paris.

Ela olhou para Ed.

– Jackson.

– Por favor, sente-se. Posso lhes servir um café?

– Não, obrigado – respondeu Ed, antes que o parceiro pudesse aceitar. – Sabe que Kathleen Breezewood foi assassinada?

– Li no jornal. Horrível. – Ela tornou a sentar-se atrás da mesa e juntou as mãos sobre um impecável bloco de anotações cor-de-rosa. – Só a vi uma vez, quando veio para a entrevista, mas me sinto muito próxima de minhas funcionárias. Ela era popular. De fato, Désirée... Desculpe, receio que a gente adquira o hábito de pensar nelas como seus *alter egos*... Kathleen era uma das mais populares. Tinha uma voz muito tranquila. Isso é muito importante nesta atividade.

– Kathleen se queixou de algum dos homens que telefonavam? – Ed passou uma página do seu caderno. – Alguém a deixou nervosa, a ameaçou?

– Não. Kathleen era muito seletiva em relação aos telefonemas que aceitava, uma mulher muito conservadora, e nós respeitávamos

– Você devia escrever para o Pentágono – sugeriu Ed.

– Tarde demais. – Ben atravessou o cruzamento e virou à direita na esquina seguinte. – Na certa já vivem assobiando baladas dos Carpenters. Querem nos amolecer, Ed, nos amolecer e apenas esperar que nos moldemos.

Como o parceiro nada disse, ele tornou a baixar o volume do rádio. Se não ia conseguir afastar a mente de Ed dos últimos acontecimentos, era melhor ir direto ao ponto:

– O enterro é hoje, não é?

– É.

– Quando terminarmos isso você poderia tirar duas horas de folga.

– Ela não vai querer me ver, a não ser que tenha alguma coisa para dizer.

– Talvez a gente tenha alguma coisa. – Ben começou a verificar os números na rua secundária. – Quando ela vai voltar para Nova York?

– Não sei – respondeu Ed. Fazia o possível para não pensar no assunto. – Um dia ou dois, imagino. Ainda não tive tempo para pensar nisso.

– É séria a coisa com a escritora?

Ben aproximou o carro do meio-fio.

– É melhor pensar rápido. – Olhou além de Ed a minúscula lojinha aninhada no meio de meia dúzia de outras. Talvez houvesse sido uma butique moderna ou uma loja de artesanato antes. Agora, era a empresa Fantasia.

– Não parece um covil imoral.

– Você já sabe como é. – Distraído, Ben lambeu o açúcar do polegar. – Para uma empresa que vem crescendo e tendo um lucro estável, não parece investir muito em imagem.

Ed esperou dois carros passarem para abrir a porta e sair à rua.

– Eu não diria que eles recebem muitas visitas de clientes.

O escritório era pequeno, sem ornamentação alguma, as paredes pintadas de branco e tapete tipo industrial. As duas cadeiras desiguais poderiam ter sido compradas numa venda de quintal. O espaço era mínimo, porque as duas escrivaninhas ocupavam quase toda a parede. Ben reconheceu-as como de fabricação do Exército. Mas o computador era de última geração.

como ele ajeitou os cabelos quando a brisa leve os despenteou. Era o gesto casual de um homem que preferia não ter qualquer imperfeição. Kathleen podia ter sido culpada, mas não o fora sozinha.

– Então deixou de ser conveniente para você.

– Correto. Quando pedi o divórcio, Kathleen mostrou a primeira emoção que eu tinha visto em anos. Negou, ameaçou, até implorou. Mas não era a mim que tinha medo de perder, era a posição na qual se habituara a se sentir bem. Quando viu minha determinação, foi embora. Recusou qualquer tipo de acordo. Já tinha partido havia três meses quando me telefonou e perguntou por Kevin. Durante três meses não viu nem falou com o filho.

– Ela estava sofrendo.

– Talvez. Não me importava mais. Eu disse que ela não ia arrancar Kevin da sua vida, mas faríamos acordos para que ela o visse durante as férias escolares dele.

– Ela ia lutar com você por Kevin.

– Eu sei.

– Você sabia – disse Grace, devagar. – Você sabia o que ela estava fazendo?

– Sabia que tinha contratado um advogado e um detetive.

– E o que você teria feito para impedi-la de ficar com a custódia?

– Tudo que fosse necessário. – Mais uma vez, ele olhou o relógio. – Parece que estamos atrasando o serviço.

Abriu a porta que dava para o saguão e entrou.

BEN TIROU UMA rosca de um saco de papel branco ao parar num sinal vermelho. Esquentara o suficiente para deixar as janelas meio abaixadas, para que a música pop no rádio do carro ao lado abafasse o som de B. B. King que havia escolhido.

– Como alguém pode ouvir essa bosta? – Ele olhou, viu que o carro era um Volvo e revirou os olhos. – Imagino que seja uma conspiração soviética. Eles se apoderaram das transmissões de rádio, as encheram de bobagem e vão continuar tocando até a mente dos americanos normais virar geleia. – Deu outra mordida na rosca antes de aumentar o som do rádio de seu carro. – E nós aqui preocupados com mísseis de médio alcance na Europa.

— Seria melhor se eu fizesse isso pelas costas dela? Acha que ela ligava? Você é mais tola do que eu julgava.

— Ela amava você. — Agora a voz de Grace saíra furiosa. Como aquilo doía, doía mais do que algum dia imaginara, ali, parada na escada onde ficara tantas vezes antes com a irmã. Na procissão dos festejos de Nossa Senhora, em maio, as duas metidas em vestidos brancos com babados; no domingo de Páscoa, com gorros amarelos e sapatos de couro fechados com uma tira no peito do pé. Haviam descido e subido aqueles mesmos degraus tantas vezes juntas na infância, e agora lá estava ela sozinha. A música saía baixa e pesarosa pelas frestas das portas.

— Você e Kevin eram toda a vida dela.

— Você está muito enganada, Grace. Vou lhe falar sobre sua irmã. Ela não gostava de ninguém. Não tinha paixão alguma, nem capacidade para ter. Não apenas paixão física, mas emocional. Nunca deu um sinal de ligar para os meus casos, desde que fossem discretos, desde que não interferissem na única coisa que realmente valorizava. Ser uma Breezewood.

— Pare com isso.

— Não, agora você vai escutar. — Ele segurou-a antes que ela corresse de volta para a igreja. — Não era só no sexo que ela se mostrava ambivalente, mas com tudo que não se encaixasse em seus planos. Kathleen queria um filho, um Breezewood, e tão logo teve Kevin, seu dever acabou. Ele era mais um símbolo que um filho para sua irmã.

Isso a atingiu em cheio, perto demais do lugar por onde seus pensamentos vagaram ao longo dos anos. E deixou-a envergonhada.

— Não é verdade. Ela amava Kevin.

— Tanto quanto era capaz. Agora me diga, Grace, algum dia você viu um único ato espontâneo de afeição dela, com você, com seus pais?

— Kathy não era expansiva. Isso não significa que não sentisse.

— Era fria. — Grace atirou a cabeça para trás, como se houvesse levado um tapa. Não foi uma surpresa para ela; a surpresa foi compreender que nutrira a mesma opinião durante a vida toda. — E o pior é que acho que ela não podia evitar. Durante o tempo que ficamos casados, cada um seguiu seu próprio caminho, porque convinha a ambos.

Isso a deixou pior que envergonhada. Deixou-a enjoada. Porque sempre soubera, vira, mas se recusara a acreditar. Percebeu o jeito

— Jonathan. Você veio.
— Claro.
Ao contrário de Grace, ele olhava na direção do caixão branco da ex-esposa.
— Ainda preocupado com a própria imagem, percebo.
Ele notou que cabeças se viraram ao ouvir a declaração da cunhada, mas apenas olhou o relógio.
— Receio poder ficar apenas para o serviço religioso. Tenho uma entrevista marcada com o detetive Jackson em uma hora. Depois preciso ir para o aeroporto.
— Que bondade sua encaixar o funeral da ex-esposa em seu horário. Não o incomoda, Jonathan, ser tão hipócrita? Kathleen não significa nada, menos que nada, para você.
— Não creio que seja o momento nem o lugar apropriado para essa discussão.
— Engana-se. — Ela puxou-o pelo braço, antes que ele pudesse afastar-se e seguir em frente. — Jamais haverá melhor momento ou lugar.
— Se insistir, Grace, vai ouvir coisas que preferiria não saber.
— Ainda não comecei a insistir. Eu fico nauseada vendo você aqui dando uma de marido enlutado após tudo que a fez passar.
Foram os murmúrios que o levaram a decidir-se. Os murmúrios e os olhares irônicos e quase condenatórios. Apertando o braço de Grace, ele a arrastou para fora.
— Prefiro manter as discussões de família em local privado.
— Não somos da mesma família.
— É verdade, e seria tolice fingir que algum dia existiu qualquer afeição entre nós. Você jamais se deu o trabalho de disfarçar seu desprezo por mim.
— Não gosto de vernizes, principalmente sobre sentimentos. Kathleen jamais deveria ter se casado com você.
— Quanto a isso, estamos de pleno acordo. Kathleen jamais devia ter se casado. Mal chegava a ser uma mãe adequada e, como esposa, era uma lástima.
— Como ousa? Como ousa vir aqui, agora, e falar assim? Você a humilhou, esfregou suas aventuras amorosas na cara dela.

— Obrigada por vir, irmã.

Grace viu que era tolice sentir-se estranha por apertar a mão de uma freira. Mas simplesmente não podia evitar a lembrança de quantas vezes tivera os nós dos dedos golpeados por uma com uma régua. Tampouco conseguia acostumar-se ao fato de que elas não usavam mais hábitos. A freira que se apresentara como irmã Alice tinha um pequeno crucifixo de prata no pescoço e usava saia e blusa discretas e sapatos de salto baixo. Mas nada de touca feita de dobras nem manto.

— Todas as nossas preces estão com você e sua família, Srta. McCabe. Nos poucos meses que conheci Kathleen, passei a respeitar sua dedicação e seu talento como professora.

Respeito. A palavra proferida mais uma vez como antes, em frio conforto, durante uma hora. Ninguém falou de afeto nem amizade.

— Obrigada, irmã.

Havia vários membros do corpo docente, além de um punhado de alunos na igreja. Sem eles, os bancos teriam ficado quase vazios.

Kathleen não tinha ninguém, pensou Grace quando se instalou em um dos bancos de trás, ninguém que não houvesse comparecido por um senso de dever ou compaixão.

Também havia flores. Ela olhou as cestas e coroas na nave da igreja. Perguntava-se por que parecia ser a única pessoa que achava as cores obscenas nas circunstâncias. A maioria vinha da Califórnia. Um ramo de gladíolos e um cartão formal aparentemente bastavam das pessoas que haviam antes feito parte da vida de Kathleen. Ou da vida da Sra. Jonathan Breezewood.

Grace detestou o perfume delas, assim como o brilhante caixão branco do qual se recusara a aproximar-se. Detestou a música que fluía em tom baixo pela nave e soube que jamais conseguiria ouvir de novo um órgão sem pensar na morte.

As armadilhas que os mortos esperavam dos vivos. Ou que os vivos esperavam dos mortos? Não tinha certeza de nada, a não ser de que, quando chegasse sua hora, não haveria cerimônias, lamentações, amigos nem parentes fitando com olhos lacrimosos o que restara dela.

— Grace.

Ela virou-se, esperando que nada transparecesse de seu rosto.

Jerald tinha um talento natural para lidar com máquinas. Eram muito melhores, muito mais limpas que as pessoas. Ele acabara de fazer 15 anos quando acessara ilegalmente a conta bancária da mãe. Fora muito fácil tirar o que precisava, e muito mais recompensador do que pedir. Acessara outras contas, mas logo se cansara do dinheiro.

Foi então que descobriu o telefone, e como o excitava ouvir outras pessoas. Como um fantasma. A linha da Fantasia fora um acaso a princípio. Mas logo se tornara tudo que lhe interessava.

Não podia parar, pelo menos não até encontrar a próxima, até encontrar a voz que acalmasse aquele martelar que sentia na cabeça. Mas precisava ser cuidadoso.

Sabia que a mãe era uma tola, mas o pai... se o pai notasse alguma coisa, haveria perguntas. Pensando nisso, Jerald tomou uma pílula, depois duas. Embora preferisse anfetaminas a barbitúricos, queria dormir essa noite, e sem sonhos. Sabia muito bem como o pai era inteligente.

O velho empregara o talento durante anos no tribunal antes de fazer a quase ininterrupta mudança para a política. Da Câmara ao Senado, Charlton P. Hayden conquistara fama de poderoso e inteligente. Sua imagem era a de um homem rico e privilegiado, que entendia as necessidades das massas, que lutava por causas perdidas e ganhava.

Jerald não tinha a menor dúvida de que, quando terminasse o ano eleitoral, quando se contassem os votos e varressem os últimos confetes, o pai seria o mais jovem e glamouroso ocupante do Salão Oval desde Kennedy.

Charlton P. Hayden não ficaria satisfeito de saber que seu único filho, o legítimo herdeiro, estrangulara uma mulher e esperava a oportunidade de fazê-lo de novo.

Mas Jerald considerava-se muito inteligente. Ninguém jamais saberia que o filho do candidato a presidente dos Estados Unidos que despontava na frente das pesquisas tinha gosto por assassinato. Sabia que, se conseguisse esconder-se do pai, poderia esconder-se de todos.

Assim, enviou as flores e ficou sentado até tarde da noite no escuro, à espera da voz e das palavras certas.

6

Jerald não sabia bem por que enviara flores ao serviço fúnebre. Em parte, porque considerou necessário reconhecer o estranho e único papel que ela desempenhara em sua vida. Também achou que, se o reconhecesse, teria condições de encerrar o capítulo e parar de sonhar com ela.

Já procurava outra, escutando hora após hora para identificar uma voz que lhe despertasse desejo e emoção. Jamais duvidou que a encontraria, que a reconheceria com uma frase, uma palavra. A voz traria a mulher, e a mulher traria a glória.

A paciência era importante, mas não sabia por quanto tempo podia esperar. A experiência fora muito especial, única. Passar por aquilo de novo seria, bem, talvez como morrer.

Vinha perdendo o sono. Até a mãe notara, e raras vezes ela notava alguma coisa entre os comitês e os coquetéis. Claro que aceitava sua desculpa de que estudava até tarde da noite, impacientava-se, dava-lhe um tapinha na face e dizia-lhe para não estudar tanto. Tão tola. Mesmo assim, Jerald não se ressentia, pois as preocupações dela sempre lhe proporcionavam o espaço de que precisava para as próprias diversões. Em troca, dava-lhe a ilusão do filho ideal. Não tocava música alta nem ia a festas da pesada. Tais coisas não passavam de cricances, de qualquer modo.

Talvez considerasse a escola uma perda de tempo, mas mantinha notas boas, até excelentes. A maneira mais simples de impedir que as pessoas o aborrecessem era dar-lhes o que queriam. Ou fazê-las acharem que dava.

Era exigente, até mesmo minucioso, com o quarto e a higiene pessoal. Dessa forma, aceitaram que as empregadas ficassem fora de seu espaço pessoal. A mãe considerava isso uma excentricidade branda, até afetuosa. O que garantia que ninguém encontraria o esconderijo das drogas que consumia.

O mais importante era que nenhuma empregada, ninguém da família, nenhum amigo, tocasse no computador dele.

Os pelos dela se eriçaram, induzidos pela tensão das últimas 24 horas. Sentiu a moderação escorregar e mal conseguiu segurá-la:

– Tudo bem. Por isso estou lhe pedindo que fale com ele. Verá por si mesmo. Depois pode me contar.

Ed comia a salada devagar. Quanto mais aquilo continuasse, pensou, mais difícil seria.

– Grace, não posso lhe falar da investigação, pelo menos não dos pormenores, nada mais do que o departamento decide liberar para a imprensa.

– Eu não sou uma maldita repórter. Sou a irmã dela. Se Jonathan teve alguma coisa a ver com o que aconteceu a Kathleen, não tenho o direito de saber?

– Talvez. – Ele fixou os olhos dela, muito calmos e de repente distantes. – Mas eu não tenho o direito de lhe dizer enquanto não for oficial.

– Entendo. – Muito devagar, com uma precisão que possuía apenas quando controlava deliberadamente a irritação, Grace apagou o cigarro. – Minha irmã foi estuprada e assassinada. Eu encontrei o corpo. Sou a única que restou para confortar meus pais. Mas o policial diz que a investigação é confidencial.

Levantou-se, percebendo-se à beira de mais um ataque de choro.

– Grace...

– Não, não me venha com chavões, eu o detestaria por isso. – Ela forçou-se para acalmar-se de novo quando o examinou. – Você tem irmã, Ed?

– Sim.

– Pense nisso – disse Grace ao estender a mão para a porta dos fundos. – E me diga que importância teria o procedimento do departamento para você se fosse enterrá-la.

Quando a porta se fechou, Ed empurrou o prato para o lado e pegou a cerveja dela. Liquidou-a em dois longos goles.

Ele tirou uma da geladeira, lembrou-se do copo e pôs os dois na mesa diante dela. Quando desencavou um cinzeiro de uma gaveta da cozinha, ela lançou-lhe um olhar de profunda gratidão.

– Você é um amigão, Ed.

– Precisa de alguma ajuda amanhã?

– Acho que daremos conta. – Grace ignorou o copo e bebeu direto da garrafa. – Desculpe, mas preciso perguntar se vocês descobriram alguma coisa.

– Não. Ainda estamos nos estágios preliminares, Grace. Isso leva tempo.

Embora assentisse com a cabeça, ela sabia tão bem quanto ele que o tempo era inimigo da situação.

– Jonathan está na cidade. Vão interrogá-lo?

– Sim.

– Me refiro a você. – Grace pegou um cigarro quando ele se sentou diante dela. – Sei que o departamento tem muitos bons policiais, mas será que pode fazer isso?

– Tudo bem.

– Ele está escondendo alguma coisa, Ed.

Como ele não disse nada, ela ergueu de novo a cerveja. Não lhe faria bem algum ficar histérica, fazer as acusações que vinha cozinhando em fogo brando na mente o dia todo. Ed podia ser amável e solidário, mas não levaria a sério nada do que ela dissesse no calor da emoção.

E a verdade era que queria acreditar que Jonathan fora responsável. Seria mais fácil, seria tangível. Seria muito mais difícil detestar um estranho.

– Escute, sei que não estou funcionando muito bem. E que estou partindo de um sentimento tendencioso em relação a Jonathan. – Ela inspirou fundo para estabilizar-se. A voz era calma e razoável. – Mas ele está escondendo alguma coisa. Não se trata apenas de instinto, Ed. Você é um observador experiente, e eu sou intuitiva. Nasci catalogando pessoas. Não posso evitar.

– Sempre que estamos próximos demais de alguma coisa, a visão não é muito clara, Grace.

deu-o. Ben usava a entrada de trás de vez em quando, mas nunca batia. Os parceiros e cônjuges adquiriam intimidades semelhantes. Ele desligou o aparelho e pegou um pano de prato para limpar as mãos antes de atender.

– Oi. – Grace deu-lhe um sorriso rápido, mas manteve as mãos nos bolsos. – Vi a luz, então pulei a cerca.

– Entre.

– Espero que você não se incomode. Os vizinhos às vezes são um pé no saco. – Ela entrou na cozinha e sentiu-se firme e segura pela primeira vez em horas. Disse a si mesma que viera fazer as perguntas que tinham de ser respondidas, mas sabia que viera igualmente atrás de conforto. – Estou atrapalhando seu jantar. Volto depois.

– Sente-se, Grace.

Ela concordou, agradecida, e prometeu a si mesma que não iria chorar nem se enraivecer.

– Meus pais foram à igreja. Eu não tinha me dado conta de como me sentiria ficando sozinha lá. – Sentou-se e transferiu as mãos do colo para a mesa e logo de volta ao colo. – Quero lhe agradecer por adiantar o trabalho com a papelada e com tudo mais. Não sei se meus pais aguentariam passar mais um dia sem, bem, ver Kathy. – Ela transferiu de novo as mãos para a mesa. – Não me deixe atrasar seu jantar, certo?

Ele percebeu que poderia satisfazer-se durante várias horas apenas olhando para ela. Quando se pegou encarando-a, recomeçou a mexer na salada.

– Está com fome?

Ela fez que não com a cabeça e quase conseguiu sorrir de novo.

– Comemos mais cedo. Imaginei que a única maneira de conseguir fazer meus pais comerem era dando o exemplo. É estranho como uma coisa dessas faz a gente trocar de papéis. O que é isso?

Ela olhou o copo que Ed pôs na mesa.

– Suco de cenoura. Quer um pouco?

– Você bebe cenoura? – Era uma coisa de nada, mas bastou para arrancar-lhe algo perto de um sorriso. – Tem cerveja?

– Claro.

Se o prendessem, tinham provas circunstanciais suficientes para levá-lo a julgamento. Talvez o suficiente para condená-lo. Se o prendessem.

Mas isso não bastava.

Ele jogou a toalha na borda da pia. Sentia-se nervoso porque o assassinato fora cometido na casa ao lado da sua? Porque conhecia a vítima? Porque começara a ter algumas fantasias que envolviam a irmã da vítima?

Com um meio sorriso, afastou os cabelos molhados do rosto e pôs-se a descer a escada. Não, não achava que os sentimentos por Grace, fossem quais fossem, tinham alguma coisa a ver com o fato de o instinto dizer-lhe que havia algo mais hediondo nesse caso do que costumava ver.

Talvez fosse a proximidade, mas ele perdera pessoas que lhe haviam sido muito mais próximas que Kathleen Breezewood. Pessoas com quem trabalhara, pessoas cujas famílias eram conhecidas dele. Essas mortes deixaram-no furioso e frustrado, mas não nervoso.

Droga, ele se sentiria melhor se Grace estivesse fora daquela casa.

Foi à cozinha. Sentia-se mais à vontade no cômodo que redesenhara e construíra com as próprias mãos. Com a mente em outras coisas, pegou algumas frutas que ia picar para uma salada. Trabalhava agilmente, como um homem que vinha provendo a própria subsistência, e bem, durante quase toda a vida.

A maioria dos homens que conhecia se satisfazia contentando-se com uma latinha ou um jantar congelado comido sobre a pia. Para Ed, esse era o ato mais deprimente da vida de solteiro. O forno de micro-ondas tornara-o ainda mais deprimente. Comprava-se uma refeição completa numa caixa, punha-se no forno por cinco minutos e comia-se sem usar uma panela ou prato. Limpo, conveniente e solitário.

Ele comia sozinho com frequência, tendo apenas um livro como companhia, mas fazia mais do que controlar o colesterol e os carboidratos. Tudo era uma questão de atitude, decidira muito tempo antes. Pratos de verdade e uma mesa faziam a diferença entre a refeição solitária e a de alguém abandonado.

Jogou algumas cenouras e aipo na centrífuga e deixou-os rodopiarem até se desmancharem. A batida à porta dos fundos surpreen-

Havia um cachorro latindo. Kathleen Breezewood não tinha amigos íntimos nem companheiros, ninguém mais próximo que a própria Grace. Se esta contara tudo que sabia, a pista levava a um suspeito desconhecido. Alguém que vira a vítima a caminho do trabalho, no mercado, no jardim. A cidade tinha sua parcela de violência. A essa altura, parecia que fora apenas mais um caso aleatório.

Haviam interrogado dois marginais naquela manhã. Dois homens em liberdade condicional, que estavam presos por atacarem mulheres. Reunir provas e fazer uma prisão não significava condenação, assim como a lei não significava justiça. Não tiveram o suficiente para impor nenhuma das duas coisas e, embora Ed soubesse que mais cedo ou mais tarde os dois na certa estuprariam alguma outra mulher, não haviam liquidado Kathleen Breezewood.

Mas não bastava. Ed pegou uma toalha no armário. As portas de treliça que escolhera para aquele armário estavam inclinadas sobre uma parede no andar de baixo, à espera da lixa. Planejara trabalhar nelas aquela noite por uma ou duas horas, a fim de deixá-las prontas para colocá-las no dia de folga. De algum modo, não achou que trabalhar com as mãos acalmaria sua mente dessa vez.

Enterrou o rosto na toalha e pensou em telefonar para ela. E dizer o quê? Certificara-se de que a avisassem sobre a entrega do corpo pela manhã. O relatório do médico-legista já se encontrava em sua mesa quando ele se apresentara na delegacia.

De nada adiantava dar-lhe os detalhes. Ataque sexual, morte por estrangulamento. Morta entre 21 e 22 horas. Café e Valium no organismo e pouco mais. Tipo sanguíneo: O positivo. O que significava que o tipo sanguíneo do perpetrador era A positivo. Kathleen não o deixara sair ileso.

Arrancara um pouco de pele e fios de cabelo com o sangue, por isso sabiam que o criminoso era branco.

Chegaram até a tirar duas impressões digitais parciais do fio telefônico, o que fez Ed imaginar que o assassino fora idiota ou o assassinato não fora premeditado. Mas as impressões só funcionavam se pudessem compará-las. Até agora, o computador nada apresentara.

– Não vou precisar.

Jonathan ergueu uma sobrancelha diante da aspereza na voz dela. Como irmãs, ele jamais vira a mínima semelhança entre Kathleen e Grace.

– Você nunca suportou a minha presença, não é, Grace?

– Muito pouco. Dificilmente importa como você e eu nos sentimos em relação um ao outro a esta altura. Gostaria de dizer uma única coisa. – Ela pegou o último cigarro do maço e acendeu-o sem tremor. A aversão revelou uma força pela qual só podia sentir-se grata. – Kevin é meu sobrinho. Espero poder vê-lo sempre que estiver na Califórnia.

– Claro.

– E meus pais. – Ela comprimiu os lábios um instante. – Kevin é tudo o que restou de Kathleen. Eles vão precisar de contatos regulares.

– Desnecessário dizer. Sempre achei que meu relacionamento com seus pais era razoável.

– Você se considera um homem razoável? – O ressentimento, sem querer, surpreendeu-a. Apenas por um instante, soara como Kathleen. – Achou razoável afastar Kevin da mãe?

Ele nada disse a princípio. Embora a olhasse sem expressão, ela quase ouvia sua mente trabalhando. Quando ele falou, foi breve e ainda sem expressão:

– Sim. Não precisa me acompanhar, sei o caminho.

Ela o amaldiçoou. Amaldiçoou-o até se esvaziar.

ED MERGULHOU O ROSTO numa pia cheia de água fria e prendeu a respiração. Cinco segundos, depois dez, e sentiu a fadiga esvair-se. Um dia de dez horas não era incomum. Tampouco um dia de dez horas com duas horas de sono. Mas a preocupação, sim.

O que devia dizer a ela? Levantou a cabeça para a água escorrer pela barba. Não tinham nem uma pista sequer. Nem mesmo um vislumbre. Grace era esperta o suficiente para saber que, se o rastro esfriasse durante as primeiras 24 horas, desaparecia rapidamente.

Havia uma idosa excêntrica que podia ou não ter visto um carro que poderia ou não ter seguido o de Kathleen em uma ou outra hora.

– Não. – Ela tornou a adiantar-se, compelida a distanciar-se da porta fechada. – Eu não sabia que você viria, Jonathan.

– Kathleen era minha mulher, mãe de meu filho.

– É. Mas parece que isso não bastou para garantir sua fidelidade.

Ele examinou-a com olhos calmos. Era, sem a menor dúvida, um homem lindo, feições bem definidas, bastos cabelos louros da Califórnia e corpo forte, bem cuidado. Mas eram os olhos que Grace sempre achara tão sem atrativos. Calmos, sempre calmos, beirando a frieza.

– É, não bastou. Sei que Kathleen lhe contou a versão dela de nosso casamento. Dificilmente me parece adequado agora contar a minha. Vim aqui para perguntar o que aconteceu.

– Kathleen foi assassinada. – Mantendo-se coesa, Grace serviu o café. Não ingerira mais nada o dia todo. – Estuprada e estrangulada no escritório ontem à noite.

Jonathan aceitou a xícara e sentou-se devagar numa cadeira.

– Você estava aqui... quando isso aconteceu?

– Não. Tinha saído. Voltei um pouco depois das onze e a encontrei.

– Entendo. – O que quer que ele tenha sentido, na verdade, não transpareceu nessa única e breve palavra. – A polícia tem alguma ideia de quem fez isso?

– No momento, não. Sei que você é livre para conversar com eles. Os detetives Jackson e Paris estão cuidando do caso.

Ele assentiu mais uma vez. Com suas ligações, poderia ter cópias dos relatórios policiais em uma hora sem precisar tratar diretamente com detetives.

– Já marcou uma hora para o enterro?

– Depois de amanhã. Às onze horas. Haverá uma missa na São Miguel, a igreja da qual fazíamos parte. E um velório amanhã à noite, porque é importante para os meus pais. Na funerária Pumphrey. O endereço está no catálogo.

– Eu gostaria de ajudar em qualquer um dos detalhes, ou nas despesas.

– Não.

– Tudo bem, então. – Ele levantou-se sem ter sequer provado o café. – Estou hospedado no hotel Washington, se precisar falar comigo.

moinho da vida, fora de encontro a uma parede que não podia ser transposta nem aberta. A morte da irmã não era algo que pudesse mudar ao adotar uma postura imparcial. O assassinato da irmã não seria uma coisa que aceitaria como uma das pequenas reviravoltas da existência.

Descobriu que queria gritar, atirar alguma coisa, enfurecer-se. As mãos tremeram quando ela ergueu as xícaras da mesa. Se estivesse sozinha, teria se rendido à fúria. Em vez disso, estabilizou-se. Os pais precisavam dela. Pela primeira vez, precisavam dela. E Grace não iria decepcioná-los.

Largou as xícaras ao ouvir a campainha da porta e foi atender. Se o padre Donaldson houvesse chegado cedo, repassaria com ele os detalhes do enterro. Mas, quando abriu a porta, não foi para um padre, mas para Jonathan Breezewood III.

– Grace. – Ele cumprimentou-a com um aceno da cabeça, mas não lhe estendeu a mão. – Posso entrar?

Ela teve de lutar contra a enorme vontade de bater a porta na cara dele. Não ligara para Kathleen quando viva, por que ligaria para a morte dela? Sem nada dizer, recuou.

– Vim assim que fui informado.

– Tem café na cozinha.

Ela deu-lhe as costas e saiu pelo corredor. Como ele pôs a mão em seu ombro, e mais, por não querer demonstrar fraqueza, Grace parou diante do escritório de Kathleen.

– Aqui?

– Sim. – Olhou-o tempo suficiente para ver algo atravessar-lhe o rosto. Dor, desgosto, remorso. Estava cansada demais para importar-se. – Você não trouxe Kevin.

– Não. – Ele continuou a fitar a porta. – Não, achei melhor ele ficar com meus pais.

Como se viu forçada a concordar, ela nada disse. O sobrinho era uma criança, pequeno demais para enfrentar enterros ou os sons das lamentações.

– Meus pais estão lá em cima descansando.

– Tudo bem com eles?

da ao acaso sobre uma cadeira. Sentiu vontade de chorar por isso mais que por qualquer outra coisa, porém não sabia explicar. – Deixe-me levá-la para cima.

Louise apoiou-se com força no marido, uma mulher magra de cabelos escuros e costas fortes. Vendo-os sair, Grace percebeu que no sofrimento haviam-lhe transferido o papel de chefe da família. Só podia esperar ter força para conseguir desempenhá-lo.

Tinha a mente embotada de tanto chorar, atravancada com as providências que já tomara e as coisas que ainda precisava resolver. Sabia que, quando a dor diminuísse, os pais teriam o conforto da fé. Para ela, era a primeira vez que se vira esbofeteada pela constatação de que a vida não era sempre um jogo a ser disputado com um sorriso e cérebro inteligente. O otimismo nem sempre era um escudo contra isso, e a aceitação nem sempre bastava.

Nunca levara um golpe emocional com força total antes, nem pessoal nem profissionalmente. Nunca considerara que levava uma vida encantadora e jamais tivera paciência com as pessoas que se queixavam do que o destino lhes reservara. As pessoas faziam sua própria sorte. Dão uma trombada, rodam com o motor desligado por algum tempo e depois encontram a melhor saída, sempre pensara assim.

Quando decidira escrever, sentara-se e fizera-o. Era verdade que possuía talento natural, imaginação fluida e disposição para trabalhar, mas também tinha uma determinação inata – se quisesse demais uma coisa, conseguiria obtê-la. Não passara fome num sótão nem por sofrimento criativo. Tampouco enfrentara a angústia ou agonia do artista. Pegara suas economias e mudara-se para Nova York. Um emprego de meio período pagara o aluguel enquanto levava adiante o primeiro romance durante três meses desenfreados e ofegantes.

Quando decidira apaixonar-se, fizera-o com o mesmo tipo de verve e energia. Sem arrependimentos, sem hesitação. Nutriu-se de emoção enquanto durou e, quando acabou, seguiu em frente sem lágrimas nem recriminações.

Quase com 30 anos, jamais se desiludira nem tivera os sonhos despedaçados. Ficara abalada uma ou duas vezes talvez, mas sempre conseguira endireitar-se e avançar. Agora, pela primeira vez no rede-

— Sim, mãe.

Grace não sabia quantas vezes respondera a essa pergunta na última hora, mas continuou a acalmá-la. Jamais vira a mãe parecer desamparada. A vida toda Louise McCabe fora dominadora, tomava as decisões e as punha em prática. E o pai sempre estivera lá quando se precisava. Era aquela pessoa que passava uma nota de 5 dólares a uma mão estendida, ou limpava tudo depois que o cachorro fazia porcaria no tapete.

Olhando-o agora, Grace de repente percebeu pela primeira vez que ele envelhecera, os cabelos muito mais ralos do que quando ela era menina. Tinha então a pele bronzeada das horas que passava ao ar livre, o rosto mais cheio. Era um homem no auge da vida, pensou, saudável, vigoroso, mas agora, com os ombros caídos, a vitalidade sempre presente desaparecera de seus olhos.

Queria abraçar aquelas duas pessoas que de algum modo fizeram tudo dar certo para ela. Queria recuar o relógio para todos eles, torná-los mais uma vez jovens, morando num belo lar suburbano com um cachorro desmazelado.

— Queríamos que ela viesse para Phoenix por algum tempo — continuou Louise, enxugando de leve os olhos com o resto rasgado do lenço de papel. — Mitch falou com ela. Ela sempre ouvia o pai. Mas dessa vez, não. Ficamos muito felizes quando você veio visitá-la. Todas as dificuldades por que vinha passando. Coitado do pequeno Kevin. — A mãe espremeu os olhos. — Coitado do pequeno Kevin.

— Quando podemos vê-la, Gracie? — perguntou o pai.

Ela apertou a mão dele, observando-o intensamente quando falou. Ele olhou a sala em volta, tentando, Grace achou, absorver o que restara da filha mais velha. Muito pouco, alguns livros, um vaso de flores de seda. Agarrou-se a ele, esperando que não visse como a sala era fria.

— Esta noite, talvez. Pedi ao padre Donaldson que viesse hoje à tarde. Ele é da antiga paróquia. Por que não sobe agora, mãe, para estar descansada quando ele chegar? Vai se sentir melhor quando falar com ele.

— Grace tem razão, Lou. — Como Grace, o pai tinha olho para detalhes. O único sinal de vida na sala era a jaqueta que ela deixara joga-

Na certa também não tomou as vacinas. – Ao dirigir-se para o carro, tentava em vão espanar os pelos de gato colados. – O que achou dela?

– Perdeu alguns parafusos desde Vicksburg. Talvez tenha visto um carro. – Olhando para trás, Ed notou que várias janelas da casa dela permitiam uma visão clara o bastante da rua. – Que podia ou não estar seguindo o de Kathleen Breezewood. De qualquer maneira, não significa merda nenhuma.

– Tem meu voto. – Ben ocupou o lugar do motorista. – Quer parar um instante? – perguntou, indicando com um aceno da cabeça a casa adiante na rua. – Ou voltar para a delegacia?

– Vamos voltar. Ela provavelmente precisa de tempo com os pais.

GRACE ENTUPIRA A MÃE de chá reforçado. Segurara a mão do pai. Chorara mais uma vez, até simplesmente não ter energia para continuar. Em sua versão, Kathleen já estava bem encaminhada para estabelecer uma vida nova. Não falou em pílulas, nem em ressentimento controlado. Sabia, embora a irmã não desconfiasse, que os pais haviam alimentado grandes esperanças para a primogênita.

Sempre consideraram Kathleen a filha estável, a confiável, enquanto sorriam e pensavam em Grace como a divertida. Gostavam da criatividade da caçula sem ser capazes de entendê-la. Para eles, era mais fácil assimilar Kathleen, com aquele casamento convencional, o marido e o filho bonitos.

Na verdade, o divórcio abalara-os, mas como eram pais amorosos conseguiram mudar suas crenças o bastante para aceitar, nutrindo ao mesmo tempo a esperança de que, com o tempo, a filha se reconciliasse com a família.

Agora tinham de aceitar que isso nunca aconteceria. Tinham de enfrentar o fato de que a filha mais velha, aquela em que haviam depositado as primeiras esperanças, estava morta. Isso bastava, concluíra Grace. Mais que bastava.

Assim, não lhes falou das alterações de humor, do Valium, nem do ressentimento que descobrira que vinha consumindo a irmã.

– Ela era feliz aqui, Gracie?

Sentada aconchegada ao lado do marido, Louise McCabe rasgava um lenço de papel em pedacinhos.

– Bem, claro que estão. – Os óculos escorregaram pelo nariz abaixo, por isso ela os encarou com um olhar míope por cima deles. – Uma mulher tão triste. Reprimida sexualmente, tenho certeza. Achei que ficaria feliz quando a irmã chegou para visitá-la, mas não pareceu ser o caso. Eu a via saindo para trabalhar toda manhã enquanto aguava minhas gardênias. Tensa. A mulher era tensa, um feixe de nervos, do jeito como me lembro dela em Vicksburg. Então teve o carro que a seguiu uma manhã.

Ben sentou-se de novo, ignorando os gatos.

– Que carro?

– Ah, um escuro, um daqueles carros de ricos, muito grande e silencioso. Eu não teria achado nada, mas, como aguava minhas gardênias, a gente precisa ser muito cuidadosa com essas flores. Coisas frágeis. Em todo caso, enquanto as aguava, vi bem o carro descer a rua atrás da Sra. Breezewood, e senti muitas palpitações. – A mulher sacudiu a mão diante do rosto como para abaná-lo. – Meu coração simplesmente martelou e saltou até eu precisar me sentar. Igual a Vicksburg... e a Revolução, claro. Eu só pensava em Lucilla... era o nome dela antes, você sabe. Lucilla Greensborough. Coitada da Lucilla, vai acontecer de novo. Eu nada podia fazer, claro – explicou. – Destino é destino, afinal.

– Viu quem dirigia o carro?

– Oh, minha nossa, não. Meus olhos já não são mais o que eram.

– Notou a placa?

– Meu caro, eu mal vejo um elefante no jardim da casa ao lado. – Ela tornou a puxar os óculos, ajeitando-os, e surpreendeu-se com os olhos em foco. – Tenho minhas premonições, sensações. Aquele carro me deu um mau pressentimento. Morte. Ah, sim, não fiquei de modo algum surpresa ao ouvir a notícia no rádio esta manhã.

– Sra. Kleppinger, lembra o dia em que notou o carro?

– O tempo não significa nada. É tudo um ciclo. A morte é um fato bastante natural, e muito temporário. Ela voltará, e talvez seja feliz afinal.

BEN FECHOU A PORTA da frente atrás de si e inspirou fundo e forte.

– Deus do céu, que cheiro! – Cauteloso, apertou a mão na parte de cima da coxa. – Achei que aquele monstrinho tinha me tirado sangue.

lho de fuçar aquele lixo asqueroso. Não são selvagens, entendem? Meus bebês, quer dizer. Ficamos felizes ao vê-los irem embora; na verdade, esfuziantes. Não ficamos, Esmeralda?

— Sim, madame. — Ed pigarreou e tentou não inspirar muito fundo. Era mais que visível que as caixas de areia haviam sido dispostas generosamente pela casa toda. — Gostaríamos de fazer algumas perguntas.

— Sobre aquela coitada da Sra. Breezewood, sim, sim. Ouvimos ainda nesta manhã no rádio, não foi, queridos? Não tenho aparelho de televisão. Sempre achei que deixam a gente estéril. Ele a estrangulou, não foi?

— Gostaríamos de saber se notou alguma coisa ontem à noite.

Ben tentou não se sacudir quando um gato saltou no seu colo e enterrou-se, perigosamente, na virilha dele.

— Boris gosta de você. Não é um amor? — A velha tornou a sentar-se e afagou o gato. — Ficamos meditando ontem à noite. Retornei ao século XVII. Era uma das damas de companhia da rainha, você sabe. Um tempo tão penoso!

— Hum-hum. — Já bastava. Ben levantou-se e lutou para desprender o gato da perna. — Bem, agradecemos seu tempo.

— De modo algum. Claro, não me surpreendeu saber de tudo isso. Eu já esperava.

Ed, mais preocupado com que Boris se aliviasse nos seus sapatos, tornou a olhá-la.

— Já?

— Ah, com toda certeza. A coitada nunca teve uma chance. Os pecados do passado alcançam a pessoa.

— Pecados do passado? — Mais uma vez interessado, Ben hesitou. — Conhecia bem a Sra. Breezewood?

— Intimamente. Sobrevivemos a Vicksburg juntas. Uma batalha terrível. Ora, ainda ouço o fogo de canhões. Mas a aura dela... — A Sra. Kleppinger deu uma pesarosa sacudida de cabeça. — Amaldiçoada, receio. Foi assassinada por um grupo de atacantes ianques.

— Madame, nós estamos mais interessados no que aconteceu com a Sra. Breezewood ontem à noite.

A paciência de Ed, em geral generosa, esgotava-se.

Bateu à porta, resistindo à intensa vontade de virar-se e olhar para Grace. Vê-la agora era uma intrusão. Em sua atividade, já tinha de fazer isso o suficiente com estranhos.

— Maggie Lowenstein está investigando o ex-marido — disse Ben. — Deve ter alguma coisa para nós quando voltarmos.

— É. — Ed esfregou a mão na nuca. Dormir na poltrona deixara-a rígida. — Para mim é difícil engolir essa história de o ex-marido voar até aqui, entrar sorrateiramente na casa e liquidar a ex-esposa.

— Coisas estranhas aconteceram. Lembra a... — Ben interrompeu-se quando uma fresta da porta se abriu. Teve um vislumbre de um punhado de cabelos brancos e uma mão nodosa enfeitada com anéis de bijuteria. — Agentes da polícia, madame. — Ergueu o distintivo. — A senhora se incomodaria de responder a algumas perguntas?

— Entrem, entrem. Estava esperando vocês. — A voz tornou-se áspera, aguda, de velhice e excitação: — Mexam-se agora, Boris, Lillian. É, temos companhia. Entrem, entrem — ela repetiu um pouco impaciente, ao se curvar, com os ossos estalando, e pegar um indolente gato gordo. — Pronto, Esmeralda, não tenha medo. São policiais. Pode se sentar bem aqui. — A mulher serpeou entre os gatos. Ben contou cinco, até uma empoeirada salinha com cortinas de renda e paninhos de mesa desbotados. — Sim, eu disse a Esmeralda ainda esta manhã que devíamos esperar alguma visita. Sentem-se, sentem-se, sentem-se. — Indicou com um aceno da mão um sofá cheio de pelo de gato. — É sobre aquela mulher, claro, aquela pobre mulher mais adiante na rua.

— Sim, madame.

Ed reprimiu um espirro ao sentar-se na beira das almofadas. Um gato laranja acocorou-se aos seus pés e sibilou.

— Comporte-se, Bruno. — A mulher sorriu e redistribuiu a sinfonia de rugas no rosto. — Ora, mas não é confortável? Sou a Sra. Kleppinger. Ida Kleppinger, mas na certa já sabe disso. — Com alguma cerimônia, encaixou os óculos no nariz, franziu os olhos e focalizou-os. — Ora, você é o rapaz de duas casas adiante? Comprou a casa dos Fowler, não? Pessoas terríveis. Não gostavam de gatos, você sabe. Sempre se queixando do lixo espalhado. Bem, eu disse que se pusessem as tampas bem fechadas meus bebês jamais sonhariam em se dar o traba-

Onde andavam os bisbilhoteiros?, perguntava-se. Onde estavam aquelas pessoas que ficavam junto das janelas espreitando por aberturas nas cortinas todas as chegadas e saídas? Ele fora criado num bairro não muito diferente daquele. E, pelo que se lembrava, se um novo abajur era entregue, a notícia corria de um lado a outro da rua antes de os orgulhosos donos o ligarem. A vida de Kathleen Breezewood parecia tão insípida que ninguém se interessara.

— Segundo disseram, Kathleen Breezewood jamais recebia visitantes, chegava sem falta em casa entre 16h30 e 18h. Isolava-se de forma obsessiva dos outros. Ontem à noite, tudo estava silencioso. A não ser o cachorro da casa 634, que entrou numa farra de latidos por volta das 21h30. Isso se encaixa, se o cara parou uma quadra adiante e cortou caminho pelo jardim deles. Não faria mal investigar a próxima rua e ver se alguém notou um carro estranho ou um cara a pé. — Olhou o parceiro e viu-o de olhos fixos na casa de Breezewood. Parecia vazia, mas Grace estava lá dentro. — Ed?

— Sim?

— Quer fazer uma pausa enquanto eu checo a próxima casa?

— Eu apenas detesto a ideia de pensar nela ali sozinha.

— Então vá fazer companhia a ela. — Ben deu um piparote no cigarro e jogou-o na rua. — Eu cuido disso.

Ele hesitou e quase decidiu ir ver como ela estava quando um táxi passou. O carro diminuiu a velocidade e parou três portas adiante. Juntos, os dois viram um homem e uma mulher saltarem de lados opostos. Enquanto o homem pagava ao motorista e pegava uma única mala, a mulher atravessava a calçada. Mesmo a distância, Ed viu a semelhança com Grace, a compleição física e o colorido. Então a própria Grace saiu correndo da casa. Os soluços da mulher os alcançaram quando ela a abraçou.

— Papai.

Ed viu-a estender o braço e tomar-lhe a mão, de modo que os três ficaram ali por um momento, tomados pela dor em público.

— É duro — murmurou Ben.

— Vamos. — Afastando-se, Ed enfiou as mãos nos bolsos. — Quem sabe agora a gente dá sorte.

– Não.

Assentindo com a cabeça, ela fitou o café.

– Tenho de ligar para a escola. Espero que a madre superiora recomende um padre e uma igreja. Quando acha que vão liberar Kathleen?

– Vou dar alguns telefonemas. – Ele queria fazer mais, porém apenas cobriu a mão dela com a sua, o gesto desajeitado, pensou. – Eu gostaria de ajudar você.

Ela olhou a mão dele. As dela caberiam com facilidade numa só. Viu força ali, o tipo de mão que sabia defender sem sufocar. Olhou o rosto. Também demonstrava força. Confiável. O pensamento a fez curvar um pouco os lábios. Em tão poucas coisas na vida era possível verdadeiramente confiar.

– Eu sei. – Levou a mão ao rosto dele. – E você já ajudou. Os próximos passos eu terei de dar sozinha.

Ed não queria deixá-la. Pelo que lembrava, nunca se sentira assim em relação a uma mulher antes. Por isso mesmo, decidiu que era melhor ir embora logo.

– Vou deixar o número da delegacia. Telefone quando estiver pronta para ir lá.

– Tudo bem. Obrigada por tudo. De verdade.

– Providenciamos uma patrulha para fazer rondas, mas eu me sentiria melhor se você não ficasse sozinha.

Ela morara sozinha tempo suficiente para não se considerar vulnerável.

– Meus pais vão chegar logo.

Ed escreveu um número num guardanapo e levantou-se.

– Estou logo ali.

Grace esperou a porta fechar-se atrás dele e levantou-se para ir até o telefone.

– Ninguém viu nada, ninguém ouviu nada.

Ben curvou-se contra o seu lado do carro e pegou um cigarro. Haviam visitado casa por casa durante toda a manhã com o mesmo resultado. Nada. Agora se detinha um instante para examinar o bairro com as casas envelhecidas e os jardins padronizados.

– Não demora muito, não é?
– É. Grace, com certeza você vai receber telefonemas o dia inteiro. A imprensa sabe que é irmã de Kathleen e que está aqui.

– Escritora de livros policiais encontra o corpo da irmã – ela concordou, preparando-se. – Sim, daria uma matéria interessante de primeira página. – Olhou para o telefone. – Posso cuidar da imprensa, Ed.

– Seria melhor que se mudasse para um hotel por alguns dias.

– Não. – Ela sacudiu a cabeça. Não pensara a respeito, mas a decisão foi logo tomada. – Preciso ficar aqui. Não se preocupe, eu entendo os repórteres. – Conseguiu sorrir antes que ele pudesse argumentar. – Não quer que eu coma isso, quer?

– Quero. – Ele pôs a tigela diante dela e entregou-lhe uma colher. – Você vai precisar de mais do que espaguete frio.

Ela se curvou para sentir o aroma.

– Cheira ao primeiro ano do curso fundamental. – Como achava que devia comer, enfiou a colher. – Tenho de ir à delegacia e assinar uma declaração?

– Quando estiver pronta. Como eu estava aqui, isso simplifica as coisas.

Ela assentiu e conseguiu comer a primeira colherada. Não parecia o da mãe. Ele fizera alguma coisa no mingau, mel, açúcar mascavo, alguma coisa. Mas mingau de aveia era mingau de aveia. Grace mudou para o café.

– Ed, você me daria uma resposta franca?

– Se puder.

– Você acha, quer dizer, pelo seu julgamento profissional, acha que quem quer... quem quer que tenha feito isso escolheu esta casa aleatoriamente?

Ele já reexaminara todo o aposento de novo na noite anterior, assim que tivera certeza de que ela caíra mesmo no sono. Pouco havia de valor ali além de uma máquina de escrever elétrica intocada, e lembrou de ter visto um pequeno medalhão de ouro no pescoço de Kathleen, que poderia ser vendido por 50 ou 60 dólares. Poderia dizer uma mentira confortável ou a verdade. Foram os olhos dela que o fizeram decidir-se. Grace já sabia a verdade.

Ele ficara, não até ela dormir, mas a noite inteira. Ficara com ela. Talvez fosse a bondade dele que causara o desconforto. Parou no vão da porta e perguntou-se como se agradecia a alguém por ser decente.

Com as mangas da camisa enroladas, pés descalços, ele mexia alguma coisa no fogão, de onde vinha um cheiro desanimador de mingau de aveia. Acima disso, agradecida, ela sentiu o aroma de café.

— Oi.

Ele se virou e numa rápida olhada notou que ela estava amarrotada, os olhos encovados, porém mais forte que na noite anterior.

— Oi. Achei que você talvez conseguisse dormir mais duas horas.

— Tenho um monte de coisas para fazer hoje. Não esperava que ainda estivesse aqui.

Ed pegou uma caneca e serviu-lhe café. Também não esperava estar ali, mas não conseguira ir embora.

— Você me pediu para ficar.

— Eu sei. — Por que ela sentia vontade de chorar de novo? Precisou engolir em seco e depois dar duas inspiradas para estabilizar-se. — Você na certa não dormiu nada.

— Tirei uma soneca de algumas horas na poltrona. Os policiais dormem em qualquer lugar. — Como Grace não se mexeu, ele foi até ela e ofereceu o café. — Desculpe, faço um café abominável.

— Esta manhã eu beberia até óleo de motor. — Ela pegou a caneca e a mão dele antes que Ed se afastasse. — Você é um homem bom, Ed. Não sei o que teria feito sem você ontem à noite.

Como nunca sabia se tinha as palavras certas, ele apenas apertou a mão dela.

— Por que não se senta? Você precisa comer alguma coisa.

— Acho que não...

Ela sobressaltou-se e derramou café na mão quando o telefone tocou.

— Sente-se. Eu atendo.

Ed acomodou-a numa cadeira antes de pegar o fone do aparelho na parede. Escutou um instante, tornou a olhar para Grace e apagou o fogo sob a panela.

— A Srta. McCabe não tem comentários a fazer a esta hora. — Depois de desligar, Ed começou a pôr mingau de aveia numa tigela.

Agora jamais saberia. Grace apoiou o rosto nas mãos um instante, apenas para reunir forças. Nunca teria a oportunidade de descobrir se poderia transpor o abismo. Só lhe restava uma coisa a fazer agora: cuidar dos detalhes que a morte insensivelmente espalhara para os vivos varrerem.

Afastou a manta com que Ed a cobrira em algum momento durante a noite. Tinha de agradecer a ele. Sem a menor dúvida, ele fora muito acima e além da obrigação ao fazer-lhe companhia até ela conseguir adormecer. Agora precisava de litros de café para poder dar os telefonemas necessários.

Não queria parar diante do escritório da irmã. Queria passar direto sem sequer dar uma olhada. Mas parou, sentiu-se obrigada a parar. Sabia que a porta estaria trancada. O cordão de isolamento da polícia já se estendia de um lado ao outro, mas a imaginação de escritora tornava-lhe fácil demais ver além da madeira. Lembrava agora o que mesmo em choque absorvera na mente. A mesa derrubada, a quantidade de papéis espalhados, o peso de papel quebrado e o telefone, o telefone de cabeça para baixo no chão.

E a irmã. Machucada, cheia de sangue, seminua. No fim, não lhe restara nem a dignidade.

Kathleen era um caso agora, um arquivo, uma manchete para os curiosos lerem com atenção no café da manhã e durante o transporte. Não a ajudava perceber que, se Kathleen fosse uma estranha, ela também teria lido a manchete enquanto tomava o café. Com os pés apoiados na mesa, teria absorvido cada minúsculo detalhe. Depois recortaria a matéria e arquivaria como possível referência.

O assassinato sempre a fascinara. Afinal, era com isso que ganhava a vida.

Afastando-se, atravessou o corredor. Detalhes, encheria o tempo com detalhes até ter força para enfrentar as emoções. Para variar, seria prática. Pelo menos isso podia fazer.

Não esperava encontrar Ed na cozinha. Para um homem do tamanho dele, movia-se em silêncio. Foi estranho o momento de desconforto que Grace sentiu. Não se lembrava de ter ficado sem graça com ninguém antes.

Virando-se mais uma vez, desatou a chorar. Não tivera a intenção de matá-la. Queria amá-la, mostrar-lhe o quanto ele tinha a dar. Mas ela não parara de gritar, e aqueles gritos o haviam enlouquecido, e o levado a uma paixão cuja existência desconhecia. Fora lindo. Perguntou-se se ela sentira aquela violenta e crescente inundação pouco antes de morrer. Esperava que sim. Quisera dar-lhe o melhor.

Agora Désirée se fora. Embora houvesse morrido pelas mãos dele, e ele tivesse obtido um prazer inesperado, podia chorar por ela. Não mais ouviria aquela voz, excitante, provocante e promissora.

Precisaria encontrar outra, apesar de a ideia fazer seus músculos tremerem. Outra voz que falasse apenas com ele. Sem dúvida, tal glória não fora feita para apenas uma vez na vida. Encontraria Désirée de novo, não importa o nome que ela usasse.

Rolando de costas, viu a fraca luz do amanhecer entrar pela janela. Iria encontrá-la.

5

Grace acordou à primeira luz do dia. Não sentiu qualquer alívio de desorientação, qualquer calmaria momentânea de confusão. A irmã morrera, e esse único fato desolador martelava-lhe a cabeça quando se esforçou para levantar-se e lutou para enfrentá-lo.

Kathleen se fora, e ela nada podia mudar. Da mesma forma como nunca conseguira mudar as falhas no relacionamento das duas. Era mais difícil enfrentar o fato agora, à luz do dia, quando a primeira explosão de dor havia se transformado num sofrimento latente.

Haviam sido irmãs, mas jamais amigas. A verdade é que nem chegara a conhecer Kathleen, pelo menos não da maneira como afirmaria conhecer no mínimo uma dezena de outras pessoas. Nunca partilhara os sonhos, as esperanças, os fracassos e o desespero dela. Jamais haviam dividido segredos frívolos, nem pequenas infelicidades. E jamais insistira, na verdade, com força suficiente para conseguir quebrar aquela barreira.

– Não quero imaginá-la morta – conseguiu dizer Grace. – Não suporto pensar no que aconteceu com ela... no que está acontecendo agora.

– Não pense. Não fará bem algum. – Abraçou-a com mais força, apenas um pouco mais. – Você não deve ficar aqui esta noite. Posso levá-la para minha casa.

– Não, se meus pais telefonarem... não posso. – Enterrou o rosto no ombro dele. Não conseguia pensar. Enquanto as lágrimas continuassem a escorrer, não conseguiria pensar. E tinha tanta coisa a fazer! Mas o choque cobrava seu preço em exaustão, e ela não conseguia decidir-se. – Você poderia ficar? Por favor, não quero ficar sozinha. Poderia?

– Claro. Tente relaxar. Eu não vou a lugar algum.

JERALD DEITOU-SE NA cama com o coração martelando e os gritos ainda ecoando na cabeça. A parte macia do braço continuava a latejar onde ela rasgara com os dentes. Enfaixara-o para impedir o sangue de manchar os lençóis. A mãe era exigente com a roupa de cama. Mas a dor constante representava um lembrete. Um suvenir.

Meu Deus, jamais soubera que seria assim. O corpo, a mente, talvez até a alma, se é que existia tal coisa, se haviam elevado a alturas imensas e se retesado ao máximo. Todos os outros artifícios que ele usava, o álcool, as drogas, o jejum, nenhum deles chegara nem perto daquele tipo de intenso prazer.

Sentia-se nauseado. Sentia-se forte. Sentia-se invencível.

Era o sexo ou o assassinato?

Rindo um pouco, mudou de posição no lençol molhado de suor. Como poderia saber, se aquela fora a primeira experiência com os dois? Talvez houvesse sido a combinação de ambos. De qualquer modo, teria de descobrir.

Por um frio e breve momento, pensou em descer e matar uma das empregadas que dormiam. Como a ideia não agitou seu sangue, descartou-a com a mesma frieza e rapidez. Precisava esperar alguns dias, pensar logicamente sobre o assunto. De qualquer modo, não o excitaria matar alguém que significava tão pouco para ele. Como uma empregada.

Mas Désirée...

deu uma risada rápida, sem ar. – Kathy me repelia e eu não insistia. Era mais fácil assim. Só hoje à noite descobri que ela era dependente... de drogas legais, vendidas com receita.

Não lhes contara isso, percebeu. Não pretendera contar isso à polícia. Exalando um suspiro trêmulo, compreendeu que não mais falava com um policial, mas com Ed, o homem da casa ao lado. Era tarde demais para recuar; embora nada dissesse, era tarde demais para recuar e lembrar que ele não era apenas uma pessoa legal com olhos bondosos.

– Havia três malditos frascos de Valium na gaveta da mesinha de cabeceira dela. Encontrei-os e nós brigamos; e saí. Foi mais fácil. – Ela esmagou o cigarro com três golpes rápidos e violentos. – Ela tinha problemas, sentia-se ferida, e foi mais fácil eu me afastar.

– Grace. – Ed aproximou-se para tirar-lhe o cigarro. – Em geral, também é mais fácil pôr a culpa em nós mesmos.

Ela encarou-o um instante. Levou as mãos ao rosto quando a emoção rompeu a barragem.

– Ai, meu Deus, ela deve ter ficado tão desesperada. Sozinha, sem ninguém para ajudá-la. Ed, por quê? Santo Deus, por que alguém faria isso com Kathy? Não consigo entender. Não consigo entender mesmo.

Ele abraçou-a e segurou-a delicadamente. Quando ela enroscou os dedos em sua camisa e enterrou-os, ele abraçou-a delicadamente. Sem falar, acariciou-lhe as costas.

– Eu a amava. Amava de verdade. Quando cheguei aqui, fiquei tão feliz ao vê-la que por algum tempo pareceu que talvez fôssemos nos aproximar. Depois de todos esses anos. Agora ela se foi, assim tão de repente, e não posso mudar isso. Minha mãe. Ai, meu Deus, minha mãe. É insuportável.

Ele fez a única coisa que pareceu certa. Erguendo-a no colo, levou-a ao sofá para embalá-la e acalmá-la. Sabia pouco sobre como reconfortar mulheres, as palavras certas ou o tom certo a usar. Sabia muito sobre a morte, o choque e a incompreensão que se seguiam, mas Grace não era apenas outra estranha a interrogar ou alguém a quem oferecer solidariedade policial. Era uma mulher que o chamara por uma janela aberta numa manhã primaveril. Conhecia o perfume e o som da voz dela, e o jeito de um ligeiro movimento dos lábios revelar pequenas covinhas. Agora ela chorava encostada em seu ombro.

– Você está bem?

– Acho que acabei de perceber que, independentemente do que aconteça na minha vida, nunca terei de fazer algo mais doloroso do que o que acabei de fazer. – Retirou um cigarro de um maço amarrotado e acendeu-o. – Meus pais vão tomar o primeiro voo da manhã. Menti e disse que tinha chamado um padre. Era importante para eles.

– Pode chamar um amanhã.

– Jonathan precisa ser avisado.

– Isso será feito.

Ela concordou. Começava a ficar com as mãos trêmulas mais uma vez. Deu uma longa tragada no cigarro, esforçando-se para mantê-las firmes.

– Eu... eu não sei a quem chamar para as providências necessárias. O enterro. Sei que Kathy ia querer uma coisa discreta. – Sentiu o puxão no peito e encheu os pulmões de fumaça. – Precisaremos encomendar uma missa. Meus pais precisam. – Tragou mais uma vez o cigarro até a ponta ficar uma bola vermelha. – Quero resolver o máximo possível antes que eles cheguem. Tenho de ligar para a escola.

Ele reconheceu os sinais do degelo das emoções. Os movimentos eram sacudidos, a voz vacilava entre tensa e trêmula.

– Amanhã, Grace. Por que não se senta?

– Eu estava zangada com ela quando saí. Transtornada e frustrada. Ao inferno com isso, pensei. Ao inferno com ela. – Deu outra tragada trêmula. – Não parava de pensar que, se apenas conseguisse superar as dificuldades e chegar ao final, se insistisse com força suficiente, se tivesse ficado em casa para resolver tudo com ela, então...

– É um erro, é sempre um erro assumir a responsabilidade por coisas em relação às quais você não tem controle algum.

Ele estendeu a mão para pegar-lhe o braço, mas ela se afastou, sacudindo a cabeça.

– Eu poderia ter controle. Será que você não entende? Ninguém manipula como eu. Só com Kathy não conseguia encontrar os botões certos. Vivíamos tensas uma com a outra. Eu nem sabia o suficiente da vida dela para dar o nome de seis pessoas com quem ela mantinha contato. Se tivesse, poderia telefonar agora. Ah, eu perguntava. – Grace

violenta era sua ocupação, mas ele não ficava completamente imune às reverberações que causava.

Uma vida acabava e muitas vezes essa perda afetava dezenas de outras. Era seu trabalho examinar o fato com lógica, verificar os detalhes, os óbvios e os enganosos, até reunir provas suficientes para uma prisão. Para Ed, a compilação era o aspecto mais satisfatório do trabalho policial. Ben era todo instinto e intensidade. Ele, método. Construía-se um caso por lógica, fato detalhado por fato detalhado. As emoções tinham de ser controladas – ou melhor, evitadas por completo. Tratava-se do fio de uma navalha sobre o qual aprendera a andar, o limite entre envolvimento e cálculo. Se um policial ultrapassasse o limite para qualquer um dos lados, era um inútil.

Sua mãe não quisera que ele se tornasse policial, mas que se juntasse ao tio no ramo da construção. Você tem boas mãos, dizia-lhe. Tem costas fortes. Mesmo agora, anos depois, ela ainda esperava que ele trocasse o distintivo por um capacete de operário.

Ed nunca conseguiu explicar-lhe por que não podia, por que faria aquilo enquanto pudesse. Não era a excitação. Vigilâncias policiais, café frio ou, como no seu caso, chá tépido e relatórios não excitavam ninguém. E ele, sem a menor dúvida, não entrara na carreira pelo salário.

Era a sensação que aquilo lhe proporcionava. Não a sensação de quando pendurava a arma no ombro. Jamais a de quando se via obrigado a sacá-la. Mas a que levava para a cama à noite, às vezes, apenas às vezes, que o fazia compreender que agira certo. Se estivesse no clima filosófico, falaria da lei como a mais importante invenção da humanidade. Mas no fundo sabia que era algo mais essencial.

Ele era o mocinho. Talvez, apenas talvez, fosse muito simples. Então surgiam ocasiões como aquela, momentos em que terminava o dia examinando um corpo estendido no chão e sabia que tinha de participar da descoberta de quem causara aquilo... e prendê-lo. Impunha a lei e dependia do tribunal para lembrar o essencial da questão.

Justiça. Era Ben quem falava de justiça. Ed reduzia-a a certo e errado.
– Obrigada por esperar.

Ele virou-se e viu-a parada no vão da porta. Se isso era possível, parecia ainda mais pálida. Os olhos sombrios e imensos, os cabelos desgrenhados, como se houvesse passado os dedos por eles repetidas vezes.

– Não.
– Precisamos checar a informação que você nos deu – começou Ben, levantando-se. – Se lembrar de mais alguma coisa, é só ligar.
– Sim, eu sei. Obrigada. Vocês telefonam quando... quando eu puder ir buscá-la?
– Tentaremos fazer isso logo. – Ben olhou mais uma vez para o parceiro. Sabia, mais que a maioria, como era frustrante misturar assassinato e emoção, assim como sabia que Ed teria de trabalhar naquele envolvimento da sua própria maneira, a seu próprio tempo. – Eu preencho o relatório. Por que você não termina as coisas por aqui?
– É. – Ed concordou com um aceno de cabeça e levantou-se para levar as xícaras à pia.
– Ele é um homem legal – disse Grace. – É um bom policial?
– Um dos melhores.
Ela comprimiu os lábios, querendo, precisando aceitar a palavra dele.
– Sei que é tarde, mas se importa de não ir embora ainda? Preciso telefonar para meus pais.
– Claro. – Ed enfiou as mãos nos bolsos, porque ela ainda parecia delicada demais para ser tocada. Haviam apenas começado a ficar amigos, e agora era mais uma vez um policial. Um distintivo e uma arma colocavam muita distância entre ele e uma "civil".
– Não sei o que dizer a eles. Não sei como dizer qualquer coisa.
– Eu posso dizer por você.
Grace tragou fundo o cigarro, porque queria aceitar.
– Alguém sempre toma conta das coisas horríveis por mim. Acho que é hora de eu fazer isso sozinha. Se alguma coisa como essa pode ser mais fácil, será mais fácil para eles ouvirem de mim.
– Eu espero na outra sala.
– Obrigada.
Ela viu-o sair e preparou-se para dar o telefonema.
Ed pôs-se a andar de um lado para outro na sala de estar. Sentiu-se tentado a voltar ao local do assassinato e examinar tudo com todo o cuidado, mas se conteve. Não quis correr o risco de Grace entrar e vê-lo. Ela não precisava disso, pensou, ver tudo, lembrar-se de tudo. Morte

orgulho e, para ser franca, sempre se ressentiu... deixa pra lá. – Inspirou fundo. O conhaque descia direto para o estômago e revirava-o. Apesar disso, tomou-o mais uma vez. – A outra linha era de trabalho. Ela fazia um bico. Para uma empresa chamada Fantasia.

Ben ergueu uma sobrancelha e anotou o nome.

– Chamada Fantasia?

– Uma maneira atenuada de descrever as ligações. – Com um suspiro, Grace esfregou as mãos abaixo dos olhos. – Sexo por telefone. Achei que ela estava sendo muito inovadora, cheguei até a imaginar como poderia inserir isso numa trama. – O estômago reviru-se mais uma vez, então ela pegou um cigarro. Quando se atrapalhou com o isqueiro, Ben pegou-o, acendeu-o e largou-o ao lado do copo de conhaque. – Obrigada.

– Apenas vá devagar – ele aconselhou.

– Eu estou bem. Ela estava ganhando dinheiro, e a coisa parecia inofensiva. Nenhum dos homens que telefonavam tinha o nome ou o endereço dela, porque tudo era filtrado num escritório principal, que Kathy chamava de John... acho que era essa a palavra. Ela ligava de volta a cobrar.

– Ela falou algum dia em alguém que ficou um pouco entusiasmado demais?

– Não. E tenho certeza de que falaria. Falou do trabalho na primeira noite que cheguei aqui. Na verdade, me pareceu estar se divertindo um pouco mas também um pouco entediada. Mesmo que alguém quisesse um contato mais pessoal, não ia conseguir encontrá-la. Como eu disse, não usava o próprio nome. Ah, e Kathy me disse que não conversava sobre nada além de sexo. – Grace espalmou a mão na mesa. Elas ficaram sentadas naquele mesmo lugar na primeira noite, enquanto o sol se punha. – Nada de sadomasoquismo. Quem quisesse alguma coisa, bem, não convencional, tinha de ir a outro lugar.

– Nunca conheceu alguém com quem falava? – perguntou Ed.

Não era um fato que ela podia provar, mas algo de que tinha certeza.

– Não, ninguém. Era um trabalho que ela fazia tão profissionalmente quanto o ensino. Kathleen não saía, não ia a festas. Sua vida era a escola e esta casa. Você mora na casa ao lado – disse a Ed. – Já viu alguém entrar aqui? Viu algum dia ela chegar depois das 21 horas?

Teria sido ela a culpada? – Acabei de chegar de uma turnê de divulgação. Não conheço ninguém que faria isso. Ninguém.

Ben passou para o estágio seguinte:

– Quem sabia que você estava aqui?

– Meu editor, o relações-públicas. Qualquer pessoa que quisesse saber. Acabei de viajar por 12 cidades, com muita divulgação. Se alguém quisesse chegar a mim, poderia ter feito uma dezena de vezes, em quartos de hotel, no metrô, no meu próprio apartamento. É Kathleen quem está morta. Eu nem estava aqui. – Ela parou um momento para acalmar-se. – Ele a estuprou, não foi? – Então balançou a cabeça, antes que Ed pudesse responder. – Não, não. Não quero pensar nisso com clareza no momento. Na verdade, não posso pensar com clareza em nada. – Levantou-se, pegou uma garrafinha de conhaque no armário ao lado da janela, um copo redondo, despejou a bebida até a metade. – Tem mais alguma coisa?

Ed sentiu vontade de tomar-lhe a mão, afagar-lhe os cabelos e dizer-lhe que não pensasse mais. Mas era um policial com um trabalho a fazer.

– Grace, sabe por que sua irmã tinha duas linhas telefônicas no escritório?

– Sim. – Ela tomou um rápido gole do conhaque, esperou o golpe, depois tomou outro. – Não tem nenhuma maneira de manter isso confidencial, tem?

– Faremos o que for possível.

– Kathleen odiaria a publicidade. – Com o copo nas mãos, ela tornou a sentar-se. – Ela sempre protegeu sua intimidade. Escute, na verdade, não acho que a outra linha telefônica tenha a ver com tudo isso.

– Precisamos de tudo. – Ed esperou-a beber de novo. – Não vai fazer mal a ela agora.

– Tem razão. – O conhaque não ajudava, ela percebeu, mas não conseguia pensar num remédio para aquele sofrimento, e a bebida parecera a melhor ideia. – Eu disse que ela contratou um advogado e tudo mais. Precisava de alguém competente para lutar contra Jonathan, e não se contratam bons advogados facilmente com o salário de professora. Ela não quis aceitar meu dinheiro. Kathy tinha muito

– Não. Só teve o homem que entregou meu baú, mas era inofensivo. Fiquei sozinha com ele na casa por 15 ou 20 minutos.

– Qual é o nome da empresa? – perguntou Ben.

– Não sei... – Ela apertou a ponte do nariz com os dedos. Sempre se lembrava dos detalhes com facilidade, mas pensar agora era como tentar dissipar uma névoa. – Ágil e Fácil. Não, Rápido e Fácil. O nome do rapaz era, hum, Jimbo. É, Jimbo. Tinha o nome bordado em cima do bolso da camisa. Falava com sotaque interiorano.

– Sua irmã era professora? – quis saber Ben.

– Isso mesmo.

– Algum problema com os outros funcionários da escola?

– A maioria é de freiras. É difícil brigar com freiras.

– É. E os alunos?

– Ela não me disse nada. A verdade é que nunca dizia. – Esse pensamento fez seu estômago revirar-se de novo. – No dia em que cheguei à cidade, conversamos, tomamos vinho um pouco além da conta. Foi quando ela me falou de Jonathan. Mas desde então, e durante quase toda a nossa vida, sempre se manteve fechada. Posso dizer que Kathleen não fazia inimigos, tampouco amigos, pelo menos íntimos. Nos últimos anos, levou uma vida limitada à família na Califórnia. Não tinha voltado para Washington por tempo suficiente para criar laços, conhecer alguém que quisesse... que pudesse fazer isso com ela. Foi Jonathan ou um estranho.

Ben nada disse por um instante. Quem quer que tivesse invadido a casa, não viera para roubar, mas para estuprar. Todos os cômodos, menos o escritório, estavam arrumados e com tudo no lugar. A casa exalava um cheiro de estupro.

– Grace. – Ed já chegara à mesma conclusão que o parceiro, mas se adiantara um passo. Quem quer que tivesse invadido a casa viera por causa da mulher que violentara, ou por causa da que estava sentada ao seu lado. – Alguém guarda algum rancor contra você? – Diante do olhar sem expressão dela, continuou: – Alguém com quem se envolveu recentemente poderia querer machucar você?

– Não. Não tive tempo de me envolver com alguém o bastante para isso. – Mas a pergunta foi o suficiente para dar início ao pânico.

nha ido para a cama. Não tinha deixado a luz da varanda acesa. – Detalhes, pensou, ao conter outra luta com a histeria. A polícia precisava de detalhes, como em qualquer bom romance. – Eu ia para a cozinha e notei que a porta, a porta do escritório, estava aberta e a luz, acesa. Então entrei.

Pegou de novo o chá e fechou com todo cuidado a mente para o que aconteceu em seguida.

– Ela vinha saindo com alguém?

– Não. – Grace relaxou um pouco. Iam falar de outras coisas, coisas lógicas, e não da cena absurda além da porta do escritório. – Ela acabou de passar por um divórcio medonho e ainda não tinha se recuperado. Trabalhava. Não socializava com ninguém. Kathy tinha a mente fixa em ganhar muito dinheiro para entrar na justiça e ganhar de volta a custódia do filho.

Kevin. Amado Deus, Kevin. Ela pegou a xícara com as duas mãos e bebeu de novo.

– O marido dela era Jonathan Breezewood III, de Palm Springs. Dinheiro antigo, linhagem antiga, temperamento péssimo. – Grace endureceu os olhos ao tornar a olhar a porta.

– Tem algum motivo para achar que o marido ia querer assassinar sua irmã?

Grace então ergueu os olhos para Ed.

– A separação deles não foi nada amigável. Ele vinha enganando-a há anos e ela contratou um advogado e um detetive particular. Ele talvez tenha descoberto. Breezewood é o tipo de nome que não tolera sujeira associada a ele.

– Sabe se ele chegou alguma vez a ameaçar sua irmã?

Ben provou o chá, embora pensasse desejoso no bule de café.

– Não que ela tivesse me dito, mas Kathy tinha medo dele. Não lutou por Kevin a princípio por causa do temperamento do ex-marido e do poder que a família dele possui. Ela me contou que, certa vez, ele mandou um dos jardineiros para o hospital apenas por causa de uma briga sobre uma roseira.

– Grace. – Ed pôs a mão na dela. – Você notou alguém na vizinhança que a deixou aflita? Alguém veio à porta, entregar ou pedir alguma coisa?

xando-a vazia. Quando sentiu as mãos de Ed nos ombros, não se sobressaltou nem estremeceu, mas inspirou fundo.

– Vocês têm de me fazer perguntas agora?

– Se estiver preparada.

– Estou. – Grace pigarreou. A voz devia ser mais forte. Ela sempre fora a forte. – Vou fazer o chá. – Na cozinha, pôs a chaleira no fogo e depois ocupou-se em procurar as xícaras e os pires. – Kathy sempre mantém tudo tão arrumado. Só preciso me lembrar onde minha mãe guardava as coisas e...

Interrompeu-se. A mãe. Teria de ligar e contar aos pais.

Lamento, mãe, lamento muito. Eu não estava aqui. Não pude impedir.

Agora não, disse a si mesma, mexendo nos saquinhos de chá.

– Imagino que você não quer açúcar.

– Não.

Ed mudou de posição na cadeira, aflito, e desejou que ela se sentasse. Embora os movimentos fossem firmes, Grace não tinha cor no rosto. Não fazia muito tempo desde que ele a encontrara curvada sobre o corpo da irmã.

– E você? É o detetive Paris, não é? O parceiro de Ed?

– Ben. – Ele pôs a mão no encosto de uma cadeira para afastá-la da mesa. – Aceito duas colheres de chá de açúcar.

Como Ed, Ben notou a ausência de cor nela, mas também reconheceu a determinação de prosseguir com aquilo até o fim. Não era tão frágil, pensou, como um pedaço de vidro que se racha em vez de quebrar-se.

Ao pôr as xícaras na mesa, ela olhou a porta dos fundos.

– Ele entrou por ali, não foi?

– É o que parece. – Ben pegou o saquinho e colocou-o junto ao pires. Ela repelia a dor, e como policial ele tinha de aproveitar-se. – Lamento termos de falar sobre isso.

– Não tem importância. – Ela pegou o chá e tomou um gole. Sentiu o calor do líquido na boca, mas nenhum gosto. – Não tenho muita coisa a dizer a vocês, na verdade. Kathy estava no escritório quando saí. Ia trabalhar. Eram, não sei, 18h30. Quando voltamos, achei que já ti-

– É. – Ed enfiou o caderno de volta no bolso. – Vocês aí, podem me dar dois minutos antes de levarem isso para fora?

Fez um aceno com a cabeça para o médico-legista. Não pudera impedir Grace de descobrir o corpo, mas podia impedi-la de participar do que acontecia agora.

Encontrou-a onde a deixara, encolhida no sofá. Como Grace tinha os olhos fechados, ele pensou, esperou, que ela estivesse dormindo. Então a viu olhando-o com olhos imensos e totalmente secos. Reconhecia bem demais aquele olhar sem brilho, de choque.

– Não consigo fazer o enredo se desenrolar. – Ela disse isso com a voz firme, mas tão baixa que mal saiu. – Não paro de tentar reestruturar a cena. Voltei cedo. Nem cheguei a sair de casa. Kathy decidiu sair junto com a gente esta noite. Nada funciona.

– Grace, vamos para a cozinha. Tomaremos chá e conversaremos.

Ela aceitou a mão que ele estendeu, mas não se levantou.

– Nada funciona porque é tarde demais para mudar o enredo.

– Sinto muito, Grace. Por que não vem comigo agora?

– Ainda não a levaram, levaram? Eu devia vê-la, antes...

– Agora não.

– Preciso esperar até a levarem. Sei que não posso ir junto com ela, mas preciso esperar até que a levem. É minha irmã.

Levantou-se então, mas foi apenas até o corredor e esperou.

– Deixe-a – aconselhou Ben quando o parceiro se adiantou. – Ela precisa disso.

Ed enfiou as mãos nos bolsos.

– Ninguém precisa.

Já vira outros se despedirem de alguém que amavam assim. Mesmo após todas as cenas, todas as vítimas e todas as investigações, ele não conseguia não sentir *nada*. Mas disciplinara-se a sentir o mínimo possível.

Grace ficou ali parada, as mãos frias e cerradas uma na outra, enquanto levavam Kathleen para fora. Não chorou. Enterrou-se no fundo de si à procura de sentimentos, mas nada encontrou. Queria a dor da perda, precisava dela, mas parecia que a dor tinha ido embora furtivamente, se enfiado num canto e se enroscado em si mesma, dei-

todos se desvaneceriam e se reagrupariam em personagens que pudesse controlar, personagens reais apenas em sua mente, personagens que criava e destruía com o aperto de um botão.

Mas não a irmã. Não Kathy.

Ela mudaria o enredo, disse a si mesma, quando ergueu as pernas e enroscou-as sob o corpo. Reescreveria, apagaria a cena do assassinato e reestruturaria os personagens. Mudaria toda a narrativa até tudo funcionar exatamente como queria. Fechou os olhos e, envolvendo os seios com os braços, lutou para fazer tudo desenrolar-se.

– Ela não se deixou ir facilmente – murmurou Ben, enquanto via o médico-legista examinar o corpo de Kathleen McCabe Breezewood. – Acho que vamos constatar que um pouco do sangue é dele. Podemos obter algumas impressões digitais do fio telefônico.

– Há quanto tempo?

Ed anotava os detalhes no caderno, lutando ao mesmo tempo para deixar de pensar em Grace. Não podia permitir-se pensar nela agora. Podia perder alguma coisa, alguma coisa vital, se pensasse na forma como a irmã da vítima estava sentada no sofá, parecendo uma boneca quebrada.

O médico-legista deu-lhe um soco no peito com o punho fechado. A pimenta e as cebolas que comera no jantar não paravam de retornar.

– Não mais que duas horas, provavelmente menos. – Olhou o relógio. – Neste momento, eu calcularia entre 21 e 23h. Devo conseguir ser mais preciso quando examiná-la melhor. – Fez sinal a dois homens. Enquanto ele se levantava, o corpo era transferido para um grosso saco plástico preto.

– Obrigado. – Ben acendeu um cigarro, examinando o contorno em giz no tapete. – Pelo aspecto do aposento, ele a surpreendeu aqui dentro. Porta dos fundos forçada. Não foi necessária muita força, por isso não me surpreende que ela não tenha ouvido.

– É um bairro muito tranquilo – murmurou Ed. – A gente nem precisa trancar o carro.

– Sei que é mais difícil quando acontece tão perto de casa. – Ben esperou, mas não recebeu resposta. – Vamos ter de conversar com a irmã.

A ação podia ocorrer num beco ou numa sala de visitas. A atmosfera era sempre uma intricada parte de qualquer cena. No livro que escrevia agora, tramara um assassinato na biblioteca do secretário de Estado. Gostava da perspectiva de incluir o Serviço Secreto, políticos e espionagem, além da polícia.

Seria sobre veneno e beber do copo errado. O assassinato era sempre mais interessante quando um pouco confuso. Grace deleitara-se com o desenrolar do enredo até então, porque ainda não se decidira bem sobre quem seria o assassino. Sempre a fascinava resolver quem era e surpreender-se.

O bandido sempre tropeçava no fim.

Grace estava sentada no sofá, calada e com os olhos fixos. Por algum motivo, não conseguia ir além desse pensamento. O mecanismo mental de autodefesa transformara a histeria em um choque entorpecido, de modo que até seus próprios tremores pareciam pulsar através do corpo de outra pessoa. Um bom assassinato tinha mais vigor se a vítima deixasse para trás alguém chocado ou arrasado. Era um artifício quase infalível para atrair o leitor se feito de maneira certa. Ela sempre tivera talento para retratar emoções: dor, fúria, desolação. Assim que entendia as personagens, também conseguia senti-las. Às vezes trabalhava durante horas e dias nelas, alimentando-se das emoções, regozijando-se com elas, deliciando-se ao mesmo tempo com os lados claros e obscuros da natureza humana. Depois as desligava, despreocupada, como desligava o computador, e seguia com a própria vida.

Não passava de uma história, afinal, e a justiça venceria no último capítulo.

Reconheceu as profissões dos homens que entravam e saíam da casa da irmã – o médico-legista, a equipe da perícia, o fotógrafo da polícia.

Certa vez usara um fotógrafo da polícia como protagonista num romance, retratando os detalhes nítidos e arenosos da morte com uma espécie de deleite. Conhecia o procedimento, descrevera-o repetidas vezes, sem uma piscadela ou estremecimento. As visões e os cheiros de um assassinato não eram estranhos para sua imaginação. Mesmo agora, quase acreditava que, se fechasse com força os olhos,

Despiu o casaco enquanto andava e jogou-o de qualquer jeito numa cadeira. Ed pegou-o quando escorregou para o chão e dobrou-o. Cheirava como ela, pensou. Então, dizendo a si mesmo que era tolice, estendeu-o no encosto da cadeira. Atravessou a sala até a janela para examinar o trabalho de acabamento. Era um hábito adquirido desde que comprara a casa. Passando um dedo pelo remate, tentou imaginá-lo na própria janela.

Ouviu Grace gritar o nome da irmã, como uma pergunta, e depois chamá-la repetidas vezes.

Encontrou-a ajoelhada ao lado do corpo da irmã, puxando-o, gritando. Quando a levantou, ela se engalfinhou com ele como um tigre.

– Me solte. Maldito, me solte. É Kathy.

– Vá para o outro quarto, Grace.

– Não. É Kathy. Oh, meu Deus, me solte. Ela precisa de mim.

– Obedeça. – Com as mãos firmes nos ombros dela, ele protegeu-a com seu próprio corpo e deu-lhe duas sacudidas fortes. – Vá agora para o outro quarto. Eu cuido dela.

– Mas eu preciso...

– Quero que me escute. – Ele manteve o olhar duro nos olhos de Grace, reconhecendo o choque. Mas não podia mimá-la, acalmá-la nem envolvê-la com uma manta. – Vá para o outro quarto. Chame uma ambulância. Pode fazer isso?

– Sim – concordou e cambaleou para trás. – Sim, claro. Ambulância.

Ele viu-a sair correndo e virou-se para o cadáver.

A ambulância não iria ajudar Kathleen Breezewood, Ed pensou. Agachou-se ao lado dela e agiu como um policial.

4

Era como uma cena saída de um de seus livros. Depois do assassinato, chegava a polícia. Alguns tiras cansados, alguns taciturnos, outros cínicos. Dependia do clima da história. Às vezes dependia da personalidade da vítima. E dependia, sempre, da imaginação.

– ENTÃO SEU PARCEIRO é casado com uma psiquiatra.

Grace baixou a janela, acendendo um cigarro. O jantar relaxara-a. Ed relaxara-a, corrigiu. Era uma pessoa tão fácil de conversar e tinha uma forma bem doce e divertida de ver a vida.

– Se conheceram num caso em que trabalhamos alguns meses atrás. – Ele lembrou-se de parar no cruzamento. Afinal, Grace não era Ben. Não se parecia com ninguém mais que conhecera. – Você na certa se interessaria, pois se tratava de um assassino em série.

– Sério? – Ela nunca questionou sua fascinação pelo assassinato. – E ela foi chamada para traçar um perfil psiquiátrico.

– Isso mesmo.

– É boa de verdade?

– A melhor.

Grace assentiu com a cabeça, pensando em Kathleen.

– Eu gostaria de conversar com ela. Eu poderia convidá-la para jantar. Kathleen quase não socializa com ninguém.

– Está preocupada com ela.

A escritora exalou um pequeno suspiro quando contornaram a esquina.

– Sinto muito. Não queria estragar a sua noite, mas acho que não fui a melhor das companhias.

– Eu não estava me queixando.

– Porque é educado demais. – Quando ele parou na garagem, ela curvou-se e deu-lhe um beijo no rosto. – Por que não entra e toma um café... não, você não toma café, é chá. Faço um chá para compensar.

Já saltara do carro antes que ele pudesse descer e abrir-lhe a porta.

– Você não precisa compensar nada.

– Eu gostaria de companhia. É provável que Kathy já tenha ido dormir a essa hora, e eu vou apenas ficar angustiada. – Remexeu na bolsa à procura das chaves. – Também podemos conversar sobre quando você vai me levar ao distrito policial. Droga, sei que está em algum lugar aqui. Seria mais fácil achar se Kathy tivesse deixado a luz da varanda acesa. Pronto. – Ela destrancou a porta e largou as chaves descuidadamente no bolso. – Por que não se senta e liga o som enquanto eu pego o chá?

– Você é louco. Eu nunca falei com você. – Tinha de ficar calma, muito calma. – Cometeu um erro, agora quero que saia.

Aquela voz. Ele a teria reconhecido entre milhares.

– Toda noite eu escutava você. – Estava excitado, desconfortavelmente excitado, e tinha a boca seca como pedra. Enganara-se, era loura, sim, loura e linda. Devia ter sido um efeito da luz antes, ou a própria magia dela. – Désirée – murmurou. – Eu amo você.

Com os olhos nos dela, começou a desafivelar o cinto. Kathleen agarrou um peso de papel, arremessou-o e precipitou-se para a porta. Atingiu-o de raspão na cabeça.

– Você prometeu. – Ele a tinha agora, os braços rijos, magros, mas resistentes, apertados à sua volta. A respiração saiu em arquejos quando colou o rosto no dela. – Você prometeu me dar todas aquelas coisas de que falava. E eu quero tudo. Quero mais que conversa agora, Désirée.

Era um pesadelo, ela pensou. Désirée era um faz de conta, e também aquilo. Um sonho, só isso. Mas os sonhos não machucavam. Kathleen sentiu a blusa ser rasgada enquanto lutava. O louco tinha as mãos por todo o seu corpo, por mais que ela lutasse e chutasse. Quando afundou os dentes no ombro dele, o garoto ganiu, mas a arrastou para o chão e rasgou-lhe a saia.

– Você prometeu. Você prometeu – repetia sem parar.

Sentia a pele dela agora, macia e quente, igual ao que imaginara. Nada o deteria.

Quando ela o sentiu penetrá-la começou a gritar.

– Pare. – A paixão explodia na cabeça de Jerald, mas não como ele queria. Os gritos dela o rasgavam, estragando a paixão. Não podia ser estragada. Esperara demais, desejara demais. – Eu mandei parar! – Estocava-a com força, querendo a glória de todas as promessas que recebera. Mas ela não parava de gritar. Arranhava, mas a dor apenas inflamava a necessidade e a fúria dele. Désirée mentira. Não devia ser assim. Ela não passava de uma mentirosa, uma prostituta, mas, mesmo assim, ele a queria.

Lançando a mão com ímpeto, ela empurrou-o e bateu na mesa. O telefone caiu no chão ao lado de sua cabeça.

Ele pegou o fio, enrolou-o no pescoço de Kathleen e puxou-o com força até os gritos cessarem.

duas horas e três carreiras de cocaína, mas ele acabara por reunir coragem para ir procurá-la.

Sonhara com ela na noite anterior. Ela pedia-lhe que viesse, suplicava. Désirée. Queria ser sua primeira mulher.

O corredor estava escuro, mas ele via a luz sob a porta do escritório. E ouvia a voz atravessá-la. Acenando-lhe. Provocando-o.

Precisou parar um instante, apoiando a palma da mão na parede para descansar. Só para recuperar o fôlego. O sexo com ela seria mais desvairado que qualquer barato bombeado ou inalado pelo corpo. O sexo com Désirée seria o auge, o pináculo supremo. E, quando os dois terminassem, ela lhe diria que ele era o melhor.

Désirée parara de falar. Jerald ouviu-a deslocar-se. Aprontar-se para ele. Devagar, quase desfalecendo de excitação, abriu a porta.

E lá estava ela.

Balançou a cabeça. Ela era diferente, diferente da mulher de suas fantasias. Morena, não loura, e não usava preto transparente nem renda branca, mas saia e blusa simples. Confuso, ficou apenas ali parado no vão da porta, olhando.

Quando a sombra caiu sobre a escrivaninha, Kathleen ergueu os olhos, achando que pudesse ser Grace. A primeira reação não foi de medo. O garoto que a fitava podia ser um de seus alunos. Ela levantou-se para repreendê-lo.

– Como entrou aqui? Quem é você?

Não era o rosto, mas aquela voz. Tudo o mais desapareceu, menos a voz. Jerald aproximou-se, sorrindo.

– Não precisa fingir, Désirée. Eu disse que viria.

Quando ele avançou para a luz, ela sentiu o gosto de medo. Não era necessário ter experiência com a loucura para reconhecê-la.

– Não sei do que você está falando. – Ele a chamara de Désirée, mas não era possível. Ninguém sabia. Ninguém podia saber. Tateou a mesa, à procura de uma arma, enquanto calculava a distância. – Terá de ir embora ou chamarei a polícia.

Mas ele continuou sorrindo.

– Tenho ouvido você durante semanas e semanas. Então, ontem à noite, você me mandou vir. Estou aqui agora. Para você.

soubesse distinguir tomilho de orégano. Ervas na janela, velas na mesa. Seria uma casa feliz, não formal e tensa como a do lado. Afastou o mau humor com um suspiro:

– Você é um cara ambicioso, Ed.

– Por quê?

Ela sorriu e virou-se para ele.

– Não tem lava-louças. Venha. – Ofereceu-lhe mais uma vez a mão. – Vou pagar-lhe uma bebida.

SENTADA NA CADEIRA, Kathleen estava de olhos fechados, o telefone enfiado entre o ombro e a orelha. Era um daqueles clientes que só queria falar, sem ouvir, quase o tempo todo. Cabia a ela apenas emitir ruídos de aprovação. Belo trabalho eu fui arranjar, pensou, e retirou uma lágrima dos cílios.

Não devia deixar Grace irritá-la assim. Sabia exatamente o que estava fazendo e, embora precisasse de uma pequena ajuda para impedi-la de perder a cabeça, tinha todo direito aos comprimidos.

– Não, é maravilhoso. Não, não quero que você pare. – Reprimiu um suspiro e desejou ter-se lembrado de deixar um bule de café pronto. Grace desconcertara-a. Kathleen mudou o telefone de orelha e conferiu o relógio. Ele tinha dois minutos para gozar. Às vezes parecia incrível como dois minutos podiam ser longos.

Ergueu os olhos uma vez, achando que ouvira um barulho, então voltou a atenção para o cliente. Talvez devesse deixar Grace levá-la para a Flórida por um fim de semana. Talvez lhe fizesse bem sair, tomar um pouco de sol. O problema era que, com a irmã por perto, nunca parava de pensar em seus próprios defeitos e fracassos. Sempre fora assim, e ela aceitara que sempre seria. Apesar disso, não devia ter se descontrolado com Grace, disse a si mesma, massageando a têmpora. Mas agora já estava feito, e ela precisava trabalhar.

O coração de Jerald batia como um tarol. Ele ouvia-a murmurar, sussurrar. Aquele riso baixo inundou-o. As palmas das mãos pareciam gelo. Imaginava como seria aquecê-las nela.

Désirée ficaria feliz ao vê-lo. Deslizou as costas da mão sobre a boca ao aproximar-se. Queria surpreendê-la. Tinham sido necessárias

— Claro, se quiser.

Era estranho, mas em geral Ed sentia como se engolisse a mão de uma mulher. A dela era pequena e fina, mas segurava a sua com firmeza. Ela olhou a escada ao passarem.

— Assim que você arrancar essa madeira, vai encontrar algo bastante especial. Adoro essas casas antigas, com todos esses aposentos empilhados um em cima do outro. É engraçado, porque meu apartamento em Nova York não passa de um aposento enorme, e eu me sinto muito confortável lá, mas... oh, é maravilhosa.

Ele arrancara tudo, lixara, limpara com vapor d'água e reconstruíra. A cozinha era o resultado de quase dois meses de trabalho. Pelo que Grace podia imaginar, fosse qual fosse a quantidade de tempo que o vizinho investira, valia cada momento. Os balcões eram em tom rosa-escuro, cor que ela jamais esperaria que um homem apreciasse. Pintara os armários de um verde mentolado como contraste. Os eletrodomésticos eram branquinhos e saídos direto da década de 1940. A lareira e o fogão de tijolos haviam passado por uma bela restauração. O piso devia ser de linóleo velho, mas fora raspado e agora era de carvalho.

— O ano era 1945, fim da guerra, e morar nos Estados Unidos não poderia ser melhor. Adoro. Onde encontrou esse fogão?

Era estranho como ela parecia bem ali, pensou Ed, com aqueles cabelos frisados esvoaçantes e o casaco acolchoado nos ombros.

— Eu, ah, tem uma loja de antiguidades em Georgetown. Foi um inferno conseguir encontrar as partes que faltavam.

— É um deslumbre. Realmente um deslumbre. — Ela podia relaxar ali, pensou, ao encostar-se na pia. De porcelana branca, fazia-a lembrar-se de casa e de tempos mais simples. Na janela, viam-se pequenos potes em forma de pera com brotos verdes nascendo. — O que está cultivando aqui?

— Algumas ervas.

— Ervas? Tipo alecrim e coisas do tipo?

— Coisas do tipo. Quando eu tiver uma chance, vou abrir um lugar no jardim.

Olhando pela janela, Grace viu onde ele trabalhara na véspera. Era atraente imaginar um pequeno canteiro de ervas brotando, embora não

tocou, levantou-se da escrivaninha e transferiu-se para a poltrona. – Sim? – Pegou um lápis. – Sim, aceito. Anotou e baixou o botão de desconectar. – Boa noite, Grace. Deixarei a luz da varanda acesa para você.

Como a irmã já discava o número, Grace recuou do escritório. Pegou o casaco no armário do corredor onde Kathleen o pendurara e saiu apressada.

A fisgada do ar de início de abril a fez pensar mais uma vez na Flórida. Talvez ainda conseguisse convencer Kathleen a viajar. Talvez Caribe ou México. Qualquer lugar quente e sossegado. E assim que ela saísse da cidade, se afastasse do pior da pressão, poderiam realmente conversar. Se isso não desse certo, Grace guardara na memória os nomes dos três médicos que constavam nos rótulos dos frascos de pílulas. Iria procurá-los.

Ainda lutando para vestir o casaco, bateu à porta de Ed.

– Sei que cheguei adiantada – disse assim que ele a abriu. – Espero que não se importe. Achei que podíamos tomar um drinque primeiro. Posso entrar?

– Claro. – Ele recuou, entendendo que ela só queria uma resposta à última pergunta. – Você está bem?

– É visível? – Com uma risada entrecortada, Grace retirou os cabelos caídos do rosto. – Tive uma briga com minha irmã, só isso. A gente nunca conseguiu passar mais de uma semana sem brigar. Em geral, a culpa é minha.

– Em geral, quando um não quer, dois não brigam.

– Não quando a briga é comigo. – Seria fácil demais abrir-se e extravasar. Mas se tratava de assunto de família. Deliberadamente, ela virou-se para olhar a casa. – É maravilhosa.

Olhou, além do papel de parede descascado e das pilhas de madeira empilhada, as dimensões e o espaço da sala. Via mais a altura do pé-direito do que o reboco descascado e a beleza da madeira maciça antiga sob as manchas e arranhões.

– Ainda não comecei a trabalhar nesta sala. – Mas, em sua mente, ele já a via concluída. – A cozinha foi minha prioridade.

– É sempre a minha. – Ela sorriu e estendeu a mão. – E então, vai me mostrar?

apenas uma reação. A parede estava erguida. Já a enfrentara antes. Quando Kathleen rompera com um namorado antigo, quando Grace conseguira o papel principal na peça da escola.

Família. Não podemos dar as costas quando se trata da família. Com um suspiro, Grace desceu para tentar mais uma vez.

Kathleen fechara-se no escritório, com a porta trancada. Prometendo que iria permanecer calma, Grace bateu.

— Kathy, eu sinto muito.

A irmã terminou de conferir um dos trabalhos escolares e ergueu os olhos.

— Não tem do que se desculpar.

— Tudo bem. — Então se acalmara de novo, pensou Grace. Não sabia ao certo se era por causa das pílulas ou se o ataque de raiva esfriara. — Escute, pensei em ir até a casa ao lado e dizer a Ed que a gente pode sair outra noite. Assim nós duas podíamos conversar.

— Não temos mais nada para conversar. — Kathleen pôs o trabalho já corrigido em uma pilha e pegou mais um de outra pilha. Sentia-se inteiramente calma agora. As pílulas lhe haviam proporcionado isso. — E vou ficar de plantão esta noite. Vá se divertir.

— Kathy, estou preocupada com você. Eu amo você.

— Eu também amo você. — Era sincera, desejava apenas poder mostrar o quanto. — E não tem nada com que se preocupar. Sei o que estou fazendo.

— Sei que você está sob muita pressão, terrível pressão. Quero ajudar.

— Eu agradeço. — Kathleen marcou uma resposta errada e perguntou-se por que os alunos não prestavam mais atenção. Ninguém parecia prestar atenção suficiente. — Eu dou conta. Já disse que é um prazer ter você aqui, e é mesmo. Também me alegra que fique quanto tempo quiser... desde que não interfira.

— Querida, a dependência de Valium é muito perigosa. Não quero ver você machucada.

— Não sou dependente. — Ela deu ao trabalho uma nota baixa. — Assim que tiver Kevin de volta e minha vida estiver em ordem, não vou precisar de pílulas. — Sorriu e pegou outro trabalho. — Pare de se preocupar, Grace. Sou uma menina crescida agora. — Quando o telefone

O QUE IRIA FAZER? Grace passou as mãos pelos cabelos como se pudesse arrancar as respostas. A irmã metera-se em apuros, estava mais enrascada do que já imaginara. E ela, impotente.

Não devia ter perdido as estribeiras, pensou. Gritar com Kathleen era o equivalente a ler *Guerra e paz* no escuro. Conseguia apenas uma enxaqueca e nenhum entendimento. Alguma coisa tinha de ser feita. Jogando-se na cama, apoiou a cabeça nos joelhos. Desde quando isso vinha acontecendo?, perguntou-se. Desde o divórcio? Não obtivera respostas de Kathleen, portanto tirara conclusões precipitadas de que isso também era culpa de Jonathan.

Mas o que iria fazer a respeito? Kathleen estava furiosa com ela agora e não iria escutar. Grace sabia tudo sobre drogas – vira com demasiada frequência o que faziam às pessoas. Reconfortara algumas que vinham lutando para retomar o caminho de volta e distanciara-se de outras que avançavam a toda para a destruição. Rompera um relacionamento por causa disso e afastara por completo aquele homem de sua vida.

Mas agora se tratava de sua irmã. Ela apertou os dedos contra os olhos e tentou pensar.

Valium. Três frascos receitados por três médicos diferentes. E desconfiava de que Kathleen pudesse ter mais alguns escondidos na escola, no carro, sabe Deus onde.

Não estava xeretando, pelo menos não como a acusara a irmã. Precisava de um maldito lápis e sabia que Kathleen teria guardado um na cômoda ao lado da cama. Encontrara o lápis, certo. Recém-apontado. E os três frascos de pílulas.

– Você não sabe o que é sofrer – Kathleen enfurecera-se com ela. – Não sabe o que é ter problemas reais. Tudo o que já tocou acabou saindo exatamente como você queria. Eu perdi meu marido, perdi meu filho. Como ousa me passar sermão sobre algo que faço para atenuar a dor?

Ela não encontrara as palavras certas, apenas raiva e recriminações. Enfrente-a, droga. Pelo menos desta vez, enfrente-a. Por que não dissera "Vou ajudar você"? Estou aqui por você. Fora o que pretendera dizer. Podia voltar lá embaixo agora e pedir, rastejar, gritar e obter

próprio trabalho impunha certos limites à vida social, mas, quando ele namorava, em geral via-se atraído pelas garotas de convivência fácil, e não pelas brilhantes demais. Jamais tivera o jeito do parceiro para arrebanhar mulheres aos montes ou fazer malabarismos com elas como um número de circo. Nem passara pelo repentino e total compromisso de Ben com uma única mulher.

Preferia as que não avançavam rápido demais. Era verdade que gostava de conversas longas e estimulantes, mas raras vezes namorava uma mulher que sabia proporcionar-lhe essas conversas. E jamais analisara por quê.

Admirava o cérebro de G. B. McCabe. Só não sabia como iria lidar com a escritora num nível social. Não tinha o hábito de ser convidado a sair por uma mulher, que, ainda por cima, marcava a hora e o lugar. Estava mais habituado a papariçar e guiar – teria ficado horrorizado e insultado se alguém o acusasse de machismo.

Fora um convicto defensor da lei de igualdade entre os gêneros, mas isso era política. Embora trabalhasse com Ben fazia anos, não piscaria duas vezes para uma parceira de trabalho.

Sua mãe trabalhara desde que ele se entendia por gente, criando ao mesmo tempo três filhos e uma filha, sem o pai presente. Como o mais velho, Ed assumira a função de chefe da casa antes de chegar à adolescência. Habituara-se a ver uma mulher ganhar o próprio sustento, além de administrar o contracheque e tomar decisões sozinha.

Sempre alimentara a ideia de que, quando se casasse, sua mulher não precisaria trabalhar. Ele cuidaria dela, como o pai jamais cuidara da mãe. Como Ed sempre quisera cuidar.

Um dia, quando concluísse a reforma da casa, pintasse as paredes e cultivasse o jardim, encontraria a mulher certa e a levaria para o lar. E cuidaria dela.

Enquanto se trocava, olhou pela janela a casa ao lado. Grace deixara as cortinas abertas e a luz acesa. Estava pensando nela quando ouviu a porta do quarto bater com força. Embora só pudesse vê-la dos quadris para cima, teve certeza de que chutara alguma coisa. Depois começou a andar de um lado para outro.

paralisada. O assaltante lutava como um urso ferido. Ben firmou os braços em volta da cintura dele, mas, enquanto firmava os pés, eles caíram em cima de uma prateleira do mostruário, que desabou com os dois. Pirulitos e chicletes espalharam-se pelo chão. O garoto gritava e xingava, debatendo-se como um peixe enquanto apalpava o chão à procura da faca. O cotovelo de Ben estalou contra o freezer de comida congelada com força suficiente para fazê-lo ver estrelas dançando na cabeça. Embaixo dele, o garoto era um frangote e estava encharcado de mijo devido ao nervosismo. O detetive fez o que pareceu o mais fácil: sentou-se em cima do moleque.

– Você está preso, amigo. – Retirou o distintivo e enfiou-o na frente do rosto do menino. – E, do jeito que está tremendo, é a melhor coisa que poderia ter lhe acontecido. – O garoto já chorava quando ele sacou as algemas. Irritado e sem ar, Ben ergueu os olhos para a mulher do caixa. – Quer chamar a polícia, benzinho?

Ed saiu da loja de ferragens com um saco de dobradiças, meia dúzia de maçanetas de metal e quatro puxadores de cerâmica. Os puxadores foram um verdadeiro achado, pois iam combinar com a cor dos azulejos que escolhera para o banheiro do andar de cima. O passo seguinte na reforma. Como encontrou o carro vazio, olhou para o outro lado da rua e viu uma viatura. Com um suspiro, largou o saco com cuidado no carro e saiu à procura do parceiro. Deu uma olhada na camisa de Ben e depois no garoto que soluçava e tremia no fundo da viatura.

– Vejo que tomou seu café.
– É. Por conta da casa, seu safado. – Ben acenou para o policial uniformizado e, depois, com as mãos enfiadas nos bolsos, voltou ao outro lado da rua. – Agora vou ter de preencher um formulário. E olhe esta camisa. – Afastou-a da pele, onde se grudara, fria e pegajosa. – Que diabos devo fazer com essas manchas de café?
– Borrifar um tira-manchas.

Eram quase 18 horas quando Ed parou na sua garagem. Demorara-se na delegacia procurando trabalho. A simples verdade era que estava nervoso. Gostava muito de mulheres, sem pretender entendê-las. O

bém. Nada com buracos nem ratos no sótão, como a de Ed, mas uma casa com um jardim de verdade. Em que pudessem criar os filhos, pensou, e depois disse a si mesmo para ir devagar. Devia ser o casamento que o fazia pensar no ano seguinte com a mesma frequência que pensava no dia seguinte.

Bebendo o café, Ben encaminhou-se para a caixa. Mal teve tempo de praguejar quando foi empurrado e o café derramou na camisa.

– Porra! – gritou, logo silenciando e imobilizando-se ao ver uma faca tremendo na mão de um garoto de uns 17 anos. – O dinheiro. – O garoto cutucava-o com a faca, enquanto gesticulava para a mulher do caixa. – Todo o dinheiro. Agora.

– Formidável – resmungou o detetive e olhou a mulher atrás do balcão, que empalideceu e congelou no ato. – Escute, garoto, não guardam nada nessas caixas registradoras.

– O dinheiro. Eu mandei você me dar a porra do dinheiro! – A voz do garoto elevou-se. Uma fina trilha de saliva esguichou quando ele falou, tingida de sangue do lábio inferior, que não parava de morder. Precisava de uma injeção de heroína e com urgência. – É melhor mexer esse rabo já, sua cadela idiota, senão vou esculpir minhas iniciais na sua testa.

A mulher deu outra olhada para a faca e começou a agir.

Agarrou a bandeja e jogou-a no balcão. Moedas ricochetearam e bateram no chão.

– A carteira – ele disse a Ben, começando a enfiar notas e moedas nos bolsos. Era seu primeiro roubo. Não tinha a menor ideia de que seria assim tão fácil. Mas sentia o coração ainda preso na garganta e as axilas pingavam. – Tire devagar e jogue no balcão.

– Tudo bem. Fique calmo.

Pensou em enfiar a mão na jaqueta e pegar a arma. O garoto suava como um porco e tinha mais terror nos olhos que a mulher atrás do balcão. Em vez disso, Ben pegou a carteira com dois dedos. Ergueu-a, vendo o garoto acompanhá-la com o olhar. Então a jogou a menos de 2 centímetros do balcão. Tão logo o assaltante baixou os olhos, ele avançou.

Derrubou a faca sem dificuldade. Foi então que a mulher atrás do balcão se pôs a berrar, um grito agudo após outro, e continuou em pé,

– Obrigado, mas quero tentar lutar sozinho até o fim desta vez.

– Já contou a ela que você só come nozes e frutas vermelhas?

Ed lançou-lhe um olhar indulgente ao virar na curva seguinte.

– Poderia influenciar a escolha do restaurante. – Ben fez o cigarro voar pela janela, mas o sorriso desfez-se quando o parceiro parou num estacionamento. – Ah, não, a loja de ferragens de novo, não.

– Preciso comprar umas dobradiças.

– Claro, é sempre isso que você diz. Tem sido um pé no saco desde que comprou aquela casa, Jackson.

Quando desceram do carro, Ed atirou-lhe uma moeda.

– Vá até o posto do outro lado da rua e compre uma xícara de café. Não me demoro.

– Só dez minutos. Já é ruim demais perder a manhã no tribunal, tendo de descobrir as estratégias do defensor público Torcelli, e agora ainda tenho de aguentar o Sr. Dono de Casa.

– Você me disse para comprar uma casa.

– Não tem nada a ver. E não dá para comprar um café com essa moeda.

– Mostre o distintivo, talvez lhe deem um desconto.

Resmungando, Ben atravessou a rua. Se seria obrigado a esperar o parceiro, era melhor comprar um café e um folhado.

A pequena loja de conveniência estava quase vazia. Faltavam duas horas para a hora do rush, quando a loja ficaria lotada de gente para tomar uma saideira. A mulher do caixa lia um livro de bolso, mas ergueu os olhos e sorriu quando Ben passou. Com objetividade, notou que ela tinha belos seios.

Nos fundos da loja, ao lado de placas de aquecimento e um forno de micro-ondas, serviu-se de um café grande, depois pegou o bule de água quente e encheu uma xícara para Ed, que sempre tinha um saquinho de chá no bolso.

Houve uma época em que tinha certeza de que o amigo cometera um erro imenso ao comprar aquela casa caindo aos pedaços. Mas a verdade era que ver a casa ser recuperada pouco a pouco o fizera pensar melhor. Talvez ele e Tess devessem começar a procurar uma tam-

— As mulheres gostam que a gente faça perguntas. — Ben apertou o freio imaginário com o pé quando Ed fez uma curva cantando os pneus. — G. B. McCabe escreve coisas boas. É corajosa. Acho que lembra que fui eu quem deu o toque a você dos livros dela.

— Quer que eu dê o seu nome ao nosso primeiro filho?

Com um riso baixo, Ben empurrou o isqueiro do carro.

— E aí? Ela se parece com a foto no livro?

— Melhor. — Ed riu, mas baixou a janela quando Ben acendeu o cigarro. — Tem grandes olhos cinza. E sorri sem parar. Um sorriso maravilhoso.

— Não é preciso muito tempo para você ficar amarradão, não é?

O parceiro mexeu-se sem graça no assento e manteve os olhos na rua.

— Não sei o que você quer dizer.

— Já vi acontecer antes. — Ben relaxou o pé no freio quando o parceiro diminuiu atrás de um sedã que seguia devagar. — Alguém de olhos grandes e sorriso maravilhoso agitar as pestanas e você se perder. Não tem resistência quando se trata de mulheres, meu chapa.

— Estudos mostram que os homens casados há menos de seis meses desenvolvem uma tendência irritante a dar conselhos.

— *Redbook?*

— *Cosmopolitan.*

— Aposto. Em todo caso, quando tenho razão, tenho razão. — A única pessoa que ele conhecia melhor que a si mesmo era Ed Jackson. Ben seria o primeiro a admitir que não conhecia nem sua esposa tão intimamente. Não precisava de uma lente de aumento para reconhecer os primeiros sinais de uma paixão cega. — Por que não a leva lá em casa para um drinque? Assim, Tess e eu podemos fazer um exame minucioso.

— Eu faço o meu próprio exame, obrigado.

— Apoio moral, parceiro. Você sabe, agora que sou um homem casado, tenho uma opinião muito objetiva sobre as mulheres.

Ed riu por trás da barba.

— Papo-furado.

— Verdade. Absoluta verdade. — Ben jogou o braço sobre o encosto do banco. — Ouça o que eu digo, falo com Tess e a gente combina de se encontrar com vocês esta noite. Só para protegê-lo de você mesmo.

Jerald, Jerald, Jerald.

Ele estremeceu e recostou-se, esgotado, na cadeira giratória diante do computador.

Tinha 18 anos e só fizera amor com mulheres em sonhos. Nessa noite, os sonhos foram apenas com Désirée.

E ele estava louco.

3

— Aonde você vai?

Como ganhara no jogo de cara ou coroa, era Ed quem se sentava atrás do volante. Ele e o parceiro, Ben Paris, passaram quase o dia todo no tribunal. Não bastava pegar os bandidos, tinham de ficar horas depondo contra eles.

— O quê?

— Perguntei aonde vai. — Ben segurava um saco gigante de M&M's e comia sem parar. — Aonde vai com a escritora.

— Eu não sei. — Ed reduziu a marcha num sinal vermelho, hesitou e depois atravessou o cruzamento.

— Você não parou no sinal. — Ben mastigou o confeito. — O combinado é que, se você vai dirigir, tem de obedecer a todos os sinais de trânsito.

— Não vinha ninguém. Acha que devo usar gravata?

— Como vou saber, se não sei aonde vai? Além disso, você fica ridículo de gravata. Parece um touro com uma sineta pendurada no pescoço.

— Obrigado, parceiro.

— Ed, o sinal está mudando. O sinal... merda. — Jogou o confeito no bolso quando o colega avançou. — Então, quanto tempo a escritora vai ficar na cidade?

— Eu não sei.

— O que quer dizer com não sei? Não conversou com ela?

— Não perguntei. Achei que não era da minha conta.

para perceber que já se arrependia dessa visita. O pior ainda era que Grace também começava a arrepender-se. Kathleen sempre dava um jeito de enfatizar os piores aspectos dela, aspectos que, em outras circunstâncias, a própria Grace tentava relevar.

Mas viera para ajudar. De algum modo, apesar das duas, ia ajudar. Porém, seria necessário um pouco de tempo, disse a si mesma para consolar-se, apoiando o queixo no braço. Via luzes nas janelas da casa ao lado.

Do quarto não ouvia a campainha do telefone tocar. Imaginava quantos telefonemas mais a irmã iria receber naquela noite. Quantos homens mais ela satisfaria sem sequer ver-lhes o rosto? Corrigiria provas e daria notas entre as ligações? Devia ser divertido. Torcia para que assim fosse, mas não conseguiu parar de ver a tensão no rosto de Kathleen enquanto revolvia a comida no prato durante o jantar.

Nada podia fazer, disse a si mesma, esfregando as mãos sobre os olhos. A irmã decidira conduzir tudo à sua maneira.

ERA MARAVILHOSO OUVIR de novo a voz dela, ouvi-la fazer promessas e dar aquela rápida e rouca risada. Usava preto dessa vez, um tecido fino e transparente que um homem poderia rasgar sem pensar com repentino desejo. Ela gostaria disso, ele pensou. Gostaria que estivesse ali ao seu lado, rasgando-lhe as roupas.

O homem com quem ela conversava mal chegava a falar. Sentia-se alegre. Se fechasse os olhos, imaginava-a falando com ele. E só com ele. Vinha escutando-a durante horas, ligação após ligação. Depois de algum tempo, as palavras não tinham mais importância. Apenas a voz dela, a voz cálida, provocativa, que atravessava os fones de ouvido e entrava-lhe na cabeça. De algum lugar na casa, imagens e sons passavam na tela de uma televisão, mas ele não ouvia. Só ouvia Désirée.

Ela o queria.

Em sua mente, ele às vezes a ouvia dizer seu nome. Jerald. Dizia-o com um riso entrecortado que muitas vezes tinha na voz. Quando a procurasse, Désirée abriria os braços e diria de novo, devagar, quase sem ar: Jerald.

Fariam amor de todas as formas descritas por ela.

comparecia a programas de entrevistas de TV e rádio, atendia a jornais o dia inteiro e parte da noite até ter energia apenas para arrastar-se até a cama e cair num sono profundo. Talvez se considerasse sortuda, talvez ainda se surpreendesse com a quantidade de dinheiro que não parava de entrar dos cheques de direitos autorais, mas tudo isso era merecido. Era uma constante fonte de aborrecimento o fato de a irmã jamais haver compreendido.

– Estou de férias.

Tentou soar leve, mas a rispidez da outra se revelou:

– Eu não.

– Ótimo. Se não quer viajar, se incomoda de eu me distrair mexendo no jardim?

– Nem um pouco. – Kathleen esfregou os olhos. As dores de cabeça já não pareciam desaparecer por completo. – Na verdade, ficaria grata. Não ligo mais para isso. Tínhamos um jardim lindo na Califórnia, lembra?

– Claro. – Grace sempre o achara ordenado e formal demais, como Jonathan. Como Kathleen. Detestou a pequena punhalada de ressentimento e afastou-a. – Podíamos tentar um visual mais de amores-perfeitos, e como eram mesmo aquelas coisas que mamãe sempre adorou? Ipomeias.

– Tudo bem. – Mas a irmã tinha a mente em outras coisas. — Grace, a carne vai queimar.

Mais tarde, Kathleen fechou-se no escritório. Grace ouvia a campainha do telefone, o telefone Fantasia, como decidira chamá-lo. Contou dez chamadas antes de subir. Agitada demais para dormir, ligou o computador. Mas não pensava em trabalho, nem nos assassinatos que criava.

O contentamento que sentira na noite anterior e durante quase todo o dia desaparecera. Kathleen não estava bem. As mudanças de humor da irmã eram demasiado rápidas e intensas. Chegara-lhe à ponta da língua sugerir uma terapia, mas sabia qual seria a reação. Sua irmã lhe lançaria um daqueles olhares duros, contidos, e a conversa terminaria.

Grace mencionara Kevin apenas uma vez. Kathleen avisara-a de que não queria falar dele nem de Jonathan. Conhecia-a bem demais

— Talvez eu pudesse apenas fazer anotações.
— Não. Se não mexer aquele talharim, vai grudar todo.
— Oh. — Disposta a ser prestativa, Grace virou-se para a panela. No silêncio, ouviu a carne começar a chiar. — A Páscoa é na semana que vem. Você não tem uns dias de folga?
— Cinco dias, incluindo o fim de semana.
— Que tal fazermos uma viagem rápida, nos juntarmos à loucura em Fort Lauderdale, tomar um pouco de sol?
— Não posso arcar com as despesas.
— Por minha conta, Kathy. Vamos, será divertido. Lembra-se da primavera no último ano da faculdade, quando imploramos a mamãe e papai que nos deixassem ir?
— Você implorou — lembrou-lhe Kathleen.
— Não importa, acabamos indo. Por três dias fomos a festas, bebemos à beça, ficamos bronzeadas e conhecemos dezenas de rapazes. Lembra aquele, Joe ou Jack, que tentou subir na janela do nosso quarto no hotel?
— Depois que você disse ao cara que eu estava interessada no corpo dele.
— Bem, estava mesmo. O coitado quase se matou. — Com uma risada, Grace espetou um talharim e perguntou-se se estava pronto. — Meu Deus, a gente era tão jovem e tão idiota. Puxa, Kathy, ainda somos bastante enxutas para fazer alguns universitários nos desejarem.
— Farras etílicas e estudantes universitários não me interessam. Além disso, acertei fazer plantão o fim de semana todo. Baixe o fogo do talharim para médio, Grace, e vire a carne.
Ela obedeceu e nada disse enquanto ouvia Kathleen pôr a mesa. Não era apenas a bebida nem os homens, pensou. Só queria resgatar alguma coisa da relação entre irmãs que haviam partilhado.
— Você tem trabalhado demais.
— Não tenho a sua situação, Grace. Não posso me dar o luxo de me deitar no sofá e ler revistas a tarde toda.
Grace pegou mais uma vez o vinho. E mordeu a língua. Havia dias que ficava sentada diante de uma tela durante 12 horas, e noites em que trabalhava até as 3 horas. Durante a turnê de lançamento do livro,

Grace tomou mais um gole de vinho e controlou a irritação. Em geral, era ela quem perdia primeiro as estribeiras, lembrou. Dessa vez não se irritaria.

— Ele é muito legal. Acabei sabendo que é policial. Vamos jantar juntos amanhã.

— Que coisa mais adorável! — Kathleen botou com força uma panela no fogão e encheu-a com água. — Você trabalha rápido, Grace, como sempre.

A irmã tomou mais um gole de vinho e colocou com todo o cuidado a taça no balcão.

— Acho que vou sair para dar uma volta.

— Desculpe. — Com os olhos fechados, Kathleen curvou-se sobre o fogão. — Eu não pretendia fazer isso, não pretendia ser grosseira com você.

— Tudo bem. — Não era rápida no perdão, mas só tinha uma irmã. — Por que não se senta? Está cansada.

— Não, estou de plantão esta noite. Quero terminar o jantar antes de o telefone começar a tocar.

— Eu acabo o jantar. Você supervisiona. — Grace tomou o braço da irmã e empurrou-a delicadamente para uma cadeira. — O que entra na panela?

— Tem um pacote na sacola do supermercado.

Kathleen enfiou a mão na bolsa, retirou um frasco e deixou cair duas pílulas.

Grace remexeu na sacola de compras e pegou um envelope.

— Talharim ao molho de alho. Prático. — Rasgou o pacote e despejou o conteúdo sem ler as instruções. — Seria bom se você não saltasse na minha garganta de novo, mas não quer conversar sobre isso?

— Não, foi apenas um dia longo. — A irmã engoliu as pílulas sem água. — Tenho provas para corrigir e dar notas.

— Bem, não serei capaz de ajudar em nada aí. Eu poderia atender aos telefonemas para você.

Kathleen conseguiu esboçar um sorriso.

— Não, obrigada.

Grace pegou a saladeira e pôs na mesa.

Bateu a carne na grelha.

— Escute, Kathy, estou perguntando, e não criticando. — Como não obteve resposta, Grace pegou o vinho e encheu sua taça. — Na verdade, me passou pela cabeça abordar o que você faz no meu livro.

— Você não muda, não é? — A irmã voltou-se para Grace. Dos olhos, a fúria desprendia-se quente e pulsante. — Nada jamais é considerado um assunto particular para você.

— Pelo amor de Deus, Kathy, eu não quis dizer que vou usar seu nome, nem sequer sua situação, apenas a ideia, só isso. Foi apenas um pensamento que me ocorreu.

— Tudo é grão para ser moído no moinho, no seu moinho. Quem sabe não gostaria de usar meu divórcio enquanto o vê se desenrolar.

— Eu nunca usei você — disse Grace, em voz baixa.

— Usa todo mundo... amigos, amantes, família. Ah, você se solidariza com a dor e os problemas deles por fora, mas por dentro fica arquivando na mente, imaginando como aproveitar tudo em seu favor. Será que consegue ouvir alguma coisa, ver alguma coisa, sem pensar em como usar num livro?

Grace abriu a boca para negar, protestar, depois tornou a fechá-la com um suspiro. Era melhor enfrentar a verdade.

— Não, acho que não. Lamento.

— Então deixa para lá, está bem? — A voz de Kathleen de repente tornou a acalmar-se: — Não quero brigar esta noite.

— Nem eu. — Grace fez um esforço para mudar de assunto: — Eu estava pensando que podia alugar um carro enquanto estiver aqui, dar uma de turista por um tempo. E de carro poderia fazer as compras e poupar algumas horas suas.

— Ótimo — disse Kathleen enquanto ligava a grelha. — Tem uma locadora de automóveis no caminho da escola. Posso deixar você lá amanhã de manhã.

— Tudo bem. — E agora, o que dizer?, perguntou-se Grace ao tomar o vinho. — Ah, conheci o cara da casa ao lado esta manhã.

— Tenho certeza que sim.

Com a voz tensa, a irmã colocou a carne na grelha sobre a chama. Surpreendia-a que Grace não houvesse feito amizade com todos no bairro inteiro a essa altura.

— Bom trabalho, Maxwell — declarou.

Como os pensamentos divagaram para a irmã, levantou-se para arrumar a cama.

O baú ficara no meio do quarto. O rapaz da entrega na verdade levara-o até o andar de cima para ela, e com o mínimo de incentivo o teria esvaziado. Grace olhou-o, porém pensou e optou por lidar com o caos ali dentro depois. Em vez disso, desceu, encontrou no rádio uma estação das quarenta músicas mais tocadas e encheu a casa com o som dos últimos sucessos do momento.

Kathleen encontrou-a na sala de estar, refestelada no sofá com uma revista e uma taça de vinho. Teve de reprimir uma onda de impaciência. Acabara de passar o dia batalhando para enfiar alguma coisa na mente de 130 adolescentes. A reunião com os pais não a levara a lugar algum, e o carro começara a fazer ruídos agourentos no caminho de volta para casa. E lá estava a irmã, sem nada além de tempo de sobra nas mãos e dinheiro no banco.

Carregando o saco do supermercado no braço, foi até o rádio e desligou-o. Grace ergueu os olhos, focou-os e sorriu.

— Oi. Não ouvi você entrar.

— Não me surpreende. Pôs o rádio no volume máximo.

— Desculpe. — Grace lembrou-se de pôr a revista de volta na mesa, em vez de deixá-la deslizar para o chão. — Dia difícil?

— Alguns de nós têm.

Virou-se e dirigiu-se à cozinha.

Grace jogou os pés para o chão, depois continuou sentada por mais um instante, com a cabeça nas mãos. Após inspirar fundo algumas vezes, levantou-se e seguiu a irmã até a cozinha.

— Eu me adiantei e reforcei a salada de ontem à noite. Ainda é a coisa que sei fazer melhor.

— Ótimo.

Kathleen já forrava uma grelha com papel alumínio.

— Quer um pouco de vinho?

— Não, trabalho esta noite.

— No telefone?

— Isso mesmo. No telefone.

Ed se perguntou, ao examiná-la, se algum homem no mundo conseguiria dizer não àqueles olhos. De qualquer forma, seu parceiro, Ben, sempre dissera que ele era um bundão.

– Tenho duas horas livres de vez em quando.

– Obrigada. Escute, que tal jantar amanhã? A essa altura, Kathy vai ficar emocionada por se livrar de mim. Podemos falar de assassinato. Eu convido.

– Adoraria.

Ele levantou, sentindo-se como se acabasse de dar um passeio rápido e inesperado.

– Me deixe autografar seu livro. – Após uma procura rápida, ela encontrou uma caneta num suporte magnético junto ao telefone. – Não sei seu nome.

– É Ed. Ed Jackson.

– Oi, Ed. – Ela rabiscou qualquer coisa na primeira página e, sem perceber, enfiou a caneta no bolso. – Até amanhã, por volta das sete?

– Combinado. – Ela tinha sardas, Ed notou. Meia dúzia delas espalhadas no nariz. E os pulsos finos e frágeis. Trocou mais uma vez o livro de mão. – Obrigado pelo autógrafo.

Grace acompanhou-o até a porta dos fundos. Ele tinha um cheiro gostoso, de lascas de madeira e sabonete. Então, esfregando as mãos uma na outra, ela subiu para ligar o Maxwell.

Trabalhou o dia todo, deixando o almoço de lado por uma barra de chocolate que encontrou no bolso do casaco. Sempre que subia à tona do mundo criado e transformado por ela para o que a circundava, ouvia o martelar e serrar na casa ao lado. Instalara seu posto de trabalho perto da janela porque gostava de olhar aquela casa e imaginar o que acontecia lá dentro.

Notou um carro parar na entrada da garagem. Um homem alto, magro, de pernas longas e cabelos escuros saltou, atravessou animadamente a calçada e entrou na casa sem bater. Grace especulou sobre ele por um instante e tornou a mergulhar na trama. Na vez seguinte que se deu o trabalho de olhar, haviam se passado duas horas e o carro fora embora.

Ela arqueou-se para trás; então, pescando o último cigarro do maço, releu do princípio ao fim os últimos parágrafos.

— Tenho um assassinato excelente em andamento agora mesmo. Uma série deles, na verdade. Tenho... – Calou-se. Ed viu os olhos dela se obscurecerem. Grace recostou-se e apoiou os pés descalços numa cadeira vazia. – Posso mudar o lugar da ação, encaixar tudo aqui mesmo na capital americana. Fica melhor. Funcionaria. O que acha?

— Bem, eu...

— Talvez eu deva dar um pulo à delegacia qualquer dia. Você poderia me mostrar as dependências. – Já levando a sequência de ideias ao estágio seguinte, ela enfiou a mão no bolso do roupão para pegar um cigarro. – É permitido, não?

— Eu provavelmente poderia resolver.

— Maravilha. Escute, você tem esposa, amante ou alguma coisa assim?

Ele encarou-a quando ela acendeu o cigarro e soprou a fumaça.

— No momento, não – respondeu, cauteloso.

— Então talvez tenha duas horas de vez em quando à noite para mim.

Ed pegou o suco e tomou um longo gole.

— Duas horas – repetiu. – De vez em quando?

— É. Eu não ia esperar que me desse todo o seu tempo livre, apenas alguns minutos quando você estiver a fim.

— Quando eu estiver a fim – ele murmurou.

O roupão dela ia até o chão, mas se abria no meio, revelando as pernas, brancas do inverno e lisas como mármore. Talvez os milagres verdadeiros ainda acontecessem.

— Você poderia ser uma espécie de consultor especialista, entende? Quer dizer, quem conheceria melhor as investigações de assassinato locais que um detetive de homicídios do Distrito Federal?

Consultor. Um tanto perturbado pelos próprios pensamentos, Ed afastou a mente das pernas dela.

— Certo. – Ele exalou um longo suspiro e sorriu. – Você arregaça as mangas e entra logo em ação, não, Srta. McCabe?

— É Grace, e sou impositiva, mas não ficarei chateada por muito tempo se você disser não.

primeira oportunidade. – Nem refrigerante. Santo Deus, Kathy. Tem suco. Parece de laranja.

– Ótimo.

– Tenho um pouco de espaguete. Quer dividir?

– Não, obrigado. É seu café da manhã?

– É. – Serviu o suco dele e indicou, sem-cerimônia, uma cadeira enquanto ia ao fogão servir-se de mais café. – Mora na casa ao lado há muito tempo?

Ele sentiu-se tentado a falar de nutrição, mas conseguiu controlar-se.

– Há dois meses apenas.

– Deve ser fantástico restaurar a casa como quiser. – Grace comeu outra garfada da massa. – É isso o que você é, carpinteiro? Tem mãos que combinam com a profissão.

Ed sentiu um agradável alívio por ela não lhe ter perguntado se jogava bola.

– Não, sou policial.

– Tá de gozação. Sério? – Grace largou a embalagem de lado e curvou-se para a frente. Eram aqueles olhos que a tornavam linda, ele percebeu de repente. Tão cheios de vida e de fascinação. – Sou louca por policiais. Algumas de minhas melhores personagens são policiais, mesmo as más.

– Eu sei. – Ed teve de sorrir. – Você tem intuição para o trabalho policial. Revela na forma como tece a trama de um livro. Tudo funciona com base na lógica e na dedução.

– Toda minha lógica vai para a literatura. – Ela pegou o café e lembrou que esquecera o creme. Em vez de levantar-se, tomou-o puro. – Que tipo de policial você é...? Uniformizado, secreto?

– Homicídio.

– Coisa do destino. – Grace riu e apertou-lhe a mão. – Não dá para acreditar, venho visitar minha irmã e caio bem ao lado de um detetive de homicídios. Está trabalhando em algum caso no momento?

– Na verdade, acabamos de resolver e encerrar um ontem.

Caso complicado, ela imaginou, a julgar pela maneira como ele respondeu, com uma levíssima mudança de tom. Embora despertasse sua curiosidade, Grace conseguiu controlar-se.

Os cabelos haviam sido escovados e ondulados, e o fotógrafo empregara alto contraste preto e branco para fazê-la parecer misteriosa.

– Você tem um bom olho. Eu mal me reconheço nessa foto.

Agora que chegara ali, Ed não tinha a mínima ideia do que fazer. Esse tipo de coisa sempre acontecia quando agia por impulso. Sobretudo com uma mulher.

– Gosto de seus livros. Acho que já li a maioria.

– Só a maioria? – Grace enfiou o garfo de volta no espaguete e sorriu. – Você não sabe que os escritores têm egos imensos e frágeis? Devia dizer que leu cada palavra que já escrevi e adorou todas.

Ele relaxou um pouco, porque o sorriso dela o exigia.

– Que tal "você sabe mesmo contar uma história"?

– Serve.

– Quando percebi que era você, acho que simplesmente quis vir aqui e confirmar que eu estava certo.

– Bem, ganhou o prêmio. Entre.

– Obrigado. – Ele mudou o livro de uma mão para a outra. – Mas não quero incomodá-la.

Grace lançou-lhe um olhar demorado e solene. Ele era ainda mais impressionante de perto do que parecera da janela. E os olhos azuis, de um azul-escuro interessante.

– Então não quer meu autógrafo?

– Bem, sim, mas...

– Entre, então. – Ela tomou-lhe o braço e puxou-o para dentro. – O café está quente.

– Não tomo café.

– Não toma café? Como sobrevive? – Depois ela sorriu e indicou o caminho com o garfo. – Venha aqui nos fundos; de qualquer modo, é provável que tenha alguma coisa que você tome. Então gosta de histórias policiais?

Ele admirou o jeito dela de andar, devagar, despreocupado, como se pudesse mudar de ideia a qualquer momento sobre a direção a tomar.

– Acho que se pode dizer que histórias policiais são a minha vida.

– A minha também. – Na cozinha, Grace abriu mais uma vez a geladeira. – Não tem cerveja – murmurou e decidiu remediar isso na

derna o suficiente para ter um forno de micro-ondas. Aceitando o fato sem muita preocupação, jogou a tampa na pia e começou a comer com energia, frio mesmo. Ao mastigar, notou o bilhete na mesa da cozinha. Kathleen sempre deixava bilhetes.

Sirva-se do que quiser na cozinha. Grace sorriu e abocanhou mais espaguete frio. *Não se preocupe com o jantar, comprarei dois filés.* E isso, pensou, era o jeito educado de dizer-lhe que não bagunçasse a cozinha. *Reunião de pais esta tarde. Chego às cinco e meia. Não use o telefone do escritório.*

Grace franziu o nariz e enfiou o bilhete no bolso. Exigiria tempo, e um pouco de pressão, mas decidira informar-se mais sobre as aventuras do trabalho extra da irmã. E havia a questão de descobrir o nome do advogado que contratara. Objeções e orgulho de Kathleen à parte, queria conversar com ele em pessoa. Se o fizesse com todo o cuidado, o ego dela não seria ferido. De qualquer modo, às vezes era necessário fazer vista grossa a algumas feridas e chutar para o gol. Até ter Kevin de volta, a irmã jamais iria conseguir pôr a vida em ordem. Aquele desprezível Breezewood não tinha o direito de usar o menino como arma contra Kathleen.

Sempre fora um especulador, pensou. Jonathan Breezewood III era um manipulador frio e calculista que usava a posição da família e de político endinheirado para se dar bem. Mas dessa vez, não. Talvez fossem necessárias algumas manobras, porém Grace encontraria um meio de corrigir e pôr tudo nos eixos.

Desligou o fogo sob o bule de café no momento em que alguém bateu à porta da frente.

O baú, concluiu, e pegou o recipiente de espaguete e saiu pelo corredor. Dez dólares extras deveriam convencer o rapaz da entrega a levá-lo até o andar de cima. Tinha um sorriso persuasivo no rosto ao abrir a porta

– G. B. McCabe, certo?

Parado em pé na varanda, Ed esperava-a com um exemplar de capa dura de *Assassinato com classe*. Quase serrara um dedo ao ligar o nome ao rosto na janela.

– Isso mesmo. – Ela olhou de relance a foto na contracapa.

sorrindo-lhe de uma janela no segundo andar contribuiu muito para acalmar seus nervos em frangalhos.

— Obrigado.

— Consertando?

— Pedaço por pedaço. — Ele protegeu os olhos contra o sol e examinou-a. Não era a sua vizinha. Embora não houvesse trocado mais de uma dezena de palavras com Kathleen Breezewood, conhecia-a de vista. Mas identificou alguma coisa familiar no rosto sorridente e nos cabelos desgrenhados. — De visita?

— Sim. Kathy é minha irmã. Acho que já saiu. Ela dá aulas.

— Ah. — Ed soube mais sobre a vizinha naqueles dois segundos que em dois meses. O apelido era Kathy, tinha uma irmã e era professora. Ed ergueu outra tábua e colocou-a no cavalete. — Vai ficar muito tempo?

— Não sei. — Ela curvou-se um pouco mais à frente para a brisa despentear-lhe os cabelos, um pequeno prazer que o ritmo e a conveniência de Nova York negavam-lhe. — Foi você quem plantou as azaleias lá na frente?

— Foi. Semana passada.

— São maravilhosas. Acho que vou plantar umas para Kathy. — Tornou a sorrir. — Até mais.

Pôs a cabeça para dentro e desapareceu. Ed fitou a janela vazia.

Ela deixara-a aberta, notou, e a temperatura ainda não subira a 15 graus centígrados. Pegou o lápis de carpinteiro para marcar a madeira. Conhecia aquele rosto. Era ao mesmo tempo uma questão de sua profissão e personalidade nunca esquecer um rosto. Voltava-lhe sempre.

Dentro de casa, Grace vestiu um conjunto de moletom. Continuava com os cabelos molhados da ducha, mas não estava a fim de se preocupar com o secador e escovas modeladoras. Havia café a tomar, jornal a ler e um crime a desvendar. Pelos seus cálculos, poderia pôr mãos à obra no Maxwell e trabalhar o suficiente para satisfazer-se antes de Kathleen retornar da escola Nossa Senhora da Esperança.

No primeiro andar, pôs o bule de café para aquecer e depois conferiu o conteúdo da geladeira. A melhor aposta era o resto de espaguete da noite anterior. Grace afastou os ovos e pegou a embalagem de plástico. Levou um minuto para perceber que a cozinha não era mo-

travesseiro. Conseguiu bloquear a entrada de luz, mas não o zunido. Precisava levantar, porém detestava a ideia.

Pensando em aspirina e café, saiu da cama. Foi então que percebeu que o zumbido não vinha de dentro de sua cabeça, mas de fora da casa. Remexeu em uma das sacolas e retirou um roupão atoalhado todo amassado. No seu armário de casa tinha um de seda, presente de um antigo amor. Embora guardasse afetuosas lembranças dele, preferia o roupão atoalhado. Ainda grogue, cambaleou até a janela e afastou a cortina.

Fazia um lindo dia, frio e com um leve aroma de primavera e terra revolvida. Uma arqueada cerca de tela entrelaçada separava o jardim da irmã do da casa ao lado. Emaranhado e malcuidado contra a cerca, um arbusto de forsítia lutava para florescer, e Grace achou que as minúsculas flores amarelas se mostravam valentes e ousadas. Não lhe ocorrera até aquele momento como estava farta de flores de estufa e pétalas perfeitas.

Viu-o então, no quintal da casa ao lado. Tábuas compridas e estreitas tinham sido presas a cavaletes de marceneiro. Com aquela fácil competência que ela admirava, ele media, marcava e serrava. Intrigada, a escritora empurrou a janela e abriu-a para poder olhar melhor. O ar matinal estava frio, mas ela se debruçou ao seu encontro, satisfeita porque lhe clareou a mente. Como a forsítia, o homem era uma visão e tanto.

Paul Bunyan, o lendário madeireiro norte-americano, pensou Grace, e riu. O homem sem dúvida tinha 1,95 metro de altura, com a compleição física de um zagueiro. Mesmo a distância, ela via a força dos músculos movendo-se sob a jaqueta, além dos cabelos ruivos e da barba cheia. Também reparou na boca que se mexia ao ritmo da música country saída de um rádio portátil.

Quando o zumbido parou, ela deu um sorriso da janela, os cotovelos apoiados no parapeito.

– Oi – chamou. Alargou o sorriso quando o homem se virou e ergueu os olhos. Notou que ele retesou o corpo, não tanto de surpresa, concluiu, mas de presteza. – Gosto da sua casa.

Ed relaxou ao ver a mulher na janela. Trabalhara mais de sessenta horas naquela semana e matara um homem. A visão de uma mulher

relação à irmã que não sentira desde quando eram crianças. Não saberia dizer a última vez em que as duas haviam ficado juntas até tarde, bebendo e conversando, como amigas. Era difícil admitir que isso nunca acontecera.

Kathleen finalmente fazia uma coisa incomum e se virava sozinha como podia, disposta a vencer. Desde que não houvesse riscos para a irmã, estaria tudo bem para Grace. Kathleen estava tomando pé das coisas e iria ficar muito bem, com certeza.

ELE FICOU À ESPERA dela durante três horas aquela noite. Désirée não se apresentou. Havia outras mulheres, claro, de nomes exóticos e voz sexy, mas não eram Désirée. Enroscado na cama, tentou aliviar-se imaginando a voz dela, mas não bastou. Ficou ali deitado, frustrado e suado, imaginando quando iria reunir coragem para procurá-la.

Logo, pensou. Ela ficaria muito feliz ao vê-lo. Iria tomá-lo nos braços, despi-lo, da mesma maneira que fazia ao telefone. E o deixaria tocá-la. Faria qualquer coisa que ele quisesse. Tinha de ser logo.

À luz do luar, levantou-se e retornou ao computador. Queria conferir mais uma vez antes de ir dormir. Com dedos finos, mas competentes, digitou uma série de números. Em segundos, surgiu o endereço na tela. O endereço de Désirée.

Logo.

2

Grace ouviu o zumbido baixo vindo de dentro da cabeça, monótono, e culpou o vinho. Não grunhiu nem resmungou pela ressaca. Haviam-lhe ensinado que todo pecado, perdoável ou mortal, exigia penitência. Esse era um dos poucos aspectos da formação católica que levara consigo para a vida adulta.

O sol estava forte o bastante para filtrar-se pelas cortinas de gaze transparente nas janelas. Para defender-se, ela enterrou o rosto no

– As fichas das funcionárias da Fantasia são estritamente confidenciais. O nosso número jamais, em circunstância alguma, é revelado aos clientes. A maioria de nós usa nomes falsos também. Eu sou Désirée.

– Désirée – repetiu Grace com certo respeito.

– Tenho 25 anos, sou loura e tenho um corpo insaciável.

– Verdade? – Embora lidasse melhor com a bebida, Grace comera apenas uma barra de chocolate a caminho do aeroporto. A ideia de Kathleen ter um *alter ego* não apenas parecia plausível, mas lógica. – Mais uma vez, parabéns. Mas, Kathy, digamos que um dos caras da Fantasia decidisse querer relações mais íntimas que as de patrão/empregada?

– Você está criando uma história de novo – respondeu a irmã, com desdém.

– Talvez, mas...

– Grace, é totalmente seguro. Não passa de um contrato comercial. Eu apenas falo, os homens obtêm o equivalente ao dinheiro que gastaram, sou bem paga e a Fantasia recebe sua parcela. Todo mundo fica satisfeito.

– Parece lógico. – Grace girou o vinho e tentou repelir quaisquer dúvidas. – E na moda. Não se pega AIDS num telefonema.

– Sadio, do ponto de vista médico. Do que está rindo?

– Só imaginando a cena. – Grace enxugou a boca com as costas da mão. – "Medo de compromisso, farto do cenário de solteiros? Ligue para a empresa Fantasia, converse com Désirée, Dalila ou DeeDee. Orgasmos garantidos ou seu dinheiro de volta. Aceitamos os principais cartões de crédito." Nossa, eu devia escrever textos publicitários.

– Nunca pensei nisso como uma piada.

– Você nunca considerou muita coisa na vida uma piada – disse Grace, com doçura. – Escute, na próxima vez em que estiver trabalhando, posso participar como ouvinte?

– Não.

Grace fez pouco caso da recusa com um encolhimento dos ombros.

– Bem, falaremos disso depois. Quando vamos comer?

Ao enfiar-se na cama naquela noite, no quarto de hóspedes de Kathleen, saciada de massa e vinho, Grace sentia um bem-estar em

— Os caras ligam para o escritório da Fantasia; se são assíduos, podem pedir uma mulher específica. Se são novos, pedem que eles relacionem suas preferências para indicar alguém com o perfil indicado.

— Que tipo de preferências?

Kathleen sabia que Grace tinha uma tendência a entrevistar. Três taças de vinho impediram-na de irritar-se.

— Alguns preferem ficar com a maior parte da conversa, dizer o que vão fazer com a mulher, o que estão fazendo em si mesmos. Outros gostam que a mulher fale o tempo todo, conduzido-os até o clímax. Querem que ela se descreva, a roupa que está usando, o quarto. Alguns gostam de sadomasoquismo. Esses telefonemas eu não aceito.

Grace esforçava-se para levar tudo a sério.

— Você só fala de sexo normal?

Pela primeira vez em meses Kathleen se sentia agradavelmente relaxada.

— Isso mesmo. E sou boa no que faço. Sou muito popular.

— Parabéns.

— De qualquer modo, os homens ligam para a Fantasia, deixam o número do telefone e de um cartão de crédito. O escritório se certifica de que o cartão é válido e entra em contato com uma de nós. Se eu concordo em aceitar a chamada, ligo de volta para o cliente pelo telefone que a Fantasia instalou aqui em casa, mas a ligação é cobrada diretamente no endereço do escritório.

— Claro. E depois?

— Depois a gente conversa.

— Depois você conversa — murmurou Grace. — Por isso é que tem um telefone extra no escritório.

— Você sempre nota as pequenas coisas.

Kathleen percebeu, com grande satisfação, que se achava bem encaminhada para um porre. Era gostoso sentir a zonzeira na cabeça, o peso fora dos ombros, e a irmã sentada do outro lado da mesa.

— Kathy, o que impede que esses caras descubram seu nome e endereço? Um deles poderia decidir que não quer mais ficar só na conversa.

Ela fez que não com a cabeça, limpando o leve círculo do copo que se formara na mesa.

– É um fato bem concreto que minha irmã faz um extra como garota de programa.

– Não é bem isso. Garota de programa pelo telefone. Vendo minha voz, Grace, não meu corpo.

– Duas taças de vinho e fico logo zonza. Por que não me explica direitinho, Kathy?

– Eu trabalho para uma empresa chamada Fantasia. É uma pequena empresa mantida num escritório, especializada em serviços telefônicos.

– Serviços telefônicos? – a caçula repetiu, soprando fumaça. – Serviços telefônicos? – Desta vez ergueu as duas sobrancelhas. – Está falando de telessexo?

– Falar de sexo é o mais próximo a que cheguei em um ano.

– Um ano? – Grace precisou engolir em seco primeiro. – Eu ofereceria meus pêsames, mas no momento estou fascinada demais. Quer dizer que você faz o que anunciam nos classificados das revistas masculinas?

– Desde quando começou a ler revistas masculinas?

– Pesquisa. E você me diz que ganha quase mil dólares por semana conversando com homens pelo telefone?

– Eu sempre tive uma boa voz.

– É. – Grace recostou-se para absorver aquela informação. Não conseguia lembrar-se de Kathleen fazendo qualquer coisa inconveniente durante toda a sua vida. Chegou até a esperar o casamento para dormir com Jonathan. Sabia disso porque perguntara à irmã. Aos dois. Tudo isso agora então lhe pareceu não apenas em desacordo total com a personalidade da primogênita, mas muito esquisito. – A irmã Mary Francis dizia que você tinha a melhor voz para oratória da oitava série. Imagino o que a coitada da querida velhinha diria se soubesse que você é prostituta pelo telefone.

– Não gosto muito desse termo, Grace.

– Ah, por favor, soa bonito. – A irmã deu uma risadinha. – Desculpe. Conte como funciona.

Devia ter sabido que Grace veria o lado leve da coisa. Raras vezes se ouviam recriminações da parte dela. Kathleen sentiu os músculos dos ombros relaxarem quando tornou a tomar o vinho.

— Para mim mesma, não, pelo menos no momento. Ganho 1 dólar por minuto por uma ligação de sete minutos, 10 dólares pela ligação, se for um pedido reincidente específico para mim. A maioria dos meus é. Recebo em média 20 telefonemas por noite, três dias na semana, e entre 25 e 30 nos fins de semana. Isso resulta em cerca de 900 dólares por semana.

— Minha nossa!

O primeiro pensamento foi que a irmã tinha muito mais energia do que ela desconfiava. O segundo, que toda a história era uma enorme piada de mau gosto para fazê-la não se intrometer no que não era de sua conta.

Na fria luz fluorescente, Grace encarou a irmã. Nada nos olhos dela indicava que estivesse brincando. Mas a caçula reconheceu aquele olhar de satisfação consigo mesma. O mesmo que exibira quando tinham 12 anos e Kathleen vendera cinco caixas de biscoitos da Associação das Pioneiras a mais que ela.

— Minha nossa! — repetiu, e acendeu mais um cigarro.

— Não vai ter sermão sobre moralidade, Gracie?

— Não. — Ela ergueu o vinho e engoliu-o com dificuldade. Ainda não sabia que posição tomar sobre a questão em termos morais. — Fala sério?

— Totalmente.

Claro. Kathleen sempre falava sério. Vinte por noite, tornou a pensar, e afastou a imagem da mente.

— Não vai ter sermão sobre moralidade, mas você vai ouvir um sobre bom-senso. Santo Deus, Kathleen, sabe que espécie de canalhas e maníacos existem por aí? Até eu sei, e não tenho um encontro que não seja relacionado a trabalho há quase seis meses. É uma idiotice, Kathleen, idiotice e burrice. E você vai parar já, senão eu...

— Vai contar para mamãe?

— Isso não é brincadeira, Kathy. — Grace ajeitou-se sem graça na cadeira, pois era exatamente o que tinha na ponta da língua. — Se não pensa em si mesma, pense em Kevin. Se Jonathan ficar sabendo, nem rezando você conseguirá seu filho de volta.

— Eu penso em Kevin. Ele é tudo em que penso. Beba o vinho e escute, Grace. Você sempre teve tendência a criar uma história sem conhecer todos os fatos.

A escritora refletiu sobre os Breezewood um instante. As famílias tradicionais e ricas tinham tentáculos compridos.

— Tudo bem. Talvez seja melhor assim. Mas, de qualquer modo, eu posso ajudar. Advogados e detetives custam caro. Tenho mais do que preciso.

Pela segunda vez os olhos de Kathleen encheram-se de lágrimas. Mas, também dessa vez, ela conseguiu detê-las. Sabia que Grace tinha dinheiro e não queria ressentir-se do fato de que o ganhara. Contudo, ressentiu-se.

— Ai, meu Deus – disse. – Preciso fazer isso sozinha.

— Não é hora de ter orgulho. Você não pode travar uma batalha judicial desse porte com o salário de professora. Só porque foi uma bobona e deixou Jonathan descartar você sem um tostão não é motivo algum para recusar meu dinheiro.

— Eu não queria nada dele. Saí do casamento exatamente com o que entrei. Três mil dólares.

— Não vamos nos envolver nos direitos da mulher e no fato de que você merecia alguma coisa depois de oito anos de casamento. – Grace era uma ativista, se e quando lhe convinha. – A questão é que sou sua irmã e quero ajudar.

— Não com dinheiro. Talvez seja orgulho, mas preciso resolver isso sozinha. Estou fazendo um bico.

— Fazendo o quê? Vendendo Tupperware? Ensinando a crianças a Batalha de Nova Orleans? Se prostituindo?

Com a primeira boa risada que dera em semanas, Kathleen serviu mais vinho às duas.

— Isso mesmo.

— Está vendendo Tupperware? – Grace pensou na ideia por um momento. – Ainda existem aqueles potinhos com tampa para cereal?

— Não tenho a menor ideia. Não estou vendendo Tupperware, estou me prostituindo.

Quando a irmã se levantou para acender a luz, Grace pegou sua taça. Era raro Kathleen fazer uma piada, por isso não soube se era para rir ou não.

— Achei que você tinha dito que não estava interessada em sexo.

— Jonathan raras vezes perde a paciência. Ele a mantém sob rígido controle, porque é muito violento. Uma vez, quando Kevin ainda era bebê, dei a ele um gatinho. — Kathleen avançou com cuidado pela história, sabendo que Grace sempre podia catar as migalhas e fazer um bolo inteiro. — Eles estavam brincando e de repente o gatinho arranhou Kevin. Jonathan ficou tão revoltado quando viu as marcas no rosto do filho que atirou o gatinho pela varanda, do terceiro andar.

— Eu sempre disse que ele era um príncipe — resmungou a irmã, e tomou mais um gole.

— Depois teve o incidente com o ajudante do jardineiro. O rapaz arrancou um dos pés de rosa por engano. Foi apenas um mal-entendido, o coitado não falava muito bem inglês. Jonathan o demitiu no ato, e os dois bateram boca. Antes que a discussão terminasse, Jonathan havia espancado o homem com tanta brutalidade que ele teve de ser hospitalizado.

— Santo Deus.

— Jonathan pagou a conta, claro.

— Claro — concordou Grace, mas esbanjou sarcasmo.

— Acertou as contas e subornou o cara para manter o caso longe dos jornais. Era apenas uma roseira. Não sei o que teria feito se eu tentasse trazer Kevin comigo.

— Kathy, querida, você é mãe dele, tem direitos. Sei que há excelentes advogados em Washington. Vamos procurar um, descobrir o que pode ser feito.

— Já contratei um. — Como tinha a boca seca, Kathleen tomou outro gole. O vinho fazia as palavras saírem com mais facilidade. — E contratei um detetive particular. Não vai ser fácil, e me disseram que pode custar muito tempo e dinheiro, mas é uma chance.

— Estou orgulhosa de você. — Grace enlaçou as mãos com as da irmã. O sol já quase se pusera, deixando a cozinha em sombras. Os olhos de Grace, cinzentos como o entardecer, aqueceram-se. — Querida, Jonathan Breezewood III não sabe o que o espera se decidir enfrentar os McCabe. Tenho alguns contatos na costa.

— Não, Grace, eu preciso manter isso discreto. Ninguém deve saber, nem sequer mamãe e papai. Simplesmente não posso correr o risco.

mos dele. Entraria com um pedido de divórcio no qual nenhum de nós dois era culpado pela dissolução do casamento; como se fosse apenas uma pequena batida de carro. Oito anos de minha vida jogados fora, e ninguém para culpar.

– Kathy, sabe que não precisava aceitar os termos dele. Se ele era infiel, você tinha um recurso.

– Como poderia provar? – Dessa vez Kathleen mostrava ressentimento, caloroso e intenso. Esperara muito tempo para extravasá-lo. – Você precisa entender que tipo de mundo é este. Jonathan Breezewood III é um homem perfeito. Advogado, sócio da firma da família que poderia representar o demônio contra o Todo-Poderoso e sair com um acordo. Mesmo que alguém soubesse ou desconfiasse, não iria me ajudar. As pessoas eram amigas da esposa de Jonathan. Sra. Jonathan Breezewood III. Esta foi minha identidade durante oito anos. Nenhuma delas daria a mínima para Kathleen McCabe. O erro foi meu. Dediquei-me a ser a Sra. Breezewood. Tinha de ser a esposa e dona de casa perfeita. E me tornei chata. Quando o chateei bastante, ele quis se livrar de mim.

– Ao diabo com isso, Kathleen, você precisa sempre ser sua pior crítica? – Grace golpeou o cinzeiro com a guimba e pegou a taça de vinho. – Ele foi o culpado, droga, não você. Você deu a Jonathan exatamente o que ele dizia querer. Abandonou a carreira, a família, o lar e concentrou a vida nele. Agora vai abandonar de novo, e jogar Kevin no acordo.

– Não estou abandonando Kevin.

– Você me disse...

– Eu não quis brigar com Jonathan, não podia. Tive medo do que ele faria.

Com muito cuidado, Grace largou de novo o vinho.

– Medo do que ele faria a você ou a Kevin?

– A Kevin, não – ela se apressou a dizer. – Jonathan jamais faria alguma coisa para prejudicar Kevin. Ele realmente adora o filho. E apesar de ter sido um marido ruim é um pai maravilhoso.

– Tudo bem. – Grace evitaria qualquer julgamento sobre isso. – Tem medo do que ele faria a você, então? Fisicamente?

como cinzeiro. Sabia muito bem que Kathleen desaprovava o fumo e resolvera comportar-se o melhor possível. Como a maioria das promessas que fazia a si mesma, quebrou essa facilmente. Acendeu um cigarro, serviu-se de vinho e sentou-se. – Fale comigo, Kathy. Vou importuná-la até você falar e me contar tudo.

Kathleen soubera disso antes de concordar com a vinda da irmã. Talvez por esse motivo houvesse concordado.

– Eu não queria a separação. E não precisa me dizer que sou idiota por querer ficar com um homem que não me quer, porque eu já sei.

– Não acho você idiota. – Grace soprou uma baforada de fumaça, sentindo-se culpada porque achara a irmã uma idiota, mais de uma vez. – Você ama Jonathan e Kevin, e queria ficar com eles.

– Acho que isso resume tudo. – Kathleen tomou um segundo gole, mais longo, de vinho. A irmã mais uma vez tinha razão. Era dos bons mesmo. Embora fosse difícil admitir, detestável admitir, precisava falar com alguém. Queria que esse alguém fosse Grace porque, quaisquer que fossem as diferenças entre as duas, ela ficaria incondicionalmente do seu lado. – Chegou a um ponto em que eu tive de aceitar a separação. – Ainda não conseguia pronunciar a palavra *divórcio*. – Jonathan... me maltratou.

– O que quer dizer? – A voz baixa e meio rouca de Grace desprendia farpas. – Ele agrediu você?

– Há outros tipos de maus-tratos – respondeu Kathleen, desgastada. – Ele me humilhou. Tinha outras mulheres, muitas delas. Ah, era muito discreto. Duvido até que seu corretor soubesse, mas fez questão de que eu soubesse. Apenas para esfregar na minha cara.

– Sinto muito.

Grace tornou a sentar-se. Sabia que Kathleen teria preferido um soco no queixo à infidelidade. Ao pensar nisso, teve de admitir que, pelo menos nesse ponto, as duas concordavam.

– Você jamais gostou dele.

– Jamais gostei, e não me arrependo – admitiu Grace, e jogou a cinza na tampa de maionese vazia.

– Acho que não adianta falar disso agora. Em todo caso, quando concordei com a separação, Jonathan deixou claro que seria nos ter-

– Eu diria que você não perdeu o toque.

– Ele retornou para mim – respondeu Kathleen. – Mesmo após anos de cozinheiras e empregados. Está com fome? – Então, pela primeira vez, seu sorriso pareceu genuíno e relaxado. – Espere, eu trouxe uma coisa.

Quando a irmã voltou correndo à sala, ela se virou para a janela. Por que de repente se dava conta de como a casa parecia vazia antes de Grace estar ali? Que magia tinha ela para preencher um quarto, uma casa, uma arena? E o que iria fazer quando ficasse mais uma vez sozinha?

– Valpolicella – anunciou Grace ao retornar à cozinha. – Como você vê, eu contava com a comida italiana.

Kathleen se afastou da janela e as lágrimas começaram a aflorar.

– Oh, querida.

Com a garrafa ainda na mão, Grace logo se aproximou.

– Gracie, sinto tanta falta dele. Às vezes acho que vou morrer.

– Eu sei que sente. Oh, meu bem, eu sei. Lamento tanto. – Grace afagou os cabelos da irmã escovados com firmeza para trás. – Me deixe ajudar, Kathleen, me diga o que posso fazer.

– Nada. – O esforço custou mais do que ela admitiria, mas Kathleen conteve as lágrimas. – É melhor eu preparar a salada.

– Espere. – Com a mão no braço da irmã, Grace levou-a até a pequena mesa na cozinha. – Sente-se. Falo sério, Kathleen.

Embora fosse um ano mais velha que Grace, Kathleen curvou-se à autoridade. Mais uma coisa que se tornara um hábito.

– Realmente, não quero falar disso, Grace.

– Imagino que seja ruim demais, então. Saca-rolha?

– Gaveta de cima à esquerda da pia.

– Taças?

– Segunda prateleira, armário junto à geladeira.

Grace abriu a garrafa. Embora o céu escurecesse, ela não se deu o trabalho de acender a luz. Após pôr uma taça diante da irmã, encheu-a até a borda.

– Beba. É um excelente vinho. – Encontrou um vidro de maionese Kraft no lugar onde a mãe o teria guardado, retirou a tampa e usou-a

Ela falava sério. Com o olhar e a imaginação de escritora, quase já conseguia visualizar o interior da casa.

— Eu queria dar a Kevin alguma coisa quando... quando ele vier.

— Ele vai amar este lugar – afirmou Grace, com confiança na voz. – Sem dúvida, esta é uma calçada para andar de skate. Kathy, este lugar me faz pensar que diabos estou fazendo em Manhattan.

— Ficando rica e famosa.

Mais uma vez, disse isso sem ressentimento, enquanto passava as sacolas para a irmã.

Pela segunda vez, Grace desviou o olhar para a casa ao lado.

— Também não me faria mal ter algumas azaleias. – Entrelaçou o braço no da irmã. – Bem, me mostre o resto.

O interior não chegou a ser uma surpresa. Kathleen preferia coisas organizadas e ordenadas. O mobiliário era sólido, sem poeira e de bom gosto. É a cara dela, pensou Grace, com uma pontada de desânimo. Mesmo assim, gostou da pequena casa.

Kathleen transformara um dos pequenos aposentos em escritório. A escrivaninha ainda brilhava, novinha em folha. Não levara nada da antiga vida consigo, reparou Grace. Nem mesmo o filho. Embora achasse estranho ver um telefone na escrivaninha e outro a poucos metros, ao lado de uma cadeira, não fez nenhum comentário. Conhecendo a irmã, sabia que teria uma justificativa perfeita para aquilo.

— Hum, molho de espaguete.

O cheiro levou-a sem hesitar à cozinha. Se alguém lhe pedisse que enumerasse seus passatempos preferidos, comer viria no primeiro lugar da lista.

A cozinha era tão imaculada quanto o resto da casa. Grace poderia apostar que não havia uma migalha de pão na torradeira. As sobras eram lacradas à perfeição, etiquetadas e guardadas na geladeira, e os copos, arrumados de acordo com o tamanho nos armários. Era esse o jeito de Kathleen, e ela não mudara nem um pouco em trinta anos.

Grace desejou ter-se lembrado de esfregar os pés no capacho ao atravessar o linóleo envelhecido. Ergueu a tampa de uma panela para sentir o delicioso aroma que emanava do seu interior.

Kathleen. Quando não existiam ou eram muito flexíveis, ela simplesmente não conseguia entender o jogo.

Sempre seguindo as regras, Kathy, pensou Grace, em silêncio, ao lado da irmã. Não admirava que ela sempre se confundisse quando as regras mudavam. Agora haviam mudado mais uma vez.

Kathy abandonara o casamento assim como abandonava o jogo quando as regras não lhe convinham? Será que precisou voltar ao lugar de onde saímos para eliminar o tempo intermediário e recomeçar, em seus próprios termos? Esse era o estilo de Kathleen, pensou Grace, e desejou para o bem da irmã que desse certo.

A única coisa que a surpreendeu foi a rua em que escolhera morar. Um apartamento pequeno, com aparelhos e utensílios modernos e manutenção 24 horas por dia, seria mais o estilo de Kathleen que aquele bairro decadente, um tanto precário, de grandes árvores e residências antigas.

A casa dela era uma das menores da quadra e, embora Grace tivesse certeza de que a irmã nada fizera ao pequeno gramado além de podá-lo, alguns bulbos começavam a abrir caminho pela alameda varrida com todo capricho.

Ao parar ao lado do carro, Grace deixou o olhar vagar de um lado ao outro da rua. Observou algumas bicicletas e caminhonetes velhas e recém-pintadas. Embora fosse acolhedor, o bairro parecia se encaminhar para um tempo passado, quando coisas usadas e gastas dominavam a paisagem. Ela gostou dali, gostou daquela atmosfera.

Era exatamente o lugar que teria escolhido se tivesse decidido voltar. E se tivesse de escolher uma casa... seria a casa vizinha à da irmã, concluiu de imediato. O imóvel parecia necessitar de reparos. Além de uma janela tapada com ripas de madeira, faltavam telhas. Alguém havia plantado azaleias, e a terra continuava nova e socada em montículos na base das mudas, baixas, de apenas uns 30 centímetros de altura. Mas os botõezinhos já se mostravam quase prontos para irromper com vida. Olhando-os, ela desejou poder ficar tempo suficiente para vê-los florir.

– Oh, Kathy, que lugar lindo!

– Não tem nada a ver com Palm Springs – disse a irmã, sem ressentimento, ao começar a descarregar as coisas de Grace.

– É, não tem mesmo, querida. Mas é um verdadeiro lar.

Grace conteve um suspiro. Poderia Kathleen algum dia sentir algo intensamente?

— Está saindo com alguém?

— Não. — Kathleen deu um sorriso enquanto pegava a via expressa. — Não estou interessada em sexo.

Grace ergueu a sobrancelha.

— Todo mundo está interessado em sexo. Por que acha que Jackie Collins sempre entra na lista dos livros mais vendidos? De qualquer modo, eu me referia a um companheiro.

— Não tem ninguém com quem eu queira estar neste momento. — Então pôs a mão em cima da de Grace, o que era muito mais do que já tivera condições de dar a alguém, além do marido e do filho. — A não ser você. Estou muito feliz por ter vindo.

Como sempre, Grace reagia ao afeto quando o recebia.

— Eu teria vindo mais cedo se você tivesse permitido.

— Você estava no meio de uma turnê de divulgação do seu livro.

— As turnês podem ser canceladas — respondeu Grace, impaciente. Nunca se considerou temperamental nem arrogante, mas teria se comportado dessa forma se fosse para atender a um pedido da irmã. — Bem, a turnê terminou e estou aqui. Em Washington na primavera. — Abriu a janela, embora o vento de abril ainda soprasse com a intensidade de março. — E as cerejeiras em flor?

— Foram atingidas pela última geada.

— Nada muda por aqui.

Tinham tão pouco a dizer uma à outra? Grace deixou o rádio preencher o silêncio enquanto seguiam. Como era possível duas pessoas que cresceram juntas e conviveram por tanto tempo se sentirem duas estranhas? Toda vez ela alimentava a esperança de que seria diferente. Toda vez era a mesma coisa.

Ao atravessarem a ponte da rua 14, lembrou-se do quarto que ela e Kathleen haviam dividido durante toda a infância. Arrumado e organizado num lado, revirado e bagunçado no outro. Isso era apenas um detalhe da discórdia. Outro ponto de diferença eram os jogos inventados por Grace, que mais frustravam que divertiam a irmã. Quais eram mesmo as regras? Aprendê-las sempre fora a prioridade de

— Eu sei. — A irmã parou ao lado de um Toyota de segunda mão. Um ano antes dirigia um Mercedes. Mas isso fora o mínimo que perdera. — Não tive a intenção de ser ríspida com você, Grace. Só não quero falar disso por algum tempo. Minha vida já está quase toda em ordem. — Grace acomodou as sacolas na parte de trás e nada disse. Sabia que o carro era de segunda mão e bem abaixo do que a irmã se habituara, porém a rispidez na voz a preocupava muito mais que a mudança de status dela. Queria reconfortá-la, mas sabia que Kathleen considerava a compaixão algo próximo do sentimento de pena.

— Tem falado com mamãe e papai?
— Falei na semana passada. Estão bem. — Kathleen entrou e colocou o cinto de segurança. — Você diria que Phoenix é o paraíso.
— Contanto que eles se sintam felizes.

Grace recostou-se e pela primeira vez pôde observar o lugar onde estava. Aeroporto Nacional. Tomara o primeiro avião de partida dali havia oito, não, meu Deus, havia quase dez anos. E ficara apavorada até o último fio de cabelo. Quase desejou sentir de novo aquela mesma experiência nova e inocente.

Está ficando esgotada, Gracie?, perguntou-se. Demasiados voos. Demasiadas cidades. Demasiadas pessoas. Agora estava de volta, a alguns quilômetros apenas da casa em que fora criada, e sentava-se ao lado da irmã. Não tinha, porém, sensação alguma de retorno ao lar.

— O que fez você voltar para Washington, Kathy?
— Eu queria sair da Califórnia. E tudo aqui era conhecido.

Mas não quis ficar perto do seu filho? Não precisava ficar? Não era hora de perguntar, mas Grace teve de repelir as palavras.

— E dar aulas na Escola Nossa Senhora da Esperança. É algo conhecido também, mas deve ser estranho — disse Grace.
— Eu gosto muito. Acho que preciso da disciplina das aulas — respondeu a irmã.

Ela dirigiu pelo estacionamento com precisão calculada. Enfiados na aba do protetor solar estavam o tíquete do estacionamento rotativo e três notas de 1 dólar. Grace notou que ela ainda contava o troco.

— E a casa, gosta dela?
— O aluguel é razoável e fica a apenas 15 minutos de carro da escola.

– Estou de férias. Mas preciso me manter ocupada enquanto você estiver na escola. Se o avião se atrasasse mais dez minutos, eu teria terminado um capítulo. – Olhou o relógio, notou que tinha parado de novo mas não se importou. – Sério, Kathy, é o mais maravilhoso assassinato.

– E a sua bagagem? – interrompeu Kathleen, sabendo que a irmã ia começar a contar a história sem qualquer incentivo.

– Meu baú será entregue na sua casa amanhã.

O baú era mais uma das excentricidades da irmã.

– Grace, quando vai começar a usar malas como as pessoas normais?

Quando o inferno congelar, Grace pensou em responder, mas apenas sorriu.

– Você está realmente ótima. Como se sente?

– Bem. – Então, como era sua irmã, Kathleen relaxou. – Estou melhor, na verdade.

– Muito melhor sem aquele filho da mãe – disse Grace ao cruzarem as portas automáticas. – Detesto dizer isso, porque sei que você o amava, mas é a verdade. – Uma forte brisa fria soprava, fazendo com que as pessoas esquecessem que era primavera. Grace seguia na direção do estacionamento, sem olhar para os lados. – Kevin foi a única verdadeira alegria que ele trouxe à sua vida. Aliás, cadê o meu sobrinho? Eu esperava que viesse com você.

A pequena pontada de dor veio e se foi. Quando Kathleen tomava uma decisão sobre alguma coisa, também a tomava com o coração.

– Com o pai. Concordamos que seria melhor ele ficar com Jonathan durante o ano letivo.

– Como assim? – Grace parou no meio da rua. Alguém buzinou com força, mas ela ignorou. – Kathleen, você não pode estar falando sério. Kevin só tem 6 anos. Ele precisa ficar com você. Jonathan na certa faz o menino ver o noticiário em vez de *Vila Sésamo*.

– A decisão já foi tomada. Concordamos que seria melhor para todos. – Grace conhecia essa expressão. Significava que Kathleen se fechara e não se abriria de novo até se sentir mais segura.

– Tudo bem. – Acompanhou os passos da irmã enquanto atravessavam para o estacionamento. Automaticamente, alterou o ritmo. Kathleen sempre se apressava. – Sabe que pode falar comigo quando quiser.

Por que ela sempre parecia ter acabado de descer de um carrossel? Os cabelos, do mesmo tom escuro que os seus e cortados na linha do queixo, estavam sempre esvoaçantes ao redor do rosto. As duas tinham o corpo esguio, mas enquanto o seu parecia sempre rígido, o de Grace era flexível como um salgueiro, pronto a curvar-se para qualquer lado que soprasse a brisa. Grace estava com a roupa amarrotada, um suéter batendo na altura dos quadris sobre a calça justa de malha, óculos escuros caídos no nariz, as mãos cheias de sacolas e pastas. Kathleen continuava metida na saia e no blazer com que dera todas as aulas de história naquele dia. Grace usava tênis amarelo-canário de cano alto para combinar com o suéter.

– Kathy! – Tão logo viu a irmã, Grace largou tudo o que segurava sem se importar com o incômodo que causava ao fluxo de passageiros atrás dela. Abraçou-a como fazia com tudo em sua vida, com total entusiasmo. – Que bom ver você! Está esplêndida. Perfume novo. – Deu uma grande aspirada. – Gostei.

– Senhora, quer tirar suas coisas da frente?

Ainda abraçada a Kathleen, ela sorriu para o atormentado empresário que estava logo atrás.

– Pode passar por cima. – E ele o fez, resmungando. – Tenha um bom voo – disse, enquanto se voltava para a irmã. – Então, como estou? Gostou do meu cabelo? Espero que sim, acabei de gastar uma fortuna em fotos de publicidade.

– Você fez escova?

Grace levou uma das mãos aos cabelos.

– Fiz.

– Combina com você – disse Kathleen. – Vamos, provocaremos um tumulto aqui se você não tirar suas coisas do caminho. O que é isso?

Ergueu uma das maletas.

– Maxwell. – Grace começou a juntar as sacolas. – Um notebook. Estamos tendo o mais maravilhoso dos casos.

– Achei que você estivesse de férias – comentou a irmã.

Conseguiu afastar o fio cortante da voz. O notebook era mais uma evidência do sucesso de Grace. E do seu próprio fracasso.

canetas com pinça. Outra coisa que uma mulher organizada como Kathleen jamais entenderia. Havia um lugar para tudo. Ela até concordava com este princípio, mas seu lugar parecia estar em constante mutação.

Mais de uma vez perguntara-se como podiam ser irmãs. Era descuidada, avoada e bem-sucedida; Kathleen, organizada, prática e batalhadora. No entanto, nasceram dos mesmos pais, foram criadas na mesma pequena casa de tijolos aparentes na periferia da cidade de Washington e frequentaram a mesma escola.

As freiras jamais conseguiram ensinar-lhe como organizar uma agenda, mas mesmo no sétimo ano do colégio católico St. Michael já ficavam fascinadas com seu talento para compor uma história.

Quando o avião chegou ao portão, Grace esperou todos os passageiros apressados tomarem o corredor. Sabia que Kathleen provavelmente estaria andando de um lado para outro, certa de que a irmã distraída perdera de novo um voo, mas precisava de um minuto. Queria lembrar o amor, não as brigas das duas.

Como previra Grace, a irmã a esperava no portão. Observava os passageiros saírem em fila e parecia estar impaciente. Sabia que Grace sempre viajava na primeira classe, mas não se encontrava entre as primeiras pessoas a saírem do avião. Nem entre as primeiras cinquenta. Na certa, conversava com a tripulação, pensou, e tentou ignorar uma rápida pontada de inveja.

Grace nunca precisava tentar fazer amigos. As pessoas simplesmente se sentiam atraídas por ela. Dois anos após a colação de grau, a irmã bem-sucedida, que passara pela escola como por magia, vinha ascendendo na carreira. Uma vida inteira, e ela, Kathleen, a aluna destacada, despendia esforços, sem resultados, na mesma escola de ensino médio em que haviam se formado. Sentava-se do outro lado da mesa agora, porém pouco mudara.

O alto-falante anunciava chegadas e partidas de aviões. Informações sobre mudanças de portão e atrasos, mas ainda nada de Grace. Assim que resolveu verificar no balcão, viu a irmã cruzar o portão. A inveja desfez-se, a irritação desapareceu. Era quase impossível aborrecer-se com Grace quando se via diante dela.

1

O avião sobrevoava levemente inclinado o Lincoln Memorial. Grace abriu a pasta que estava no seu colo. Precisava guardar uma dezena de coisas, mas não conseguia parar de contemplar a paisagem pela janela. Nada para ela se comparava a voar.

O voo estava atrasado. Sabia disso porque o homem da outra fileira, na poltrona 3B, não parava de reclamar. Sentiu-se tentada a estender o braço até o outro lado do corredor e dar-lhe um tapinha na mão, tranquilizá-lo, dizer que dez minutos afinal não importavam tanto. Mas não parecia que ele ia apreciar seu gesto.

Kathleen também reclamaria, pensou. Mas não em voz alta. Deu um sorriso e recostou-se para o pouso. Talvez ela também ficasse irritada como o ocupante da 3B, mas não seria mal-educada a ponto de resmungar e afligir-se.

Se conhecia a irmã, e na verdade conhecia, Kathleen teria saído de casa com mais de uma hora de antecedência, por levar em consideração a imprevisibilidade do tráfego de Washington. Percebera o tom irritado na voz da irmã porque Grace escolhera um voo que chegava às 18h30, o pico da hora do rush. Com vinte minutos de sobra, Kathleen pararia o carro no estacionamento rotativo, fecharia as janelas, trancaria as portas e seguiria em frente, sem ser tentada pelas lojas, até o portão. Jamais erraria o caminho nem misturaria os números na mente.

Kathleen era sempre pontual. Grace, sempre atrasada. Nenhuma novidade.

Mesmo assim, desejava, desejava realmente que pudesse haver alguma afinidade entre as duas. Apesar de serem irmãs, raras vezes se entendiam.

O avião aterrissou com um sacolejo, e Grace começou a jogar tudo que tinha nas mãos dentro da pasta. Batom embolado com fósforos,

– Sim, Sr. Drake, foi maravilhoso. Você é maravilhoso. Não, não vou trabalhar amanhã. Sexta-feira? Sim, vou aguardar ansiosa. Boa noite, Sr. Drake.

Esperou o cliente desligar e colocou o telefone no gancho. Désirée tornou-se Kathleen. Dez e cinquenta e cinco, pensou com um suspiro. Encerrava o serviço às 23 horas, portanto, não deveria haver mais telefonemas naquela noite. Tinha trabalhos para corrigir e um questionário de conhecimentos gerais a preparar para os alunos no dia seguinte. Ao levantar-se, olhou o telefone. Faturara 200 dólares, graças à companhia telefônica americana AT&T e à empresa Fantasia. Com uma risada, pegou a xícara de café. Era, de longe, muito melhor que vender revistas.

Apenas a quilômetros dali, outro homem grudava-se ao receptor do telefone. Tinha a mão úmida. O quarto cheirava a sexo, mas ele estava sozinho. Em sua mente, Désirée estivera ali, com o corpo branco, molhado, e a voz serena, tranquilizadora.

Désirée.

Com a mão ainda trêmula, espreguiçou-se na cama.

Désirée.

Tinha de conhecê-la. E logo.

Prólogo

— O que gostaria que eu fizesse? – perguntou a mulher que se dera o nome de Désirée. Tinha uma voz agradável e suave. Fazia bem seu trabalho, muito bem, e os clientes a procuravam repetidas vezes. Estava com um dos clientes mais assíduos, e já conhecia as preferências dele. – Eu adoraria – ela murmurou. – Apenas feche os olhos, feche os olhos e relaxe. Quero que esqueça seu escritório, sua esposa e seu sócio. Agora somos apenas você e eu.

Quando ele falava, Désirée respondia com um riso baixo:

— Sim, você sabe que farei. Não faço sempre? Apenas feche os olhos e escute. O quarto é silencioso e iluminado por velas. Dezenas de velas perfumadas e brancas. Sente o aroma? – Ela deu outra risada provocante e baixa. – Isso mesmo. Brancas. A cama também é branca, grande e redonda. Você está deitado nela, nu. Está pronto, Sr. Drake?

Fez uma expressão de enfado. Aniquilava-a o cara querer que o chamasse de senhor. Mas gosto não se discute.

— Acabei de sair da ducha. Tenho os cabelos molhados e pequenas pérolas de água pelo corpo todo. Uma se grudou em meu mamilo. Ela escorrega e cai sobre você quando me ajoelho na cama. Está sentindo? Sim, sim, isso mesmo, é fria, e você, muito quente. – Conteve um bocejo. Graças a Deus ele se satisfazia facilmente. – Oh, eu o quero. Não consigo tirar as mãos de cima de você. Quero tocá-lo, prová-lo. Sim, sim, me deixa louca quando faz isso. Ai, Sr. Drake, você é o melhor. O melhor.

Nos poucos minutos seguintes, Désirée apenas escutou as exigências e os prazeres do cliente. Ouvir constituía a maior parte do trabalho. Ele já havia ultrapassado o horário, e ela olhou o relógio, agradecida. Não apenas o tempo se esgotava, mas aquele era o último cliente da noite. Baixando a voz a um sussurro, ajudou-o a atingir o clímax.

*Para Amy Berkower,
com gratidão e afeto*

CIP-BRASIL. CATALOGAÇÃO-NA-FONTE
SINDICATO NACIONAL DOS EDITORES DE LIVROS, RJ

Roberts, Nora, 1950-
R549t   Virtude indecente – Livro vira-vira 2 / Nora Roberts;
3ª ed.   tradução de Alda Porto. – 3ª edição – Rio de Janeiro: BestBolso, 2010.

Tradução de: Brazen Virtue
Obras publicadas juntas em sentido contrário
Com: Tesouro secreto / Nora Roberts; tradução de Alda Porto.
ISBN 978-85-7799-264-5

1. Romance norte-americano. I. Porto, Alda. II. Título.

10-4144
CDD: 813
CDU: 821.111(73)-3

Virtude indecente, de autoria de Nora Roberts.
Título número 187 das Edições BestBolso.
Terceira edição vira-vira impressa em dezembro de 2010.
Texto revisado conforme o Acordo Ortográfico da Língua Portuguesa.

Título original norte-americano:
BRAZEN VIRTUE

Copyright © 1988 by Nora Roberts.
Copyright da tradução © by Editora Bertrand Brasil Ltda.

Direitos de reprodução da tradução cedidos para Edições BestBolso, um selo da Editora
Best Seller Ltda. Editora Bertrand Brasil Ltda e Editora Best Seller Ltda são empresas do
Grupo Editorial Record.

A logomarca vira-vira (vira-vira) e o slogan **2 LIVROS EM 1** são marcas registradas e de
propriedade da Editora Best Seller Ltda, parte integrante do Grupo Editorial Record.

www.edicoesbestbolso.com.br

Design de capa: Simone Villas-Boas sobre foto de Marmot Design intitulada "Transulent
orchid" (Fotolia).

Todos os direitos reservados. Proibida a reprodução, no todo ou em parte, sem autorização
prévia por escrito da editora, sejam quais forem os meios empregados.

Direitos exclusivos de publicação em língua portuguesa para o Brasil em formato bolso
adquiridos pelas Edições BestBolso um selo da Editora Best Seller Ltda. Rua Argentina
171 – 20921-380 Rio de Janeiro, RJ – Tel.: 2585-2000.

Impresso no Brasil

ISBN 978-85-7799-264-5

Nora Roberts

Virtude Indecente

LIVRO VIRA-VIRA 2

Tradução de
ALDA PORTO

3ª edição

EDIÇÕES
BestBolso
RIO DE JANEIRO – 2010

EDIÇÕES BESTBOLSO

Virtude indecente

Nora Roberts nasceu em Maryland, nos Estados Unidos, em 1950. O talento para criar histórias instigantes fez com que Nora se tornasse a autora número 1 de diversas listas de best-sellers em todo o mundo. Escritora incansável, publicou quase 200 romances e seus livros já foram traduzidos para 25 idiomas. Sua grande popularidade é resultado do enorme talento para mesclar suspense, amor e paixão em suas tramas. Em 1995, a autora criou a série Mortal, sob o pseudônimo de J. D. Robb.